FRIEDRICH GAEDE

HUMANISMUS – BAROCK – AUFKLÄRUNG

HANDBUCH DER DEUTSCHEN LITERATURGESCHICHTE

ERSTE ABTEILUNG

DARSTELLUNGEN

BAND 2

FRANCKE VERLAG BERN
UND MÜNCHEN

FRIEDRICH GAEDE

HUMANISMUS
BAROCK
AUFKLÄRUNG

Geschichte der deutschen Literatur
vom 16. bis zum 18. Jahrhundert

FRANCKE VERLAG BERN
UND MÜNCHEN

IN MEMORIAM
ERNA GAEDE
(1907–1964)

©
A. Francke AG Verlag Bern, 1971
Alle Rechte vorbehalten
ISBN 3-7720-0892-5
Satz und Druck: Pustet, Regensburg

VORBEMERKUNG

Es scheint wenig sinnvoll zu sein, sich im Augenblick der vielbesprochenen Krise der Germanistik mit der Literaturgeschichtsschreibung zu beschäftigen. Ist die deutsche Literaturgeschichte nicht gerade als abbruchreifes Gehäuse bürgerlicher Ideologie entlarvt worden? Ist nicht ihre Geburt aus dem Geist der Romantik und die dadurch bewirkte Verschwisterung mit dem deutschen Nationalgedanken eine Erbsünde, die nur mit der »Abschaffung« zu sühnen ist?

Wie die Unbedingtheit, mit der man der »deutschen Idee« huldigte, und ihr »nationalliterarischer« Reflex weitgehend in der Verspätung des deutschen Einheitsstaates begründet waren, so ist die häufig zu spürende Unbedingtheit heutiger Kritik am Fach nicht zuletzt aus der Verspätung dieser Kritik zu erklären. Wieder läuft man dabei Gefahr, das bislang Vernachlässigte und Versäumte zum Ausschließlichen zu machen und das Kind mit dem Bade auszuschütten. Wer heute in Literatursoziologie und sprachstrukturalistischer Forschung nicht nur sehr notwendige Ergänzungsbereiche, sondern die alleinigen Erben der Germanistik sieht, verfällt dem gleichen Fehler, der der bisherigen Literaturwissenschaft so gern zum Vorwurf gemacht wird: ihre unkritische Abhängigkeit von den Zeitströmungen. Indem sie sich stets anpaßt, bleibt die Germanistik Objekt der Geschichte und versäumt die ihr genuine Aufgabe, in ihren Studien die Geschichte zum Objekt zu machen. Das Erkennen dieser Aufgabe scheint nach der Epoche »werkimmanenter Interpretation« notwendiger denn je und rechtfertigt den Versuch, wieder Literaturgeschichte zu schreiben.

Was sich so allgemein begründen läßt, stößt im besonderen auf Schwierigkeiten, die weniger leicht zu lösen sind. Der Absicht des Einzelnen, die Literatur von mehr als zwei Jahrhunderten darzustellen, widerspricht die Fülle des Materials, das bearbeitet werden muß. Es ist nicht mehr möglich, alle Informationen zu bewältigen, die eine auf zwei Kontinenten vertretene Wissenschaft liefert. Der Schreiber einer Literaturgeschichte verhält sich darum zu den Detailspezialisten, wie der Hase zu den Igeln, deren »Ick bün all hier« Atem und Zuversicht nehmen können. Der Ausweg liegt in der Begrenzung. Die Tatsache, daß eine Detailforschung um ihrer selbst willen sinnlos ist, da sie dem Bild vom Ganzen, also der Einsicht in die Entwicklung, dienen muß, erlaubt das Prinzip der Selektion, ohne die das Ganze nicht mehr darstellbar ist. Lexikalische Vollständigkeit wäre darum als Ziel oder Maßstab ein Mißverständnis. Zugleich sind in dem hier vorgelegten Text einige Gestalten und Gebiete, wie etwa das der Predigtliteratur, nicht behandelt, obwohl sie es verdient hätten, und manches ist komprimierter genannt, als es angebracht scheint. Eine solche Einschränkung gilt vor allem für das 16. Jahrhundert und spiegelt nicht nur die allgemeine Forschungssituation, sondern auch die literarischen Verhältnisse des Reformationsjahrhunderts selbst, in dem es eine Vielzahl literarischer Werke, aber nach den Reformatoren nur wenige große Schriftsteller gab. Im 16. Jahrhundert wurden auf breiter Ebene die Fundamente für das gelegt, was sich später als Barockliteratur und Dichtung der Aufklärung entfalten konnte. Anfang und Ende des Buches legen darum kaum willkürliche Schnitte in die allgemeine Entwicklung. Brant und Erasmus stehen so am Wendepunkt wie später Mendelssohn und Lessing. Zwischen ihnen erstreckt sich die große Epoche rhetorisch-deidiktischer Literatur, die im Rahmen der möglichen Stilebenen und Gattungen Wirklichkeit »abmalte«, um sie in durchaus verschiedenen Richtungen zu deuten. Mit Klopstock und Wieland, die der Leser dieser Darstellung vermissen könnte, wird der folgende Band eröffnet werden.

Das Buch ist in fünf Teile gegliedert, von denen zwei in drei und weitere zwei in vier Kapitel unterteilt sind. Diese gelten jeweils allgemeinen Aspekten, wichtigen Gestalten und einzelnen Formen oder Gattungen. Damit wurde versucht, den Mittelweg zwischen gattungsgeschichtlich und biographisch angelegter Literaturgeschichte zu gehen. Da Bibliographien für die behandelten Epochen als zweite Abteilung des *Handbuchs der deutschen Literaturgeschichte* erscheinen, wird hier nur auf die benutzte Literatur verwiesen.

Ich habe allen denen zu danken, deren Arbeiten mir bessere Einsicht in die Werke einzelner Autoren vermittelten. Sie sind unter »Literatur und Anmerkungen« genannt. Besonders verpflichtet bin ich Professor Dr. Klaus Günther Just für sein kritisches Studium des Manuskripts und viele wertvolle Hinweise. Zu danken habe ich weiterhin dem Cheflektor des Verlags Dr. Helmut Bender und seinem Mitarbeiter Peter Hille M.A. für kritische und bibliographische Hilfe. Mein besonderer Dank gilt auch dem Canada Council, das mir im Studienjahr 1969/70 durch ein Stipendium Freiheit von den Lehrverpflichtungen ermöglichte, so daß ich diese Arbeit abschließen konnte.

Halifax, im Februar 1971   Der Verfasser

ERSTER TEIL

Humanismus

ERSTES KAPITEL

Voraussetzungen

1. RENAISSANCE-ASPEKTE

Es ist das Schicksal idealtypischer Konstruktionen, daß sie zugleich notwendig und einseitig sind. So war das geniale Bild, das Jacob Burckhardt 1860 von der *Kultur der Renaissance in Italien* entwarf, überscharf gezeichnet und darum seinen Gegnern ein leichter Anlaß, Gegenbilder zu entwickeln. Für Burckhardt war das zentrale Ereignis die Entwicklung der Renaissancepersönlichkeit. Um ihr Sein zu fixieren, blieb das Werden, die Folge von Früh-, Hoch- und Spätrenaissance, ebenso wenig berücksichtigt wie die mittelalterlichen Traditionen, die in der Renaissance weiterwirkten. Ihnen galten andere Untersuchungen, die oft die Grenze zwischen Mittelalter und Neuzeit löschten, indem sie die Renaissance als Folge, als Dekadenz oder gemilderter, wie Johan Huizinga, als Ausblühen, als *Herbst des Mittelalters* faßten. Ob Neubeginn oder konsequente Weiterentwicklung, jede der Theorien kann ihr Plädoyer auf ein großes Faktenmaterial stützen, indem sie sich auf die retardierenden Elemente, die das 14. bis 16. Jahrhundert kennzeichnen, zurückzieht, oder die neuen Aspekte, die im gleichen Zeitraum gelten, betont. Die Möglichkeiten der Interpretationen spiegeln die verschiedenen Möglichkeiten, die in der Epoche selbst lagen und die sie als eine Zeit der konkurrierenden Tendenzen, als eine Zeit des Umbruchs charakterisieren.

Das vom Oberbegriff «Scholastik» überdachte mittelalterliche Gedankengebäude, das durchaus gegensätzliche, sich befehdende Schulen beherbergte, basierte auf der Einheit von Theologie und Philosophie. Die Verstandeskategorien dienten der spekulativen Gotteslehre. Die Welt wurde als Stufenkosmos gesehen, in dem Gott die höchste und die Materie die niederste Stufe bildeten. Die Hierarchie des Kosmos spiegelte sich in der Hierarchie der Kirche. Mensch und Kunst hatten wie jedes andere Phänomen ihren festen Platz innerhalb der allgemeinen Ordnung. In der Spätscholastik lockerte sich die Bindung von Theologie und Metaphysik oder Logik: die Trennung von weltlicher Philosophie und Gotteslehre begann.

Kardinal Nikolaus von Kues (1401–1464) war als erster moderner Denker der philosophische Repräsentant der Wende. Er fragte weniger nach Gott als nach den Möglichkeiten des Wissens um Gott und schuf mit der antischolastischen Erkenntnis, daß man Gott mittels der Verstandesbegriffe nicht erfassen kann (*De docta ignorantia*, 1440), eine wesentliche Voraussetzung humanistischen Denkens[1]. Der Mensch rückte in dem Maß in den Mittelpunkt, in dem Gott als mit den menschlichen Verstandesbegriffen unfaßbar gesehen wurde und nur in seiner Andersheit begriffen werden konnte. Diese Bescheidung reduzierte das Dogma und implizierte Toleranz, denn jeder Weise, Gott zu erfassen, wurde so ihr Recht, da jede Perspektive der anderen in ihrer Beschränktheit glich: «der Mensch kann nicht anders als menschlich urteilen» (*De visione dei sive de icona*, 1453). Cusanus forderte den Reichtum und die Vielfalt weltanschaulicher Perspektiven, denn erst ihre Totalität vermittelte die Erscheinung Gottes. In Christus, dem menschgewordenen Gott, sah er diese Totalität verkörpert.

Zur Deutung der menschlichen Rolle griff Cusanus den antiken Begriff des Mikrokosmos auf, der damit zu einem Hauptmotiv in der Philosophie der Renaissance wurde. Der Mensch, der die sinnliche Realität beherrschte und die göttliche ex negativo – als Deus absconditus – erfaßte, wurde als Grenzwesen zwischen höherer und niederer Natur, also im Zentrum der Welt gesehen. Er faßte das All der Dinge, den Makrokosmos, in sich und stellte auch das Göttliche in der Beschränktheit des Menschlichen dar. Damit war der mittelalterliche Dualismus von göttlicher Unendlichkeit und menschlicher Endlichkeit zugunsten der Entsprechung von Göttlichem und Menschlichem aufgegeben. Der Dualismus existierte nur noch als menschliches Erkenntnisproblem.

Zwei große Italiener, Marsilius Ficinus (1433–1499) und Pico della Mirandola (1463–1494), entwickelten diese Gedanken weiter. Ficinus war bedeutendster Lehrer an der «Florentinischen Akademie» der Medici, dem geistigen Zentrum der italienischen Renaissance. Er sah die menschliche Seele als einen dynamischen Mikrokosmos, der die Elemente des Makrokosmos nicht statisch spiegelt, sondern gegen diese sich bewegt. Das Wollen und Wirken der Seele war entscheidend. Ihre Intentionen wurden nicht von außen veranlaßt, sondern stammten aus der Seele selbst. Das war der wichtige neue Gedanke: wie Nikolaus von Kues entschied Ficinus gegen das Paulinisch-Augustinische Dogma der Gnadenwahl. Der Glaube an die freie Entscheidung des Individuums hatte die Auffassung, daß das Heil der menschlichen Seele ein Resultat göttlicher Gnade, göttlichen Wirkens ist, verdrängt. Der Mensch hatte seine eigene Göttlichkeit begriffen.

Die zweite große Gestalt des Florentiner Kreises, Ficinus' Schüler Pico della Mirandola, machte dieses Motiv zum Hauptgedanken seiner berühmten Rede *De hominis dignitate* (1486). In diesem bedeutenden Dokument der Renaissancephilosophie ist die Idee der Humanität repräsentativ für die Gesamthaltung der Epoche formuliert – Gott redet den Menschen an: «Wir haben dich weder als einen Himmlischen noch als einen Irdischen, weder als einen Sterblichen noch als einen Unsterblichen geschaffen, damit du als dein eigener, vollkommen frei und ehrenhalber schaltender Bildhauer und Dichter dir selbst die Form bestimmst, in der du zu leben wünschst. Es steht dir frei, in die Unterwelt des Viehes zu entarten. Es steht dir ebenso frei, in die höhere Welt des Göttlichen dich durch den Entschluß deines eigenen Geistes zu erheben.» Die Selbstbestimmung des Menschen, die Freiheit des Individuums, setzte die gegensätzlichen Pole, zwischen denen die

Entscheidung stattzufinden hat, voraus. Der Dualismus von Seele und Leib, Geist und Natur oder göttlichem und tierischem Sein, um einige der möglichen Bezeichnungen des gleichen Sachverhaltes zu nennen, wurde vom Menschen zugleich verkörpert und, indem er die Polarität reflektierend erfaßte, überwunden und zur Einheit gebracht.

Die Suche nach dem Einheitsbegriff, das Forschen nach den einheitlichen Kräften, die die Welt bewegen und zusammenhalten, ist der gemeinsame Aspekt der Spekulationen. Diese Suche, die das Renaissancedenken vom mittelalterlichen Bewußtsein unüberwindlicher Spaltung von Natur und Geist, Welt und Gott unterscheidet, ist fest mit dem Individualbegriff der neuen Zeit verknüpft. Das sich seiner Göttlichkeit bewußte Individuum mußte Gott nicht jenseits der Welt, sondern in der Welt suchen. Die Harmonie und Schönheit des Kosmos offenbart dessen göttlichen Ursprung. Das feste Bewußtsein von Harmonie und Schönheit lebt auch im Individuum, das in den Proportionen seiner ästhetischen Gebilde, in der Harmonie seiner Kunst, Kosmosordnungen reflektiert. Der Mensch als Bildner und, wie Pico es formulierte, auch als sein eigener Künstler, entspricht Gott, dem Demiurgen der Welt. Die Vorstellungen vom schöpferischen Menschen als Genie beginnen hier. Der Mensch wird Bildner seiner selbst durch geistige Bildung und deren produktive Anwendung. Gelehrsamkeit und Schöpfertum kennzeichnen den sich seiner selbst bewußt gewordenen Menschen, der mit der Wendung zur Antike die Maßstäbe für seine neue Rolle suchte.

Von den Denkern der Renaissance ist vieles gesagt und begonnen worden, was erst in den kommenden Jahrhunderten wirklicher Besitz werden sollte. Das geistige Profil dieser Zeit wies in die Zukunft, die realen Verhältnisse zeigten meist ein anderes Gesicht. Nur im ästhetischen Bereich fand das theoretisch Programmierte seine großartige Verwirklichung. Hingegen mußte für das, was schon Cusanus zu denken gewagt hatte, noch eineinhalb Jahrhunderte später Giordano Bruno (1548–1600) den Feuertod sterben. Pico della Mirandola beugte sich vor seinem Tode asketisch-kirchlichen Lehren. Der Begriff vom freien, seiner religiösen Schranken entlassenen Individuum fand in der Despotie der italienischen Fürsten, am schlimmsten der der Borgia, oder bereits in der Bulle *Unam Sanctam* von Papst Bonifaz VIII. seine tragische Verwirklichung, zu der auch die Satyrspiele nicht fehlten. Diese lieferte vor allen anderen Cola di Rienzo (1313 bis 1354), der als Volkstribun den Adel aus Rom vertrieb, um altrömische Zustände wiederherzustellen. Er fühlte sich als «Werkzeug des heiligen Geistes» und badete in der Taufwanne Kaiser Konstantins, um damit die Wiedergeburt des Vergangenen symbolisch zu dokumentieren. An der römischen Realität scheiterte diese Farce und machte damit den symbolfreudigen Rienzo zum symptomatischen Fall. Was er wollte, war unreal, dem Bereich des Ästhetischen, dem Theater gemäßer als der Politik.

Diese Erfahrung machte auch Francesco Petrarca (1304–1374), der zeitweilig mit

Rienzo befreundet war und dessen Absicht, die römische Republik zu erneuern, begeistert zustimmte. Er riskierte dafür seine guten Beziehungen zu den hocharistokratischen Colonna, von denen ein Familienmitglied als Senator Roms 1341 Petrarca auf dem römischen Kapitol den Dichterlorbeer aufgesetzt hatte. Mit dieser Krönung zum Poeta laureatus wurde eine antike Sitte wiederbelebt, die in den folgenden Jahrhunderten zum wichtigen Bestandteil einer literarischen Karriere auch in Deutschland gehörte. Die Dichterkrönung demonstrierte die gesellschaftliche Integration des Poeten, der stets gesellschaftsbezogen schrieb und dem darum der Ruhm ein wesentliches Lebenselement war. Das galt unvermindert bis in das 18. Jahrhundert.

Petrarca stand an der Spitze der majestätischen Reihe italienischer Humanisten. Er entdeckte Cicero und Augustin neu und sah das Vorbild des augusteischen Rom nicht nur in   politischen Träumen. Vielmehr suchte er dieses Vorbild mit der Verwendung des klassischen Latein wieder zu realisieren, mit einem souveränen Verfügen über die Vorstellungen und das Wortmaterial der Alten und auch mit Themen wie dem der *Africa* (ca. 1340), einem Epos, das die Unternehmungen des älteren Scipio glorifiziert. Petrarca war der große Vertreter der Gruppe von Humanisten, die weniger wie Cusanus oder Ficinus neue Denkmethoden als vielmehr das Bildungsideal der «Eloquenz» gegen das bisherige Weltbild stellten. Dem Humanisten diente mehr das Latein der Scholastiker als ihr Denken zum Spott. Mit Petrarca begann die neue Geschichte der Rhetorik. In den folgenden Jahrhunderten wurde auch die Struktur der deutschen Literatur auf entscheidende Weise von der Rhetorik bestimmt (s. S. 30 ff).

Petrarca blieb mehr als Gestalter des Sonetts denn als Protagonist des Eloquentiaideals für die Nachwelt lebendig. Seine große, unter dem Namen *Canzoniere* bekannte Sammlung von über 330 Sonetten erschien unter dem Titel *Rerum vulgarium fragmenta* (1366). Hauptthema war die unglückliche Sehnsucht nach dem früh gestorbenen Mädchen Laura. Man hat lange das *Canzoniere* als lyrisches Tagebuch der Liebe bezeichnet und damit als Dokument lyrischer Unmittelbarkeit mißverstanden. Die Gedichte sind jedoch nicht das poetische Diagramm einer Gefühlsentwicklung, denn Petrarca arbeitete noch an den Sonetten, als er sich mit anderen Äußerungen davon distanzierte. Die Gestaltungsweise setzte Distanz voraus, eine Distanz, die die Verse weniger aus dem Ich, als das Ich aus den Versen leben ließ[2]. Petrarcas «Subjektivismus» ist – so sehr symptomatisch für seine Zeit – mehr ästhetisch als biographisch zu verstehen. Petrarca war in seinen Gestaltungen zu uneigentlich, zu sehr der rhetorischen Tradition verpflichtet, um als Vater der subjektiven Lyrik gelten zu können. Vielmehr ist er der Vater des Petrarkismus, also jener im 17. Jahrhundert in Deutschland wichtigen Tradition konventioneller Liebeslyrik, die die von Petrarca geprägten Motive und Metaphern neu kombinierte. Mit den tradierten Mustern konnten durchaus selbständige und bedeutende Werke geschaffen werden, wenn es durch Meisterhand geschah.

Der Begriff «Renaissance» ist doppeldeutig. Er ist ebenso im allgemeinen Sinn von «regeneratio», von Wiederherstellung der Kunst oder des Menschen gemeint, wie auch in historischem Sinn als «restitutio» alter Zustände auf politischer oder kultureller Ebene. Die Vorstellung «Wiedergeburt» enthält somit modern-progressive wie romantisch-restaurative Tendenzen. Dieses Nebeneinander gibt auch den doppelten Grund, warum die Renaissance primär ein italienisches Ereignis war. Hier konnte an alte Traditionen angeknüpft werden. Hier war zugleich die Zeit so weit fortgeschritten, daß ein neuer Menschentyp und solche Verhältnisse herrschten, die den Gedanken einer Wiederbelebung vergangener Wirklichkeiten zur Selbstbestätigung und Orientierung brauchten. Denn in Norditalien zuerst waren an die Stelle der in alter bäuerlich-feudalistischer Ordnung verankerten Kräfte von Tradition und Autorität die neuen Mächte «Geld» und «Intellekt» getreten, für die die Welt weniger aus gottgegebenen Notwendigkeiten, als aus verfügbar gewordenen, manipulierbaren Faktoren bestand. Die Lebensformen des Frühkapitalismus wurden zu Gegenmodellen der feudalistischen Ordnung. Verfügbar geworden waren vor allem die Sitze der Herrschenden. Sie waren das häufig mit Erfolg angestrebte Ziel der Condottieri, der Führer der Söldnerheere, welche an die Stelle der durch Lehens- und Dienstpflichten getragenen Ritterheere traten. Auch begannen jetzt oft – nicht nur im italienischen Bereich – avancierte Bürger als hohe Funktionäre Staatsgeschäfte zu beeinflussen und zu lenken.

Verfügbar geworden war auch die Natur, die man genauer zu untersuchen anfing, verfügbar geworden war die Welt überhaupt, deren ferne Kontinente man jetzt zu entdecken und auszubeuten begann. Die endliche Wirklichkeit wurde vom Teil eines normativen Universums zum Objekt menschlicher Planung und Nutzung. Diese Objektivierung oder Versachlichung der Wirklichkeit bedeutete ihre Auflösung in einzelne Disziplinen. Der scholastischen Einordnung aller Realitätsbereiche in eine abstrakte Ordnung folgte die Frage nach der jeweiligen Ordnung der Bereiche selbst. Religion, Politik, Naturbetrachtung oder Kunst wurden unabhängig voneinander nach ihren autonomen Gesetzlichkeiten befragt. Niccolo Machiavelli (1469–1527) beschrieb eine Politik, die Selbstzweck und nicht durch moralische Postulate eingegrenzt war (*Il principe*, 1513). Leonardo da Vinci (1452 bis 1519) gründete seine naturwissenschaftlichen Überlegungen auf Beobachtung und Experiment. Die Malerei entdeckte ihre eigene, die räumliche Realität und entwickelte die Technik der Perspektive. Auch in der Literatur begann man sich auf die spezifischen Gesetzlichkeiten der Gattungen zu besinnen, indem man die Poetiken der Alten, insbesondere des Aristoteles, studierte, edierte und zum Vorbild nahm.

Zu eigenen, neuen Disziplinen entwickelte sich auch das Buchgewerbe. Unter den vielen Erfindungen, die das 15. Jahrhundert machte, war keine für die Literatur so erfolgreich, wie Johannes Gutenbergs (ca. 1397–1468) Konstruktion eines Druckgerätes mit beweglichen Metallbuchstaben. Gutenbergs rationell und verhältnismäßig schnell arbeitende Druckmethode bewirkte eine epochale Wende in der Buchherstellung. Nicht mehr Einzeldrucke, sondern größere Auflagen wurden möglich. Die neuen Berufszweige des Buchhandels entstanden, denn Gutenbergs Erfindung weckte Unternehmerinteressen. Venedig, die reiche Handelsstadt, wurde berühmtester Druckort des 15. Jahrhunderts. Damit wiederholte sich im Gebiet des Buchwesens, was für die ganze Epoche charakteristisch ist: war die Buchherstellung im Mittelalter vorwiegend ein Privileg von Geistlichen, die als Abschreiber wirkten, so waren jetzt weltliche Spezialisten, die nach kapitalistischen Prinzipien arbeiteten, an diese Stelle getreten. Dem entsprach das Entstehen neuer Leserschichten. Verstand früher vorwiegend die Geistlichkeit zu lesen und zu schreiben, so war jetzt Bildung so weit verweltlicht, daß die neu errichteten Druckereien die notwendigen Absatzmärkte fanden und die immer reger werdende Nachfrage nach Texten befriedigen konnten.

2. HUMANISMUS IM NORDEN

Das schöpferische Subjekt schuf auch nach seiner «Befreiung» in der Renaissance nicht «aus sich», sondern auf der Basis objektiver Normen und Modelle, die keine Ländergrenzen kannten. Diese der Rhetorik verpflichteten Normen und Modelle wurden durch den Humanismus der Renaissance teils aus der Antike wiederbelebt, teils neu interpretiert und zugleich international verbreitet. Sie wurden Voraussetzung für Frankreichs klassizistische Literatur wie für Deutschlands Barockdichtung, und noch in Gottscheds Schriften war wirksam, was vom Italien der Renaissance seinen Ausgang genommen hatte.

Die Allgemeingültigkeit der Voraussetzungen bedeutete jedoch nicht Mangel an Differenzierung. Das ließ Ernst Robert Curtius außer Betracht, der seine Arbeit als Antithese zur national begrenzten Literaturgeschichte und ihrer Fehlperspektiven verstand. Wenn Curtius in seinem Werk *Europäische Literatur und lateinisches Mittelalter* (1948) dagegen polemisierte, daß «für die landläufige Literaturgeschichte das moderne Europa erst um 1500 beginnt», dann geschah das im Rahmen seiner allgemeinen Betonung der Kontinuität auf Kosten von Wandlung und Differenzierung. Curtius wollte im Nachweis rhetorisch-literarischer Konstanten, die seit der Antike gültig waren, die Identität des europäischen Geistes über allem zeitlichen Wechsel und räumlichen Grenzen zeigen. Der Widerspruch gegen den Wandel setzt diesen jedoch voraus, und auch räumlich-nationale Unterschiede sind innerhalb des europäischen Humanismus unübersehbar.

Die von Italien ausgehenden Impulse wurden in Deutschland dort wirksam, wo Intellektuelle tätig waren: in den Verwaltungen einiger Höfe und Städte, an den Universitäten und Schulen. Studenten hatten anfangs humanistisches Gedankengut aus Italien mitgebracht. Die Konzile von Konstanz (1414–1418) und mehr noch

Basel (1431–1449) gaben die Möglichkeit, von den rhetorisch geschulten Vertretern der Kurie zu lernen. Das Nebeneinander von gerade entstehenden Landes-
herrschaften und freien Reichsstädten bot den neuen Ideen die Chance größerer
Breitenwirkung. Städte und Landesherren gründeten neue Universitäten: Freiburg i.Br. 1457, Basel 1459, Ingolstadt 1472, Trier 1473, Mainz 1476, Tübingen
1477. Sie wurden zu Wirkungsstätten der Humanisten, die ihre Schriften und Ausgaben mittels der gleichzeitig entstehenden großen Druckereien publizieren konnten.

Die neuen Gedanken trafen jedoch auf andere Bedingungen als in Italien. Der
kulturelle Hintergrund mittelmeerischer Antike, dem sich die italienische Renaissance öffnen konnte, fehlte. Statt Verweltlichung herrschte religiöse Unruhe.
Die scholastischen Positionen an den Universitäten blieben zunächst festgefügt.
Darüber hinaus setzten Stände und Zünfte der Einzelpersönlichkeit enge Schranken. Das allgemeine Klima widersprach in vieler Hinsicht den humanistischen
Ideen. Diese konnten nur insular verwirklicht werden oder traten zu dem Bestehenden in ein Spannungsverhältnis, das in den literarischen Werken deutscher
Humanisten seinen Ausdruck fand.

Das bedeutendste Dokument dieser beginnenden Konfrontation ist *Der Ackermann aus Böhmen* (um 1401), dessen Zuordnung zu Mittelalter oder beginnender
Neuzeit seit einigen Jahrzehnten diskutiert wird. Der Verfasser Johann von Tepl
(ca. 1350–1414) hatte in der Prager Kanzlei Karls IV., der von 1346 bis 1378
deutscher Kaiser war, seine juristische und humanistische Schulung erfahren. Im
Umkreis Karls IV. und vor allem seines Kanzlers Johann von Neumarkt (ca. 1310
bis 1380) wirkten erstmalig im deutschen Sprachgebiet die Ideen der italienischen
Renaissance. Tepls Text ist ein Streitgespräch, das der gerade verwitwete Ackermann mit dem Tod um dessen Tun und Rechte führt. Der Disput beginnt mit
subjektiven, gegen den Tod gerichteten Anklagen und Verwünschungen, in denen
das Leid des Ackermanns seinen beredten und heftigen Ausdruck findet. Der Tod
antwortet und beschreibt kalt, objektiv und oft zynisch sein Wirken. Die Gründe
des Todes, sein Hohn und seine mittelalterlich-asketische Haltung, vor der alles
Weltliche Narrheit ist, steigern den Ackermann vom Anwalt eigner Sache zum
Vertreter alles Lebenden. Gegen die erbarmungslose Abwertung des Lebens durch
den Tod («ein unreiner mist, ein kotfaß, ein wurmspeise, ein stankhaus») enthüllt
der Ackermann den Widerspruch des Todes, der sich selbst als nichts als des Lebens
Ende bezeichnet und damit das Leben voraussetzt. Das eine ist ohne das andere
nicht denkbar. Entsprechend beschließt Gott als Schiedsrichter mit einem weisen
«Sowohl – als auch» den Disput: «ir habet beide wol gefochten ... darumb, clager,
habe ere! Tot, habe sige!»

Das Streitgespräch, das in seiner Wirkungsgeschichte seine Fortsetzung fand,
wurde zunächst als Auseinandersetzung von mittelalterlicher Lebensverneinung
mit humanistisch-moderner Lebensbejahung interpretiert. Gegen diese insbeson-

dere von Konrad Burdach vertretene Auffassung argumentierte Arthur Hübner, der den Text nur der Form nach als humanistisch-rhetorisches Stilexperiment gelten ließ. Auch das ist dann bestritten worden, indem man die stilistischen Elemente des *Ackermann* in vorangegangenen oder gleichzeitigen Texten mittelalterlicher Tradition wiederfand[3]. Die so vollzogene Einordnung in den mittelalterlichen Rahmen wird aber weder der kunstvollen Fügung der stilistischen Mittel noch dem Gehalt des Textes ganz gerecht. Nicht die formale Herkunft der Einzelelemente und auch nicht die Tatsache, daß der Tod Sieger bleibt, ist entscheidend, sondern die Diskussionswürdigkeit des Themas überhaupt, die sich in der kunstvollen Form des Streitgesprächs spiegelt. Im Selbstkommentar Tepls (Widmungsbrief an Peter Rothers) bekräftigt er, «in neuem Stile» ein Werk geschrieben zu haben, «darin der Redekunst Wesentlichkeiten zum Ausdruck kommen». Im Text selbst wird das von Gott bestätigt, wenn dieser dem Ackermann «ere» zuspricht, weil er «wol gefochten», also sein rhetorisches Vermögen bewiesen habe. Da der Begriff Ackermann eine alte Metapher für den Schreiber oder Schriftsteller ist (von Vogelkleid – also die Feder – ist sein Pflug), gewährt ihm Gott das durchaus neue humanistische Privileg der Ehrung, die seit Petrarca in der Poetenkrönung ihren gesellschaftlichen Ausdruck fand. Dabei erhielt der Gekrönte stets den Lorbeerkranz, das alte Symbol, in dem Sieg und Ehrung untrennbar verknüpft waren. Das göttliche Urteil, das bei Tepl beides trennt und dem Tod den Sieg und dem Ackermann die Ehre zuspricht, reflektiert damit die Spannung, aus der der ganze Text lebt und die den *Ackermann* zu einem Grenzstein macht, aufgestellt am Übergang zu einer neuen Epoche. Wie die Einheit von «ere» und «sige» im ästhetischen Bereich für den Renaissancehumanismus Italiens symptomatisch war, so kündigte sich in der Diskrepanz beider die Rolle an, die der Humanismus im deutschen Sprachbereich spielen sollte.

Diese Rolle wurde in der Weise deutlich, wie Kaiser Maximilian, der 1493 bis 1519 regierte, Literaten und Literatur in seinen Lebenskreis einbezog. In seinen poetischen Ambitionen verriet sich Maximilian als Antipode zu seinem Prager Vorgänger Karl IV., an dessen Hof die ersten humanistischen Einflüsse spürbar waren. Baute und vergrößerte Karl mit kaufmännischer Zähigkeit und Praxis seine Machtposition und gab er mit der «Goldenen Bulle» dem Reich für fast ein halbes Jahrhundert die rechtliche Grundlage, so hatte Maximilian mehr Sinn für Glanz und Ruhm als für deren reale Voraussetzungen. Zwar konnte er seine Hausmacht wesentlich stärken, doch blieb er als Kaiser mehr genial entwerfend als nüchtern vollendend. Setzte sich Karl mit der Gründung der Prager Universität, dem Bau des Veitsdomes und der Karlsbrücke seine Monumente, so standen Maximilians Triumphbogen und -zug nur auf dem Papier als Riesenholzschnitte, deren wichtigste Teile Dürer entwarf. Schrieb Karl neben Predigten und religiösen Betrachtungen eine lateinische Schilderung seines rechtschaffenen Lebens, so transponierte Maximilian autobiographische Geschehnisse in eine vergangene Welt, indem er sich und seine Umgebung auf allegorische Weise zu Figuren von Ritterepen machte.

Von dem Werk *Freydal* blieb nur der Entwurf erhalten. Es galt dem gleichen Geschehen, das im *Theuerdank* (1517) ausgestaltet wurde: der Brautwerbung Maximilians (alias Theuerdanks) um Maria von Burgund (Prinzessin Ehrenreich). Viele Gefahren sind zu bestehen, bis am Ende die allegorischen Feinde Fürwittig, Unfalo und Nydelhardt besiegt sind. Maximilians Entwürfe wurden von seinem Geheimschreiber Marx Treitzsaurwein und dem Probst und kaiserlichen Rat Melchior Pfinzing ausgeführt. Diese Arbeitsteilung entsprach der Persönlichkeit des Kaisers und der allegorischen Struktur der Werke. So wie die Allegorie durch den Dualismus von Idee und Verwirklichung charakterisiert ist, so hatte der Kaiser das Primat des Gedankens, dessen Vergegenwärtigung Aufgabe der Diener blieb.

Maximilians drittes Werk, der im Gegensatz zu den vorangegangenen Versepen in Prosa verfaßte *Weisskunig*, entstand auf gleiche Weise. Treitzsaurwein schloß 1514 die *Handschrift A* genannte Fassung ab, die er nach Konzepten und Diktaten Maximilians hergestellt hatte und die weiter überarbeitet werden sollte. In dem dreiteiligen Werk wurden wichtige Episoden aus dem Leben Friedrichs III., dem alten Weisskunig, und seines Sohnes Max beschrieben. Wieder wurden die Figuren allegorisch, hier vor allem durch Farbbezeichnungen verschlüsselt. Die jedem Kapitel beigefügten Holzschnitte bekannter Meister bedeuteten nicht schlicht Illustration, sondern entsprachen der rhetorisch-deiktischen Struktur des Textes, der häufig visuelle Pracht beschrieb und im Rahmen eines formelhaften Kanzleistils das Mittel der amplificatio bevorzugte[4].

Den Versuch, die Gegenwart des beginnenden 16. Jahrhunderts in die mittelalterliche Gattung von Ritterepen zu bannen, war nur auf allegorischer Basis möglich. Das Bewußtsein des Uneigentlichen, Konstruktiven blieb und offenbarte gerade in der Absicht, Mittelalterliches weiterleben zu lassen, dessen endgültiges Ende. Der Ruhm, der bei den großen Vorgängern des Kaisers aus den Taten folgte, wurde für Maximilian zum Selbstzweck. Die Humanisten, denen ebenfalls der Ruhm das persönliche Ziel war, sammelte Maximilian um sich, indem er 1501 das Collegium mathematicorum et poetarum als eigene humanistische Fakultät an der sonst humanistenfeindlichen Wiener Universität gründete. Nach Jacob Burckhardt trat in der Renaissance das Rühmen großer Persönlichkeiten an die Stelle mittelalterlicher Heiligenverehrung in Legenden. Wie Bewußtsein und Sein im Leben des «letzten Ritters» divergierten, so zeigten seine literarischen Werke in ihrer allegorischen Struktur jene Spannung von Idee und Wirklichkeit, die für den Humanismus nördlich der Alpen symptomatisch war.

Das galt nicht nur für den deutschen Bereich. Ging Maximilian in die Vergangenheit, so siedelte der bedeutendste englische Humanist Thomas More (1478 bis 1535) die ihm vorbildlich scheinende Wirklichkeit in einem «Nirgendwo» an. In seinem Roman *De optimo status rei publicae deque nova insula Utopia* (1516) schilderte

More das ideale Leben einer kommunistischen, auf dem Gemeineigentum basierenden Gesellschaft. Der Sinn dieses durchaus als irreal gezeigten Staates liegt in der satirischen Beleuchtung der wirklichen Welt. Utopia ist die positive Fiktion, durch die die negative Wirklichkeit umso schwärzer erscheint. Für More wurde die in seinem Roman gezeigte Diskrepanz von Idee und Wirklichkeit zum persönlichen Leidensweg. Er stieg zum Lordkanzler Heinrichs VIII. auf, mußte aber, da er die antipäpstliche Politik seines Königs ablehnte, 1532 aus seinen Ämtern scheiden und wurde wegen seiner Weigerung, die Suprematsakte anzuerkennen, 1535 hingerichtet.

Mores Utopie und Maximilians Ritterepen war gemeinsam, daß sie heile Welten vorstellten. Das goldene Zeitalter, insbesondere das, in dem der Frieden, die Künste und die Wissenschaften blühen, war den Humanisten nicht nur Wunsch, sondern auch Anlaß, den Abstand zu den wirklichen Zuständen zu messen. Darum wurde das Satirische zum erfolgreichsten literarischen Prinzip der nördlichen Humanisten. Satiren wie Mores *Utopia* waren auch die zwei populärsten von nichtitalienischer Humanistenhand geschriebenen Werke: Das *Lob der Torheit* von Erasmus und die *Briefe der Dunkelmänner*, deren Verfasser zunächst anonym blieben.

Auch das Epigramm gehörte zu den satirischen Formen, die mit der Renaissance wiederbelebt wurden. John Owen (ca. 1560–1622), ein Landsmann Mores, wurde der bedeutendste Epigrammatiker seiner Zeit. Mittels der *Fazetie* hingegen brachte es ein Deutscher zur Berühmtheit: Heinrich Bebel (1472–1518), der erstmals 1508 zwei *Libri facetiarum iucundissimi* veröffentlichte. Bebel konnte den Text des florentinischen Begründers dieser Form, Francesco Poggio (1380–1459), nutzen, ebenfalls die akademischen Quodlibetdisputationen, vor allem aber die Volksmundgeschichten seiner schwäbischen Heimat. Die lateinische Fazetie hatte den satirischen Gehalt und die Stoffebene des Schwanks. Sie unterschied sich vom Schwank durch größere Formbetonung.

Bebel hatte als Tübinger Professor für Rhetorik und Dichtung viel Streit und Ärger mit den Vertretern der Scholastik. Diesen allgemein üblichen Auseinandersetzungen zwischen spätscholastischen Theologen und geistig überlegenen Humanisten gaben die *Epistolae obscurorum virorum* (*Briefe der Dunkelmänner*, 1515) europaweites Gehör. Im Jahr 1507 hatte der getaufte Jude Johannes Pfefferkorn ein Mandat Kaiser Maximilians erwirkt, das ihm erlaubte, scheinbar christenfeindliche, hebräische Werke einzuziehen. Pfefferkorn konfiszierte hemmungslos. Auf den Protest der Juden wurden Gutachten von Universitäten und Spezialisten angefordert, zu denen besonders Johannes Reuchlin (s. S. 220) als bester Hebräist seiner Zeit zählte. Reuchlin verband seine Stellungnahme, die nur die Konfiskation jüdischer Schmähschriften befürwortete, mit persönlichen Angriffen auf Pfefferkorn. Er erneuerte seine Attacken mit dem Pamphlet *Augenspiegel* (1511), nachdem Pfefferkorn in der Schmähschrift *Handspiegel* (1511) Reuchlin Dilettantismus im Hebräischen und Bestechung durch die Juden vorgeworfen hatte. Daß der Streit Reuchlins zur Sache der Humanisten wurde, zeigten die zustimmenden Briefe, die Reuchlin von vielen erhielt und die als *Clarorum virorum epistolae* (1514) und *Illustrium virorum epistolae* (1519) veröffentlicht wurden. Zugleich schien die Gegenseite mit einer Briefsammlung, den *Epistolae obscurorum virorum* zu antworten. Die heimlichen Verfasser waren hauptsächlich der Fuldaer Humanist Crotus Rubeanus (ca. 1480–1539) und außerdem Ulrich von Hutten (s. S. 27ff). Die fiktiven, an einen Hauptgegner Reuchlins, den Kölner Philosophieprofessor Ortvinus Gratius gerichteten und in hanebüchenem Küchenlatein verfaßten Briefe behandeln mit scholastischer Spitzfindigkeit Fragen lächerlichster Bedeutung. Die Tatsache, daß sich damit die Humanistenfeinde in ihrer Selbstzufriedenheit, Denkfaulheit und Lasterhaftigkeit selbst darzustellen schienen, verursachte den immensen Erfolg der Briefsammlung.

Die *Epistolae obscurorum virorum* sind ein glückliches Beispiel der mimischen Satire, in der es die Humanisten zur Meisterschaft brachten. Die indirekte oder mimische Satire schildert die fragwürdigen Personen oder Verhältnisse nicht von außen, sondern läßt sie sich selbst präsentieren. Dadurch gewinnt das Fragwürdige jene entlarvende Unmittelbarkeit, die in die Nähe des Dramatischen führt. Die mimische Satire war brieflich wie als Dialog möglich und damit der Keim, der sich zum Humanistendrama entfalten konnte.

Daß das aus dem Gegensatz von Idee und Wirklichkeit lebende Satirische erfolgreichstes literarisches Prinzip der nördlichen Humanistenliteratur wurde, entsprach dem allgemeinen Wirken und den Schicksalen der deutschen Humanisten. Sie waren mehr Anreger und Überbringer als Vollender. Was sie begannen, mündete in die Reformation und trug in der Barockliteratur späte Früchte. Darüberhinaus erfüllte vieles, was von den verschiedenen Humanistengruppen geschrieben wurde, seinen Zweck in dem räumlichen und zeitlichen Rahmen, in dem es entstand. Begonnen wurde mit Quellenforschung, fleißigem Edieren, Übersetzen, geographischen und historischen Arbeiten und einer Fülle neulateinischer Dichtungen, deren Bedeutung vor allem in der Vermittlung antiker Muster an die deutschsprachige Literatur lag[5].

Die deutschen Frühhumanisten übernahmen Formen und Stoffe aus dem lateinisch-italienischen Sprach- und Literaturbereich. Sie wirkten als Vermittler. Bei dem Eßlinger Stadtschreiber und späteren Diplomaten in fürstlichen Diensten Niklas von Wyle (ca. 1410–1478) entsprach die berufliche Tätigkeit der mehr wortwörtlichen als sinngemäßen Weise, mit der er übersetzte. Wyle wollte, «daz ain yetlich tütsch, daz usz gutem zierlichen und wol gesatzten latine gezogen und recht und wol getransferyeret wer, ouch gut zierlich tütsche und lobes wirdig, haissen und sin müste, und nit wol verbessert werden möcht». Mit diesen, dem Humanisten Gregor Heimburg (ca. 1400–1472) nachgesprochenen Worten motivierte Wyle sein literarisches Lebenswerk, die *Translatzen* (*Translationen, Teutschungen*, 1461ff), die aus Übertragungen lateinisch-italienischer Texte und eigenen

Überlegungen, besonders zur Epistolographie (18. Translatze), bestanden. Mit der 10. Translatze, der Übersetzung eines Briefes des um das deutsche Bildungsniveau sehr bemühten Enea Silvio (1405–1464), des späteren Papstes Pius II., kam ein für die weitere Bildungs- und Literaturgeschichte sehr wesentlicher Gesichtspunkt zur Sprache: der soziale Anspruch der Humanisten, als nobilitas literaria dem Geburtsadel gleichgestellt zu werden[6]. Der Zweck von Wyles Übersetzungen war deshalb weniger die Popularisierung humanistischer Ideen als die Anpassung des Deutschen an humanistisches Niveau. Damit war der folgenreiche Weg zur Identifikation von Dichtung und Gelehrsamkeit beschritten, auf dem vor allem das Barockjahrhundert weiterging.

Während der Jurist Wyle sich in formalen Prinzipien engagierte, war der Ulmer Arzt Heinrich Steinhöwel (1412–1483) dem Empirischen näher. Das begründete seine Vorliebe für epische und didaktische Literatur. Steinhöwels Übertragungsprinzip war nicht mehr die Nachahmung der lateinischen Syntax, sondern der Versuch, die Texte sinngemäß wiederzugeben. Nach diesem Prinzip schuf er u.a. seine sehr erfolgreiche Fabelsammlung *Esopus* (ca. 1480, s. S. 62), die aus Übersetzungen antiker Fabeln und einiger Facetien Poggios bestand. Irrtümlich schrieb man Steinhöwel auch die erste Übertragung des *Decamerone* (1472) zu, die der Ulmer Heinrich Schlüsselfelder (Mitte 15. Jh.) verfertigte. Stücke von Plautus fanden bereits das Übersetzerinteresse des Franken Albrecht von Eyb (1420–1475), der mit seinem Hauptwerk die frühhumanistische Übertragungs- und Sammlungsweise gleichsam auf das Prinzip brachte: mit seinen *Margarita poetica* (1472) gab Eyb eine Blütenlese aus den Schriften antiker Dichter und Oratoren, die ihren Zweck darin erfüllte, Materialsammlung zu sein.

Zur formalen und stofflichen Übertragung kam der Versuch, Ideen und Gehalte zu transferieren und so komplexe Vorstellungen wie die des «uomo universale» in Deutschland zu beleben. Das beabsichtigte u.a. Rudolf Agricola (1443 bis 1485), der sich in Italien aufgehalten hatte, bevor er als repräsentative Figur des Heidelberger Humanistenkreises Renaissancegedanken in Deutschland publik zu machen suchte. Wenn ein Zeitgenosse über Agricola sagte, er hätte «der Erste in Italien sein können, aber er zog Deutschland vor»[7], dann sind damit die Schranken betont, die dem Renaissancegedanken und -denker in Deutschland gesetzt waren.

Agricolas Hauptarbeit *De inventione dialectica libri III* (1479) war das erste vollständige Werk seit der Spätantike, das sich ausschließlich mit der rhetorischen Inventiofrage, also der Toposlehre auseinandersetzte. Wie Agricola hier die Dialektik, also die Logik, der Rhetorik unterwarf[8], so war allen deutschen Humanisten eine Grundhaltung gemeinsam, die Ausgangspunkt ihrer verschiedenen Aktivitäten war: das Eloquentiaideal, die Überzeugung von der Notwendigkeit des Studiums antiker Autoren und Redelehrer zur eigenen Schulung und Persönlichkeitsausbildung. Das galt bis ins 18. Jahrhundert. Das Studium der Rhetorik wurde immer wieder gefordert, besonders eindringlich von Konrad Celtis in seiner berühmten Ingolstädter Antrittsrede von 1492. Celtis beschwor die Schriften der alten Philosophen, Dichter und Redner und sagte: «Von jenen werdet ihr lernen, die Wohltaten zu loben und die schlechten Taten zu verdammen, von jenen werdet ihr lernen, zu trösten, zu ermutigen, anzutreiben sowie abzuhalten und, was das Ziel menschlichen Glückes ist, das Grundprinzip aller Dinge und die Natur selbst zu betrachten. Was nützt, bei den unsterblichen Göttern, das Vielwissen und die Einsicht in das Schöne und Erhabene, wenn man darüber nicht mit Würde, Eleganz und Gravität zu sprechen versteht, und wenn wir unsere Gedanken nicht der Nachwelt überliefern können, was eine einzigartige Zierde menschlichen Glückes ist. So ist es bei meiner Treu: nichts weist den gebildeten und gelehrten Mann so aus wie die Feder und die Sprache, die beide von der Beredsamkeit geleitet werden.»

Indem auf diese Weise die Eloquenz zur Bedingung moralischer Einsicht, geistiger Erkenntnis, persönlicher Wirksamkeit und damit zur ausschließlichen Voraussetzung von Vollkommenheit und Glück gemacht wurde, ist sie an die Stelle gerückt worden, die bislang die Religion innehatte. Das Eloquentiaideal in dieser Weise zu verwirklichen, blieb Männern der italienischen Renaissance vorbehalten. In Deutschland mußte das, was Celtis forderte, Programm bleiben. Das Eloquentiaideal vermochte nicht die Rolle der Religion zu übernehmen, sondern mußte im Gegenteil in den Dienst der religiösen Auseinandersetzung treten. Der Bildungsbegriff konnte sich als Selbstwert nicht etablieren, und die Persönlichkeit, die sich dennoch selbst zum Zweck wurde, blieb als Außenseiter und Vagant ohne die Wirksamkeit, die gerade als wichtiges Wesensmerkmal der Eloquenz galt. Nur als formales Bildungsmittel setzte sich die Beredsamkeit durch. Den gewaltsamen Tod, den Thomas More erleiden mußte, kann man darum ebenso als Symptom ansehen wie den Widerwillen, mit dem der Nürnberger Willibald Pirckheimer (1470–1530) auf die konfessionellen Unruhen reagierte. Damit resignierte eine der vitalsten Renaissancepersönlichkeiten Deutschlands; denn Pirckheimer hatte stets das tätig-praktische Wirken im Dienst seiner Stadt mit weitgestreuten künstlerischen Interessen und literarischer Arbeit verbunden. Nach der kurzen und gegenüber Italien verspäteten humanistischen Phase polarisierten sich ab 1520 die Verhältnisse. Die Verantwortlichen der wachsenden politisch-weltanschaulichen Gegensätze suchten die Humanisten ganz an ihre Sache zu binden und stellten sie damit vor ein dogmatisches Entweder-oder. Die Schicksale und Schriften der einzelnen Humanisten reflektierten diese Verhältnisse.

ZWEITES KAPITEL

Gestalten

1. CELTIS

Daß die Allgemeingültigkeit der rhetorischen Bedingungen der besonderen Schreibweise Einzelner keinen Abbruch tat, beweisen so unterschiedliche Charaktere wie der Vagant Celtis, der Esoteriker Erasmus und der Polemiker Hutten. Jeder der drei Humanisten fand den charakteristischen Stil, der seinen Themen und Intentionen entsprach.

Der Kontrast, der zwischen der seßhaften Bürgerlichkeit Wyles oder Eybs und dem freieren Leben des Konrad Celtis (1459–1508) bestand, zeigt die Entwicklungsrichtung, die der deutsche Humanismus nahm. Er bedeutete für Celtis nicht nur aufnehmbares Wissen, sondern Existenzform. Celtis' Freiheit begann, als er das Haus der Eltern, fränkischer Weinbauern, verließ, um zu studieren. Erst der Tod setzte seiner Reiselust ein Ende. Köln, mehrmals Heidelberg, wo er von Agricola lernte, Italien, Krakau, Ingolstadt und Wien, wo er Professuren für Dichtung und Rhetorik innehatte, waren einige wichtige Stationen seines Weges. Celtis war der erste Deutsche, der vom Kaiser zum Dichter gekrönt wurde (1487). Maximilian richtete ihm das Wiener Collegium mathematoricum et poetarum ein.

Wanderschaft war für Celtis das Lebensprinzip schlechthin, denn sie bedeutete ihm nicht nur Freiheit von allen persönlich-konkreten Bindungen, sondern zugleich geistige Offenheit für alle neuen Gedanken und jedes erreichbare Wissen. Das bestimmte auch sein schriftstellerisches Werk. Als Programmatiker suchte Celtis in Reden, Vorreden und Briefen für seine humanistischen Ideen zu werben (s. S. 21, Ingolstädter Rede). Als Herausgeber wollte er mit der Edition vergessener Literaturtexte deutscher Autoren (u.a. Werke der Hrotsvit von Gandersheim, 1501) das Bewußtsein eigener geistiger Tradition stärken. Als Poet beschrieb er, was er sah, erlebte und dachte. Celtis war Universalist und fand darin seine Begrenzung. Das Gesehene und Erlebte suchte er mit Mikro- und Makrokosmosvorstellungen, die auf neuplatonischen Ideen beruhten, allegorisch aufzuweiten. Natur bedeutete Celtis nicht nur das empirisch Sichtbare, sondern das All schlechthin, in welchem durch das Weltprinzip der Liebe alles miteinander verknüpft und aufeinander bezogen ist[9]. Die *Quatuor libri Amorum secundum quatuor latera Germaniae* (1502) sind der Versuch, dieses Weltbild literarisch zu verwirklichen. Das Werk besteht aus vier Verszyklen, in deren Zentrum jeweils das Liebesverhältnis zu einem Mädchen steht, einer Polin, einer Nord-, West- und Süddeutschen. Alle Mädchen repräsentieren zugleich ihre Landschaften, und jedes der vier Bücher sollte darüberhinaus die Jahreszeiten, die vier Alter eines Mannes oder die vier Temperamente bedeuten. Celtis mißlang der Versuch, auf diese Weise alle Aspekte seines Wissens zu kombinieren, er wurde des Materials nicht Herr[10]. Sein Weltprinzip der Liebe reichte als Gestaltungsprinzip nicht aus. Celtis vermochte Idee und Wirklichkeit nicht zu vereinen, darum blieb er einerseits Planer und Programmatiker, Werber für die humanistischen Ideale, andererseits Empiriker und Sensualist, dessen Beschreibungen oft nur das Äußerliche vermitteln konnten. Solcher Beschränkung auf die konkreten Umstände in den Beschreibungen (etwa *Urbs Norimberga*, 1495) stehen viele Gedichte gegenüber, die wie die programmatischen Äußerungen des Autors, wie versifizierte Kurzberichte und Stellungnahmen wirken, da hier das zu Sagende direkt und nicht durch die Darstellung konkreter Situationen geäußert wird. Dieser Haltung entsprachen die allegorischmythologischen Spiele *Ludus Dianae* (1501) und *Rhapsodia, laudes et victoria de Boemanis* (1504). Sie waren Huldigungsstücke mit einer nur dünnen Verkleidung des Spielzwecks, Maximilian zu preisen. Daß Celtis bei dem Versuch, eine *Germania illustrata* zu verfassen, eine Beschreibung Deutschlands mit seiner Vergangenheit, seinen Landschaften und Bewohnern, nicht über die Absicht hinauskam, ist symptomatisch. Um hier das Uferlose zu vermeiden, wäre ein selektives Prinzip, eine festgelegte Perspektive und somit die Synthese von Vorstellung und Wirklichkeit nötig gewesen, die Celtis nicht gelang. Deshalb war er in seiner Rolle als vielfältiger Anreger und lehrender Vermittler erfolgreicher denn als Schriftsteller. Als Joachim Vadianus (1484–1551), Celtis' späterer Nachfolger in Wien, in seiner Dichtungslehre *De poetica et carminis ratione liber* (1518) den großen Vorgänger würdigte, wünschte er ihm, daß er «tanta in scribendo foelicitas fuisset, quanta in docendo fuerat», daß er «im Schreiben so glücklich gewesen wäre, wie er es im Lehren war»[11].

2. ERASMUS VON ROTTERDAM

Auch der bedeutendste aller Humanisten, der in Rotterdam geborene Desiderius Erasmus (1466/69–1536), führte ein Wanderleben. Entfloh Celtis dem Elternhaus, so hatte Erasmus durch seine illegitime Geburt keine familiären Bindungen. Die 1488 im Augustinerkloster Steyn bei Gouda abgelegten Gelübde wurden bis zum ersten päpstlichen Dispens von 1506 von Erasmus als Last empfunden, obwohl er ab 1493 nicht im Kloster zu leben brauchte. Seine Heimat war Europa, er hielt sich dort auf, wo seine Lehrer, Freunde, Gönner und Drucker wohnten. Er war in Frankreich, England, Italien und länger in Holland, der Schweiz und Deutschland. Anders als Celtis war Erasmus nicht Vagant in einer Welt pagannaturalistischer Prägung[12], sondern ebenso dem Paganismus wie unbedingten Glaubenshaltungen fern und darum ungebunden zwischen den Gruppen. Weil Erasmus Parteihader als «tumultus» verabscheute, während man ihn in die Schranken der Alternative forderte, wurde er zum Esoteriker, zum «homo per se», wie er in den *Briefen der Dunkelmänner* genannt wurde.

Das Auftreten von Erasmus bedeutet die Begegnung und Synthese der bislang eher gegensätzlichen Bewegungen Humanismus und Christentum. Die Übereinkunft von klassischen Studien und Theologie, von homo literatus und homo religiosus war die Lebensleistung des Erasmus und der gemeinsame Kern seiner verschiedenen und zahlreichen Schriften. Ob es sich um die literarisch-philologischen oder theologisch-moralischen Werke handelt, die Erasmus schrieb oder herausgab, stets sind die einen vor dem Hintergrund der anderen zu sehen. Der Bildungsgedanke, das Bemühen um die «bonae literae», war darum nicht Selbstzweck, sondern einerseits Voraussetzung moralischer Existenz und theologischer Arbeit, andererseits Schutz vor den Zumutungen religiöser Dogmatik. Von der schon im Kloster Steyn begonnenen Schrift *Antibarbari* (1518) bis zum *Colloquium abbatis et eruditae* aus den *Colloquia familiara* (1518) machte Erasmus den ungebildeten Religionsvertreter zum Objekt seines zornigen Spottes. Gleichzeitig bemühte er sich mit mehreren Arbeiten um die Verbesserung des Bildungsniveaus, das für Erasmus wie für jeden Humanisten in der Beherrschung der antiken Sprachen, in ihrer stilgerechten Anwendung und in der Kenntnis der antiken Vorbilder bestand. Diesem Zweck dienten nicht nur seine grammatischen, stilistischen und idiomatischen Schriften, sondern auch die Mustersammlung antiker Sprüche, die unter dem Titel *Adagiorum collectanea* (1500) herauskam und das erste große Erfolgsbuch von Erasmus wurde. Zu seinen Lebzeiten erschienen allein 27 Ausgaben. Die Sammlung wuchs von 818 Sentenzen in der Erstausgabe auf 4251 in der Ausgabe letzter Hand. Die *Adagia* wurden nicht nur wegen der Textgenauigkeit und der exakten Lokalisierung der Sprüche viele Jahrhunderte hindurch sehr geschätzt, sondern auch wegen der Kommentare, in denen Erasmus Herkunft, Bedeutung und Verwendungsmöglichkeiten der Sprichworte diskutierte. Als anschauliche Gebrauchsanweisung wurde auch die Schrift *De duplici copia rerum ac verborum* (1512) mit über hundert Ausgaben allein im 16. Jahrhundert zu einem der populärsten Rhetoriklehrbücher der Zeit[13]. Die elegante Weise, wie Erasmus hier, statt trocken die rhetorischen Elemente zu systematisieren, über die Möglichkeiten ihrer Anwendung sprach, begründete den Erfolg.

Erasmus' literarische Qualitäten waren zugleich seine theologischen, und die Äußerungen zur Anwendung literarischer Mittel entsprachen der Weise, wie Erasmus die Verwirklichung christlicher Frömmigkeit forderte und beschrieb. So wurden im *Enchiridion militis christiani* (*Handbüchlein des christlichen Streiters*, 1504) konkrete Anweisungen gegeben, wie christliches Existieren in der Welt möglich ist, und zugleich gezeigt, wie und wo es dieser Frömmigkeit mangelt. Der christliche Streiter soll seine Waffen, zu denen vor allem das Wissen zählt, gegen die eigenen Laster richten. Nur dann wird er den Gegensatz von Geist und

Körper, Vernunft und Triebhaftigkeit, aus dem das Laster lebt, überwinden. Einerseits reduzierte diese humanistische Konzeption den christlichen Glauben stark auf ethisches Verhalten, andererseits bereitete gerade der Humanismus des Rotterdamers, seine philologische Kunst und Mühe, die große Religionswende vor. Erasmus schuf die Neuausgabe des Neuen Testaments, mit der die Reformatoren arbeiten konnten. Unter dem Titel *Novum Instrumentum* (1516) veröffentlichte er den überprüften und mit Anmerkungen versehenen Text zusammen mit einer eigenen lateinischen Übersetzung. Damit ging Erasmus den Weg seines Vorbildes Hieronymus, dessen Werke er herausgab und neben dessen Vulgata er nun eine neue lateinische Version stellte. Mit seiner Bibeledition war Erasmus am Vorabend der Reformation zum bedeutendsten Theologen seiner Zeit geworden, um diesen Titel dann an Luther abzugeben.

Mit Recht hat man das Verhältnis Erasmus – Luther als die Konfrontation von Humanismus und Reformation begriffen. Mit der Reformation wurden Kräfte und Bewegungen wirksam, die nicht nur der Mentalität und geistigen Einstellung des Erasmus fernlagen, sondern dem von Petrarca über Agricola, Celtis bis Erasmus gültigen Ideal des freien Subjekts widersprachen. Zwar konnten die Reformatoren auf dem bauen, was die Humanisten vorbereitet hatten, aber je schärfer die religiöse Auseinandersetzung wurde, desto mehr sahen sich die Humanisten veranlaßt, sich mit der Sache Roms oder des Protestantismus zu identifizieren. Erasmus widerstand der Nötigung, auf den linientreu ausgerichteten Stühlen Platz zu nehmen, und er erfuhr, daß es sich zwischen ihnen unbequem saß. Von 1517 bis 1521 lehrte er in Löwen, einer Hochburg katholischer Orthodoxie, wo man ihn für einen Protestantenfreund hielt, weil er nicht gegen Luther schrieb. Er verließ Löwen, um in Basel Arbeitsruhe zu suchen und floh auch diese Stadt, als sie protestantisch geworden war.

Das Verhältnis zu Luther war anfangs durch wohlwollende Neutralität bestimmt, um dann in jene offene Gegnerschaft umzuschlagen, durch die das, was Humanismus und Reformation grundsätzlich schied, in schriftlicher Form für immer dokumentiert wurde. Mit seiner *De libero arbitrio diatribe* (*Abhandlung über den freien Willen*, 1524) wandte sich Erasmus gegen Luthers Unbedingtheitsanspruch und die Forderung nach Unterwerfung unter Gottes Wort, die eine Unterwerfung unter die «Behauptungen» dessen bedeutete, der Gottes Wort interpretierte. Für Erasmus war Luther ein Mensch wie er selbst mit der Möglichkeit zu irren. Dem Anspruch auf Unfehlbarkeit war deshalb mit Skepsis zu begegnen. Damit steht die *Diatribe* als humanistisches Manifest gleichrangig neben Picos Abhandlung über die *Würde des Menschen;* doch wo Pico programmatisch in die Zukunft wies, war Erasmus bereits in der Defensive. Daß er Luther im entscheidenden Punkte getroffen hatte, zeigt die Heftigkeit, mit der der Reformator in seiner Gegenschrift *De servo arbitrio* reagierte. Luther suchte nicht nur mit dem rhetorischen Argument zu polemisieren, daß Erasmus einen unwerten Gegenstand für seinen genialen Stil gewählt habe («Ist es doch, als würde Mist dahergetragen in goldenen und silbernen Gefäßen»), vielmehr pochte er auf sein christliches Recht zu «behaupten» und exemplifizierte das mit der bekannten These, daß des Menschen Wille ein Reittier sei, das dorthin gehe, wohin es der göttliche oder teuflische Reiter treibe. Erasmus sah in solchem Determinismus die Gefahr fatalistischer Haltung und in der von ihm verteidigten Willensfreiheit ein regulatives Prinzip, das dem Menschen den Kampf mit seinen Lastern ermögliche[14]. Skepsis auf der einen, Wahrheitsbewußtsein auf der anderen Seite, diese Polarität, die sich bei jedem der aufgegriffenen Streitobjekte bewies, entsprach den Naturen beider Kontrahenten und der Bewegungen, die sie repräsentierten.

Die Skepsis des Erasmus' ließ ihn die Welt als torenhaft sehen und diese Sichtweise zu einer Satire ausgestalten, die ihren Platz unter den bedeutenden Werken der Weltliteratur hat: *Moriae Encomium sive laus stulticiae* (*Lob der Torheit*, 1511). Das Buch hätte auch «Lob der Welt» heißen können, denn Erasmus zeigte die Vielfalt menschlicher Möglichkeiten als die Vielfalt möglicher Torheiten. So war bereits das «goldene Zeitalter» ein Stadium ebenso selbstverständlicher wie glücklicher Einfalt. Seitdem die Menschen vom Baum der Erkenntnis aßen, wurde die verlorene Harmonie von Körper und Geist zur Quelle der möglichen Narrheiten. Torheit ist aber zugleich notwendig, sie ist die Voraussetzung menschlichen Handelns und Leistens, die durch das Wissen um die Weltkomödie, um den schattenhaften Puppentanz der Menschheit gefährdet wären. Darum ist auch der Weise, der die Weltkomödie durchschaut, ein Tor, denn die anderen sind in ihrem unreflektierten Zustand glücklicher[15].

Das *Lob der Torheit* ist als totale Satire eines der herausforderndsten Bücher. Da hier nicht ein bestimmter Zustand satirisch an einer besseren Idee gemessen wurde, sondern das satirische Bewußtsein sich selbst zum Objekt wurde, grenzt die Satire an die Groteske, der die Welt als absurd erscheint.

Die satirischen Schriften des Erasmus waren die komplementäre Ergänzung seiner didaktischen Werke. Beides setzte die Spannung von Bewußtsein und Sein voraus, die die Satire bloßlegen konnte und die didaktische Schrift auszugleichen suchte. Diese Spannung erklärt auch des Erasmus oftmals ausgesprochene Vorliebe für die idyllische Enklave. Den erfolgreichen Versuch, Satire und Didaktik zu vereinen, hat er mit seinen *Colloquia familiaria* geschaffen.

Die Wirkungsgeschichte des Erasmus ist zugleich ein Stück deutscher Geistesgeschichte, denn bei vielen Deutschen erfreute sich der große Europäer keinesfalls ungeteilter Sympathie. Für sie warf der Streit mit Luther und Hutten Schatten auf das Bild. Die ironische Distanz, die Erasmus ebenso die Mönche wie Luther ablehnen ließ, schien verdächtig. Bis heute hält man für den großen Skeptiker, der das Entweder-oder mied und weiser als seine Zeit das Sowohl – als auch suchte, das anmaßende Urteil «charakterschwach» parat[16].

3. HUTTEN

Auch das Leben Ulrichs von Hutten (1488–1523) war ruhelos. Hutten stammte aus altem Reichsrittergeschlecht und wurde auf dessen im fränkisch-hessischen Grenzgebiet liegender Stammburg Steckelberg geboren. Wie Erasmus lernte er im Kloster, um es alsbald zu fliehen. Hutten durchlief die Humanistenkreise der verschiedenen Universitäten, blieb besonders den Erfurtern freundschaftlich verbunden, kam zweimal nach Italien und wurde 1517 von Maximilian zum Dichter gekrönt. Er gewann die Freundschaft des Erasmus, bis er sich der Reformation verschrieb und seinen «Pfaffenkrieg» begann. Hutten wurde schärfster Papstgegner und Befürworter einer Reichsreform, die die Fürsten ausschalten und Kaisertum wie Ritterschaft wieder zu staatstragenden Mächten machen sollte. Der Ritter scheiterte an seinem Versuch, die politisch restaurativen Absichten mit religiös progressiven zu verbinden und in diesem Sinne das humanistische Persönlichkeitsideal tätig handelnd zu verwirklichen.

Das, was Hutten zeitweilig an Erasmus band, mußte diesen von Hutten trennen: die Neigung, sich zu engagieren und einem Mächtigeren Gefolgschaft zu leisten. So schloß sich Hutten nacheinander Reuchlin, Erasmus, Luther und Sickingen an. Teilte Luther mit Hutten die Romfeindschaft, unterschieden sich beide in der Weise, wie die Unmittelbarkeit für den einen eine Frage des Glaubens und des Wortes und für den anderen eine Frage des Handelns und der Tat war. Im Gegensatz zu Erasmus und Luther machte Hutten die Tat zum Gegenstand des Wortes und suchte mit «Feder und Schwert» zu wirken. Ritterliches Faustrecht gewann in dem Augenblick humanistisch geschulte Sprache, als seine Voraussetzungen endgültig geschwunden waren, und attackierte diejenigen, die die «alte Freiheit» eliminiert hatten: Fürsten, Kaufleute, Juristen. Ihnen, die mit den indirekten Machtmitteln Geld und Gesetz herrschten, galt der Haß des Ritters, der sich zugleich in wachsendem Maße gegen die römische Geistlichkeit, die Kurtisanen, wie er sie nannte, richtete.

Der Spruch «Ich hab's gewagt», mit dem Hutten das Caesarische «iacta alea est» übersetzte, wurde sein programmatisches Leitmotiv, mit dem er seinen Entschluß zum Handeln gern verbal bekräftigte. Gegen skeptisches Abwägen von Möglichkeiten setzte Hutten die Überzeugung, daß in der Eindeutigkeit unbedingten Handelns die Wahrheit liege. Mit dieser Begrenzung auf die ausschließlich eine und darum für «wahr» gehaltene Perspektive schaffte sich Hutten die agonale Ausgangssituation, die seiner polemischen Natur entsprach und von der aus er seine Fehden führen konnte:

> *Umb warheit ich ficht*
> *Niemant mich abricht*
> *Es brech, oder gang*
> *Gots geist mich bezwang.*

Der Wahrheitsanspruch ließ Hutten die subjektive Sichtweise verabsolutieren und oft aus ihr heraus urteilen, schreiben und handeln. So, wenn er seine *Querelarum libri duo* (1510) verfaßte, elegische Klagen gegen ehemalige Gastgeber, die den Ritter erst unterstützten und dann pfänden ließen. Hutten sah in übersteigerter Weise in sich alle Humanisten getroffen und rief sie zum Kampf gegen das zugefügte Unrecht auf. Schwerer wog die Polemik, wenn subjektives Engagement und Allgemeininteresse tatsächlich übereinstimmten. Galt es, korrupte Zustände in Rom oder die Mordtat Herzog Ulrichs von Württemberg an einem Vetter Huttens anzuprangern, wurden die Satiren des Ritters zu gefährlichen Waffen. Hutten blähte mit seinem ersten lateinischen Dialog *Phalarismus* (1517) den Herzog zum Tyrannen schlechthin auf, der sich von antiken Despoten, besonders von dem Sizilianer Phalaris, in Foltermethoden unterrichten ließ. In der polemischen Auseinandersetzung wurde Hutten zum Meister des Dialogs. Als Vorbild dienten Lukians Schriften, vor allem dessen Totengespräche.

Bei Lukian konnte Hutten die Gestaltung allegorischer Figuren finden. Eine allegorische Personifikation ist bereits sein *Nemo* (1513), die Schlüsselfigur einer allgemeinen Satire auf Huttens Umwelt. Die Laudatio des personifizierten Niemand («Nemo ist gut», «Nemo lebt zufrieden mit seinem Los») erweist sich als ironische Demonstration allgemeiner Mißstände. War Nemo nur Objekt der Erzählung, so traten in den folgenden Dialogen *Febris* (1518/19) oder *Fortuna* (1519) die Titelallegorien selbst als sprechende Figuren auf. Die allgemeine Strafrede, als die noch *Nemo* gestaltet ist, wurde zugleich zur Anprangerung besonderer, meist klerikaler Zustände und Personen. Entsprechend wandelte sich Hutten vom unsichtbaren Erzähler des *Nemo* zum Gesprächspartner innerhalb seiner Dialoge. *Vadiscus sive trias Romana* (1520) wurde zum exponiertesten der Texte. Hutten berichtet darin einem Freund von dem heimgekehrten Rompilger Vadiscus, der die heilige Stätte als Sündenpfuhl fand. Der römischen Lasterhaftigkeit entspricht die Lethargie und Dummheit der Deutschen. Nur Patriotismus und Belebung der Wissenschaften können der vom Papst dirigierten Bevormundung und Ausbeutung Deutschlands abhelfen. Wie im Titel angekündigt, geschah die Charakterisierung Roms mittels Triaden. Jeweils drei negative Fakten wurden zusammengefaßt, so daß Rom, der Anwalt heiliger Trinität, als die Summe negativer Dreifaltigkeiten erschien.

Die einseitige Verfechtung eines Standpunktes ist der Rhetorik wesensgemäß. Insofern ergänzte Huttens humanistische Schulung seine allgemeine Haltung. Die Wirksamkeit seiner Dialoge lag in ihrer rhetorischen Stringenz und in ihrem dramatischen Charakter. Hutten führte den Leser sofort in medias res. Er trennte nicht Rahmen und Gespräch, begann nicht mit einer den Leser distanzierenden Begründung der Figuren, sondern ließ diese unmittelbar angesprochen sein und reden. Damit gelang es, die abstrakte satirische Absicht so gut szenisch zu konkretisieren, daß – wie im *Febris secunda* – die Grenze zum Schwank, zur Komödie erreicht war. Das Fieber steht vor der Tür und begehrt Einlaß, den ihm Hutten verweigert. Daraus entspinnt sich ein Disput, in dessen Verlauf Hutten das Fieber auffordert, andere und besonders Geistliche heimzusuchen. Das Fieber antwortet, sein letzter geistlicher Wirt habe sich durch Weib und Wohlleben so ruiniert, daß es dort überflüssig sei. Durch die Personifikation des Fiebers zur handelnden und argumentierenden Figur verpufft die Polemik nicht in allgemeinen Thesen, sondern wirkt aus der besonderen dramatischen Situation heraus ebenso anschaulich wie überzeugend. Die Nähe des Huttenschen Dialogs zum Drama der Zeit war auch durch den ausschließlichen Tendenzcharakter beider Literaturformen garantiert. Huttens Gespräche haben daher nicht nur die folgende Dialogliteratur nachhaltig beeinflußt, sondern auch auf die sich gerade entfaltende Dramatik des Jahrhunderts eingewirkt.

Daß Hutten vom Latein zur deutschen Sprache überging, entsprach nicht nur seinem nationalen und lutherischen Engagement, sondern auch dem Zweck seiner Schriften, deren Polemik auf breite Resonanz und Wirkung zielte. 1521 faßte er vier verdeutschte Dialoge (*Febris I und II, Vadiscus, Inspicientes*) zu dem *Gespräch büchlin* zusammen. Kurz vorher entstand ein langes, in deutscher Sprache geschriebenes Gedicht *Clag und vormanung gegen der übermäßigen unchristlichen gewalt des Bapsts zu Rom, und der ungeistlichen geistlichen*, in dem Hutten die deutsche Nation auffordert, das päpstliche Joch abzuschütteln und seine Kirche zu erneuern. Als im Mai 1521 gegen Luther die Reichsacht erklärt wurde, tat Hutten einen Schritt, der ihm sicher schwerfiel: er sagte sich von Kaiser Karl V. los. Zu gleicher Zeit erschien als Flugblatt sein im Volksliedton gehaltenes *Reiterlied*, das die Vergeblichkeit von Huttens Haltung und zugleich sein tapferes Dennoch zeigte. Hier stimmen Form und Gehalt so zusammen, daß sie dem Lied seinen hohen Rang und seine starke Wirkung sicherten:

Ich habs gewagt mit sinnen
und trag des noch kain rew
Mag ich nit dran gewinnen
noch muß man spüren trew,
Dar mit ich main
nit aim allein
Wen man es wolt erkennen:
Dem land zu gut,
Wiewol man thut
ain pfaffen feyndt mich nennen.

Indem Hutten die Bedingtheit seines unbedingten «Ich hab's gewagt» aussprach, gelang ihm ein Werk, das eindrucksvoller und wahrer wirkte als jene Äußerungen, in denen die Wahrheit zum Thema gemacht war.

DRITTES KAPITEL

Formen und Gattungen

1. RHETORIK

a) Voraussetzung und Zweck der Rhetorik

Die Kunst der Eloquentia, das Ideal vom vollendeten Redner und Stilisten, war nicht nur Ziel so verschiedener Köpfe wie Celtis, Erasmus oder Hutten, sondern auch die Basis ihrer Aktivität und Wirkung. Hatte schon Johann von Tepl auf die neue Rolle der Rhetorik hingewiesen und Niklas von Wyle von ihr zu lernen versucht, so schrieb noch Gottsched eine *Ausführliche Redekunst* (1736). Die Prinzipien, nach denen Literatur von Tepl bis Gottsched gestaltet wurde, waren rhetorische oder aus der Rhetorik abgeleitete Normen. Das erfordert einen Blick auf Geschichte, Aufbau und Begriffe der Redelehre.

Die antike Rhetorik wurzelt in den politischen Verhältnissen der griechischen Polis, in der Rednerbegabung die Voraussetzung jeglicher Teilnahme am öffentlichen Leben war. Sophisten wirkten als Redelehrer und schulten die Fähigkeit, politisch-beratende, gerichtliche oder festliche Reden zu halten. Die für diese drei Möglichkeiten vorgesehenen Redegattungen genus deliberativum (beratschlagend), genus iudiciale (gerichtlich) und genus demonstrativum (epideiktisch, hinweisend, lobend oder tadelnd) waren in der Praxis nicht strikt geschieden, so daß eine Rede durchaus mehr als einer Gattung zugehören konnte.

Das rhetorische Erbe der Griechen wurde von Rom – nicht ohne Widerstände – übernommen. Griechische Lehrer unterrichteten die Römer, deren Eloquenz ebenfalls staatliche Zwecke erfüllte, bis Augustus die Republik in ein Kaiserreich verwandelte. Die Redelehren, die später durch die Renaissancehumanisten wieder populär wurden, waren neben der *Rhetorik* (zwischen 358 u. 348 v. Chr.) des Aristoteles vor allem die *Rhetorica ad Herennium* (ca. 85 v. Chr.) eines unbekannten Verfassers, Ciceros *De oratore* (54 v. Chr.) und verwandte Schriften sowie die *Institutio oratoria* (ca. 95 n. Chr.) Quintilians. Diese Werke gingen davon aus, daß Eloquenz weit mehr bedeutet als nur die Beherrschung von Redetechnik. Die Rhetorik wurde als die erste unter den Wissenschaften angesehen, da sie die Kenntnis der anderen Fächer voraussetzte. Das Studium der Philosophen und Dichter, der Geschichte und Gesetze gehörte darum zur Ausbildung des Orators, dessen gute moralische Qualifikation ebenfalls vorausgesetzt wurde. Diese Bedingungen machten später auch die Humanisten zur conditio sine qua non ihres Persönlichkeitsbegriffs. Sie konnten die Eloquenz als wichtigste menschliche Fähigkeit darstellen, da schon nach Cicero die allgemeine Sprachfähigkeit den Menschen vom

Tier unterscheidet und die geschulte Beredsamkeit den Orator den übrigen Menschen überlegen macht.

Literarisch relevant wurde die Rhetorik, nachdem sie ihre politischen Funktionen mit Ende der römischen Republik eingebüßt hatte. Mit Ovid begann die Rhetorisierung der Dichtung, die sich dann bei den spätrömischen Autoren vollständig durchsetzte. Senecas Tragödien, an denen sich die Barockdramatiker schulten, zeigen, wie rhetorisches Sprechen nicht nur eine formale Kategorie, sondern unmittelbarer Ausdruck des Gehalts ist. Rhetorisierung der Dichtung bedeutete darum, wie später am Einzelfall zu zeigen ist, weit mehr als die sprachliche Anpassung an Gesetze der Eloquentia.

Im Mittelalter spielte die Rhetorik ihre Bildungsrolle im Rahmen der sieben freien Künste und wurde darüber hinaus zur Ausbildung des Brief- und Predigtstils genutzt. In der «ars dictaminis», der Kunst, Briefe und Geschäftsdokumente zu schreiben, gewann die Rhetorik auf einem Seitengebiet ihre ursprüngliche öffentlich-praktische Funktion zurück, wie dies auch in der Homiletik der Fall war. Die allgemeine Wende und neue Blüte kam jedoch mit dem Auftreten der Humanisten. Durch sie erlebte die Rhetorik ihre Renaissance, wie sie zugleich eine Voraussetzung der Renaissance war. Die antiken Redelehren wurden von den italienischen Humanisten übersetzt, interpretiert und zu neuen Anleitungen über die Redekunst verarbeitet. Der Humanist sah sich seit Petrarca als «orator». Besonders Cicero war das große Vorbild.

Das allgemeine Ziel der Rhetorik hieß persuasio, Überredung. Die «ars oratoria» war die Kunst der Wirkung und Beeinflussung. Dieser Absicht waren alle Aspekte des rhetorischen Systems zugeordnet. Durch Logos, Ethos und Pathos hatte der Redner Überzeugungskraft zu gewinnen. Mit Logos war weniger die Fähigkeit des Redners zu logischer Deduktion als seine Kunst, Beispiele zu nutzen, gemeint. Ethos betraf seine charakterliche Qualität und Pathos das Vermögen, die Gefühle des Publikums zu provozieren. Dementsprechend waren die drei Aufgaben des Redners: durch Exempla zu beweisen oder lehren (probare / docere), durch Persönlichkeit zu überzeugen (conciliare / delectare) und die Gemüter durch Rührung zu beeinflussen (movere).

Die Überredungsabsicht der Rhetorik hat ihr die traditionelle Gegnerschaft der Philosophie eingebracht. Die Philosophen haben den Rhetorikern Indifferenz gegenüber objektiver Wahrheitssuche und advokatorisch-beliebige Vertretung jedes Standpunktes vorgeworfen. Die Oratoren sprachen dagegen von der Unfähigkeit der Philosophen, ihr Denken sprachlich plausibel zu machen. Pico sah im Redner einen Mann, der kleine Dinge groß und große Dinge klein zu machen verstehe, und noch Kant sah die Rednerkunst als «hinterlistig» an, da sie den Menschen entmündige und zu Urteilen bewege, die ruhigem Nachdenken nicht standhalten [17]. Solche Verdikte trafen indes weniger die Rhetorik als deren Mißbrauch, den das Ethos des Redners ausschließen sollte. Ihrem Ursprung nach diente die

Rhetorik republikanischer Auseinandersetzung von Standpunkten und nicht demagogischer Verführung zu einer Ansicht. Der Rhetorik Mangel an sachlicher Wahrheitsfindung vorwerfen, hieß, ihren gesellschaftlichen Standpunkt außer Betracht lassen, dem es nicht um die Sachverhalte selbst, sondern um deren Wahrscheinlichmachung ging. Daß der Redner dabei fiktive Dinge (res fictae) sagen konnte, galt als legitim. In diesem Punkt wurde die Beziehung zwischen Rhetorik und Poetik sehr eng. Auch der Dichter nennt res fictae, zwar nicht zur Überredung, aber um mittels der Mimesis (Nachahmung) einer eigenen Wirklichkeit Wahrscheinlichkeitscharakter zu geben.

b) Aufbau der Rhetorik

Die Grundlage des gesamten rhetorischen Systems liegt in der Trennung des Sprachkunstwerks in Gedankeninhalte (Dinge, Stoff, Themen = res), die es auszusprechen gilt, und in Formulierungen (verba), mit denen gesprochen wird. Auf dem Dualismus von res und verba bauten seit der Renaissance auch alle Poetiken, deren gemeinsamer Kern die Zuordnung bestimmter Themen (res) zu entsprechenden Gattungen und Stilelementen (verba) war. Diese Zuordnung war durch die Gebote des aptum (Entsprechung oder Harmonie von res und verba) geregelt und mit der Theorie von den drei Stilen (genera dicendi) auf ein System gebracht. Für einfache Themen galt stilistisch das genus humile oder subtile, für mittlere das genus medium und für ehrwürdige Stoffe das genus grande. Zum Bereich des aptum gehörte auch die Vorschrift der latinitas oder puritas genannten idiomatischen Korrektheit, die für die neulateinischen Humanisten eine besondere Rolle spielen sollte. Zur latinitas kam das Gebot der perspicuitas, der intellektuellen Verständlichkeit, die gefährdet war, wenn Dinge und Worte disharmonierten.

Insgesamt besteht die Redelehre aus fünf Teilen, von denen die beiden ersten den rebus gelten, der dritte den verbis und die zwei letzten, die für die Literatur uninteressant sind, der Redepraxis:

1. inventio (Auffindung des Stoffes)
2. dispositio (Gliederung)
3. elocutio (Ausdruck und Stil)
4. memoria (Gedächtnisproblem)
5. actio (Vortragstechnik)

Die inventio ist das Finden aller Gedanken, die zu dem Thema der jeweiligen Rede gehören. Sie ist nicht subjektive Erfindung, sondern Auswahl und Verknüpfung von Details einer dem Subjekt vorgegebenen, objektiven Wirklichkeit. Um das Finden zu erleichtern, nennt die Rhetorik bestimmte «Örter» (τόποι, loci), wo zu suchen ist. Die Topik als Lehre von den «Örtern», wo der Redner seine Argumente findet, ist von den verschiedenen Redelehrbüchern verschieden

behandelt worden und darum ein bis heute vieldiskutiertes Forschungsobjekt[18].
Sah einerseits Curtius in den Topoi thematisch fixierte Konstanten, die arche-
typische Qualität haben konnten (etwa die Vorstellung «knabenhafter Greis»), so sah
man andererseits in den Topoi bloße Denkformen, die mit verschiedenem Inhalt
füllbar sind (Topos «ex contrariis» für «knabenhafter Greis»). Die Definition hängt
davon ab, wie eng man den Begriff Topos faßt. Die von Cicero und Quintilian
abgeleitete Auffassung, nach der Topik die «Methode zur Auffindung einer Sache
oder eines Arguments» und nicht das Argument selbst ist, herrscht heute vor[19].

Gibt die dispositio die Regeln, nach denen der gefundene Stoff gegliedert wird,
so ist die elocutio die Lehre von dessen sprachlichem Ausdruck. Kernstück der
elocutio ist der ornatus, dessen deutsche Bezeichnung «Redeschmuck» nicht die
Vorstellung des Dekorativen hervorrufen darf. Der ornatus hatte auch für die
Literatur fundamentale Bedeutung, denn er besteht im wesentlichen aus der Fi-
guren- und Tropenlehre. Die ursprüngliche Funktion der Figuren und Tropen
war, durch Wandlung der alltäglichen Sprachhaltung in besondere und erregende
Ausdrucksweisen die Affekte des Hörers anzustacheln. Rhetorische Figuren sind
vorwiegend Änderungen der üblichen Wort- und Satzformen, während die Tropen als inhaltliche Umschreibungen gelten. Da es kein verbindliches System der
Figurenlehre gibt, sind die Grenzen zwischen Tropen und Figuren fließend und
ihre Definitionen verschieden.

Eine wesentliche Gruppe der Figuren besteht aus rein stilistischen Konstruktionen. Zu ihr gehört der Komplex der «Wiederholungen», der von der einfachen
Gemination (Wiederholung von Wort oder Wortgruppe) über die Anapher (Wiederholung des Anfangswortes in Sätzen oder Zeilen) bis zum Chiasmus (Wiederholung durch Überkreuzstellung) reicht. Die Wiederholung ist das wichtigste
Stilmittel der amplificatio (Steigerung), mit der die Pathoserregung im Publikum
provoziert wird. Unter den inhaltlich-gedanklichen Modifikationen der Tropen
ist die Metapher, die man bündig als verkürzten Vergleich definierte, die wesentlichste. In der Metonymie und der eng zu ihr gehörenden Synekdoche stehen ein
Teil oder ein Aspekt für das Ganze oder den Zusammenhang (Kanonen für Krieg).
Zu den wichtigsten Formen uneigentlichen Sprechens gehören auch die Ironie
(Ausdruck einer Sache durch das Gegenteil) und die eine Stufe weniger konsequente Litotes (eine Sache wird durch die Verneinung des Gegenteils ausgedrückt).
Als vielschichtigster Tropus gilt neben der Metapher die Allegorie, die man die
angewandte oder durchgeführte Metapher genannt hat. Das auf der res-verba-
Trennung basierende rhetorische Sprechen fand in der dualistisch angelegten Allegorie, in der die Dinge als Worte genutzt werden, um andere Dinge zu bezeichnen,
die interessanteste Ausdrucksform. Die rhetorisch strukturierte Literatur zwischen
Humanismus und Aufklärung ist zugleich das Herrschaftsgebiet der Allegorie. Da
die Bedeutung der Allegorie über den rhetorischen Rahmen weit hinausreicht, gilt
ihr ein eigenes Kapitel.

c) Rhetorik und Literatur

Einen summarischen Überblick über die deutschen Redelehren, die heute teilweise vergessen sind, hat Gottsched in der historischen Einleitung seiner *Ausführlichen Redekunst* gegeben. Dort heißt es: «Die erste deutsche Rhetorik aber, hat meines Erachtens Meister Friedr. Riedrer, unter dem Titel: Spiegel der waren rhetoric, Vß Marco Tulio Cicerone, und andern getütscht x. Straßburg Anno XV hundert JX, oder 1509. in fol. drucken lassen: worauf auch Caspar Goldwurm, eine bessere, aus Cicerone, Quintiliano, Erasmo, unter dem Titel: Schemata Rhetorica, deutsch, 1545, zu Marburg in 8. heraus gegeben. Doch hat Deutschland in diesem Falle niemanden mehr zu verdanken, als dem gelehrten Melanchton, der auch im Absehen auf seine Verdienste, in Beförderung der freyen Künste und Wissenschaften, mit Recht der allgemeinen Lehrer desselben genennet worden. Er war nämlich hier eben das, was Erasmus in den Niederlanden war, und führte seine Schüler auf die Regeln und Exempel der alten Griechen und Lateiner; als auf die rechten Quellen des guten Geschmackes.» Im folgenden werden Verfasser von barocken Redelehren und rhetorisch geschulte Poeten von Opitz über Meyfart bis Weise genannt.

Die Redelehren, die vom 16. bis zum 18. Jahrhundert veröffentlicht wurden, waren keine Kette variierter Neuauflagen eines einmal zur Norm erhobenen Musters, sondern so verschieden, daß sie als Spiegel ihrer Epoche und der gleichzeitigen Literatur wirken. So verband der von Gottsched zu Anfang erwähnte Friedrich Riederer (gestorben ca. 1500) in seiner erstmals 1493 gedruckten Rhetorik die mittelalterliche Ars-dictaminis-Lehre mit dem Redesystem, wie es die Antike vorgezeichnet hatte[20]. Riederers *Spiegel der waren rhetoric* bestand aus drei Teilen: 1. Rhetorik, 2. Brieflehre, 3. Formularbuch. Die enge Beziehung von Rede- und Brieflehre blieb über die Barockzeit hinaus gewahrt und fand innerhalb der ständischen Ordnung des Absolutismus ihre gesellschaftliche Anwendung. Wie die Rhetorik dem jeweiligen Stoff oder Thema die passende Stilebene zuordnete, so bestimmte die Brieflehre, zu welchem Adressaten, sei er Durchlaucht oder nur bürgerlich, der entsprechende Stil gehörte.

Als die für das Barockjahrhundert populärste Redelehre gilt Johann Mattheus Meyfarts (1590–1642) *Teutsche Rhetorica* (1634). Meyfart wollte nicht das gesamte System der Redekunst geben, sondern beschränkte sich auf die elocutio oder Stillehre, die «Exornation», wie er selbst es nannte. Für Meyfart charakterisiert die Fähigkeit guter inventio und dispositio den «weisen Mann», aber die «Außstaffierung an Worten / und Sprüchen», also die elocutio, «rühmet einen gelehrten Redner»[21]. Diese Position entsprach der Verselbständigung des Stiles in der bald folgenden manieristischen Dichtung. Wegen der Zentralstellung, die Meyfarts Werk dem ornatus gab, konnte es zu einer Hauptquelle der Barockdichter für Sentenzen und Exempla werden. Jede rhetorische Figur, die Meyfart nannte, versah er mit vielen ins Deutsche übersetzten Zitaten, besonders aus der antiken und spätantiken Literatur.

Nach der starken Betonung des verba-Bereichs im 17. Jahrhundert, die auch in den Poetiken sichtbar ist, schlug mit der Aufklärung das Pendel zur anderen Seite, indem nun die res in den Vordergrund traten. Bereits Christian Weise entschied das res-verba-Verhältnis zugunsten der Realia[22], und Gottsched setzte in seiner *Redekunst* an die Stelle der Toposlehre den ihm in jeder Hinsicht primären Komplex der «wahrscheinlichen Gründe». Auch in der Literatur folgte nach der barocken Betonung des Stils die aufklärerische Betonung der Intention, des «moralischen Endzwecks».

Über die Parallelentwicklung von Rhetorik und Dichtung hinaus wirkten die Vorstellungen der Redelehre in so vielfältiger Hinsicht auf das literarische Schaffen, daß hier nur wenige Punkte angedeutet werden können. Man hat im Banne der Rhetorik die Literatur selbst als Teil der Redekunst bezeichnet. Wenn auch diese Meinung der Eigengesetzlichkeit der Dichtung nicht gerecht wurde, so blieb es andererseits nicht bei einem bloßen Vorhandensein «rhetorischer Elemente» in den Literaturwerken.

Unmittelbare Folge der Redelehren waren die Poetiken, die allgemein seit dem Humanismus und in Deutschland seit dem 17. Jahrhundert populär wurden (vgl. Poetik S. 143 ff). In jede ars poetica mündeten wesentliche Teile und Begriffe der Rhetorik. Auch die gesellschaftliche Bedingtheit der von ihrer Wirkungsabsicht bestimmten Redelehre wiederholte sich in der gesellschaftlichen Rolle der Literatur, die nicht nur soziale Verhältnisse in den poetologischen Normen reflektierte, sondern ebenfalls wirkungsorientiert war. Der res-verba-Dualismus war jedoch die wichtigste rhetorische Voraussetzung, die für die Literatur fruchtbar wurde. Sie öffnete u.a. der ungeheuren Menge von Gelegenheitspoesie Tür und Tor, die seit der Renaissance entstand und ebenfalls ausschließlich gesellschaftsbezogen war. Hier gab der soziale Anlaß (Geburt, Heirat, Tod) die res, die mit verbis zu würdigen waren. Wie bei der Verfertigung der Rede zielte die inventio in der Dichtung nicht auf ein «Individuelles und Schöpferisches», sondern bedeutete «ein analytisches Herausheben und Herstellen von Beziehungen, die irgendwie mit den Dingen selber gegeben sind»[23]. Das Individuelle lag in der Weise, wie der Poet die «Beziehungen» heraushob oder herstellte und wie er mit den objektiv vorgegebenen Dingen umging. Die elocutio hingegen ließ den Dichter die gefundenen res mittels der Worte kunstreich zeigend bewältigen[24]. Der demonstrierende Gestus, der die Dinge in einer distanzierten Verfügbarkeit ließ und sich im epideiktischen Stil äußerte, wurde zum wichtigsten Wesensmerkmal der Literatur aller Gattungen seit dem Humanismus. Erst Lessings *Laokoon* setzte den Schlußpunkt unter eine Literaturentwicklung, die auf dem rhetorischen res-verba-Dualismus basierte.

2. ALLEGORIE – EMBLEM

Ob man des Erasmus' *Lob der Torheit*, Huttens Dialoge, das Drama oder andere Literaturwerke der Humanisten betrachtet, die dominierende Rolle allegorischer Personifikationen ist unübersehbar. Die Allegorie tritt damit neben die Rhetorik, in deren Rahmen sie ursprünglich gehört. Rhetorik und Allegorie liefern oder sind die Elemente, aus denen jedes Literaturwerk des 16. und 17. Jahrhunderts geformt ist. Wie der Bereich der Rhetorik umfassender ist als ihre literarische Anwendung, so reicht auch das Herrschaftsgebiet der Allegorie weit über den literarischen Rahmen hinaus und ragt u.a. in den Bereich der bildenden Kunst.

Das wohl aufschlußreichste Beispiel allegorischer Gestaltung unter den bildlichen Darstellungen ist Dürers Kupferstich *Melencolia I* (1514). Der Betrachter sieht Figuren und Dinge, deren Bedeutungen und Beziehungen zunächst unklar sind. Verrätselt wurde der Stich jedoch weniger von Dürer selbst als durch die Zeit, denn den Mitlebenden des Künstlers war das Spektrum der Möglichkeiten, die die Dinge bedeuten konnten, durchaus vertraut. Diese Abhängigkeit vom Zeitwandel offenbart die Künstlichkeit der Beziehung von Ding und Sinn. Der Bedeutungshorizont der dargestellten Objekte war nicht selbstverständlich, sondern durch Übereinkunft gesetzt. Die Bedeutungsmöglichkeiten der im Bild summierten Gegenstände sind von der Forschung eingehend diskutiert worden. Man hat sie den sieben freien und sieben mechanischen Künsten und astrologischen Ideen zugeordnet[25]. Entscheidend ist dabei, daß die Dinge Bedeutungsspielräume haben, und wie sie auf die Titelfigur, die personifizierte Melancholie, bezogen sind. Nach der mittelalterlichen Verurteilung des Melancholikers hatte Marsilius Ficinus (s. S. 10) in seinem Werk *De vita triplici* (1492ff, dt. 1505) die aristotelische Meinung, daß Geistesarbeiter Melancholiker seien, erneuert. Auch Dürer vertrat diese Auffassung. Er umgab die Titelfigur seines Kupferstichs mit Geräten, die der Messung, Berechnung und Bearbeitung der Materie dienen, und zeigte dadurch, daß dieses Tun Melancholie provoziert. Forschung, Planung und Konstruktion, die dem Geist die Wirklichkeit verfügbar machen, isolieren ihn zugleich davon. Der Renaissancemensch erkaufte sein besseres Wissen um die Wirklichkeit mit der Tatsache, daß er sich in einer Welt isolierter Dinge, die neuer Sinngebung harrten, wiederfand. Dem Melancholiker sind die Beziehungen von Ding und Sinn willkürlich und damit die Dinge zu Allegorien geworden. Dem entsprach die Personifikation der Melancholie selbst zur allegorischen Figur. Die Form, in der sie sich präsentierte, begründete somit ihr Wesen. Diese völlige Kongruenz von Thema und Gestaltungsweise machte Dürers Kupferstich zu einem der wichtigsten Dokumente allegorischer Gestaltung und gab ihm eine Schlüsselfunktion innerhalb aller Künste vom frühen 16. bis zum 17. Jahrhundert[26].

Die Geschichte der Allegorie ist alt. Sie begann, als die griechische Philosophie sich gegen Homers sehr menschliche Götterwelt wandte. Der Kritik folgte die Allegorese: der Versuch, einen anderen, bisher verborgenen Sinn in den von Homer gestalteten Figuren und Ereignissen zu finden[27]. Diese Interpretationsweise fand dann in den biblischen Texten das dankbare Objekt vielfältiger Spekulation. Philon von Alexandria (geboren 20–30 v.Chr.), Origines (ca. 185–ca. 253 n.Chr.) und die folgenden Kirchenväter entwickelten die Technik weiter, in den Texten einen anderen als den buchstäblichen Sinn zu finden. Man entwickelte die Theorie vom vierfachen Schriftsinn, der historischen, allegorischen, tropologischen und anagogischen Bedeutung des Textes. Damit waren ein wortwörtlicher, ein heilsgeschichtlicher, ein moralischer und schließlich ein eschatologischer Sinn des Geschriebenen unterschieden[28]. Luther wandte sich dann gegen dieses allegorische Textverständnis (s. S. 54).

Das entscheidende Kriterium für alles Allegorische ist die Polarität von dargestelltem Besonderen und dessen Bedeutung, dem Allgemeinen. Auf diese Polarität, mit der die Allegorie dem Symbol entgegengesetzt ist, verweisen alle Definitionen. So schrieb Quintilian, daß die Allegorie «aliud verbis aliud sensu ostendit» und Goethe meinte, daß das Allgemeine im Besonderen «immer noch begrenzt und vollständig zu halten und an demselben auszusprechen sei»[29]. Von der Allegorese als einer Form der Textinterpretation ist die Allegorie als Mittel der Textherstellung zu unterscheiden. Zwar kennzeichnet das Zugleich beider Möglichkeiten bestimmte Epochen, aber ihrer Struktur nach gingen Allegorese und Allegorie entgegengesetzte Wege. Statt einem besonderen Text eine allgemeine Deutung zu unterlegen, wurde mit der Allegorie etwas Allgemeines versinnlicht oder personifiziert. Da sie der kürzeste Weg war, generelle Sachverhalte literarisch darzustellen, trat die Allegorie besonders dann hervor, wenn es um die literarische Stellungnahme zu außerliterarischen Problemen ging, also in Zeiten weltanschaulicher Auseinandersetzungen. Insofern ergänzte sie die allegorisierende Textinterpretation, mit deren Hilfe es gelang, schriftliche Äußerungen vergangener Epochen neuen Weltbildern anzupassen und im Sinne eigener Auffassungen zu interpretieren.

Das erste wichtige allegorische Werk verfaßte der zum Christentum übergetretene Aurelius Clemens Prudentius (4. Jh. n.Chr.) mit seiner *Psychomachia*, in der personifizierte Tugenden und Laster um die Seele eines jungen Mannes kämpfen. Fast gleichzeitig machte der Afrikaner Martianus Capella (ca. 420) die sieben freien Künste zu Gestalten eines epischen Werkes, das unter dem Titel *De nuptiis Philologiae et Mercurii (Hochzeit des Merkur mit der Philologie)* über Mittelalter und Renaissance hinaus sehr populär blieb. Wie die Philologia durch ihre Heirat mit Merkur zur Göttin avancierte, so besteht das Werk auch sonst aus allegorischen Handlungen und Figuren. Der Personifikation der Philologie zur Göttin entsprach die Relativierung der eigentlichen Götter zu Verkörperungen allgemeiner Sachverhalte. Diese Allegorisierung des Olymps bedeutete seine mythologische Entmach-

tung, seine Wandlung zum ästhetischen Komplex. Der Olymp wurde damit ein
Reservoir manipulierbarer Schemen, die jede Rolle im allegorischen Gespenster-
reigen übernehmen konnten und in dieser Funktion durch die Literaturen der
folgenden Jahrhunderte geisterten.

Mittels der Allegorie konnte die christliche Welt die Antike bewältigen, da der
Dualismus von Besonderem und Allgemeinem es erlaubte, das Allgemeine umzu-
deuten. Bevorzugtes Objekt solcher anpassenden Umdeutung waren auch die
Hieroglyphen. Schon in das frühchristliche Hauptwerk allegorischer Naturdeu-
tung, den *Physiologus*, hatte man ägyptische Bilder teils variiert, teils unverändert
übernommen. Zur dankbarsten Quelle allegorischer Spekulationen wurde dann
der aus dem 4. oder 5. Jahrhundert n. Chr. stammende Deutungsversuch des Ägyp-
ters Horapollon. 1505 ließ Aldus Manutius dessen *Hieroglyphica* drucken. Hora-
pollons Deutungen waren größtenteils unrichtig, da er in den Hieroglyphen eine
bloße Bilderschrift sah, die jedem Begriff ein besonderes Bild zuteilte. Dieser Irrtum machte zwar nicht Geschichte, aber doch Literatur. Horapollon folgend sah
man in den alten Zeichen den Ausdruck höchsten menschlichen Wissens, geheime
Weisheiten aus der Zeit, als die Welt noch jung war. Das Interesse der Humanisten
an der Zeichensprache der Alten war groß. Aber je dringlicher man nach den in
den Bildern verborgenen Begriffen suchte, desto mehr entglitt das, was man greifen
wollte. Die gerade bei Horapollon häufigen dunklen Zusammenhänge zwischen
Bedeutung und Zeichen boten Raum zu Spekulationen, die nicht Geist und Wissen
der Alten trafen, sondern Geist und Vorstellungen der Suchenden offenbarten.
Man fand immer neue Bedeutungen der Bilder, die damit vieldeutig wurden. Die
Suche nach den absoluten und eigentlichen Weisheiten der alten Bildzeichen endete
im Relativen und in der Entwicklung der Emblemkunst, einer Sonderform des
Allegorischen. Angeregt von der Hieroglyphik begannen italienische Humanisten,
lexikalisch angelegte Werke herzustellen, in denen Bilder mit deutenden Sprüchen
versehen und Embleme genannt wurden. Die neben der Hieroglyphik aus vielerlei
Quellen entnommenen Bilder fungierten als figürliche Zeichen, die der anschlie-
ßende Text erklärte. Der italienische Jurist Andreas Alciatus (1491–1550) war der
Pionier der Emblematik. Seine erste nicht erhaltene Sammlung von 1521 bildete
den Grundbestand des 1531 in Augsburg gedruckten *Emblematum Liber*, das dem
Augsburger Humanisten Conrad Peutinger (1465–1547) gewidmet ist. Von diesem Werk, das als Grundbuch der europäischen Dichtung zwischen Renaissance
und Vorromantik bezeichnet wurde[30], sind heute fast hundert Ausgaben allein
aus dem 16. Jahrhundert bekannt. Eine große Zahl ähnlicher Sammlungen
folgte.

Jedes der Embleme bestand aus drei Teilen: dem Motto (inscriptio), dem Bild
(pictura) und dem deutenden Epigramm verschiedener Länge (subscriptio). Wir
nehmen ein Beispiel der Pariser Edition von 1542, die deutsche Übersetzungen
enthielt[31].

52 AND. ALC. EMBLEM. LIB.

Virtuti fortuna comes XVIII.

Anguibus implidtis gemínis caduœus alis,
Inter Amaltheæ cornua rectus adest.
Pollentes sic mente uiros, sandíq; peritos
Indicat, ut rerum copia multa beet.

Das buechle der verschroten werck. 53

Gluck ein geferdt der frombkeyt.

XVIII.

Der stab des Gots Mercurius
Sambt seinen schlang en, federn, huet,
Zwischen den horn des vberfluß,
Vnnß offenlich bedeuten thuet,
Das glerte, bredte leut, vil guet
Vnd gelt sollen vor andern han:
Dan die hant ye den rechten muet,
Der landt vnd leut erhalten kan.

D iij

Albrecht Schöne sieht in der dreiteiligen Bauform des Emblems die Doppel-
funktion von Darstellung und Ausdeutung. In dieser allgemeinen Hinsicht ist das
Emblem mit der Allegorie identisch. Der Unterschied zur Allegorie liegt in der
Tatsache, daß im Sinnbild die pictura, also das Besondere, der Ausgangspunkt ist,
zu dem das Allgemeine durch Deutung gesucht wird, während in der Allegorie
das Allgemeine, das es zu konkretisieren gilt, das Primäre ist[32].

Alciatus nutzte die von Aldus gedruckten Schriften der Alten als Quellen für
Bilder und Zitate, die sich zu emblematischer Verknüpfung eigneten. Die Frage,
ob weniger die antiken Vorbilder als der mittelalterliche mundus symbolicus, wie
er sich u.a. im *Physiologus* präsentierte, die Emblematik beeinflußte, ist verschieden
beantwortet worden. Dietrich Walter Jöns interpretierte die Sinnbildkunst mehr
als «die letzte Phase einer über tausendjährigen spirituellen Weltauslegung»[33]. Auch
Albrecht Schöne meinte, daß man die Emblematik zurückbeziehen müsse auf das
allegorische Verfahren des Mittelalters, das den von Gott in die Dinge gelegten
Verweisungscharakter aufdecke. Zugleich schränkte Schöne diesen Bezug ein und
wies mit Recht darauf hin, daß die Emblematik nicht mehr die feste Ordnung
eines umgreifenden heilsgeschichtlichen Sinnbezuges spiegele, sondern der Versuch sei, gegen das Chaos des Seienden ordnende Bedeutungszusammenhänge zu
stellen[34]. Ohne die objektive Ordnung, die den Verweisungscharakter der Dinge
bestimmte, mußten die in den Emblemata gezeigten Sinnzusammenhänge jedoch
beliebig werden. Die Sinnbilder wurden Schrift, die alles schreibt. In der Vorrede
seiner Erstausgabe sagte Alciatus, daß er durch sein Werk «tacitis notis scribere»
lehren wollte. Und in seinem Aufsatz *De verborum significatione* (1530) heißt es:

«verba significant, res significantur. Tametsi et res quandoque etiam significant ... est emblemata». Die Sinnbildkunst gehört insofern in die Tradition christlich-spiritueller Weltauslegung, als sie deren formales Prinzip verabsolutieren konnte, weil der Gehalt, der mittelalterliche Ordogedanke, geschwunden war. Die Embleme wurden zum wesentlichen Baustein der «Gemälpoesie», die sich dann im 17. Jahrhundert voll entfaltete. Wenn Alciatus feststellte, daß «zuweilen auch die Dinge bezeichnen», dann ist damit auf den direkten Zusammenhang von rhetorischer und emblematischer Gestaltungsweise verwiesen. In den einzelnen literarischen Gattungen wurde das Emblem zu mehr als nur einem Element. In seiner Form war ein wichtiges Strukturmoment der folgenden Prosa, Lyrik und Dramatik vorweggenommen.

3. HUMANISTENDRAMA

Die Dramatik der Humanisten war ein Spektrum neuer Ansätze, die durch die Wiederentdeckung antiker Stücke, die Entwicklung der Dialogkunst und die Aufwertung der Rhetorik getragen wurden. Die Allegorie spielte eine wichtige Rolle. Das Humanistendrama entstand als Wortkunst, nachdem im mittelalterlichen Spiel, das vor allem ein Aufführungsereignis gewesen war, der Text eine nur sekundäre Funktion gehabt hatte [35]. Der Stoff war im Mittelalter durch die Heilsgeschichte gegeben, die von den Darstellern figuriert wurde. Auch die Zuschauer waren als Gläubige in das Spielereignis integriert. Das mittelalterliche Drama konstituierte keine Eigenwelt, sondern war festlicher Ausdruck und Teil der totalen, auf christlich-kirchlichen Prinzipien beruhenden Gesamtordnung. Erst mit der Lösung aus diesem Rahmen, in den auch das spätmittelalterliche Fastnachtsspiel als negative Ergänzung des geistlichen Spieles gehörte, begann das Drama eine Eigenwirklichkeit zu werden. Als in Renaissance und Humanismus die menschlich-weltliche Thematik die christlich-religiöse ablöste, trat an die Stelle des Figurierten das nur Gespielte, das damit Selbständigkeit hatte und von der Sphäre des Zuschauers geschieden wurde.

Dieser Wandel geschah nicht abrupt, sondern über Stufen und Zwischenformen. Das Spiel konnte auf einen allgemeinen Hintergrund bezogen bleiben, der jedoch nicht mehr christlich-transzendenter, sondern weltlich-immanenter Natur war. Statt der Figuration christlicher Heilsfiguren herrschte die allegorische Vergegenwärtigung weltlicher Bereiche. So diente in den höfischen Festspielen, wie sie u.a. Celtis schrieb, der allegorische Götterapparat der Huldigung des Fürsten. So konnten Personifikationen des Tugend- und Lastersystems zu Stückfiguren werden oder, wie es in Jacob Lochers (1471–1528) *Tragedia de Thurcis et Suldano* (1497) geschah, «die Christenheit» oder «der Glaube» auftreten. Lochers Neigung zu allegorischer Gestaltung prägte auch sein *Spectaculum de Judicio Paridis* (1502), in dem

Juno, Pallas und Venus die drei Haltungen Tätigsein, Kontemplation und Genuß
verkörpern. Solange ein Stück mittels der Allegorie auf einen außerliterarischen,
allgemeinen Bereich bezogen blieb, wie etwa das Festspiel auf den Hof, solange
war seine mimetische Qualität begrenzt. Größere Eigenwirklichkeit erhielt das
Drama, sobald nicht allgemeine, sondern besondere Sachverhalte personifiziert
wurden, deren Sinn und Zweck ausschließlich aus dem Stück selbst begründet
wurden. Dieser Möglichkeit bediente sich teilweise der satirische Dialog der Humanisten, der damit, wie Huttens *Febris* zeigte, die Grenze zur Komödie erreichte.
Wenn Eobanus Hessus (s. S. 46) in seinem *Laus podagrae* (1534) das Podagra zur
dramatischen Figur machte, das angeklagt, freigesprochen und um Schonung gebeten wurde, dann war die Allegorie nicht Mittel zum Zweck, wie bei der fürstlichen Huldigung im Festspiel, sie diente auch nicht der Einsicht in den Zusammenhang von Vanitas und moralischer Bedingtheit wie im Moralitätenspiel, sondern
in der allegorischen Personifikation selbst lag die Aussage und komische Wirkung,
die das Stück hatte. Indem die Allegorie auf diese Weise stückimmanent wurde,
half sie die Autonomie der Szene begründen.

Der Umfunktionierung der Allegorie entsprach eine neue Dramaturgie: die
Entstehung oder Verselbständigung der Bühne. Sie war Folge der lebhaften Beschäftigung der Humanisten mit der antiken Komödie, besonders der des Terenz
(ca. 195–159 v.Chr.) und des Plautus (251–184 v.Chr.). 1427 wurden zu den bis
dahin bekannten acht plautinischen Stücken zwölf weitere entdeckt und fast gleichzeitig der verschwundene Terenzkommentar des Aelius Donatus (ca. 350 n.Chr.)
wiedergefunden. Besonders Terenz wurde häufig gespielt, gedruckt und nachgeahmt. Bis 1600 gab es 34 deutsche Terenzübertragungen. Zur Popularität der
römischen Lustspieldichter kam die Beschäftigung mit Seneca und auch Aristophanes. Die alten Stückeschreiber lieferten den neuen Dramatikern viele Themen
sowie die äußere Form der Fünfaktigkeit und der Aufteilung jedes Aktes in Szenen.
Die Aktgliederung blieb zunächst ein äußerlich-formales Prinzip ohne echten Bezug zum dramatischen Geschehen. Gleiches galt für die Chorlieder, mit denen
man gern nach antikem Vorbild die einzelnen Akte beschloß. Von größter Wirkung war jedoch die Entstehung der sogenannten Terenzbühne, mit der ein erster
Schritt zur modernen Bühnenform getan war. Die mittelalterliche Aufführung
hatte sich nach dem Simultanprinzip vollzogen. Alle Orte der Handlung wurden
gleichzeitig gezeigt und die Schauspieler pendelten zwischen diesen Orten. Die
neue Bühne war ein neutrales, gegen den Hintergrund durch Vorhänge abge-
grenztes Podest, das jeden Ort der Handlung bedeuten und nacheinander darstellen konnte. Das Simultanprinzip war so durch das Sukzessionsprinzip ersetzt.
Mit dieser neuen Raum-Zeitverknüpfung war die wesentlichste Voraussetzung für
die Eigenwirklichkeit des Dramas geschaffen, in die der Zuschauer nicht mehr wie
im mittelalterlichen Spiel integriert war, sondern mit der er konfrontiert werden
konnte.

Dem verselbständigten Bühnenrahmen entsprach die neue Rolle des Dialogs, denn vor allem das unmittelbar geschehende Gespräch konnte die Illusion einer Wirklichkeit erzeugen. Nach der szenischen Vergegenwärtigung des Überwirklichen im mittelalterlichen Spiel bestand die Welt jetzt aus zwischenmenschlichen Beziehungen und Auseinandersetzungen, die im Dialog ihren Ausdruck fanden. Aus der Wechselrede als dem Kern alles Dramatischen entfaltete sich auch die Humanistenkomödie. Dabei blieb der Übergang zwischen Dialog und Komödie fließend, wie für den deutschen Bereich Jacob Wimpheling (1450–1528) mit *Stylpho* (1486) zeigte. Die Szenen wurden zunächst zum Rezitieren verfaßt und dann zur ersten deutschen Humanistenkomödie von Bedeutung erweitert. Stylpho ist ein dummer geistlicher Pfründenjäger, der als Sauhirt endet. Damit leistete auch Wimpheling seinen satirischen Beitrag zur allgemeinen Humanistenfehde wider die geistliche Dummheit.

Wimpheling, der sich später in Straßburg als erster Schreiber deutscher Geschichte versuchte (*Germania*, 1501), gehörte in Heidelberg zu dem Kreis, den Kanzler Johann von Dalberg (1455–1503) um sich versammelt hatte. Heidelberg war dank der pfälzischen Kurfürsten seit langem ein Zentrum des deutschen Humanismus. Hier hatte bereits der Vagant Peter Luder von 1456 bis 1460 an der Universität für die humanistische Bildung und die neulateinische Komödie der Italiener werben können. In Heidelberg fand auch Johann Reuchlin (s. S. 220) Aufnahme, als er aus seiner württembergischen Heimat emigrieren mußte. Er schrieb hier seine erste Komödie *Sergius sive capitis caput* (1486). Im Stück, das weniger dramatische Handlung als wortspielreiche dialogische Invektive gegen einen Reuchlin feindlich gesinnten Tartuffe war, wird der Angegriffene durch einen schmutzigen Schädel repräsentiert. Der Schädel wird geputzt und zur wunderkräftigen Reliquie erklärt. Die schließliche Erfahrung, daß es sich um den Kopf eines ebenso dummen wie bösartigen Apostaten handelt, vermittelte die Lehre, daß man weder einem leeren Kopf noch einem Apostaten glauben dürfe. Erfolgreicher war Reuchlins zweites Lustspiel *Scenica progymnasmata sive Henno* (1497), das Celtis und Brant veranlaßte, Reuchlin als Begründer der modernen Dramatik zu rühmen. Die Figuren und das Handlungsschema hatten im Fastnachtsspiel und der italienischen Komödie ihre Vorbilder. Der Knecht des Bauern Henno betrügt nicht nur seinen Herrn und spielt vor Gericht auf Rat seines Advokaten den Taubstummen. Er bleibt in dieser Rolle, als er nach dem Freispruch seinen Ratgeber bezahlen soll und erhält auch noch die Tochter Hennos zur Frau. Die Einteilung frei nach Terenz in fünf doppelszenige Akte mit dem Chorlied am Ende blieb ein nur äußerliches Gliederungsprinzip.

Den Lebensjahren nach war Nicodemus Frischlin (1547–1590) ganz ein Kind des Reformationsjahrhunderts, den biblischen Themen einiger seiner Stücke nach scheinbar ein Reformationsdramatiker. Dennoch gilt er mit Recht als der verspätete und bedeutendste Verfasser von Humanistenkomödien. Die Unzeitgemäßheit, mit der humanistische Grundhaltungen im Leben und in den Schriften Frischlings zum Ausdruck kamen, erklärt deren Vehemenz. Frischlins Neigung zu Satire und Polemik erzwang ein Vagantenleben, das tragisch endete. Dem Adel, den er attackierte, und den weniger genialen Kollegen, die ihm seine Erfolge bei den Studenten neideten, war der erfolgreiche und streitlustige Philologe so verhaßt, daß Frischlin 1586 endgültig seine Stellung in Tübingen aufgeben mußte. Der 1576 vom Kaiser zum Dichter Gekrönte zog von Ort zu Ort, bis man ihn 1590 in seiner Heimat einkerkerte. Bei einem Fluchtversuch verlor er das Leben.

In vielen Stücken Frischlins war das Motiv von Abwesenheit und Wiederkehr bereits Mittelpunkt oder Voraussetzung der Handlung gewesen. In *Frau Wendelgard* (1579), seiner einzigen vollständig erhaltenen deutschsprachigen Komödie, kehrt ein totgeglaubter Graf abgerissen und elend aus ungarischer Gefangenschaft zu seiner Frau zurück, die aus Treue zu ihm in ein Kloster gegangen ist und dieses nun verlassen kann. Mit *Hildegardis magna* (1578) variierte Frischlin das Genovevamotiv. *Dido* (1581), die sich tötet, als Aeneas sie verläßt, wurde zur Titelheldin seines letzten lateinischen Dramas. In *Susanna* (1578) nutzen zwei Schurken die Abwesenheit des Ehemannes der Titelheldin zu einem Verführungsversuch. Ein in deutscher Sprache verfaßtes Schauspiel vom Grafen von Gleichen, der aus der Gefangenschaft zu seiner Frau heimkehrt und seine Befreierin als zweite Liebe mitbringt, blieb nicht erhalten. Die Stücke leben so aus der Spannung von männlichem Vagantentum, das zum Schicksal der Humanisten und Frischlins gehörte, und weiblicher Treue und Stetigkeit, in deren Zeichnung das Reformationsethos wirkte.

Eine Wiederkehr ganz anderer Art gestaltete Frischlin in seiner Komödie *Julius redivivus* (1585). Er ließ Caesar und Cicero als Gäste aus der Unterwelt das Deutschland des späten 16. Jahrhunderts besuchen. Das gab Anlaß zu vielfältiger, auch sprachlicher Satire. Die Gäste bewundern deutsche Wissenschaft, während deutsche Laster wie Aberglauben und Trunksucht Spott erwecken. Auch Eobanus Hessus ist eine Figur im Stück. Daß der deutsche Humanismus sich auf diese Weise selbst darstellte, war retrospektive Selbstbespiegelung und zeigte sein Ende. Gleiches galt schon für die Komödie *Priscianus vapulans* (1578), in der Frischlin die großen Humanisten auftreten läßt. Die schwache, verfolgte Latinitas ist in Priscian verkörpert und sucht vergeblich Schutz bei den vier Fakultäten, bis sie ihn beim Humanismus findet. Diese poetische Rettung des klassischen Latein geschah in einem Moment, als dessen Bedeutung im Sinken war[36]. In seinen Themen, seinem spannungsvollen Leben und seinem Scheitern verkörperte Frischlin die Endphase des deutschen Humanismus. Das wurde auch in seinem literarischen Beitrag zum Reformationsstreit deutlich. In der Komödie *Phasma* (1580) ließ Frischlin wohl weniger aus Glaubenseifer als aus satirischer Unbedingtheit alle Nichtlutheraner schlicht vom Teufel holen.

Sein Bestes leistete Frischlin im Wortwitz und, wie die Bettlerszenen von *Frau*

Wendelgard zeigen, in der Gestaltung niederer Chargen. Besonders hier wirkten seine Vorbilder Aristophanes, Plautus und Terenz. Den aristophanischen Witz und Sarkasmus, mit dem sich Frischlin so unbeliebt machte, hatte er in der lateinischen Übersetzung von fünf Komödien des Griechen geschult (*Plutus, Ritter, Wolken, Frösche, Acharner*, 1586).

4. LYRIK IM 16. JAHRHUNDERT

a) Volkslied – Kunstlied

Die Entwicklung der Lyrik im 16. Jahrhundert ist der Weg vom Lied zum Gedicht, von der Musik zur Rhetorik. Trotz dieser allgemeinen Tendenz erscheint die Situation im einzelnen kompliziert. Einerseits gab es das Volkslied, andererseits das Kunstlied, außerdem die neulateinische Poesie der Humanisten. Das Kunstlied barg ebenso Motive des Volkslieds wie der humanistischen Literatur. Die Grenzen waren fließend und sind darum schwer zu ziehen. Das Kirchenlied gehört ebenso in die Lyrikgeschichte des 16. Jahrhunderts wie der Meistersang. Die Untergattungen des Gesellschaftsliedes und der Hofweise verwischen das Bild umso mehr, als diese Gattungsbezeichnungen umstritten sind. Dominierten im Volkslied die Melodien über austauschbare Worte und Texte, so herrschten im neulateinischen Gedicht kunstvolle Wortfügungen, die den Gesetzen der Rhetorik folgten. Im Kunstlied war beides möglich. Gegen Ende des Jahrhunderts hatten sich die Formen der neulateinischen und der Kunstliedtradition durchgesetzt und leiteten die Barocklyrik ein.

Vor allem der Begriff «Volkslied» ist seit seinem Ursprung unscharf. Zwar gilt Herders Annahme von der «dichtenden Volksseele» bei heutigem Wissen um Herkunft und Auftreten des Volkslieds nicht mehr, aber immer noch impliziert der Begriff die Vorstellung des «ursprünglichen Fühlens», das sich im Singen der Lieder Ausdruck verschaffte und dem «Gekünstelten» der sonstigen Lieder entgegengesetzt gewesen sein sollte. Auch muß gefragt werden, ob die unterscheidende Benennung «Volkslied» und «Gesellschaftslied» glücklich ist, da das die fragwürdige Trennung von Volk und Gesellschaft voraussetzt. Die Unterschiede zwischen den einzelnen Liedtypen gründen in der Art ihrer Überlieferung und ihres Gebrauchs. War das Kunstlied das besondere Produkt eines einzelnen Autors und wurde es als solches schriftlich fixiert, so hatte das einfache Lied allgemeinen Charakter, da es zunächst nur mündlich überliefert wurde. Diese Überlieferungsweise schloß komplizierte Formen und Gehalte aus. Auch die Frage nach der Herkunft der Volkslieder wurde zweitrangig, da der Gebrauch Form und Thematik bestimmte. Bevorzugt waren vierhebige Verszeilen mit parataktischen Sätzen und gepaartem Reim (abab). Allgemeine Themen wie Leben und Tod, Liebesglück und -leid,

Mensch und Naturlandschaft herrschten vor. Ein Bestand fester Motive und Begriffe bildete sich aus, der den fixierten Einheiten oder Topoi der übrigen Literatur
entsprach. Die Frage, ob das Volkslied einfache Dinglichkeiten nannte (Wald,
Ringlein, Roß), während das Kunstlied allegorisierte Abstrakta bevorzugte, wäre
einer besonderen Untersuchung wert[37]. Die Tatsache, daß die gemeinhin als
Volksliedsammlungen bezeichneten Liedereditionen des 16. Jahrhunderts meist
nur wenige Beispiele mit den oben genannten Kriterien neben vielen anderen
Liedern enthalten, zeigt das Dilemma des Volksliedbegriffs, den das 16. Jahrhundert noch nicht kannte und der eine retrospektive Konstruktion unter bestimmten
weltanschaulichen Voraussetzungen war.

Folge dieser Voraussetzungen war auch die Überschätzung des Volkslieds als
repräsentativer lyrischer Form des 16. Jahrhunderts. Diese Auffassung ist in jüngster Zeit korrigiert worden[38]. Bereits 1927 wies der Musikhistoriker Hans Joachim Moser darauf hin, daß den Volksliedern im 16. Jahrhundert etwa die doppelte
Menge an Kunstliedern gegenüberstehen. Deren älteste Sammlungen gaben Er-
hard Öglin (Augsburg, 1510), Peter Schöffer (Mainz, 1513) und Arnt von Aachen
(Köln, ca. 1515) heraus. In den Kunstliedern verrieten häufig Akrosticha die
Autoren. Humanistische Einflüsse wurden nicht nur in der Erwähnung antiker
Namen und im Gebrauch der Allegorie wirksam, sondern auch im Formalen, in
der Jambenglätte, im ironischen Spiel mit der Form und in der Dreistrophig-
keit[39].

Die unter dem Titel *Frische Teutsche Liedlein* (1539–1556) erschienene bedeutendste Sammlung der nächsten Generation edierte Georg Forster (1510–1568), der
in Heidelberg und Nürnberg als Arzt praktizierte. Die Lieder, die er sein Leben
hindurch sammelte, sind vorwiegend dem Typus Kunstlied zuzurechnen. Zwar
wurde vom gleichen Motivarsenal gezehrt, das man auch dem Volkslied zu-
schreibt, aber die Vielfalt der Versformen und Reime, die Akrosticha und wechselnden Zeilenlängen sind kunstvollere Elemente, als sie das Volkslied kannte.
Sorglos gegenüber den Texten galt Forsters ganzes Interesse der Musik. Da «nicht
der Text, sonder der Composition halben, die Liedlin in truck geben» worden sind,
hat Forster die Texte oft variiert oder ergänzt.

b) Neulateinische Gedichte

Die Zweitrangigkeit der Worte in den deutschen Liedern wurde durch das gleichzeitige humanistische Bemühen um Auswahl, Anordnung und Zier der Worte in
den neulateinischen Gedichten komplementär ergänzt. Die neulateinische Poesie
steht nach dem, was sie quantitativ bietet, in direktem Mißverhältnis zur ihr geltenden Forschungsintensität. Georg Ellinger bekannte 1893 «gegen tausend neulateinische Dichter Deutschlands im 16. Jahrhundert gelesen» zu haben. Zwar han-

delt es sich dabei meist um religiöse und zweckgebundene Gedichte (Gratulations-
und Trauerverse, Panegyrika u.a.), doch auch für die darüberhinausgehende Literatur blieb ein großer Mangel an Analysen und Ausgaben[40].

Für die Entwicklung der Barocklyrik spielte die neulateinische Poesie eine
Schlüsselrolle, die Karl Otto Conrady untersucht hat[41]. Wesentliche Lyrikformen,
die das 17. und 18. Jahrhundert nutzte, wurden durch den Renaissancehumanismus
neu belebt oder, wie das Sonett, überhaupt erst geschaffen. Zugleich wurde durch
die humanistische Absicht, lateinische Gedichte nachzuahmen, jenes Arsenal von
rhetorischen Stilelementen aufgeschlossen, das bis zur Mitte des 18. Jahrhunderts
Bausteine der Lyrik lieferte. Horaz, Ovid, Martial sowie die spätrömischen Autoren Persius und Statius gaben die Muster. Die Rhetorisierung der Lyrik bedeutete
die Vorherrschaft des epideiktischen Stils, dessen Hauptmerkmal die amplificatio
(steigernde Erweiterung) war. Dem beschreibenden Stil entsprachen bestimmte
Themen, die die Humanisten bevorzugten: das Reisegedicht mit der Schilderung
des Gesehenen, die Beschreibung von Städten, das Lob von Personen u.a. Die der
Ode, der Elegie, der Ekloge (Hirtengedicht) oder der Heroide (Heldengedicht)
innewohnende deskriptive Tendenz machte diese Gattungen zu populären Aus-
drucksmedien der Humanisten. Auch das Epigramm, dessen genuine Funktion es
war, «Aufschrift» zu sein, also im wörtlichen Sinn zu beschreiben, erfüllte diese
Voraussetzung.

Zu denen, die diese Formen in Deutschland bekannt machten, zählte Helius
Eobanus Hessus (1488–1540), der bedeutendste unter den Erfurter Humanisten. Er
hat mit seinem *Bucolicon* (1509) nicht nur den Eklogenzyklus, den Petrarca vorgestaltet hatte, in Deutschland eingeführt, sondern auch das Heldengedicht, vor allem
dessen allegorische Form (*Heroides christianae*, 1514). Seine Trauergedichte *Illustrium ac clarorum virorum Epicedia* (1539) galten vorbildlichen Humanisten und
Politikern. Durch seine zu *Epigrammata* (1517 und 1520) objektivierten satirischen
Fähigkeiten wurde Euricius Cordus (1484–1535) kaum weniger bekannt als Hessus.
Auch Cordus schrieb ein *Bucolicon* (1514) von zehn Eklogen und veröffentlichte
als erster in Deutschland ein Reisegedicht (*Hodoeporicon*, 1515).

Das herausragende Talent unter den zahlreichen neulateinischen Lyrikern war
der Mediziner Petrus Lotichius (1528–1560). Seine Leistung war nicht mehr die
des Pioniers, der die neuen Formen importierte, sondern die des Meisters, der
souverän die neuen Mittel beherrschte. Lotichius' Hauptwerk sind vier Bücher
Elegien, zwei Bücher Carmina und sechs Eklogen, die er 1551 als *Elegiarum Liber
et Carminum Libellus* publizierte. Die Entscheidung, sich 1546 im Schmalkaldischen
Krieg zur Verteidigung Magdeburgs anwerben zu lassen, bereute Lotichius,
konnte aber den Widerspruch zwischen Kriegshandwerk und Humanistennatur
zum Hauptthema seines ersten Buches der Elegien machen, das dadurch seine
größte Leistung wurde. Den Gedichten fehlte der mühselige Imitationscharakter
gleichzeitiger neulateinischer Gedichte, in denen die Stilmittel oft inadäquate The-

men verdeutlichen mußten. In Lotichius' besten Werken entsprach das Was des Gesagten völlig dem Wie des Sagens, das in seiner rhetorischen Lebendigkeit und Bildkräftigkeit im Rahmen der neulateinischen Poesie Deutscher unübertroffen blieb.

Zum unmittelbaren italienischen Einfluß kamen nach der Jahrhundertmitte Impulse, die auf dem Umweg über die französische und niederländische Literatur auf die deutsche wirkten. Frankreich hatte mit dem Auftreten der Plejade (Programmschrift: *Défense et illustration de la langue française*, 1549) seinen Anspruch auf nationale und in den darauffolgenden Jahrzehnten auf europäische Literaturgeltung angemeldet. Damit wurde die bislang dominierende Rolle der Italiener eingeschränkt. Auch in den unabhängig gewordenen und wirtschaftlich erstarkten Niederlanden kam es zu einer kulturellen Blüte, die über die Grenzen hinaus wirkte.

Zeichen der beginnenden Wende war die Arbeit des Unterfranken Paul Schede, genannt Melissus (1539–1602), der seine neulateinischen Gedichte unter dem Titel *Schediasmata* (1574) und *Meletemata* (1595) veröffentlichte. Beeinflußt von den Plejadegedichten schrieb Melissus kunstvolle Oden, die zu den besten neulateinischen Werken zählen. Ebenso wie die Gedichte von Johannes Posthius (1537 bis 1597) gilt Schedes Lyrik wegen ihrer Neigung zu Antithetik und spielerischer Verabsolutierung des Stils als neulateinische Vorwegnahme deutschsprachiger Barocklyrik[42]. Von Schede stammen auch frühe Versuche in deutscher Sonettkunst. Er hatte sich u.a. in Frankreich, England und Italien aufgehalten, um dann Leiter der kurfürstlichen Bibliothek im reformierten Heidelberg zu werden. Im Auftrage des Kurfürsten übersetzte Melissus einen Teil der Psalter ins Deutsche, die Clément Marot und Théodore de Bèze ins Französische übertragen hatten (1562) und die dem Gottesdienst der Hugenotten dienten. Schede konnte 50 Psalmen veröffentlichen, in denen er die französische Versbildung nachzuahmen suchte, da auch die Melodien übernommen wurden: *Die Psalmen Davids in teutische gesangreymen ... gebracht* (1572). Die Absicht Schedes, diese Arbeit zu vollenden, vereitelte 1573 Ambrosius Lobwasser (1515–1585) mit seiner vollständigen, ebenfalls auf Marot und Bèze fußenden Übersetzung der Psalmen.

c) Neue Formen

Von Italien hatten unterdessen neue Liedformen ihren Weg nach Norden gefunden, um teils direkt, teils über Frankreich und die Niederlande auch in Deutschland bekannt zu werden: das Madrigal und die Villanelle. Das Madrigal kam mit dem italienischen Singspiel und verselbständigte sich im 17. Jahrhundert zur reinen Wortkunst.

Der Villanelle, ursprünglich ein ländliches, italienisches Lied, gaben die Franzosen ein festes Strophen- und Reimschema. Der Niederländer Orlando di Lasso (ca. 1532–1594), der als bedeutendster Komponist neben Palestrina in München Hofkapellmeister war, hatte sich besonders um das Madrigal bemüht, bevor Hans Leo Hassler (1564–1612) in seinem Werk *Neue Teutsche Gesang nach Art der Welschen Madrigalen und Canzonetten* (1596) erstmalig deutsche Madrigale veröffentlichte.

Der Niederländer Jacob Regnart (1540–1599), der als Hofkapellmeister in Wien wirkte, wurde mit seiner Villanellenkunst zum Anreger deutschsprachiger Lyrik. In seinem Werk *Kurtzweilige Teutsche Lieder, zu dreyen Stimmen nach Art der Neapolitanen oder Welschen Villanellen* (1576) erforderte die Liedstruktur eine differenzierte Gestaltung der Texte, die teilweise nur mit Hilfe rhetorischer Stilmittel möglich war. Damit mündeten Elemente humanistischer Lyriktradition in die deutschsprachige Poesie und gaben Regnarts Liedern ihren Platz am Übergang von der Renaissance- zur Barocklyrik. Den gleichen Stellenwert haben einige Lieder des Österreichers Christoph von Schallenberg (1561–1597), der in hohen Positionen am Wiener Hof tätig war. Schallenberg kam von neulateinischer zu deutscher Poesie. Er hat ebenfalls Villanellen geschrieben, ging aber über Regnart hinaus, indem er mehr Motive der italienischen Renaissancelyrik nutzte. Schallenberg verband die harmlos-heitere Liebesthematik vorangegangener Volks- und Kunstlieder mit teilweise bereits manieristischen Stilzügen. So war ihm die Technik des Conceptismus, des überraschenden Sinnspiels aus Metaphern und Antithesen, durchaus vertraut[43].

d) Hock

Den Schlußpunkt unter die Entwicklung der Lyrik des 16. Jahrhunderts setzte Theobald Hock (auch Hoeck, 1573–nach 1618 verschollen). Seine unter dem Titel *Schönes Blumenfeldt* (1601) von ihm veröffentlichten Gedichte gleichen im Rhythmus den volkstümlichen Liedern, enthalten humanistische Bildungselemente und verraten eine Welthaltung, die der Sebastian Brants ähnelt. Dieser interessanten Verknüpfung von Formen, Motiven und Perspektiven entspricht das Schicksal Hocks. Er war Pfälzer Bauernsohn und machte als Sekretär eines böhmischen Fürsten Karriere. Hock ließ sich auf umstrittene Weise adeln und erwarb Grundbesitz in Böhmen. Als Protestant wurde er Opfer der Auseinandersetzungen zwischen den böhmischen Ständen auf der einen sowie dem Haus Habsburg und den Jesuiten auf der anderen Seite. Man machte ihm den Prozeß, folterte und verurteilte ihn zum Tode. Durch die Unruhen nach dem Prager Fenstersturz wurde Hock befreit. Seine Spur verlor sich in den beginnenden Kriegswirren.

Wie Hock seine bäuerliche Herkunft durch die Nobilitierung zu überwinden suchte, so verkehrte er typische Motive des bisherigen Liedguts. Er besang nicht

die Liebe, sondern pries die Befreiung von ihr. Entsprechend dienten ihm Sprichwörter, Bibelreminiszenzen und humanistische Bildungsartikel zur Demonstration
einer vielfältig verkehrten Welt. In der Vorrede zu seiner Gedichtsammlung
machte Hock die satirisch-pessimistische Perspektive zum Programm. Es ging
ihm darum, «aller diser Welt ergernüssen und scheinbarsten sachen (die mit den
grösten Gebrechen verhafft zu sein pflegen) nit zuverkürtzen», sondern darzustellen, um aus dem Ärgsten zu lernen. Das Geschilderte bleibt in kritischer
Distanz, auch wenn das eigene Ich genannt wird. Mit beginnender «Individual-
lyrik» haben Hocks Gedichte darum nichts gemein. Vielmehr erinnert das Verhältnis von den meist sprichwortartigen Titeln und dem Text der Gedichte an das
Verhältnis von Motto und Text in Brants und Murners Narrenreigen. Hocks Titel
nennen häufig konzentrierte allgemeine Erfahrungstatsachen, die im Gedicht
exemplifiziert werden. Viele dieser Gedichte sind von knapper Eindringlichkeit.
So kündigt sich mit dem Vergänglichkeitstopos das Hauptthema der folgenden
Barocklyrik und das heraufdämmernde Kriegschaos an:

> *Alle Schatz und Geld,*
> *Schön Gebew,*
> *Was vor der Welt,*
> *So starck auch sey,*
> *Ist nimmer frey,*
> *Der Todt der frists,*
> *Die Zeit vergists,*
> *All Frewd und Wunn,*
> *Under der Sunn,*
> *Sich endet nun.*

ZWEITER TEIL

Reformation

ERSTES KAPITEL

Voraussetzungen

1. LUTHER

Die Bedeutung Martin Luthers für die deutsche Literatur ist vielschichtig. Es gibt Luthers speziellen literarischen Beitrag in Form kritischer Äußerungen und eigener Produktion. Dieser Beitrag ist klar umreißbar, wenn auch gering an Bedeutung, verglichen mit der allgemeinen Wirkung des Reformators auf die zeitgenössische und spätere deutsche Literatur. Zu dieser Wirkung zählt Luthers Einfluß auf die Entwicklung der deutschen Sprache und das Entstehen aller Werke, die in den Rahmen der konfessionellen Auseinandersetzungen gehören. Die entscheidende literarische Wirkung lag jedoch in der Rolle, die das protestantische Selbstverständnis für die Dichtung und Dichtungsauffassung der folgenden Jahrhunderte spielte.

In seiner Glaubenshaltung und Argumentation vereinigte Luther alle Gesichtspunkte, die gegen die herrschende Kirche und die Weise, wie sie repräsentiert wurde, sprachen. Dennoch war das, was er gegen das Bisherige stellte, von jener genialen Einseitigkeit, die befähigt ist, sich durchzusetzen. Mit den 95 Thesen wurden der lange bestehenden religiösen Gärung und Unzufriedenheit die Worte und Argumente verliehen, die das Weitere auslösten. Die Vertreter der römischen Kurie leiteten den kanonischen Prozeß gegen Luther ein und verfaßten die Bannandrohungsbulle, worauf Luther 1520 mit der Kirche endgültig brach, indem er seine drei Hauptschriften veröffentlichte: *An den christlichen Adel deutscher Nation; Von der babylonischen Gefangenschaft der Kirche; Von der Freiheit eines Christenmenschen.* Ist das erste Sendschreiben der große Angriff und die Darstellung dessen, was Luther als Mißstände empfand, so ist die letzte Schrift die Darlegung seiner Glaubensüberzeugung.

Der Kerngedanke von Luthers Lehre ist der unbedingte Vorrang der gläubigen Hingabe an Gottes Willen vor allen sogenannten frommen Werken und sonstigen äußeren Dokumentationen des Glaubens. Die Seele ist unmittelbar zu Gott. In dieser Vorstellung Luthers wirkte die mystische Tradition der vorangegangenen Jahrhunderte und wurde zugleich die Wurzel für den modernen Idealismus gesetzt. Luthers Verhältnis zur Mystik war so widersprüchlich, wie das Paradoxe Kern aller Mystik ist (s. S. 214). Um seinen Glauben auszudrücken, nutzte Luther mystische Vorstellungen, vor allem die vom unbegreiflichen, verborgenen Gott, der als erfahrbare Gegenwart im Menschen wirkt. Zugleich wurde daraus die mystischem Verhalten entgegengesetzte Konsequenz gezogen. Statt mönchischer Verkapselung vor der Welt, statt Rückzug in das Subjekt, um dort mit Gott eins zu werden, forderte Luther das bekennende Hervortreten, das gepredigte Wort, denn nur im Wort war ihm Gott gegenwärtig. «So mussen wir nu gewiß seyn, das die seele kan allis dings emperen on des worts gottis, und on das wort gottis ist yhr mit keynem ding beholffen ... Fragistu aber: wilchs ist denn das wort, das solch grosse gnad gibt, Und wie sol ichs gebrauchen? Antwort: Es ist nit anders denn die predigt, von Christo geschehen, wie das Evangelium ynnehelt» . Das Wort hatte so für Luther eine mehr als mystische Bedeutung, da die Worte Gottes als seine Werke verstanden wurden[2].

Diesem Wortverständnis entsprach Luthers grundsätzliche Kritik an der traditionellen Vermittlerrolle der Kirche, an der Verwaltung der göttlichen Gnade durch kirchliche Instanzen und auch sein Tun und Programm für eine reformierte Kirche. Nicht mehr der Papst, sondern allein das Evangelium sollte Autorität sein. Die Unmittelbarkeit der Gotteserfahrung, wie sie das Evangelium ermöglichte, beschränkte die Rolle der Sakramente, negierte den Unterschied zwischen Priestern und Laien und erforderte vom Gläubigen das Selbststudium der Bibel, die der Reformator, darum in allgemeinverständliches Deutsch übertrug.

Luther diskutierte seine Übersetzungsprinzipien, die zugleich seine Sprachauffassung spiegelten, im *Sendbrief vom Dolmetschen* (1530) und in den *Summarien über die Psalmen und Ursachen des Dolmetschens* (1531). Das traditionelle und schon von Horaz geforderte Übertragungsgesetz, nach dem «nicht der sinn den worten, sondern die wort dem sinn dienen und folgen sollen», galt für Luther umso mehr, als ihm über das rhetorische Nebeneinander von Wort und Sinn hinaus die Frage nach dem «sinn» der biblischen Worte so unmittelbar persönlich war, daß er mit aller Intensität darum rang. Nach seiner Meinung war die Schrift an sich klar, da jedes Wort einen einmaligen Sinn hat. Als begrenzt wurde hingegen die menschliche Fähigkeit gesehen, die Schrift zu lesen, weil das nur «ein recht frum, trew, vleißig, forchtsam, christlich geleret, erfarn, geübet hertz» vermag. Dieses Schriftverständnis schloß die traditionelle allegorische Interpretation der Bibel aus. Die von den Kirchenvätern entwickelte und seitdem in der Bibelexegese praktizierte Theorie vom vierfachen Schriftsinn[3] lehnte Luther ab, da ihm Gottes Wort nicht in bestimmte Bedeutungsebenen zerlegbar, sondern eindeutig war.

Luthers ganz unhumanistischem Textverständnis entsprach die literarische Situation erst 250 Jahre später. Damit wirkte hier eine weit größere Verzögerung, als sie zwischen der Entwicklung humanistischer Sprachauffassung und ihrer ein Jahrhundert späteren literarischen Verwirklichung in der deutschen Barockliteratur herrschte. Von Luthers Wortverständnis führte der Weg zur Sprachphilosophie des protestantischen Theologen Herder. Ebenso muß das seit dem Sturm und Drang gewonnene Verständnis von Dichtung als «Bruchstücken einer großen Konfession» im Zusammenhang mit der lutherischen Einheit von Wort und Subjekt, nach der das Sprechen eine Frage innerer Überzeugung war, gesehen werden.

Auch die erst in den letzten Jahrzehnten energisch widerlegte Interpretationsweise, die Dichtung primär als Ichaussprache oder Bekenntnis verstand, wurzelt in lutherischen und nicht erst in goetheschen Gedanken.

Luthers Bibelübersetzung war eine so umfassende und damit auch literarische Tat, daß vor ihr die Frage nach weiteren literarischen Leistungen des Reformators irrelevant wird. Luther schrieb keine Dichtungen im Sinne der gebräuchlichen literarischen Gattungen[4]. Das Fiktiv-Uneigentliche der von der humanistisch-rhetorischen Tradition bereitgestellten Formen war ihm wesensfremd, schien ihm «gemacht» und nicht «gewachsen», wie er es Erasmus einst vorhielt. Nur der Fabel und dem Drama wurden dank ihrer didaktischen Tendenz Aufmerksamkeit gewidmet. Vor allem aber im Kirchenlied fand Luther sein Wortverständnis bestätigt; denn im Singen religiöser Lieder war durch die Glaubenshaltung jene Einheit von Person und Äußerung vorausgesetzt, um die es Luther ging. Er selbst hat 36 Lieder geschaffen, von denen 10 als eigene Schöpfungen und die übrigen nach dem Vorbild alter deutscher Lieder, lateinischer Hymnen und Psalmen verfaßt wurden[5]. 1524 erschienen die ersten protestantischen Gesangbücher: *Etlich Christlich lider Lobgesang* (Wittenberg) und *Enchiridion* (Erfurt).

Luthers Abneigung gegen jede uneigentliche Sprachhaltung schloß den Gebrauch bildkräftiger Sätze nicht aus. Wenn er Gott zur «festen Burg» machte oder Brot und Wein als Leib und Blut Christi begriff, so geschah das ebenfalls aus der Kraft unbedingter Überzeugung. Damit wurden ihm die Bilder zu Symbolen. War bei der Allegorie der Dualismus von Bedeutung und Bild stets rational und damit unpersönlich festgelegt, so erforderte das Symbol die persönlich-irrationale Erfassung dessen, was das Bild bedeutete[6]. Im Gegensatz zur Beliebigkeit, wie sie im allegorischen Verhältnis von Bild und Bedeutung waltete, interpretierte Luther das Bild symbolisch, nämlich als Ausdruck von Wahrheit und Sein: «Was nichts ist, das deutet nichts; was aber deutet, das mus zuvor ein wesen und ein gleichnis des andern wesens haben»[7]. Der Abendmahlsstreit mit dem Schweizer Reformator Ulrich Zwingli (1484–1531) ging um die symbolische oder allegorische Auffassung von Brot und Wein. Zwingli blieb rationalistischer und darum bei der allegorischen Interpretation.

Luthers Widerspruch gegen das nur Mittelbare, Indirekte galt nicht nur im theologischen und sprachlichen Bereich, sondern in allen Lebensgebieten. So schien es ihm recht, mit der Hände Arbeit Brot zu verdienen, aber das Geld für Gewinn arbeiten lassen, war ihm «Teufelswerk». Die Zinswirtschaft bezeichnete Luther als das größte Unglück der Nation und meinte, «daß es viel göttlicher wäre, Ackerwerk mehren und Kaufmannschaft mindern». Hier sprach auch Luthers eigene Herkunft, von der er sagte: «Ich bin eines Bauern Sohn, mein Vater, Großvater, Ahn sind rechte Bauern gewesen.» Für das Schicksal des Standes, dem er entstammte, hat Luther jedoch eine höchst tragische Rolle gespielt. Als 1524/25, von Süddeutschland ausgehend, sich der Bauernaufstand über große

Teile des Reiches ausbreitete, war Luthers Wirken ein wichtiger Anlaß. Die Bauern, die mit ihrem Kampf zunächst ihre neue Rolle in den gewandelten gesellschaftspolitischen Verhältnissen des Reiches suchten, konnten dank Luther ihre Forderungen aus der Bibel motivieren (*Dye Grundtlichen Und rechten haupt Artickel aller Baurschaft*, 1525). Luther, der zunächst den Ausgleich zwischen Obrigkeit und Bauernführern suchte, wandte sich dann scharf gegen die Selbsthelfer (*Wider die mörderischen und räuberischen Rotten der Bauern*, 1525) und manifestierte seine Auffassung von der gottgesetzten Obrigkeit, der auch zu gehorchen sei, wenn sie im Unrecht ist. Revolution war ihm der Versuch, die «christliche Freiheit ganz fleischlich» zu machen. Luther trennte geistliche und weltliche Belange, die Macht des Wortes von der Macht der Waffen und machte letztere zum sakrosankten Instrument der jeweils Herrschenden. Die Folge hat Paul Böckmann treffend formuliert: «es bleibt nur eine entsagungsbereite Innerlichkeit übrig, die bald gefährlich kleinbürgerlich anmutet. Die gedrückte und geplagte Existenz eines abhängigen Menschen flüchtet sich in die Bibellektüre, statt die eigenen Erwartungen dem Leben gegenüber in christlich gemeisterte Formkräfte zu verwandeln»[8]. Der «Freiheit eines Christenmenschen» blieb nur die innere Emigration. Der erfolgreiche Bauernführer wurde als Wilhelm Tell statt Wirklichkeit eine Theater- und Idealfigur der Deutschen.

Luther baute seine Kirche auf dem Fundament weltlich-fürstlicher Obrigkeit. Damit waren die «Schwärmer» genannten Revolutionäre seine Gegner, die wie Thomas Münzer (ca. 1490–1525) sich mit den Bauern verbündeten und chiliastische Pläne von Lebensgemeinschaften entwickelten, in denen die geistliche zugleich die weltliche Gewalt sein sollte[9]. Aus gleichen Gründen trat Luther aber auch gegen diejenigen auf, die Gewalt anwenden wollten, wo es um reine Glaubensfragen ging: «So sollte man die Ketzer mit Schriften, nicht mit Feuer überwinden, wie die alten Väter getan haben. Wenn es Kunst wäre, mit Feuer Ketzer zu überwinden, so wären die Henker die gelertesten Doktoren auf Erden, dürften wir auch nicht mehr studieren, sondern welcher den andern mit Gewalt überwände, möchte ihn verbrennen[10].»

Die Forderung, «mit Schriften zu überwinden», war der Aufruf, mit der neuen Waffe zu kämpfen, die Gutenberg geschmiedet hatte und deren Hauptkraft ihre Breitenwirkung war. Luthers in Deutsch verfaßte Sendschreiben erreichten die Menge. Luther war der erste große Publizist, er verdankte seinen Erfolg zum nicht geringen Teil den gerade in den entscheidenden Jahren immer stärker arbeitenden Druckerpressen.

2. MELANCHTHON

Mit seiner Bibelübersetzung konnte Luther an die Bemühungen der Humanisten um authentische Quellen anknüpfen. Viele Argumente der Humanisten gegen die römische Kirche gingen in Luthers Kampfschriften ein, so daß die Vertreter der «bonae literae» in Luther zunächst einen neuen, wichtigen Bundesgenossen sahen. Da jedoch die Vorstellungen des Reformators in ihrem Kern dem widersprachen, was die humanistischen Denker und Schriftsteller gewollt hatten, blieben ihnen grundsätzlich zwei Verhaltensweisen: der Versuch, traditionelle humanistische Positionen zu behaupten bei gleichzeitiger Annäherung oder Anschluß an das katholische Lager – oder Einsatz des humanistischen Könnens für die Sache des evangelischen Glaubens. Wurde die erste Haltung vor allem durch Erasmus verkörpert, so ist für die letztere der Name Melanchthon repräsentativ.

Philipp Schwarzerd, alias Melanchthon (1497–1560) aus Bretten bei Karlsruhe besuchte als Zwölfjähriger die Universität und wurde 1514 in Tübingen Magister Artium und begann zu lehren. Sein Großonkel Reuchlin, der den Namen des Neffen gräzisierte, verhalf ihm 1518 zu einer Professur für Griechisch an der Wittenberger Universität. Die Begegnung mit Luther wurde zum Wendepunkt in Melanchthons Leben. War er bis dahin ausschließlich Humanist mit dem allgemeinen und intensiv verfolgten Ziel, die Wissenschaften zu erneuern, so änderte sich das unter dem Eindruck, den Luthers Lehre und der mit Luthers Augen gesehene Text des Evangeliums auf ihn machten. Melanchthon ordnete jetzt die von ihm so genial beherrschten humanistischen Mittel dem reformatorischen Anliegen unter. Daß dabei, wie Dilthey meinte, «ein Gleichgewicht zwischen Humanismus und Reformation in diesem universalen Geiste»[11] entstand, muß jedoch bezweifelt werden. Melanchthon, der Luthers wichtigster Mitarbeiter und späterer Nachfolger als Führer der Protestanten wurde, hat Humanismus und Reformation eher als spannungsvolle Polarität empfunden und das eine bewußt dem andern untergeordnet. In seinem 1541 verfaßten Lebensabriß schrieb er: «Wäre jenes goldene Zeitalter, das wir damals aus der Renaissance der Wissenschaften erhofften, wirklich eingetreten und hätte mir die Muße zu wissenschaftlicher Arbeit gelassen, ich hätte vielleicht erfreulichere Dinge, elegantere und für die Schulen nützlichere geschrieben. Aber die verhängnisvolle Zwietracht, die sich dann erhob, haben auch meine Studien erschüttert ...[12]». In dem Maße, in dem Melanchthon auch als Lutheraner Humanist zu bleiben suchte, war ihm politische Unbedingtheit fremd. Er blieb als protestantischer Repräsentant auf erasmische Weise um Ausgleich des «verhängnisvollen Zwiespalts» bemüht und zog sich damit heftige Kritik aus dem eigenen Lager zu.

Das große Zeugnis für das Wirken humanistischer Mittel im Dienst der Reformation war Melanchthons Hauptwerk *Loci communes rerum theologicarum seu hypotyposes theologicae* (1521). Agricolas Arbeit *De inventione* war Anregung und Vorläufer für diese Schrift, die damit ebenfalls in die Tradition der Rhetorik gehört. Die Loci, ihrem Ursprung nach die Topoi der antiken Rhetorik, waren jetzt inhaltlich festgelegt auf die Hauptaspekte der neuen religiösen Erfahrung, die es wissenschaftlich auf ein System zu bringen galt[13]. Diese Absicht entsprach der didaktischen Grundhaltung Melanchthons, der die *Loci communes* wie viele seiner Schriften aus einem Vorlesungstext hervorgehen ließ.

Mit den *Loci* hat Melanchthon die erste evangelische Dogmatik geschaffen, obwohl er selbst «nicht der Urheber eines neuen Dogmas in der Kirche» sein wollte. Dilthey hat hier zutreffend von der unauflöslichen Antinomie gesprochen, die zwischen dem religiösen Erlebnis und seiner begrifflichen Vergegenwärtigung liegt[14]. Der Begriff verlangt als Dogma die Autorität, die allein dem Erlebnis zukommt. Indem der Humanist Melanchthon versuchte, der religiösen Erfahrung ein begriffliches System zu geben, nahm der Humanismus die exegetisch-didaktische Richtung, die das geistige Klima Deutschlands seit der Reformation weitgehend bestimmte. Das zeigte sich auch in der praktischen Arbeit Melanchthons, der sich um die Verbesserung des Schul- und Universitätswesens mit großem Einsatz bemühte. Er verkörperte mit ganzer eigener Person das Einmünden der humanistischen Bestrebungen in didaktische Bahnen. Mit Leidenschaft focht Melanchthon, soweit ihm Zeit dafür blieb, für die Wissenschaften, besonders auch für die Beredsamkeit, um sie zugleich dem ausschließlich pädagogischen Zweck unterzuordnen. Er verfaßte Lehrbücher der Rhetorik und Dialektik (*Elementorum Rhetorices Libri duo*, 1523; *De Dialectica Libri quatuor*, 1539) und wandte sich gegen einen so berühmten Verächter der Rhetorik wie Pico della Mirandola. Diesem schrieb er einen fiktiven, öffentlichen Brief und pries darin den Redner, da er in erster Linie Lehrer sei, und die Redekunst, da sie ermögliche zu lehren[15]. Durch die Bemühungen Melanchthons und zahlreicher ihm verpflichteter Pädagogen wurden die Systeme von Schule und Rhetorik fest verbunden. Auf katholischer Seite bewirkten vor allem die Jesuiten das gleiche. Der Student, der von nun an die Universität betrat, war durch die Schule der lateinischen Grammatik und der imitatio der römischen Schriftsteller gegangen. Die große Entfaltung der deutschen Literatur im 17. Jahrhundert und darüber hinaus wurzelt in dem von Humanismus und Reformation geprägten Bildungssystem, dessen Kern die Rhetorik war.

Wie an der Redelehre interessierte Melanchthon an der Dichtung vor allem die pädagogische Qualität. Das entsprach der allgemeinen didaktischen Tendenz, die in der Literatur vorzuherrschen begann, und förderte sie zugleich. Die Reformatoren bemühten sich besonders um die didaktischen Gattungen der Fabel und des Dramas. Eine Fülle tendenziöser Dichtung entstand, darunter besonders die Flugschriften. Schwank und Fastnachtsspiel wurden durch Hans Sachs moralisierend, und Jörg Wickram begründete den didaktischen Prosaroman.

ZWEITES KAPITEL

Formen und Gattungen

1. FLUGSCHRIFT UND LITERARISCHE GRUNDFORM

Den Hauptteil der in der Reformationszeit veranstalteten Drucke bildeten die meist nur wenige Seiten starken Flugschriften, die man als Vorläufer der Zeitungen ansehen muß. Die Flugschriften enthielten Stellungnahmen zu aktuellen Tagesfragen aller Bereiche. Sie wollten die öffentliche Meinung beeinflussen. Da die religionspolitischen Probleme im Mittelpunkt des Interesses standen, galten ihnen die meisten Drucke. Alle Parteien, ob Protestanten, Katholiken oder andere religiöse Gruppen, nutzten die schnellen und anonymen Publikationen zur Propagierung ihres Standpunktes oder zum Angriff auf die gegnerischen Positionen, die meist karikaturistisch verunglimpft wurden. Die konfessionelle Polemik fand mit ihrer Härte und oft persönlichen Zielrichtung in der Flugschrift das geeignete Ausdrucksmedium. Auf katholischer Seite war Thomas Murner (s. S. 91ff) der Meister dieser Form. Bei den Protestanten war nach Luther Johann Eberlin von Günzburg (um 1470–1533) der wirkungsvollste Flugschriftenautor. Mit den *15 Bundtsgnossen* (1521) gab er seinen Überzeugungen wortmächtigen Ausdruck.

Soweit auf direkte Weise Meinungen verkündet wurden, sind die Flugschriften als historische Quellen wichtiger denn als literarische. Für sie gab es vom Brief über das Traktat bis zu dem von Luther geschätzten gewichtigen Sendschreiben viele Möglichkeiten. Erfuhr das Gesagte irgendeine Form der Einkleidung, erhielt es ein mimetisches Gewand, dann gehört die Flugschrift auch in den Bereich der Literatur. Den formalen Möglichkeiten waren hier weite Grenzen gesteckt, innerhalb derer bestimmte Gruppen und Prinzipien vorherrschten. So waren Parodien auf kirchliche Formen wie Gebet, Messe u.a. populär. Am häufigsten wurde der Dialog gewählt. Als Gesprächspartner traten neben Figuren der Zeit- und Heilsgeschichte (Luther, Papst, Petrus) vor allem die verschiedenen Vertreter der Standes- und Berufsgruppen auf (Edelmann, Bürger, Bauer, Pfarrer, Mönch, Bäcker, Hurenwirt). Sie besprachen, was es zu beweisen galt. So nahm im *Karsthans* (1521) des St. Galler Bürgermeisters und Reformators Joachim Vadian der bäuerliche Titelheld (Karst = Feldhacke) nach dem Gespräch mit Murner und Luther kräftig für die neue evangelische Lehre Stellung. Der einfache Mann wurde so häufig zur Dialogfigur gemacht, wie er der Adressat der Flugschrift war[16]. Er kam zu Wort, wenn um ihn geworben wurde, denn dadurch konnte ihm das volle Einverständnis mit den Meinungen seines literarischen alter ego suggeriert werden. In der Weise, wie Standpunkte zu Dialogpartnern konkretisiert wurden, verriet sich das Grundprinzip vieler Flugschriften: der Gedanke, den es plausibel zu machen galt, wurde auf möglichst plastische, derbe Weise versinnlicht, um dadurch von jedermann verstanden zu werden. Diesem Grundprinzip dienten auch die Holzschnitte, die oft von guten Meistern angefertigt waren und verdeutlichen sollten, um was es in der Flugschrift ging. Darum war der Holzschnitt häufig allegorisch konzipiert. So wurde der Konfessionshader als Tauziehen zwischen Papst und Luther verbildlicht oder die Bibel zur Kugel, mit der die Reformatoren zum Glaubensziel kegelten. Wie *Das Kegelspiel* (1522) zeigt, kombinierte man das allegorische Bild gern mit einem Dialog. Das Grundprinzip anschaulicher Verwirklichung wurde am unmittelbarsten in den Flugschriften befolgt, in denen ein allegorisches Bild vom Text nur gedeutet zu werden brauchte. Diese Möglichkeit war ebenfalls in einer ganzen Gruppe von Pamphleten genutzt, unter denen Melanchthons und Luthers Schrift *Deuttung der zwo grewlichen Figuren Bapstesels zu Rom und Munchkalbs zu freyberg in Meyssen funden* (1523) das wohl bekannteste Beispiel war. Daß selbst der ausgleichende Melanchthon die scharfe Waffe der Flugschrift nicht scheute, zeigt, wie selbstverständlich diese grobianische Art der Auseinandersetzung war.

Um das Verhältnis von Bild und Text zu verdeutlichen, sei nachstehend der Holzschnitt wiedergegeben.

Der Bapstesel zu Rom

Jedes Detail der konstruierten Figur hatte allegorischen Sinn und wurde von Melanchthon nacheinander auf folgende Weise gedeutet: «Auffs neunde/ der trach der das maul auf seynem hyndersten auff sperret/ oder fewer speyet/ bedeut die gifftige grewliche bullen und lester bucher/ die ytzt der Bapst un die seyne yn die wellt speyen/ damit sie yedermann fressen wollen/ weyl sie fulen/ das es ein ende mit yhn werden will/ unnd vergehn mussen.»

Es ist nicht zuviel gesagt, wenn man in diesem Verhältnis von Bild und Text oder von Darstellung und Deutung die literarische Grundform des 16. Jahrhunderts sieht, die weit über diese Zeit und über den Rahmen der Flugschrift hinauswirkte und alle literarischen Gattungen erfaßte. Aus dem Grundprinzip der anschaulichen Verwirklichung folgte die Grundform von Darstellung und Deutung. Das Verhältnis von Titel, Bild und Text entsprach dem dreiteiligen Aufbau des Emblems mit Motto, pictura und subscriptio. Anders als beim Emblem handelte es sich im gezeigten Beispiel um eine reine Allegorie. Nicht ein Seiendes, das als Lebewesen oder Ding möglich war, wurde erklärt, sondern eine zusammengesetzte konstruierte Figur. Das gleiche Verhältnis von Bild und Deutung erschien bereits im Hauptwerk von Sebastian Brant (s. S. 88ff). Auch für die Fabel galt das Prinzip der Dopplung von Darstellung und Deutung. Nur stand hier an der Stelle des Bildes die Fabelhandlung. Für das Drama war das Zugleich von Bild und Deutung eine Keimzelle (s. S. 64), und im Roman des 16. Jahrhunderts hatte das Bild, wie Wickrams Werk zeigt, bestimmte Schlüsselfunktionen im Text[17]. Die gemeinsame Bedingung dieser so verschieden verwandten literarischen Grundform lag in ihrer Wirkungsbezogenheit. Die Tatsache, daß etwas Dargestelltes gedeutet wurde, setzte denjenigen voraus, dem es erklärt werden sollte. Dem Verhältnis von Darstellung und Deutung war darum die didaktische Tendenz immanent. Als Didaktik ex negativo wurde sie zur Satire. Die Grundform von Darstellung und Deutung war darum so allgemein in der Literatur des 16. Jahrhunderts wie deren didaktische Haltung.

2. FABEL

In der Flugschrift war es ein beliebtes Mittel der Verunglimpfung eines Gegners, ihn als Tier darzustellen. Die Flugschrift nutzte somit den Abstand, der zwischen dem Menschlichen und dem Tierischen lag, zu polemischen Zwecken. Im Gegensatz dazu wurde in Tierepos und Fabel nicht auf den Unterschied, sondern auf Entsprechung zwischen Menschlichem und Tierischem gezielt. Die Tiere bedeuteten bestimmte menschliche Eigenschaften und Haltungen. Mit dieser Qualität waren sie im Tierepos Glieder einer sozialen Gemeinschaft, die als satirischer Spiegel der menschlichen Gesellschaft fungierte oder parodistisch auf eine bestimmte literarisch gestaltete Gemeinschaft bezogen wurde.

In der Fabel blieb das Auftreten der Tiere auf Einzelhandlungen beschränkt, die weniger aus satirischen als aus didaktischen Gründen dargestellt wurden. Die Lehre, die aus der Fabelhandlung zu ziehen war, konnte dem Leser selbst überlassen bleiben oder am Ende der Fabel ausgesprochen werden. Fabel und Tierepos tauchten zuerst in der altorientalischen Dichtung auf, der alles Gleichnishafte wesensgemäß war. Der Beginn europäischer Fabeldichtung ist mit dem Namen des Griechen Äsop verknüpft, der als Fabelerzähler seit dem 6. Jahrhundert v. Chr. erwähnt wurde. Der freigelassene römische Sklave Phädrus (um 50 n. Chr.) übertrug die äsopisch genannten griechischen Fabeln in lateinische Jamben. Ein Romulus (um 1000 n. Chr.) schuf daraus eine Prosaauflösung, die im Mittelalter sehr populär war.

Mit Humanismus und Reformation begann auch ein neuer Abschnitt der Fabelgeschichte. 1461 wurden unter dem Titel *Der Edelstein* erstmals Fabeln gedruckt, die der Schweizer Ulrich Boner 1349 zusammengestellt hatte. Die Humanisten veranstalteten zahlreiche Drucke spätantiker und auch mittelalterlicher Fabeln. Um 1480 gab Heinrich Steinhöwel seine vor allem auf Romulus basierende Prosaverdeutlichung *Esopus* heraus, die für die weitere deutsche Fabeldichtung zur wichtigsten Quelle wurde und bis ins 17. Jahrhundert viele Neuauflagen erlebte.

Daß die Fabel von den Reformatoren besonders geschätzt wurde, war in ihrer Struktur begründet. Der Dualismus von Beispiel und Lehre, von Darstellung und Deutung kam Luthers didaktischem Anspruch und seiner Neigung zur Bestätigung seiner Gedanken im Konkreten sehr entgegen. 1530 bereitete er eine eigene Fabelausgabe vor, die erst postum gedruckt wurde. Grundlage der Bearbeitung war Steinhöwels Sammlung, die Luther wegen der darin enthaltenen Schwänke in seiner Vorrede den «schendlichen Esopum» nannte. Er eliminierte darum alle «unzuechtige Bubenstück», die «kein jung Mensch ohne Schaden lesen und hoeren kan» und ließ nur, was «feine Lere und Warnung» geben konnte. Mit der ihm eigenen derben Sprachkraft formulierte Luther bündige und einprägsame Fabelhandlungen, an deren Ende er die Deutung setzte. Da diese nicht abstrakt, sondern in sprichwortartigen konkreten Sentenzen gehalten war, trat sie gleichgewichtig neben die Fabelhandlung. Das starke Gewicht, das Luther der Lehre gab, war damit auch der Form nach deutlich.

Zwei Protestanten, Erasmus Alberus und Burckhard Waldis, führten die Fabeldichtung weiter. Sie veröffentlichten die bedeutendsten Sammlungen des 16. Jahrhunderts. 1534 wurden *Etliche fabel Esopi* von Erasmus Alberus herausgegeben, die 1550 umgearbeitet und sehr erweitert als *Das buch von der Tugent und Weißheit, nemlich Neunundvierzig Fabeln* nochmals erschienen. Erasmus Alberus (ca. 1500 bis 1553) aus der hessischen Wetterau wirkte als Schulmeister und Pastor an verschiedenen Orten. Er starb als mecklenburgischer Generalsuperintendent in Neubrandenburg.

Vermied Luther in seiner Fabelgestaltung alles Beiwerk und begrenzte er sich auf die für den Handlungsablauf notwendigen Momente, so ging Alberus den entgegengesetzten Weg. Mehr als die Hälfte seiner Beispiele begann er mit einer genauen Angabe des Ortes, wo sich das geschilderte Ereignis angeblich abgespielt hatte. Diese Lokalisierungen sollten den Eindruck der Tatsächlichkeit des Geschehens verbürgen. Die mimetischen Mittel, die Alberus nutzte, dienten dem gleichen Zweck. Er ließ seine Tiere ausgedehnte Reden und Zwiegespräche halten. Auch was sie dachten, wurde teilweise breit dargestellt. Am Ende mündete alles bündig in die «Morale», die jedoch nicht immer eine moralische Schlußfolgerung war. Alberus nahm aktiv an den religiösen Auseinandersetzungen teil und trug die konfessionelle Polemik in seine Fabelsammlung. Manches Stück, wie das *Vom Babstesel*, hatte nicht Fabel-, sondern Flugschriftcharakter, da mittels der Tiere nicht typische Handlungsweisen kritisiert, sondern bestimmte Figuren der Zeitgeschichte angegriffen wurden.

Auch Burckhard Waldis (ca. 1490–1556) verfaßte politische Gedichte (*Streitgedichte gegen Herzog Heinrich den Jüngeren von Braunschweig*, 1542), blieb aber in seiner Fabelsammlung mit konfessioneller Polemik zurückhaltender als Alberus. Waldis, der eines der wichtigsten Reformationsdramen schrieb (s. S. 65 f), begann sein abenteuerliches Leben im hessischen Allendorf. Er wurde Franziskanermönch in einem Kloster von Riga und nach Erfolg der Reformation in dieser Stadt eingekerkert, als er für den alten Glauben politisch aktiv blieb. Im Gefängnis trat Waldis zum Protestantismus über und wurde frei. Er wirkte als Zinngießer in Riga und machte größere Geschäftsreisen, bis er wegen Agententätigkeit gegen den katholischen Orden von 1536 bis 1540 wieder gefangengesetzt wurde. Ab 1541 studierte Waldis Theologie in Wittenberg. 1544 betraute ihn der hessische Landgraf Philipp mit einer Pfarrei.

Für die 400 Fabeln seines *Esopus, Gantz new gemacht, und in Reimen gefaßt* (1548) diente Waldis die Sammlung des Martinus Dorpius (1485–1525) aus Löwen als Hauptquelle. Zwar weitete Waldis wie Alberus die meist knappen Vorlagen aus, gab aber die Moral nicht mehr getrennt, sondern integrierte sie weitgehend in die Fabelhandlung selbst. Der schlußfolgernde Teil war mit Exempeln und sprichwörtlichen Redensarten durchsetzt und vermittelte deshalb weniger eine besondere Lehre als allgemeine Erfahrungen. Waldis war mehr humorvoller Erzähler von Lebensweisheiten als straffer Moralist und Didaktiker. Er zog keine scharfe Trennungslinie zum Schwankhaften und ging mit der häufigen Schilderung menschlicher Situationen über den engeren Rahmen der Tierfabel hinaus. Waldis griff die katholische Kirche nicht im Stil eines *Babstesels* an, sondern spottete etwa über die durch das Zölibatsgebot unglückliche Rolle eines verliebten Pfaffen. Das realistische Detail war ihm näher als das ideologische Ganze.

3. DRAMA

Die gleichen Gründe, die zur Blüte von Flugschrift und Fabel führten, verursachten eine intensive Dramenproduktion. Den Lutheranern wurde die Bühne zur Kanzel, von der aus die Gegenpartei angegriffen oder die eigene Überzeugung verdeutlicht wurde. Dabei konnte ebenso an die Tradition des Fastnachtsspiels wie an die Errungenschaften des Humanistentheaters angeknüpft werden. Auch die Allegorie, die sich schon in der Flugschrift als dankbares Instrument der Konfessionspolemik erwies, diente in dieser Rolle dem Reformationsdrama.

Da die Tendenz Form und Stoff der Stücke bestimmte, waren ästhetisch-formale Fragen zweitrangig. Die Begriffe «Tragedj» und «Comedie» wurden ziemlich willkürlich nach dem zufälligen guten oder traurigen Ausgang der Handlung verwandt. Stofflich hatten biblische Themen und satirisch-polemisch konstruierte Gegenwartssituationen den Vorrang. Dominierte zu Beginn der Reformation das satirisch-polemische Stück, mit dem «die Papisten» attackiert wurden, so trat mit der Konsolidierung des Protestantismus das biblisch-parabolische Drama in den Vordergrund.

Pamphilus Gengenbach (ca. 1480 – ca. 1525), ein in Basel wirkender Buchdrucker, gehörte mit seinen aus Fastnachtsspielen abgeleiteten Lehrstücken in das geistige Klima, das am Vorabend der Reformation von Sebastian Brant bestimmt wurde. *Die X Alter dyser Welt* (1515) gestaltete Gengenbach nach dem ebenso in Brants *Narrenschiff*, im Flugblatt wie in der Emblematakunst herrschenden Prinzip bildlicher Darstellung und textlicher Deutung. Die Idee der *Zehn Alter* wurde aus Fastnachtsumzügen übernommen. Gengenbach druckte zehn Holzschnitte, die bis zum Hundertjährigen je ein Altersjahrzehnt darstellten. Er ließ im folgenden Text das jeweilige Alter mit einem Einsiedel sprechen, wobei sich die Sündhaftigkeit aller Altersgruppen erwies. Die Kombination von Bild und Text oder Spiel, wie sie von Gengenbach gestaltet wurde und in vielen vorangegangenen und späteren Szenen ihre Entsprechung fand, muß man als eine Keimzelle des vorbarocken und barocken Dramas ansehen[18]. Der Schritt vom Bild zum Drama war gemeineuropäisch und begründete den Ut-pictura-poesis-Charakter der folgenden Dramatik, in der die Figuren mehr rhetorisch zur Wirklichkeit Stellung nahmen, anstatt handelnd Wirklichkeit zu sein. Stellung nahm ebenfalls *Der Nollhart* in Gengenbachs zweitem Spiel (1517), als er wie auch andere weissagende Ratgeber von Papst, Kaiser, König, Bischof und anderen Personen um die politische Zukunft befragt wurde.

Nachdem Gengenbach wie Murner (s. S. 91 ff) eine *Gouchmatt* (1519) geschrieben hatte, kehrte er mit *Klag über die Totenfresser* (ca. 1521) zur Kombination von Bild und Text zurück. Der Titelholzschnitt dieses ersten reformatorischen Agitationsstückes zeigte Papst, Bischof, Priester und andere, wie sie eine auf einem

Tisch liegende Leiche verzehren. Die Bedeutung dieser allegorischen Handlung erläuterte der folgende Text, in dem die Bildfiguren die materiellen Vorteile preisen, die ihnen aus der Sitte der Totenmesse und anderer kirchlicher Riten erwachsen. Die *Totenfresser* werden allgemein als Anfang der Reformationsdramatik gesehen und sind von den Flugblättern, die aus allegorischem Bild und Dialog bestehen, nicht zu unterscheiden. Das zeigte, wie die Intention beider Gattungen gleich sein konnte und wie der Weg von der statischen Situation des gedeuteten Bildes zur dramatischen Handlung führte.

Diesen Weg bestätigte der gleichfalls in der Schweiz lebende Niklas Manuel (1484–1530), der Gengenbachs Thema der *Totenfresser* zum handlungsbetonteren Spiel *Vom Bapst und siner Priesterschaft* (1523) ausgestaltete. In seiner eigenen Entwicklung vom Maler zum Schriftsteller hatte Manuel den Schritt vom Bild zum Drama auch persönlich vollzogen. Im Stück *Vom Bapst* blieben die Figuren noch die Instrumente, mit denen der Autor von Szene zu Szene wechselnd unmittelbar das Publikum ansprach, zugleich begannen sie aber auch untereinander zu handeln und damit eine Eigenwirklichkeit darzustellen[19]. Manuel nutzte die Stationenform des Fastnachtspieles zur antipäpstlichen Polemik, die starke sozialkritische Züge trug. Den gleichen Gehalt hatte der kurze Dialog *Von Bapst und Christi Gegensatz* (1523), der wieder der Kommentar einer zunächst bildlich existierenden Situation war. Zwei Bauern beobachten und vergleichen einen kriegerisch-glanzvollen Aufmarsch des Papstes und einen Zug von Armen und Elenden, den der dornengekrönte und auf dem Esel reitende Jesus anführt. Interessant ist, daß man auch hier ein Werk der Malerei als Anregung vermutete: Lukas Cranachs *Passional Christi und Antichristi*[20].

Im Gesamtwerk Manuels, zu dem auch der allegorische Prosadialog *Krankheit der Messe* (1528) zählt, nimmt das Spiel *Der Ablaßkrämer* (1526) den ersten Platz ein. Mit diesem Stück hatte sich Manuel am weitesten von dramatischer Kommentarform entfernt und eine in sich geschlossene Handlung geschaffen, die aus sich wirkte und belehrende Sentenzen erübrigte. Ein Ablaßkrämer kommt in ein Dorf, um dort zum zweiten Mal seinen Sündenhandel zu betreiben. Doch die Dorfbewohner, die jetzt gewitzter geworden sind, verlangen ihr Geld zurück und hängen den Mönch, da er sich weigert, zweimal so lange auf, bis er den Unsinn seines Handelns und sein Sündenregister bekennt, das im Verführen der Beichtkinder kulminiert. Realistisch-derbe Sprechweise kennzeichnet den Dialog. Die Tatsache, daß hier die Untersten des Volkes einschließlich des Bettlers einen Repräsentanten der Kirche als moralisch korrupten Ausbeuter entlarven, muß vor dem Hintergrund des beginnenden Bauernkrieges gesehen werden. *Der Ablaßkrämer* eröffnet die schmale Reihe realistischer Revolutionsstücke deutscher Sprache, die über Weise und Büchner zu Brecht führte.

Die Umkehr der Ablaßkrämersituation war Kern von Burckhard Waldis' bekannter *Parabell vam vorlorn Szohn* (1527), die der Situation nach Ende der

Bauernkriege so entsprach wie Manuels Stück dem Augenblick der Unruhen. Statt berechtigten Aufbegehrens gestaltete Waldis nach Lukas 15 die verderbliche Auflehnung gegen die väterliche Autorität. Wie bei der Fabel bestimmte die Verknüpfung von Geschehen und Lehre die Struktur des zweiaktigen Stückes. Die Handlung, die aus der Auseinandersetzung Sohn – Vater, Luderleben und Abstieg des Sohnes zum Schweinehirten sowie seiner schließlichen Rückkehr und gnädigen Wiederaufnahme beim Vater besteht, erfährt durch die Kommentare am Ende der zwei Akte ihre Sinndeutung: der Sohn oder Mensch ist verloren, solange er sein Leben auf sich selbst zu gründen sucht. Er erfährt aber die Gnade des Vaters oder Gottes, sobald er bereuend zu ihm zurückkehrt. Dieser Rechtfertigung allein durch den Glauben steht die verfehlte Werkgerechtigkeit des daheimgebliebenen Sohnes gegenüber, mit dem der Katholizismus satirisch gezeichnet ist. Die Tatsache, daß die Figuren nicht die bloßen Sprachrohre von Waldis' lutherischer Überzeugung sind, sondern ihr Handeln Eigenleben zeigt, macht das Spiel zu einem Schlüsselstück der Reformation. Die Figuren konnten in dem Maße aus sich selbst leben, wie der Glaube zur Frage innerer Haltung geworden war.

Dieses Eigenprofil der Gestalten hat einen interessanten soziologischen Aspekt. Es erlaubte die überzeugende Spiegelung des göttlichen Autoritätsverhältnisses in der familiären Vater-Sohn-Beziehung und verwies damit auf den Zusammenhang, der zwischen Luthers Glaubenslehre und protestantischer Familienstruktur bestand. Der geforderten unbedingten Unterwerfung unter die göttliche Gnade entsprach die unbedingte Autorität des Familienoberhaupts.

> *De nicht synns vaders straff kan dragenn!*
> *De geyth van all synen guden dagenn!*

Diese Feststellung von Waldis' Vater wirft ein Schlaglicht auf die geistigen Voraussetzungen der patriarchalischen Familienverhältnisse, deren Ende erst die Vatermorddramen des deutschen Expressionismus signalisierten.

Waldis' Parabelstück bedeutete die Umkehr des von Gengenbach und Manuel wiederholt gestalteten Verhältnisses von bildlicher Situation und szenischer Deutung. Hier war die dramatische Ebene nicht mehr die Kommentarebene, sondern selbst Objekt zusätzlicher Deutung. Das gab der Handlung ihr Eigengewicht. Der nächste Schritt bestand im weiteren Zurücktreten des Kommentars und der noch stärkeren Betonung der Handlungsebene. Dieser Prozeß vollzog sich unter dem Einfluß des Humanistenstückes. Als die aus der antiken Dramatik gewonnenen Errungenschaften für das Reformationsstück fruchtbar gemacht wurden, begann das protestantische Schuldrama.

Die Reformationsdramatik konzentrierte sich auf die Landschaften, die Brennpunkt konfessioneller Auseinandersetzung waren. In der Schweiz entwickelte sich aus den Voraussetzungen des Fastnachtsspieles die erste Phase der neuen Dramatik. Da die Schweiz und das Oberrheingebiet bis Straßburg in enger kultureller Verflechtung lebten, wurden auch im Elsaß dramatische Aktivitäten rege, die zur Gründung des Straßburger Akademietheaters durch den Schulleiter Johannes Sturm (1507–1589) führten. Sturms Lateinschule wurde zu einer weit über das Oberrheingebiet hinaus bekannten Pflegestätte antiker und neuer Dramatik.

Besonders in Sachsen wurde das protestantische Schuldrama gepflegt. Luthers und vor allem Melanchthons Sorge um die Schulen trug gerade in diesem Punkt Früchte. Joachim Greff (ca. 1510–1552) war der erste, der ein deutschsprachiges biblisches Stück nach terenzischem Muster für sächsische Aufführungen schrieb (*Spil von dem Patriarchen Jakob und seinen zwelff Sönen*, 1534). Das Judiththema, das Greff ebenfalls gestaltete, gehörte zu den Standardstoffen des Schuldramas, unter denen die Geschichten von Susanna, Tobias, dem armen Lazerus oder der Hochzeit von Kana besonders beliebt waren. Unter diesen Stoffen war wohl keiner so zur Dramatisierung prädestiniert wie der der Susanna. In der Geschichte der von zwei Richtern begehrten und dann unschuldig angeklagten Frau lagen die Möglichkeiten, mit denen die Dramatiker seit der Antike gerne arbeiteten: Intrige, Gerichtsszene, plötzliche Umkehr im Schicksal der Heldin. Diese Voraussetzungen machten das Susannendrama des Augsburger Rektors Sixt Birck (1501–1554) zu seinem bekanntesten Werk. Paul Rebhun (ca. 1505–1546) gelang es dann, den Stoff zum bedeutendsten Reformationsdrama auszuarbeiten: *Ein Geistlich spiel von der Gotfurchtigen und keuschen Frawen Susannen* (1535). Rebhun stammte aus Waidhofen (Niederösterreich) und wurde Pädagoge und Geistlicher in Sachsen. Außer seinem Erfolgsstück und kleineren Arbeiten ist von ihm noch *Ein Hochzeits Spil auff die Hochzeit zu Cana Galileae gestellet* (1538) überliefert. In *Susanna* verwirklichte er das klassische Schema der fünf Akte nicht nur äußerlich, sondern als sinngemäßes Gliederungsprinzip. Auch um die Versform bemühte sich Rebhun sehr. Er forderte bereits die Einheit von Wortakzent und Versakzent bei regelmäßiger Folge von Hebung und Senkung und paßte in *Susanna* seine Verszeilen dem Gewicht der Szenen an oder charakterisierte wichtige Passagen durch einen getragenen Stil. Die Chorlieder am Ende jedes Aktes vermittelten den religiösen Gehalt der Szenen. Im Verhältnis von Szene zu Lied war wieder die Grundform der Dopplung von Darstellung und Deutung präsent, wobei die Deutung die Spannung der Handlung nicht relativierte, sondern als Gebet um Zuversicht und um Gottes Hilfe steigerte.

Das Gegeneinander von handelnder Intrige der Richter und ruhiger Standhaftigkeit Susannas antizipierte den Gegensatz von Tyrann und Märtyrer im barocken Drama. War dieser Gegensatz im 17. Jahrhundert nicht mehr irdisch versöhnbar und forderte er das Opfer des Märtyrers, so griff in *Susanna* Gott durch den Mund des Knaben Daniel unmittelbar in die Handlung ein und wandte alles zum Guten. Daß bei Rebhun die unerschütterliche Hingabe an Gottes Gebot und Willen ihren irdischen Lohn und das Böse seine irdische Strafe empfing, entsprach der glaubensgewissen Welthaltung des 16. Jahrhunderts. Für diese Welthaltung war die Rettung der Standhaften, also der gute Ausgang des Dramas, und damit die Komödie so symptomatisch wie das Trauerspiel für das Barockjahrhundert.

Neben dem deutschen entstand das lateinische Schuldrama als populäres Mittel, nicht nur konfessionell zu beeinflussen, sondern auch das lateinisch-rhetorische Vermögen der beteiligten Spieler und Hörer zu fördern. Das lateinische Schuldrama bediente sich der gleichen biblischen Themen wie das deutschsprachige.Die Geschichte vom verlorenen Sohn war auch hier der Auftakt und wurde von dem Niederländer Guliemus Gnaphaeus (1493–1568) zum *Acolastus* (1529) dramatisiert. Dieses Werk, das 1535 ins Deutsche übertragen wurde, war weit erfolgreicher als Waldis' Zweiakter. Gnaphaeus hatte zum ersten Mal ein biblisches Thema in die Dramenform des Terenz gegossen. Mehr von Plautus war der ebenfalls aus den Niederlanden stammende Georgius Macropedius (1475–1558) beeinflußt, als er unter dem Titel *Asotus* (1537) seine Fassung vom verlorenen Sohn veröffentlichte. Unter den 13 Stücken des Macropedius war der in der Tradition des um 1470 verfaßten Moralitätenspieles vom *Everyman* stehende *Hecastus* (1539) das erfolgreichste. Hans Sachs übersetzte das Stück ins Deutsche. Das Jedermannmotiv vom reichen Mann und seinem Sterben stand auch im Mittelpunkt von *Mercator* (1540) des Thomas Naogeorgus (1511–1563) und von *De Duedesche Schloemer* (1584) des holsteinischen Pfarrers Johannes Stricker (ca. 1540–1598).

Zog das Parabelspiel aus dem konkreten Beispiel die allgemeine Lehre, so ging das allegorische Drama den umgekehrten Weg und konkretisierte Allgemeines zu Dramenpersonen und -handlungen. Wie bei der allegorischen Flugschrift wurde damit auf konfessionspolemische Wirkung gezielt. Das in dieser Hinsicht erfolgreichste Stück war *Pammachius* (1538) von Naogeorgus, eines protestantischen Geistlichen und ebenso heftigen wie beredten Romfeindes. Er verfaßte noch vier weitere Dramen. Sein Pammachius oder «Alleszerstörer» ist römischer Papst, der um seines Machtstrebens willen den Bund mit dem Teufel eingegangen ist. Christus läßt in Luther den erfolgreichen Gegenspieler auftreten. Die drei Ebenen des mittelalterlichen Theaters (höllisch-irdisch-himmlisch) wurden für dieses protestantische Kampfdrama so geändert, daß sie mit den konfessionellen Lagern identisch wurden: auf der einen Seite der Papst und die Teufel, auf der anderen Christus mit den Aposteln, den Allegorien der Kühnheit und Wahrheit sowie Luther. Schon 1539 wurde *Pammachius* ins Deutsche übertragen.

Macropedius war Katholik und blieb mit *Asotus* nicht der einzige seiner Konfession, der versuchte, das für das Luthertum so dankbare Thema vom verlorenen Sohn zu gestalten. Der Schweizer Hans Salat (1498–1561), der wirkungsvolle antireformatorische Polemiken schrieb, veröffentlichte 1537 *Eyn parabel oder gleichnus von dem Verlornen, oder Güdigen Son*. Der in Wien lebende Wolfgang Schmeltzl (ca. 1500– ca. 1560) arbeitete den *Acolastus* von Gnaphaeus zur *Comedia des verlorenen Sons* (1545) um. In der Weise, wie hier die spezifisch lutherischen

Aspekte des Stückes ausgeklammert werden mußten und das Ganze zur Warnung vor schlechtem Lebenswandel vereinfacht wurde, zeigt sich die Schwäche der gegenreformatorischen Dramatik, die sich erst mit dem Jesuitendrama zu größerer Pracht und Überzeugungskraft entfaltete.

Die Dramengeschichte des 16. Jahrhunderts schließt mit dem Nürnberger Jacob Ayrer (1543–1605). Die große Zahl seiner Stücke spiegelt deren Gehalt: sie waren das Sammelbecken aller möglichen Stoffe und Anregungen, die von den aus England kommenden Komödianten, aber auch von deutschen Autoren wie Frischlin, Wickram und besonders Sachs ausgingen. Ayrer schrieb 106 Stücke. Davon wurden 30 Tragödien sowie 36 Fastnachts- oder Possenspiele als *Opus Thäatricum* postum 1618 veröffentlicht. Drei weitere Texte blieben handschriftlich erhalten[21]. In der Vorrede heißt es, daß das «*Opus Thäatricum* von allerhand Geistlichen und Weltlichen Comedien und Tragedien über uralte, langverloffene, herrliche und woldenckwürdige Geschichten, Thaten und Sachen ... artlich, künstlich und compendiose componirt» worden ist. Damit ist Ayrers Dramatik treffend charakterisiert. Er entnahm den Quellen und Vorlagen nur Stoffliches und dramatisierte es zu historischen Kompendien, in denen ausschließlich der äußere Geschehnisablauf Figuren und Handlungsstruktur bestimmte. Wie Sachs konnte Ayrer alles zum Stoff werden, nur bezog er es nicht mehr auf den stets gleichen moralischen Zweck, sondern begnügte sich mit der bloßen «Denkwürdigkeit» der Ereignisse. Mit Ayrer endet die Dramentradition des Reformationsjahrhunderts, da ihm das didaktische Prinzip nicht mehr Formprinzip war und als Zweck des Spieles das nur Interessante an dessen Stelle trat. Die angehängten moralischen Belehrungen wirkten jetzt gewichtslos. Mit dem Ausfall des didaktischen Formprinzips gewann in den Tragödien und Komödien, von denen ein Teil der Geschichte Roms galt, die äußerliche historische Einzelheit Dominanz. Die Dramen bestehen aus Ketten einzelner Geschehnisse, die in 6 oder 7 Akten von 12 bis 42 Personen zu spielen waren. Die fehlende Formgebundenheit, die dem Einzelgeschehen so starkes Gewicht gab, rechtfertigt den Begriff «realistisch» und begründet den inneren Zusammenhang von Ayrers Dramen mit seinen Fastnachts- und Possenspielen[22]. Auch die in vielen Dramen auftretende Narrenfigur «Jahnn», die von den Engländern übernommen wurde, ordnete Ayrers Stücke in die Stiltradition des Realismus ein.

DRITTES KAPITEL

Gestalten

1. SACHS

Luther, der besonders dem Handwerkerstand «aufs Maul schaute», um seine eigene Sprache zu bereichern, gab dafür diesem Stand das Selbstbewußtsein, sich der Worte nicht nur im Alltagsrahmen zu bedienen, sondern aus ihm heraus eine «poetische Sendung» zu erfüllen. Der Nürnberger Zunftbürger und Schuhmacher Hans Sachs (1494–1576) wäre ohne Luther wohl ein Meistersinger geblieben. Erst die reformatorische Lehre schuf den Resonanzboden, der den Äußerungen des Handwerkers allgemeinen Klang verlieh. Sachs sprach darum auch für den eigenen Stand, wenn er schrieb:

> *So thet Luther jetzt schrifft einfüren,*
> *Das es ein bawer merken mecht,*
> *Des Luthers Lehr sey gut und recht.*

Für diese «Lehr» und daß alles «gut und recht» im Sinne zunftbürgerlicher Moral sei, verfaßte Sachs über 6000 Gedichte, woraus nicht nur emsiger Handwerkerfleiß, sondern auch eine poetische Besessenheit spricht, die die Zeitgenossen in ihren Bann zwang. Die Popularität, die Sachs gewann, wurde erst wieder von Gellert im Jahrhundert der Aufklärung erreicht. Sachs und Gellert wirkten mit ihren Werken als Morallehrer. Zwischen ihnen erstreckte sich die Epoche der Gelehrtenpoesie, deren Maßstäbe keinem der beiden gerecht wurden.

In seinem in Versform gebrachten Lebensabriß *Summa all meiner gedicht* (1567) schilderte der in Nürnberg geborene Sachs, wie er das wenige Latein, das er gelernt hatte, rasch wieder vergaß, das Schuhmacherhandwerk lernte, dem Brauch gemäß wanderte, Meister wurde, zweimal heiratete und sich mit großer Intensität dem Meistersang widmete. Ohne genauere Kenntnis der humanistischen Formtradition gab ihm der Meistersang eine formale Schulung, die ihn zu mehreren großen Leistungen befähigte. Die von den Zunftbürgern praktizierte Kunst hatte sich im 15. Jahrhundert aus dem absterbenden Minnesang entwickelt, von dem sie Melodien (die Töne) und das Gliederungsprinzip in Stollenpaar und Abgesang übernahm. Die «Bar» oder «Par» genannten Lieder wurden von den Meistersingern nach Handwerksart geschaffen, präsentiert und bewertet. Zunftprinzipien wurden Kunstprinzipien. Man gründete Singschulen, die ihre Gesetze in schriftlichen Ordnungen und Tabulaturen festlegten und damit den Meistergesang zu einem pädagogischen System machten, in dem man sich durch Prüfungen vom Schüler zum

Schulfreund, der die tabulatur kannte, dann zum Singer entwickelte, der mehrere Töne singen konnte. Danach wurde man zum Dichter, der zu alten Tönen neue Texte verfaßte, und schließlich zum Meister, der neue Töne verfertigte. Durch diese Nachahmung des handwerklichen Ausbildungssystems wurde der Meistersang auf seine Weise der vorherrschenden didaktischen Tendenz der Literatur gerecht.

Hans Sachs war der bedeutendste Meistersinger, da er die enggefaßten Vorschriften bald durchbrach und neue Formen und Themen nutzte, die er zum großen Teil aus den gerade erschienenen Veröffentlichungen der verschiedensten deutschsprachigen Texte zog. Aus seinen ungedruckt gebliebenen 4275 Meisterliedern formte Sachs die meisten seiner mehr als 1700 weiteren Werke, die er selbst «Spruchgedichte» nannte und die aus Fastnachtsspielen, «Comedien», «Tragedien», aus Schwänken, Gesprächen, Fabeln und anderen Formen bestanden. Diese wohl fruchtbarste Produktion innerhalb der deutschen Literaturgeschichte war dank der Tatsache möglich, daß Sachs seine Themen und Stoffe übernehmen und oft mehrfach nutzen konnte und daß der Thema und Form bestimmende Zweck jedes Einzelwerkes stets der gleiche war: die moralisierende Belehrung des Zuschauers oder Lesers. Durch diese Einheitlichkeit verflachten die gattungsmäßigen Unterschiede der einzelnen Werke und wurde der summarische Titel «Spruchgedichte» gerechtfertigt. Dazu kam der stets gleichbleibende Stil des «Knittelverses». In meist achtsilbigen Zeilen bei männlichem Ausgang und neunsilbigen bei weiblichem Ausgang wechselten regelmäßig betonte und unbetonte Silben ab. Die formale Einheit entsprach der gehaltlichen.

Die didaktische Grundhaltung von Sachs begründet seine Vorliebe für Allegorien. Die zeitüblichen Personifikationen von Tugenden, Lastern und sonstigen allgemeinen Zuständen erlaubten das Nacheinander von Schilderung und Auslegung, um die es Sachs ging und mit der er das literarische Grundprinzip seiner Zeit befolgte, das in der Doppelung von Darstellung und Deutung bestand. Zum bekanntesten Beispiel dieser Gestaltungsweise wurde sein Reformationsgedicht *Die wittembergisch nachtigall* (1523), deren Titelholzschnitt eine auf einem Baum sitzende Nachtigall zeigt, während zu Füßen des Baumes vielerlei Tiere hocken. Wie der folgende Text erklärt, sind es vorwiegend Schafe, die ihren Hirten verlassen haben und durch die Stimme des Löwen in die Wüste verführt wurden. Dort werden sie Opfer von Untieren, bis der Gesang der Nachtigall die Überlebenden rettet. Sachs deutet dann die Nachtigall als Luther, den Löwen als Papst, den Hirten als Christus und erklärt auch die übrigen Tiere, wobei er zugleich die lutherischen Argumente gegen die Papstkirche darlegt. In der Figur *Bald-anderst* aus dem gleichnamigen Gedicht personifiziert Sachs, angelehnt an die Fortunavorstellung, das veränderte Prinzip, das alle Dinge der Welt dauernd in ihr Gegenteil wandeln läßt. Da die Allegorie durch die Beliebigkeit charakterisiert ist, die im Verhältnis von Ding und Bedeutung waltet, erscheint Baldanderst auch als

Die Wittenbergisch Nachtigall
Die man yetz höret vberall.

Ich sage euch/wa dise schweygē/so werden die stein schreyē Luce.19.

Allegorie der Allegorie. In dieser Funktion übernahm Baldanderst später eine Schlüsselrolle in Grimmelshausens Hauptwerk (s. S. 104ff). Sachs hingegen blieb bei der schlichten und belehrenden Feststellung, daß alles auf Erden sich wandele und der Mensch sich darein zu schicken habe.

Zu den populärsten Werken von Hans Sachs gehören seine 77 Fastnachtsspiele. Diese im Spätmittelalter aufblühende Gattung hatte sich aus den Fastnachtsbräuchen entwickelt. Fastnacht war die kurzfristige Umkehr dessen, was die kirchlichen Gebote vorschrieben, um diese dann umso kräftiger wirken zu lassen. Diese Umkehr äußerte sich im Fastnachtsspiel in der Bevorzugung des Bereiches, den die kirchliche Morallehre am schärfsten bekämpfte: der Sexualsphäre. Vor Sachs waren die bekanntesten Verfasser auf diesem Gebiet Hans Rosenplüt (ca. 1400–1470) und Hans Folz (1450– ca. 1515). In Rosenplüts Spielen mehr als in denen von Folz bestimmte die Sexualsphäre die Bildsprache, deren Präsentation ein Hauptzweck des Spieles war[23].

Aus anderer Absicht schrieb Sachs seine Fastnachtsschwänke. Wenn Buhlsachen gestaltet wurden, dann nicht um ihrer selbst willen. In den protestantischen Gebieten hatten die Fastnacht und ihre derben Spiele die ursprüngliche Funktion verloren. Sachs konnte sie darum zum Vehikel seiner moralischen Absichten machen und nach dem Prinzip verfahren, daß die Lehre umso eindringlicher wirkt, je derber das inszenierte Ereignis ist. *Das Narren schneyden* (1536) kann man als ein Schlüsselstück der Fastnachtsspiele Sachsens ansehen, denn hier wurde der Gehalt seiner anderen Schwänke auf allegorische Weise zum Thema gemacht. Ein «großpauchet kranck» kommt zu seinem Arzt, der als eine Reihe von Narren die sieben Hauptlaster aus ihm herausoperiert. Das Motiv vom Narrenschneiden hatten Murner und andere vorgestaltet. Sachs war kein Erfinder neuer, sonder ein Meister im Verwerten vorgeformter Stoffe. Von antiken Themen bis zu Boccaccios Novellen popularisierte Sachs, was ihm durch deutschsprachige Vorlagen bekannt wurde. Waren die Themen der Form und der Intention adäquat, so entstanden Werke, die bis heute populär blieben. Das gilt besonders für Fastnachtsschwänke wie *Der farent schueler ins paradeis* (1550) oder *Das Kelberbruten* (1551). Hier waren Stil und Gattung kongruent, denn der Schwank war seinem Ursprung nach ein didaktisches Instrument (s. S. 85f). Weniger glücklich war das Verhältnis von Form und Gehalt in den «Tragedien» Sachsens, die in krude Handlung und simple Sinndeutung zerfielen. Unter der Voraussetzung, daß der Naive einig mit sich und seiner Welt lebt, ist Sachs unter die naiven Schriftsteller zu rechnen. Er lebte in einer durch Luthers Gedanken abgesicherten heilen Welt. Sinn und Wirklichkeit waren ihm eins, so daß ihm alles, was ihm an literarischem Stoff begegnete, zum Beispiel für die Lehre werden konnte.

2. WICKRAM

Das 16. Jahrhundert besaß zwar eine außerordentlich rege Literatur, aber nur wenige bedeutende Gestalten, die aus der Vielzahl schreibender Geistlicher und Lehrer herausragten. Neben Sachs war es vor allem Jörg Wickram (ca. 1505–1560), der die literarische Entwicklung seiner Zeit beeinflußte und repräsentierte. Wickram verfaßte Schwänke (*Das Rollwagenbüchlein*, s. S. 86), Fastnachtsspiele, Dramen, und gilt als der Autor, der in Deutschland den «bürgerlichen Prosaroman» begründete.

Wie Sachs war Wickram weitgehend Autodidakt. Der unehelich geborene Patriziersohn arbeitete in seiner Heimatstadt Colmar zunächst als Ratsdiener. Er befaßte sich auch mit dem Buchhandel, der Malerei und gründete 1546 eine Meistersingerschule. Einem glücklichen Kauf Wickrams ist die Erhaltung der «Colmarer Handschrift», einer Sammlung von Meisterliedern des 14. und 15. Jahrhunderts, zu danken. 1554 wurde Wickram Stadtschreiber in Burkheim am Kaiserstuhl.

Die erste der als Fastnachtsspiele bezeichneten szenischen Darstellungen *Die Zehen alter d' welt* (1531) gestaltete Wickram nach Gengenbachs Vorlage. Zwar weitete Wickram Gengenbachs Text durch einen auf mehr Personen verteilten Dialog etwas aus, im Prinzip aber blieb die ursprüngliche Form erhalten. Im

Dialog wurde die im Bild dargestellte Idee szenisch veranschaulicht und interpretiert. Dieser Dualismus blieb auch Kern von Wickrams Fastnachtsspielen *Das Narrengießen* (1537) und *Der Trew Eckart* (1538).

In den Romanen Wickrams trat an die Stelle des Nebeneinander von Text und Bild das allgemeine Verhältnis von Text und seinem Zweck. Die Romanfiguren und ihre Handlungen wurden ausschließlich durch die didaktische Einsicht motiviert, die sie vermitteln sollten. Alles Dargestellte erfuhr Sinn und Funktion durch die pädagogische Absicht der Werke. Dieses Prinzip wirkte sich in *Der Jungen Knaben Spiegel* (1554) am deutlichsten aus. Die Lebenswege zweier Knaben gegensätzlicher Herkunft werden beschrieben. Fridbert, ein Kind ärmster Landleute, wird von einem Ritterpaar mit dessen eigenem Sohn Wilbaldus zusammen aufgezogen. Ist Fridbert ebenso gehorsam wie fleißig, so ist Wilbaldus faul und durch Verführung aufsässig. Macht der gute Sohn eine Karriere bis zum Kanzler des Landesherren, so droht der schwache Rittersohn als Sauhirt zu verkommen. Der Roman ist so strikt nach dem Kontrastprinzip gebaut, daß ein Diagramm den Fortgang der Handlung am besten verdeutlichen könnte. Die Schicksalslinie des Guten findet in der des Bösen ihre negative Entsprechung. Genau in der Mitte des Buches, im 15. der 29 Kapitel, stehen Fridbert im Zenit und Wilbaldus im Tiefpunkt ihrer Laufbahn. Die einfache Einsicht, die vermittelt werden sollte, prägte die einfache Handlungsführung. Noch im Erscheinungsjahr des Romans schuf Wickram eine dramatisierte Fassung: *Der Jungen knaben Spiegell*.

Gleiche Formprinzipien bestimmen das Werk *Der Goldtfaden* (1554, gedr. 1557). Auch dieser Roman erzählt die Geschichte einer Karriere: der tapfere und tüchtige Bauernjunge Leufried, dessen Weg ein treuer Löwe begleitet, heiratet nach vielen Bewährungen die geliebte Grafentochter und wird als Nachfolger ihres Vaters Regierender im Land. Diesen äußeren Handlungsablauf sahen und priesen die märchenkundigen Romantiker, die Wickram wiederentdeckten. Die entscheidenderen Strukturen des *Goldtfaden* hat kürzlich Martin-ten Wolthuis aufgedeckt[25]. Demnach hat das Werk ein genau kalkuliertes Aufbauschema, in dem sich die Romanteile spiegelbildlich gegenüberstehen. Viele Situationen, Motive und Begriffe sind allegorischer Natur und aus der literarischen Tradition des Mittelalters zu verstehen. Allegorisch und strukturbestimmend war das Verfahren, wie Wickram seelische Vorgänge körperlich gestaltete. Bildliche Wendungen und poetische Vorstellungen, die ihren Weg aus der höfischen Literatur in den Meistersang gefunden hatten, wurden von Wickram eigentlich genommen und realiter angewandt[26]. Dieser Konkretisierungs- oder Veranschaulichungsprozeß, der ebenso im Detail wie als Gesamtprinzip der Werke galt, war die Wickramsche Variante des für die Literatur des 16. Jahrhunderts charakteristischen Verhältnisses von Darstellung und Exemplifizierung, von Idee und Verwirklichung. Die diesem Verhältnis innewohnende didaktische Tendenz galt umso mehr für *Goldtfaden* und *Knaben Spiegel*, als in ihnen pädagogische Prozesse die Leitthemen bildeten.

Man darf annehmen, daß auch Wickrams übrige Romane nach nicht weniger sorgfältig geplanten Formprinzipien geschrieben sind. In seinem ersten Werk *Ejn schoene und liebliche History von dem edlen und theüren Ritter Galmien* (1539), das stofflich von französischen Ritterbüchern angeregt wurde, war das Thema der Liebe zwischen sozial verschiedenen Partnern bereits gestaltet. Es stand auch im Mittelpunkt von Wickrams zweitem, von der Forschung *Gabriotto* (1551) genannten Roman. In seinem letzten epischen Werk *Von Guten und Bösen Nachbaurn* (1556) zeigte Wickram am Schicksal von drei Generationen einer Kunsthandwerkerfamilie die Segnungen guter Nachbarschaft. Die positiven Vorbilder wurden zur Nutzanwendung empfohlen. Daß das Grundprinzip von Darstellung und Deutung wieder verwirklicht wurde, kommt in Martha Wallers Kritik zum Ausdruck: »Während Wickram es im *Knabenspiegel* jedoch glänzend versteht, die moralischen Bemerkungen in den Gang der Handlung einzubauen, ... nehmen sie in den *Nachbarn* einen breiten Raum ein und überwuchern die Handlung, so daß es manchmal scheint, als sei diese nur ihretwegen, zu ihrer Illustration, da[27].« Die Idee oder der Zweck des Ganzen erschien hier nicht mehr nur konkretisiert oder veranschaulicht, sondern trat unmittelbar und damit überbetont zutage.

Im Gegensatz zu den vorangegangenen Romanen spielte der letzte im bürgerlichen Milieu. Ist darum die These gerechtfertigt, daß mit Wickram der «bürgerliche Prosaroman» beginnt[28]? Diese Frage ist nur dann zu bejahen, wenn man die bürgerliche Tugendlehre, die Wickrams Werke vermittelten, als ausreichende Begründung nimmt. Sieht man hingegen als Merkmal des bürgerlichen Romans, daß er Wirklichkeit als «subjektiven Weltausschnitt» darstellt (s. S. 279f), dann tragen Wickrams Werke den Titel «bürgerlich» zu Unrecht. Wickram gestaltete keine sich gegen die Welt entfaltenden Persönlichkeiten, sondern die Figuranten der objektiven, das Romanganze bestimmenden Ideen. Selbst als Liebende wurden die Gestalten, wie bereits Galmy zeigte, Opfer der Liebe, die sie wie eine Krankheit überfiel und beherrschte. Die Figuren motivierten nicht die Handlung, sondern wurden durch Sinn und Ziel der Handlung bestimmt. Ihre Möglichkeit, aus sich selbst zu existieren, war noch weit geringer, als Waldis es seinem verlorenen Sohn zugestand. Machte dieser sich aus eigener Entscheidung vom Vater unabhängig, so wurde in Wickrams Drama *Ein schönes und Evangelisch Spil von dem verlornen Sun* (1540) die Hauptfigur nur verführt und zum Opfer einer Intrige von Bösewichtern. Entsprechend wurden die Wirtshausszenen, in denen sich bei Waldis das Eigenleben des Sohnes am kräftigsten entfaltete, bei Wickram wesentlich knapper gehalten. Diesem Mangel an Eigensubstanz der Figuren entsprach die Ferne zu den vom Humanistendrama erreichten formalen Positionen. Besonders mit seinem Stück *Tobias* (1550) war Wickram dem mittelalterlichen Massendrama näher als dem Renaissancestück. Nach dem räumlichen Simultanprinzip pendelten die 84 auftretenden Personen zwischen den gleichzeitig gezeigten Orten der Handlung. Gleiches gilt für das kürzlich entdeckte *Ein Schönes Und auch Christenliches Spyl*

auß den geschichten der Aposteln gezogen (1552), in dem Wickram 77 Personen auftreten ließ[29]. Mittelalterliche Strukturen sind noch im Gesamtwerk Wickrams
gegenwärtig. Sie wurden besonders in seinen Romanen sozial umfunktioniert und
dienten dem Ausdruck eines bürgerlichen Tugendkonzepts: «Ein yeder mus nach
gottes ordnung sein arbeit und lauff volbringen.» Damit vermittelte Wickram
ähnlich Sachs eine heile Welt und vermied den Weg derer, die die vom Wandel
geprägte Welt als ordnungslos oder verkehrt anprangerten.

DRITTER TEIL

Verkehrte Welt

REALISTISCHE LITERATUR IM 16. UND 17. JAHRHUNDERT

ERSTES KAPITEL

Formen

I. REALISMUS-ASPEKTE

Der Realismus hat verschiedene Definitionen erfahren. Man hat ihn ebenso als periodische wie als stilistische Erscheinung begriffen oder schlicht als Widerspiegelung der objektiven Realität gesehen. Der immer wieder bemühte Vergleich «je naturgetreuer desto realistischer» war der schwächste Beitrag zur Realismusfrage, da er eine Entscheidung über das, was naturgetreu oder Natur ist, voraussetzte. Natur oder empirische Wirklichkeit ist nicht total, sondern nur von bestimmten Gesichtspunkten aus erfaßbar. Diese zweifellos außerliterarischen Gesichtspunkte wurden zur letzten Instanz der Realismusfrage gemacht, wenn die Gleichung Naturtreue–Realismus ernstgenommen wurde. Damit verdeckte man durch inhaltliche Vergleiche von Empirischem und Dargestelltem die Verschiedenheit von empirischer und literarischer Wirklichkeit. Diese Verschiedenheit zu reflektieren, ist jedoch die Voraussetzung des Realismusbegriffs[1].

In den klassischen Definitionen des Epischen wurde zugleich ein wesentliches Prinzip des literarischen Realismus formuliert, vom Goethe-Schiller-Briefwechsel bis zur Romantheorie von Lukács oder Staigers Poetik. Schiller schrieb, «daß die Selbständigkeit seiner Teile einen Hauptcharakter des epischen Gedichtes ausmacht». Der Epiker folge dem Prinzip der Substantialität: «er schildert uns blos das ruhige Dasein und Wirken der Dinge nach ihren Naturen; sein Zweck liegt schon in jedem Punkt seiner Bewegung»[2]. Selbständigkeit statt Funktionalität seiner Teile charakterisiere demnach das epische Werk. Dasein und Wirken der Dinge nach *ihren* Naturen sieht die klassische Epentheorie im Werk Homers dargestellt. Denn den Dingen, dem Menschen und seiner Welt, ist hier noch das Wesenhafte immanent. Physisches und Metaphysisches sind identisch. Die Götter handeln und wirken durch die Menschen. Das Verhältnis von Göttlichem und Menschlichem ist so unproblematisch wie das des Menschen zu seinem eigenen Tun. Ungebrochen verwirklicht sich der homerische Held in seinem Handeln, die kritische Reflexion, der Zwiespalt zwischen Entschluß und Ausführung der Handlung fehlt. Man nennt deshalb den homerischen Helden naiv. Er fragt nicht nach den sein unmittelbares Handeln transzendierenden Zwecken und lebt darum in einer nur episodisch vermittelten Wirklichkeit, die aus einer Reihung autonomer Teile besteht. Die Selbständigkeit der Teile ist im Epos durch die Immanenz des Sinnes in jedem Teil gerechtfertigt.

Der Moment, in dem die von Homer vermittelte Einheit von Physischem und

Metaphysischem nicht mehr galt, war die Geburtsstunde des literarischen Realismus. Die Wirklichkeit, die das Wesenhafte nicht mehr barg, wurde fragwürdig, denn die Dinge hatten nicht länger Wert und Sinn in sich selbst. Sie existierten nur noch in übergreifenden Sinnzusammenhängen oder Ordnungen. Jeglicher Versuch, die «Dinge nach ihrer Natur» zu schildern, bedeutete darum die Relativierung der übergreifenden Ordnungen. Ein in der Realismusdiskussion häufig zitierter Satz von Clemens Lugowski gilt diesem Problem: «Einzelnes ist dort nicht ganz und nur es selbst, wo es in einem Zusammenhang, einer übergreifenden Ganzheit steht ... Erst ›isoliert‹ sind die Dinge ganz und nur sie selbst, sie sind ›real‹ im wahren Sinn»[3]. Daß die Dinge in einem Zustand der Isoliertheit denkbar oder «real» sind, muß bezweifelt werden. Richtiger wäre es zu sagen, daß ihre Isolierung ein realistischer Vorgang ist, denn diese Isolierung bedeutet das Versagen oder die Negation übergreifender Ganzheiten. Realistisch ist darum das Gestaltungsprinzip, das übergreifende Sinnzusammenhänge als vermißt voraussetzt oder sie verneint. Realistisch schreibt der Satiriker, der Wirklichkeiten demonstriert, denen Sinn und Zweck mangelt. Er schreibt im Bewußtsein des besseren Sinnes oder Zweckes. Fehlt auch dieses Bewußtsein, so wird die dargestellte Realität endgültig sinnlos oder grotesk. Der Realist schildert somit nicht einfach «Welt wie sie ist», sondern eine fragwürdige oder Verkehrte Welt. Verkehrte Welt ist mangelhafte Wirklichkeit, in der die tradierten Normen und gültigen Sinnsetzungen versagen. Verkehrte Welt ist nicht nur satirisch oder grotesk dargestellte Welt, sondern kann auch zum Instrument des Polemikers werden, der nicht Wirklichkeit schlechthin anprangert, sondern das Weltbild eines Gegners angreift. Verkehrte Welt ist darum häufig Thema in Zeiten der Umwertung, der großen Auseinandersetzung und allgemeinen Instabilität. Nach dem Zerfall der noch einmal Sinn und Wirklichkeit bindenden Ordnung des Mittelalters erlebte der literarische Realismus eine Blüte. Die Welt, die verkehrt war, weil sie den alten oder neuen Normen nicht genügte, wurde mit der Renaissance zum populären Thema.

Der Realismus hat als Darstellung der Verkehrten Welt nicht nur ein besonderes thematisches Gesicht, sondern auch ganz bestimmte formale Aspekte. Als Aristoteles mit seinem Mimesisbegriff den Wirklichkeitscharakter des literarischen Werkes forderte, wandte er das Prinzip der übergreifenden Ganzheit, das die Dinge einordnet, auf die Dichtung an. Notwendigkeit und Wahrscheinlichkeit sind die Ordnungsprinzipien, die das literarische Werk zu einem geschlossenen Gebilde machen. Die Relativierung übergreifender Ganzheiten im realistischen Werk findet darum ihren formalen Ausdruck in der Aufhebung von Notwendigkeit und Wahrscheinlichkeit. Der Realismus hat eine deutlich antimimetische Tendenz. Sein formales Prinzip ist nicht das der übergreifenden Ganzheit, sondern der additiven Reihung. Die Einzelteile der Dichtung werden in offenen Formen summiert und nicht in geschlossenen Formen funktionalisiert. Die Autoren der Verkehrten Welt von Brant bis Grimmelshausen bestätigen dieses Prinzip. Sie zeigen nicht eine

Welt autonomer sinnbergender Teile, sondern eine Welt, deren Einheit zerbrochen ist, sie zeigen den Mangel übergreifender Ganzheit. Der Selbständigkeit der Teile im klassischen Epos steht so die Verselbständigung der Teile im realistischen Werk gegenüber.

Dementsprechend bevorzugt der Realismus ganz bestimmte Figurengruppen. Naivität ist ihr Hauptcharakteristikum. Die homerischen Figuren handelten naiv, da sie nicht nach den ihr unmittelbares Handeln transzendierenden Aspekten zu fragen brauchten. In dem Moment, in dem diese Aspekte, etwa der Moral oder des Rechtes, galten, war naives Verhalten abgewertet. Naivität wurde zur Torheit. Die Poetiken, die den realistischen Stil mit dem Komischen identifizierten, wiesen ihm als Charaktere die Vertreter der unteren Stände zu. Engagiert in die Banalitäten des Alltags, blieben Bauer, Kleinbürger oder Soldat den Entscheidungen und Sinnfragen fern, die die Wirklichkeit bestimmten. Zu den Vertretern der einfachen Stände kamen jene Figuren, in denen törichtes Verhalten personifiziert ist: der Narr und das Tier. Der Narr, der außerhalb gültiger Ordnungen steht, ist eine Hauptfigur realistischer Literatur aller Nationen. Auch das Tier, das nach seinen Instinkten lebt und darum außerhalb allgemeiner Sinnzusammenhänge agiert, wird zum Helden satirischer Werke. Narr und Tier bleiben nicht nur außerhalb geistiger Ordnungen, sie sind zugleich die Mittel, die Ordnungen in Frage zu stellen oder ihr Versagen mahnend zu konstatieren. In dieser Rolle werden sie zu Hauptfiguren vieler Werke der Reformationszeit.

2. SATIRISCHE TIERDICHTUNG

Ein zunächst fälschlich Homer zugeschriebenes «komisches Heldengedicht» spiegelt diese Entwicklung. Um das 3. Jahrhundert v. Chr. erschien die *Batrachomyomachia*, die Schilderung des Kampfes zwischen dem Volk der Frösche und dem Mäusevolk. In diesem Krieg der Kleintiere wurde der Kampf der Helden um Troja parodiert. Georg Rollenhagen (1542–1609) griff den Stoff auf und gestaltete ihn zum *Froschmeuseler* (1595) aus. Er war bereits mit den biblischen Dramen *Des Erzvaters Abraham Leben und Glauben* (1569), *Tobias* (1576) und *Vom reichen Mannel und armen Lazaro* (1590) hervorgetreten. Im *Froschmeuseler* formte Rollenhagen die antike Persiflage zu einem Bild seiner eigenen sehr gespannten Zeit um. Geschildert wird der Besuch des Mäusekönigssohnes bei den Fröschen, dessen tragischer Tod und der daraus resultierende Kampf der Tiere, den die Krebse durch ihr Eingreifen entscheiden. Die rechte Staatsform im Froschstaat wird ebenso diskutiert wie die rechte Lösung des konfessionellen Streites. Als Zeitgenossen treten auf: Luther als mannhafter Oberquaker «Marx», der Kaiser als Storch und der Papst als die militante Schildkröte «Beißkopf». Mit Hilfe der Tiere, die ursprünglich die Naivität der homerischen Helden parodistisch entlarven sollten, kann Rollenhagen die

Probleme seiner Welt auf die Ebene des Versepos projizieren und so einen satirisch-didaktischen Weltspiegel protestantischer Richtung schaffen, damit die Leser

> ... an Fröschen und an Mäusen sehen
> Wie es pflegt in der Welt zu gehen.

Der satirische Effekt liegt in der allegorischen Reduktion des Humanen auf das Animalische. Rollenhagens Absicht, ein allgemeines Bild der Zeit zu geben, unterscheidet ihn von den Reformationspolemikern, die die Tierwelt zu speziellen Angriffen auf die konfessionellen Gegner nutzten.

Die kritische Spiegelung menschlicher Ordnung und Unordnung in der tierischen Welt hatte im *Reineke Fuchs* ihr großes Vorbild. Auch hier ist der Kern alt: die Fuchssage stammt aus Indien und kam über den Griechen Äsop nach Frankreich, Holland und schließlich Deutschland. Auf ihrem Weg durch Räume und Zeiten legte sich um die Kerngeschichte ein Ring anderer Fabeln und Schwänke. Bis zum Mittelalter hatte sich die Fabel zum Epos ausgeweitet. Niederländische und französische Quellen benutzend, schuf der Niederländer Hinrek van Alkmaar um 1480 eine Fassung mit eingeschobenen Glossen, die den Text didaktisch-moralisierend auslegten. Die einstige Allgemeinheit der Fabel war zur besonderen Satire auf Hof und Geistlichkeit gewandelt. Eine niederdeutsche Umarbeitung dieser Vorlage durch einen unbekannten Verfasser erschien 1498 in Lübeck unter dem Titel *Reynke de vos*. Sie war die klassische deutsche Gestaltung, der nach der Übertragung ins Hochdeutsche zahlreiche Fassungen und Übersetzungen folgten. Den Helden, den listenreichen Fuchs, interpretiert Emil Staiger mit Recht als Reinkarnation des Odysseus: «wundern kann es uns nicht, daß er in Tiergestalt Auferstehung feiert. Die Menschen sind anders geworden. Die Tiere aber sind geblieben, was sie waren von Anbeginn[4].» Sie handeln gemäß den Trieben ihrer Natur spontan und naiv. Sie sind darum prädestiniert, Spiegel der Laster und Schwächen der menschlichen Gesellschaft zu sein. Am Hofe Nobels des Löwen, dem König der Tiere, herrscht ein erbarmungsloser Kampf um Macht und Ansehen, aus dem Reineke als Sieger hervorgeht, da er mit scharfem Intellekt die Blößen seiner Gegner, ihre Dummheit und Gemeinheit, zur genialen Vertuschung der eigenen Untaten nutzt. Es siegt die List. Der Fuchs, der schon wegen Mordes auf der Galgenleiter steht, wird schließlich Kanzler des Königs, – gemäß seinem Namen, denn Reineke ist die Verkleinerung von Reinart und damit Reginhart, das heißt Ratskundiger. Realistisch wird demonstriert, wie nicht Gewissen, Recht oder Moral herrschen, sondern der Relativismus der Macht. Recht in jeder Beziehung hat der Sieger, ihm applaudiert die Welt, die sich dadurch als verkehrt enthüllt.

3. VOLKSBUCH UND SCHWANK

Wie das Epos vom Heldengedicht zur Tiersatire abstieg, so sind die Volksbücher zum Teil die «für das Volk» in Prosa wiedererzählten alten Ritterepen. Sie waren nicht, wie Herder und die Romantiker es sahen, schöpferischer Niederschlag dichtender Volksseele, sondern dankbare Objekte finanzieller Spekulation. Das seit Ende des 15. Jahrhunderts aufblühende Buchdruck- und Verlagsgeschäft schätzte neben vielem anderen den *Herzog Ernst* (1493), *Tristan und Isalde* (nach Eilhart von Oberges frühmhd. Fassung 1484) oder Wirnt von Gräfenbergs *Wigalois* (ca. 1472) wegen der guten Nachfrage sehr. Literatur wurde zur Unterhaltung, die mit stofflichen Spannungsreizen wirkte. Das lesende Bürgertum ergötzte sich damit an einer Wirklichkeit, die nicht mehr existierte, oder erbaute sich an einer Abenteuer- und Wunderwelt, wie sie *Fortunatus* (1509) bot. Auch Frankreich lieferte den deutschen Volksbüchern Historien: Veit Warbeck schrieb nach französischer Vorlage *Die schöne Magelona* (1527); Hieronimus Rodler übertrug *Die vier Haymonskinder* (1535) ins Deutsche (wie nach ihm nochmals Paul van der Aelst nach einem niederländischen Text, 1604). Die Vasallenkämpfe der Karolingerzeit sind der historische Hintergrund dieser Geschichte von den vier Söhnen des Herzogs Aymont de Dordons. Sie wird einfach erzählt: als Reihung isolierter Sachverhalte, als Kette von Handlungselementen, denen noch jede Dimension der Breite und Tiefe fehlt. Naivität ist hier kein thematischer Aspekt, sondern charakterisiert die Gestaltungsweise. Eine weitere Themenquelle der Volksbücher floß aus der Novellistik der italienischen Humanisten.

Zu den ältesten Volksbüchern gehört die Rahmenerzählung der *Sieben weisen Meister* (1470), die in der Fassung von 1482 mit Holzschnitten bebildert wurde. Allgemein hatten die Bilder besonders der frühen Drucke die wichtige Aufgabe, analphabetischen Hörern den vorgelesenen Text anschaulich zu machen. Darum wurden, wie etwa ein Baseler Druck der *Melusine* von 1474 zeigt, nicht die Episoden und Details, sondern die Knotenpunkte der Handlung illustriert. Die Geschichte der schönen Melusine, die als Menschenfrau verheiratet ist, bis sie von ihrem Mann in ihrer eigentlichen Gestalt der Wassernixe entdeckt wird, schrieb 1456 Thüring von Ringoltingen nach französischen Vorlagen neu.

Gegen die Volksbücher argumentierte eine Opposition, die so alt ist wie die Volksbücher selbst und in ihnen eine Gefahr für das Seelenheil der Leser und ihren literarischen Geschmack sah. Daß solche Fürsorge auch ein Mittel im Volksbuchgeschäft sein konnte, indem man sie zum Argument machte, zeigt die *Historia von D. Johann Fausten* (1587). Ihr Frankfurter Drucker Johann Spieß hatte «Arbeit und Kosten so viel desto lieber daran gewendet», um, wie er in seinem Vorspruch sagt, «ein schrecklich Exempel des Teuffelischen Betrugs, Leibs und Seelen Mords, allen Christen zur warnung» zu geben. Spieß wurde dafür nicht nur mit vielen Auflagen, sondern auch mit einem festen Platz in der europäischen Literaturgeschichte belohnt. Der Autor, womöglich Spieß selbst, sammelte die vielen, meist phantastischen Geschichten, die von der historischen Figur des Johannes Faust im Umlauf waren, und verband sie mit Motiven aus alten Zauberer- und Satanshistorien.

Der geschichtliche Faust lebte in der ersten Hälfte des 16. Jahrhunderts und war als fahrender Wundermann, der aus Sternen und Händen weissagte, die Schriften der Alten kannte und alchemistische Experimente machte, den Zeitgenossen eine interessante oder suspekte Erscheinung. Im Volksbuch erscheint er als derjenige, der die «Elementa ... spekuliert und studiert Tag und Nacht darinnen, wollt sich hernach keinen Theologum mehr nennen lassen, ward ein Weltmensch, nannte sich D. Medicinae, ward ein Astrologus und zum Glimpf ein Arzt». Fausts Wirken wurde durch den Bund mit Mephistopheles erklärt und zugleich verteufelt. Daraus sprach zwar die enge Sichtweise des Verfassers, es begründete aber auch die Verbindung von Teufelsbundmotiv und Erkenntnisstreben, die dem Thema seine große Zukunft sicherte und es so lange aktuell sein läßt, wie die Problematik menschlicher Macht über die «Elementa» aktuell ist.

Der dritte und letzte Teil des Faustbuches besteht vor allem aus den sogenannten Faustschwänken. Es sind Geschichten von Wundertaten, die meist älter sind als der historische Faust und nun mit seiner Person verbunden wurden. Der Schwank ist die im allgemeinen knappe Erzählung einer besonderen, meist derb komischen Begebenheit, die mit wechselnden Figuren in Zusammenhang gebracht werden kann. Die Schwänke sind ein wesentlicher Themenkreis der Volksbücher.

Als Volksbuch- und Schwankheld ebenso bekannt wie Doktor Faust, aber zugleich als dessen Antipode erscheint *Till Eulenspiegel*, der Erzschalk, der auch die Gelehrten narrt, indem er ihr Fragen nach Himmel und Erde als absurd entlarvt und einem Esel das Lesen beibringt. Sprengt Faust die naturgesetzlichen Ordnungen, besonders die von Raum und Zeit, indem er Gegenden durchfliegt und Figuren der Vergangenheit wiederbelebt, so sprengt Eulenspiegel, der Bauernsohn, die menschlich-kleinbürgerlichen Ordnungen, indem er sie auf ihre materielle oder kreatürliche Substanz reduziert. Eulenspiegel ist als Vagant Außenseiter der Gesellschaft, deren verschiedene Vertreter zu Opfern seines Witzes werden. Meist läßt er sich kurzfristig zu einer Tätigkeit anstellen, die er dann durch einen Streich ad absurdum führt. Ein großer Teil von Eulenspiegels Handlungen sind wörtliches Ausführen erhaltener Aufträge oder Vorschläge. Damit ist nicht nur die Bildhaftigkeit der Sprache satirisch verfraglicht, sondern das ganze alltägliche Ordnungsgefüge, das sich dieser Sprache bedient. Wörtlich genommen, also verwirklicht, erscheint das sonst Normale als verkehrt, und Eulenspiegel, der immer nach den wenigen gleichen Prinzipien handelt, schafft damit eine Verkehrte Welt: eine Welt, für die die Exkremente zum symptomatischen Requisit werden. Denn an seinen Fäkalien läßt Eulenspiegel die Handlungen und Intentionen vieler Geprellter scheitern. Der Erznarr erweist sich als Erzrealist und wirkt weniger als Figur denn als das verkörperte Prinzip totaler Relativierung. Noch im Tode bleibt er dem Gesetz der Verkehrtheit treu: sein Sarg fällt mit dem Kopfende nach unten.

Eulenspiegels Schwänke sind in einer hochdeutschen Fassung aus Straßburg (1515) erhalten. Sie basiert auf niederdeutschen, wahrscheinlich von Braunschweigern in der zweiten Hälfte des 15. Jahrhunderts hergestellten Ausgaben, die in Lübeck gedruckt wurden und verschollen sind.

In die Eulenspiegeltradition gehören neben anderen Schwanksammlungen *Hans Clawerts Werckliche Historien* (1587), die Bartholomäus Krüger (ca. 1540– ca. 1597) zusammenstellte. Der Autor, der Stadtschreiber im brandenburgischen Trebbin war, hatte 1580 zwei Dramen veröffentlicht: *Eine schöne vnd lustige newe Action Von dem Anfang vnd Ende der Welt* und *Ein Newes Weltliches Spiel, Wie die Pewrischen Richter, einen Landsknecht vnschuldig hinrichten lassen.* In seiner Schwanksammlung beschrieb Krüger die Taten eines historischen Trebbiner Schlossergesellen, der ein sympathischer Spitzbube war und seinen Lebensunterhalt dadurch fristete, daß er die kleinen oder großen Schwächen und auch die Witzbereitschaft seiner Umwelt ausnutzte. Verglichen mit Eulenspiegels Schärfe wirken Clawerts Schwänke bescheiden. Verkehrte Welt wird weniger in den Handlungen Clawerts selbst als in den Teilen der Sammlung offenbar, die aus andern Quellen übernommen wurden. So Clawerts 35. Erzählung, die aus einer zu ihrer Zeit sehr populären Darstellung der Verkehrten Welt stammt: dem *Finkenritter* (um 1560). Dieser elsässische Text war ein grotesker Spott vor allem auf prahlerische Reisebeschreibungen: *History vnd Legend von dem treffenlichen vnnd weiterfarnen Ritter/ Herrn Policarpen von Kirrlarissa/ genant der Fincken Ritter/ wie der drithalb hundert Jar/ ehe er geboren ward/ viel land durchwandert/ vn seltzame ding gesehen/ vnd zu letst von seiner Muter für todt ligen gefunden/ auffgehaben/ vnd erst von newem geboren worden.* Finke bedeutet Landstreicher, und der Finkenritter ist ein ins völlig Verkehrte verwandelter Miniatur-Quichote, dessen Rosinante eine Gans ist, wie der eine Wickramsche Vorlage modifizierende Titelholzschnitt zeigt. In acht kurzen Tagereisen schildert der närrische Ritter seine Erlebnisse. Sie werden zu Abenteuern, da stets der schlichte Gegensatz zu dem geschieht, was als normal zu erwarten ist: «Also zohe ich für/ vnnd kame an ein grossen mechtigen/ erschröckenlichen/ tieffen/ vnnd schiffreichen bach/ da was kein wasser/ darinn giengen drey geladener Schiff/ das ein hat kein boden/ das ander hat keine Wend/ das dritte was nicht da/ Ich gedacht wie ich ihm thete/ das ich vber das Wasser keme/ vnd saß in das schiff/ das nicht da was/ vnnd fur hinüber ...» Durch die simple Verkehrung des Sinnvollen, die oft aus der Kombination sich ausschließender Adjektive oder aus der Vertauschung von Satzsubjekt und Satzobjekt besteht, wird der Finkenritter zum direktesten und einfachsten Beispiel der Verkehrten Welt.

An jeden Schwank Clawerts wurde eine moralische Lehre gehängt, die oft ironischer Natur ist. Sie ist ein Rudiment und weist auf den Ursprung des Schwanks, der im Mittelalter nicht um seiner selbst willen erzählt wurde, sondern geistlichen Belangen diente. Er war belehrendes Exempel, also zweckgebunden. In dem Maße, in dem solche Zwecke in den Hintergrund traten und man Schwänke um ihrer selbst willen berichtete, entfiel die Notwendigkeit moralischer Schlußfolgerung, die deshalb oft zum überflüssigen Appendix degenerierte. In gleichem Maße gerieten damit die Schwänke in den Bannkreis der Verkehrten Welt. Bindungslos und auf sich selbst gestellt, tendierten sie nun dazu, noch gültige Bindungen zu relativieren; sie «stellen gegenwärtige Normen in Frage, überspringen herrschende Sitten, profanieren das allgemein geachtete Religiöse»[6]. Eulenspiegel ist die markanteste Verkörperung dieser Tendenzen. Sind seine Schwänke an seine Person gebunden, stellt er eine Welt in Frage, die ihm zum Opfer wird, so erscheint in dem bekannten Schwankbuch *Die Schiltbuerger* (1598, erste Fassung: *Das Lalebuch*, 1597) eine Welt, die sich selbst relativiert und zum Opfer fällt. Die Schildbürger machen aus Dummheit alles verkehrt. Schilda oder Laleburg ist überall, wo Menschen die Entwicklung der Menschheit nicht meistern. Die Schildbürger waren ursprünglich Bauern und üben sich widersinnig in städtischer Gemeinschaft, der Sauhirt ist ihr Bürgermeister geworden. Sie werden jedoch nicht als Bauern, sondern als allgemeine Exempla unzureichender Wirklichkeitsbewältigung verspottet.

Daß die Schwänke sich um eine Figur oder eine Gruppe zentrieren, ist nicht die Regel. Meistens findet man Sammlungen, deren Zusammenstellung zufällig erscheint. Ein mögliches Form- und Auswahlprinzip blieb natürlich, den Schwank entsprechend seiner Genese didaktischen Tendenzen zu unterwerfen. So sah der elsässische Franziskaner Johannes Pauli (ca. 1450–1533), der die populäre Sammlung *Schimpff und Ernst* (1522) veröffentlichte, seine Geschichten als belehrende Beispiele. Ebenso ist Hans Sachsens gereimten Schwänken und vor allem Jörg Wickrams Sammlung *Das Rollwagenbüchlein* (1555) eine protestantisch-bürgerliche Grundhaltung immanent, der es mehr um die Demonstration alltäglicher Schwächen als um eine eulenspiegelhafte Totalrelativierung geht. In vielen der Geschichten Wickrams dominiert die Schlagfertigkeit, der harmlose Wortwitz. Des Rollwagens Spuren führten weit. Andere Sammlungen adoptierten den Titel. Den «anderen Teil des Rollwagenbüchleins» nannte u.a. der von Wickram angeregte Jakob Frey (ca. 1520–ca. 1562) seine Schwanksammlung *Die Gartengesellschaft* (1556).

In den verschiedenen und um die Mitte des 16. Jahrhunderts so häufigen Schwankausgaben wird ein gewisser Grundbestand an Motiven und Figuren variiert. Die Bereiche des Stoffwechsels und der Erotik dominieren. Säufer, Hahnrei, böse Ehefrau und verbuhlter Pfaffe sind einige der Standardfiguren, die sich in wechselnden, aber stets ähnlichen Situationen begegnen. Darum sind die Schwänke austauschbar, und oft wird das, was bereits Kompilation war, wiederum zur Quelle eines neuen Herausgebers. So benutzte Martin Montanus (geb. ca. 1537), der 1557 die Sammlung *Wegkürtzer* herausgab, Paulis, Wickrams, Freys Ausgaben und, wie viele vor ihm, Boccaccios *Decamerone*. Mehr selbständig Erfahrenes vermittelte dagegen Michael Lindener (ca. 1520–1562), eine Villon-Existenz, die ein entsprechendes Ende nahm: Lindener ist wegen Mordes «gericht wordenn mit dem schwerdt». War sein *Rastbüchlein* (1558) noch mehr Kompilation, so spricht aus *Katzipori* (1558) viel Selbsterlebtes und -gehörtes, das mit drastisch-virtuoser Sprache aufgeschrieben und zum Zeugnis einer ebenso derben wie sarkastischen Mentalität wurde. Weniger kraß ist Valentin Schumann (geb. ca. 1520) in seinem *Nachtbüchlein* (1558). Auch er kann eigene Erfahrungen zu Schwänken gestalten, da er als Landsknecht gegen die Türken zog. Seine Geschichtchen, häufig auch aus bäuerlicher und kleinbürgerlicher Sphäre, sind breiter ausgemalt als die des Wilhelm Kirchhof (ca. 1525– ca. 1603), der ebenfalls lange Landsknecht war, bevor er sich poetisch-wissenschaftlichen Studien widmete. Sein *Wendunmuth* (1563ff.) wurde als Übersetzung von Bebels Facetien begonnen und schwoll zur umfangreichsten Schwanksammlung der Zeit an. Sieben Bände enthielten schließlich 2083 Schwänke, Anekdoten, Kurzberichte und ähnliches.

Daß sehr viele der Schwanksammlungen aus dem oberrheinisch-elsässischen Raum stammen, läßt sich nicht nur mit dem blühenden Buchdruckgewerbe im Südwestteil des Reiches erklären. Wie auch die im Folgenden zu besprechenden großen Namen zeigen, war das Land zwischen Basel und Straßburg eine literarisch äußerst fruchtbare Gegend und spielte für das 16. Jahrhundert die gleiche Rolle, die Schlesien für die Literatur des 17. Jahrhunderts übernahm. Warum waren gerade so viele Autoren der Verkehrten Welt mit der Gegend Straßburgs verbunden? Der Gründe sind viele. Das kulturelle Niveau war hoch, die Stadt war schon im 15. Jahrhundert Humanistenzentrum. Zugleich lag Straßburg an der Grenze zweier Staaten, Diskussionen über ihre politische Zugehörigkeit hatten bereits begonnen. Schon 1522 wurde Straßburg protestantisch. Es herrschte somit eine gespannte und auf Richtungskämpfe eingestellte Situation, die den Blick der Literaten schärfte. Man war ebenso gewohnt, Positionen zu demonstrieren wie in Frage zu stellen. Zudem ist die Gegend zwischen Vogesen und Schwarzwald eines der klassischen Länder der Fastnachtsnarren und ihrer Sitte, einmal jährlich die Welt zu einer Verkehrten Welt zu machen. Seit Beginn des 15. Jahrhunderts hatte der Narr im Fastnachtsspiel schon Literaturbedeutung provinzieller Art bekommen. Zu Beginn des 16. Jahrhunderts zog er mit Schellenkappe und Pritsche in die große Literatur ein. Sein alter Spruch «'s goht dergege» wurde nun zum Ausdruck des Zeitenwandels.

ZWEITES KAPITEL

Gestalten

1. BRANT

Durch Sebastian Brant wurde die Narrheit zur Weltmetapher. Die Zeitgenossen feierten Brants Hauptwerk *Das Narrenschyff* (1494) als «divina satyra» auf einer Ebene mit Homers und Dantes Epen. So übertrieben dieser Vergleich scheint, so sehr trifft er die Aktualität der Brantschen Schrift. Kein anderes Werk spiegelt auf gleich intensive Weise die Zeitwende am Beginn des 16. Jahrhunderts.

Die ungemein starke Resonanz des Buches machte von 1494 bis 1512 sechs Originalausgaben möglich, bis 1600 gab es 26 Auflagen und eine Flut von Nachdrucken, Bearbeitungen und Plagiaten. Jacob Locher (s. S. 40) schrieb die Übersetzung ins Lateinische (*Stultifera Navis*, 1497), die dem Werk seine europäische Berühmtheit sicherte, zumal sie auch ins Französische, Englische und Niederländische übertragen wurde. Brants Straßburger Freund, der volkstümliche und weithin berühmte Münsterprediger Johann Geiler von Kaisersberg (1445–1510) machte *Das Narrenschiff* zur Grundlage von über hundert durch Mitschrift erhaltenen Predigten.

Sebastian Brant (1457–1521) begann und endete sein Leben in Straßburg, wo sein Vater Gastwirt und Ratsherr war. 1475 ging er zum Studium nach Basel und erwarb 1489 den Doktor beider Rechte. Bis 1499 wirkte Brant in Basel als akademischer Lehrer und ständiger Mitarbeiter der dortigen Buchdrucker. Für sie arbeitete er als Übersetzer und Herausgeber älterer Werke. Die Editionen von alten Sittensprüchen und Anstandsregeln, von Flugblättern, die zu aktuellen Ereignissen Stellung nehmen, und von lateinischen Gedichten, die 1498 unter dem Titel *Varia Carmina* gesammelt wurden, verraten insgesamt ein starkes moralisches Engagement, das auch sein Herkulesstück *Tugent Spyl* (1512, gedr. 1554) prägte. Als Basel sich vom Reich löste, kehrte Brant 1500 nach Straßburg zurück. Hier wurde er zunächst Syndikus und dann als Stadtschreiber oberster städtischer Beamter. Maximilian I. ernannte seinen treuen Anhänger zum kaiserlichen Rat.

Für den Humanistenbürger zweier bedeutender Reichsstädte blieben Gott, Kaiser und Reich im noch mittelalterlichen Sinn die Pfeiler menschlicher Ordnung. Brant erlebte die Zeitwende als politischer Traditionalist und konservativer Moralist und wurde aus dieser Sichtweise zum Verfasser des *Narrenschiffes*. Eine Welt, in der die alten Bindungen in Frage gestellt waren, mußte ihm als ebenso närrisch wie sündhaft erscheinen und zum Objekt von ernster Mahnung und Satire werden.

Was begründete die immense Popularität und Wirkung von Brants Werk? Das Narrenmotiv war älter. Auch die summierende Darstellung von Lastern ist älteres literarisches Erbe und im lateinischen Lasterkatalog (summa vitiorum) des Mittelalters vorgebildet. Solange die mittelalterlich-christlichen Normen unumstritten herrschten, wurden die Laster nur abstrakt genannt, sie waren Verbotstafeln, an den Grenzen gültiger Ordnung zur Warnung aufgerichtet. Erst als diese Ordnung und ihre Normen ausgehöhlt waren, wurde das, was man bisher als drohende Möglichkeit demonstrierte, konkrete Wirklichkeit[7]. Brant wurde der große Gestalter dieser Wirklichkeit, indem er die Narrenfigur mit dem Lasterkatalog kombinierte. Er personifizierte die Laster zu Narren. Damit war aus der abstrakten Möglichkeit des Lasters auf allegorische Weise Wirklichkeit geworden und die Welt zur Verkehrten Welt gewandelt. Brant war konsequent, als er das Motiv des Schiffes verwandte und nur sagte, daß es mit seiner Narrenfracht nach Narragonien treibe. In der Ungewißheit des Zieles spiegelt sich eine Welt, die gerade die sicheren Häfen verlassen hat und sich anschickt, in offene, noch unbekannte Meere zu segeln.

Brant suchte auch sich selbst an Bord des Schiffes und nicht an vermeintlich festen Ufern. Das hat ihm eben von dort manche mißbilligenden Rufe eingetragen, die bis in unsere Zeit zu hören sind. Es sind die Klagerufe der Pharisäer, denen Brant so unerbittlich die Narrenkappe aufsetzt, gerade da sie sie nicht tragen wollen.

> Dann wer sich für ein narren acht
> Der ist bald zu eym wisen gmacht
> Aber wer ye wil witzig syn
> Der ist fatuus der gfatter myn.

Der total närrischen Welt wird nur der gerecht, der sein eigenes Narrentum erkennt. Dazu soll Brants Werk helfen: es ist in Bild und Schrift ein Spiegel. Genauer: es sind 112 aneinandergereihte Spiegel, die wie das Emblem aus drei Teilen bestehen: dem Motto, dem Holzschnitt und dem längeren Text.

> Wer zwischen stein vnd stein sich leit
> Vnd vil lüt vff der zungen dreit
> Dem widerfert bald schad vnd leidt

> von zwytracht machen
> Mancher der hat groß freüd dar an
> Das er verwirret yederman
> Vnd machen künn diß hor vff das
> Dar vß vnfrüntschafft spring vnd haß
> Mit hynder red vnd lyegen groß
> Gibt er manchem einen stoß ...

Erlaubt der einleitende Mottosatz, der meist relativisch mit «der» oder «wer» beginnt, die Einordnung aller nur möglichen Verhaltensweisen in die allgemeine
Narrheit, so wird im folgenden Holzschnitt die als verkehrt angeprangerte Haltung bildlich konkretisiert. Damit ist der Holzschnitt nicht Illustration des Textes,
sondern sagt mit seinen Mitteln dasselbe wie der folgende Text. Man diskutiert
die Mitwirkung Dürers an den Holzschnitten, deren meist gute Qualität *Das
Narrenschiff* zu einem der bedeutendsten Druckerzeugnisse seiner Zeit machte und
wesentlich zum Erfolg des Buches beitrug. In dem auf das Bild folgenden Text
wird der Narr meist zunächst genauer beschrieben und dann die Folgerungen
seines Tuns besprochen. Daran schließen sich fast immer Exempelketten, die aus
der Bibel oder den Texten antiker Autoren stammen und historische Belege für
das Gesagte bieten.

    Friedrich Zarnckes These, daß Brants Werk eine bloße Kompilation, eine
reihende Fleißarbeit sei, der organische Geschlossenheit fehle, hat die Meinungen
lange beherrscht[8]. Zwar ist die damit ausgesprochene ästhetische Abwertung
inzwischen revidiert worden, doch hält die Diskussion darüber, ob *Das Narrenschiff* als «willkürliche Kapitelfolge» oder als rhetorisch strukturierte «Einheit» zu
sehen ist, bis heute an[9]. Eine Welt, die in unzählige Narrheiten zerfällt und an den

objektiven Sinnsetzungen scheitert, läßt sich nicht als organische Einheit darstellen, wie Zarncke es vorausgesetzt hatte. Im Gegenteil: die Form der additiven Reihung entspricht dem Gehalt des Werkes, mit dem Brant die Kehrseite dessen zeigte, was sonst als Emanzipation des Individuums und Fortschrittlichkeit der Renaissance gesehen wird. Das Narrenschiff ist der Platz aller, die die objektiven Bindungen abgestreift haben, ihren subjektiven Interessen folgen und den Preis der Entfremdung dafür zahlen. Eigennutz wird leitmotivisch im ganzen Werk als erste der Torheiten angeprangert, denn er ist die Wurzel unzähliger weiterer Narrheiten:

> *Aber do man noch hochfart stallt*
> *Noch richtum/ vnd großem gwalt*
> *Vnd burger wider burger vacht*
> *Des gmeynen nutzes nyeman acht.*

Nicht zufällig wird der Narrenreigen vom Büchernarren angeführt, für den Bildung nicht geistiger Zustand, sondern dinglicher Besitz ist, den er in Form von Büchern hortet. Ihm ist der Geist käuflich. Die Tatsache, daß die Welt von Einzelinteressen beherrscht wird und der Sinn für das Ganze verloren ist, rechtfertigt das Prinzip der Narrenreihung. Brants These, daß jedermann Narr ist, begründet seinen Anspruch, ein totales Bild der Welt zu geben, also Realist zu sein. Gleiches spricht aus der formulierten Absicht, der Welt den Spiegel vorzuhalten. Indem Brant die Wirklichkeit als Lasterwelt, als Summe negativer Beispiele zeigt, vermag er noch einmal Welt schlechthin zu vermitteln. Nur noch Verkehrte Welt kann Weltspiegel oder realistisches Dokument der Welt sein. Der Vergleich mit Homer und Dante, den Brants Zeitgenossen wagten, erweist sich in diesem Punkt als nicht unbegründet.

2. MURNER

Das Narrenschiff war als Weltmetapher zu allgemein, um nicht in den Dienst der besonderen, der engagierten Polemik gestellt werden zu können. Was der Jurist Brant statutenhaft allgemein aufgestellt hatte, konnte der Franziskanermönch Thomas Murner zur direkten Sündenschelte und Reformationssatire wandeln. Murner nahm sich vor, die Narren durch Beschwörung zu vertreiben, also mehr als bloße Erkenntnis des Narrentums zu provozieren. Da Murner wußte, daß das Narrentum so alt ist wie die Erbsünde, nahm er eine Sisyphushaltung gegenüber der seit Adam verkehrten Welt ein. Diese Haltung scheint nur verständlich, wenn man Murners Kampf nicht als Mittel zum Zweck, sondern als Selbstzweck sieht. Er fand Sinn im Widerspruch selbst und wandte sich rücksichtslos gegen alles, was ihm an Mißständen – auch in der eigenen Kirche – begegnete. Wie viele Geistliche sah Murner die große Notwendigkeit von Reformen in allen kirchlichen Institutionen. Er war jedoch gegen eine Gefährdung der Institutionen selbst und sah früh in Luther den Mann, der weniger Sanierung als grundsätzliche Änderung der Verhältnisse bringen sollte. Darum wurde er zum mahnenden und dann scharf polemisierenden Gegner der Lutheraner, er wurde der Hutten der Katholiken.

Thomas Murner (1475–1537) stammte aus Oberehnheim bei Straßburg und starb dort. Er wuchs in Straßburg auf, wo er 1490 in den Franziskanerorden eintrat. Nach der Priesterweihe (1494) studierte Murner an mehreren Universitäten freie Künste, Theologie und später noch Jurisprudenz. Er wurde 1506 in Freiburg Doktor der Theologie und 1519 in Basel Doktor beider Rechte. 1505 krönte ihn Maximilian zum Dichter. Neben seinen Streitschriften, kleineren lateinischen Traktaten und einer Übersetzung von Vergils *Aeneis* (1515) schrieb Murner Lehrbücher mit logischen, metrischen oder juristischen Themen.

Die Streitlust des Franziskaners lenkte seinen unruhigen Lebensweg. Seine polemische Feder wetzte Murner zunächst an Wimphelings *Germania*, zu der er als Gegenschrift *Germania nova* (1502) verfaßte. Ihren Vertrieb untersagte der Rat der Stadt Straßburg, wo Murner während der Reformationswirren zunächst Schreib-, später auch Aufenthaltsverbot erhielt und wo sein Arbeits- und Wohnplatz vom Mob verwüstet wurde. Immer wieder in Religionsauseinandersetzungen verwickelt, zuletzt in der Schweiz, mußte er stets aufs neue flüchten. Er starb jedoch friedlich als Pfarrer seines Geburtsortes.

Da Murners Schriften dramatischer und engagierter sind als die Brants, stellt sich für ihn das Problem des eigenen Narrentums anders. Das Engagement schließt die närrische Selbstverfraglichung im Sinne Brants aus. Narr ist Murner in seinen eigenen Augen nur, wie alle, als sündiger Mensch. In der Gewißheit seines Glaubens und als Prediger dieser Gewißheit hat Murner jedoch den festen Boden, von dem aus er direkt didaktisch und satirisch schreiben kann. Darum ist sein erstes bedeutendes Werk, die *Narrenbeschwörung* (1512), eine echte Umformung der Brantschen Satire, obwohl von ihr Aufbautechnik und Holzschnitte mit Ausnahme von 17 neuen übernommen wurden. Die meisten der 97 Kapitel haben als Überschrift bildliche oder sprichwörtliche Redensarten, die auch den Text durchsetzen und zu den Torheiten aller Stände vom Landsknecht bis zum hohen weltlichen oder geistlichen Fürsten in Beziehung gesetzt werden. Da er mehr ins Detail geht, ist Murner bildhafter und drastischer als Brant.

Wird von Brant jeweils ein bestimmtes Laster in einer Figur verkörpert, so macht Murner häufig einzelne Fehler und Laster zu Narren, die im Menschen stecken. Der Mensch ist weniger närrisch als besessen und sündhaft böse:

> *Ich bin ein narr, das weiß ich wol*
> *Und steck der jungen narren vol,*
> *Das man in allen meinen werken*
> *Anders nimmer mer kan merken.*

Das Motiv des großen Narren, der voll kleiner Narren steckt, ist typisch für Murner, es verbindet sich mit dem Motiv des Exorzismus des Narren und erlaubt die polemische Anwendung des gesamten Bildes auf den großen Gegner im Reformationsstreit, auf Luther. Mit der Satire *Von dem großen Lutherischen Narren* (1522) schuf Murner die bedeutendste nicht nur unter den eigenen antireformatorischen Schriften. In den Körperteilen eines Monstrums hausen die Anhänger Luthers: im Kopf die gelehrten Narren, im Bauch die Günzburger Bundsgenossen, im Darm der Karsthans, im Stiefel die Bauernkrieger. Durch Murner, den Narrenbeschwörer, an die freie Luft befördert, bilden sie eine Truppe, die unter der Führung des Hauptmanns Luther Kirchen zerstören und anderen Unfug anrichten, bis Murner ihnen Einhalt gebietet. Eine plötzliche Heirat Murners mit Luthers Tochter scheint Versöhnung zu bringen, doch kann Murner die gerade Angetraute, die eine Krankheit verhehlte, vertreiben, da kein Sakrament genommen wurde. Der an diesem Ereignis leidende Luther weigert sich, das Beichtsakrament und die letzte Ölung anzunehmen und wird darum nach dem Tod in die Abortgrube geworfen. Die harte Polemik gegen die protestantische Beschränkung der Sakramente offenbart die literarische Technik Murners, weltanschauliche, geistige Verhaltensweisen in reale Aktionen umzusetzen. Diese relativierende Konkretisierung abstrakter Fakten entspricht der Brantschen Verwirklichung einzelner Laster zu Narren. Brant wie Murner schaffen so allegorische Figuren und Aktionen. Murner geht jedoch einen Schritt weiter. Begnügt sich Brant mit der bloßen Konstituierung der allegorischen Narrenwelt, so ist für Murner diese Welt oft mit den aktuellen Problemen und Figuren der Zeit identisch. Die gelehrten Narren hausen im Kopf und die Geldgierigen in der Tasche des lutherischen Monstrums. Mit solcher Anwendung des Narrenmotivs im weltanschaulichen Tageskampf verschärft Murner die satirische Uneigentlichkeit Brants zur grotesken Unwahrscheinlichkeit und nutzt den Kontrast zwischen dem Problem und seiner allegorischen Verwirklichung zur polemischen Wirkung.

Das gleiche Prinzip zeigt die Wortwahl Murners[10]. Reicht die Sprachwelt Brants bis zur derben Anschaulichkeit, so geht Murners Sprache bis zur Stufe unflätiger Invektiven und erreicht ihren Extrempunkt und zugleich größte Schärfe, wenn der Leichnam Luthers als keib (Aas, Verbrecher) bezeichnet wird:

> *Als ins scheißhus mit dem man,*
> *Der kein sacrament wil han*
> *Und fart ungleubig hie von dan!*
> *Ins scheißhus hört ein solcher keib,*
> *Dem nie kein boßheit uber bleib.*

Die Fäkaliensphäre, die dem Kampf um Glaubensprobleme Munition liefert, bildet zugleich deren größtmöglichen Kontrast und ist wegen der schockierenden Wirkung dieses Kontrastes genannt. Das Schimpfwort, auch aus der untersten

Sphäre, ist rhetorische Waffe im Streit der Überzeugungen. Murner selbst entschuldigte sich für die zweckbedingte Tieflage seines Stiles: «Ich bit alle welt/ umb gotz willen mir der unzüchtigen wort die ich mit dem kirchen dieb gebraucht hab/ zu verzeihen/ ich weiß wol das sy mir übel an ston/ Schweigent wir aber stil/ so fert der böswicht fürt mit seinen lügenen ...».

Die den Schimpfworten und schimpflichen Vergleichen entsprechende Rolle spielen die Sprichwörter, die Murner aufgreift und wie in der *Narrenbeschwörung* so auch in der *Schelmenzunft* (1512) zu den Überschriften der einzelnen Kapitel macht. In Redensarten wie «Uf den großen hufen schißen» (Reiche bereichern, beschenken), «Von blouwen enten predigen» (unsinniges Zeug predigen), «Ein schulsack fressen» (Bildung hineinfressen) ist ein allgemeines oder abstraktes Geschehen zu realen, sehr elementaren Dingen oder Handlungen konkretisiert und damit satirisch verfraglicht. Murner nutzt solche Sprüche, um damit besonders die Zungennarren, die sich oder anderen durch leichtfertiges Reden schadeten, anzuprangern.

Ein elsässisches Sprichwort lieferte die Idee zur allegorischen *Mühle von Schwindelsheim* (1515), die zum Ort aller derer wird, die vom Schwindeln gepackt sind. Die Arbeit des Müllers und seine beruflichen Sprüche entlarven so Torheiten und Sünden der Welt wie des Müllers Esel, der am Ende zu höchsten Ehren gelangt und damit Murners beißenden Hohn auf die Welt zeigt, die dem Esel huldigt. «Zu straff allen wybschen mannen» verfaßte Murner im gleichen Jahre *Die Geuchmat* (lies Narrenwiese), auf der sich die Weiberknechte ausschließlich nach den Satzungen der Frau Venus tummeln. Die seit dem Mittelalter bedeutende Minneallegorie wirkt hier gegen sich selbst und findet damit ihr satirisches Ende.

Mit drastischen Mitteln Wirkung zu suchen, war vor allem franziskanische Tradition[11]. Zugleich ist Murners Schreibweise die allgemeine, für die Reformationszeit typische Gestaltungsmöglichkeit. Kurz bevor Murner den lutherischen Narren von seinen Bewohnern purgierte, hatte die Gegenseite dieses Motiv in einer Satire gegen den Ingolstädter Theologen Johann Eck, den Hauptfeind Luthers, gestaltet. Der Verfasser des *Eccius dedolatus* (Der enthobelte Eck, 1520) ist umstritten. Das polemische Spiel ist ebenfalls grotesk, da die weltanschauliche Bekämpfung Ecks als persönliche Invektive und in Form physischer Marter und Vivisektion geschieht. Eck fühlt sich krank und muß operiert werden. Als dem Patienten die Haare geschoren werden, kriechen wie Läuse die Sophismen und Syllogismen hervor. Ecks Darm entläßt den Ablaß sowie Bestechungsgelder, und der Magen befreit sich von einigen schlecht verdauten Schriften und einem Doktorhut. Auch Ecks geistige und geistliche Aspekte werden in realen, physischen Vorgängen gespiegelt und dadurch ebenso entlarvt wie verhöhnt. Mittels der Allegorik wird realistisch gestaltet und die geistige Position des Gegners total relativiert.

3. FISCHART

Mit konfessioneller Polemik (*Nacht Rab oder Nebelkraeh*, 1570) begann auch Johann Fischart seine literarische Laufbahn, an deren Ende er der bedeutendste deutsche Schriftsteller des späten 16. Jahrhunderts war. Bis heute wirkt er als einer der eigenwilligsten Gestalter der Literatur. Fischart war ein Mann des Übergangs, der alte Muster und Stoffe aufgriff, aber so ungebändigt verwirklichte, daß damit das Tradierte überwuchert war und weniger die Grundmuster als neue Möglichkeiten deutlich wurden, die im Manierismus des kommenden Jahrhunderts charakteristisch werden sollten.

Erfaßte Brant satirisch den Verfall der alten Bindungen, der die Voraussetzung neuer großer Wandlungen war, und wurde Murner zum heftigen Polemiker, als diese Wandlungen geschahen und die Reformationswelle die alten Positionen hinwegzuspülen drohte, so trat Fischart in dem Augenblick auf, als die Gegenbewegung, die Gegenreformation, sich des verlorenen Bodens wiederzubemächtigen suchte. 1540 bestätigte der Papst den gerade gegründeten Jesuitenorden, der Hirn und Hand der Gegenreformation wurde. In der Bartholomäusnacht von 1572 starben Frankreichs Hugenotten. Fischart, der vom Protestantismus zum Calvinismus übertrat, kämpfte für seine Überzeugung mit den Waffen, die vorher der Franziskaner Murner zur Defensive seines Lagers so gut zu führen verstand.

Johann Fischart (1546–1590) war der Sohn eines wohlhabenden Straßburger Gewürzhändlers. Nach dem Tode des Vaters, etwa 1561, kam Fischart, der bis dahin das berühmte Gymnasium Straßburgs besucht hatte, unter die Obhut seines Wormser Patenonkels Caspar Scheidt, der sich mit der Übersetzung des Dedekindschen *Grobianus* (s. S. 90ff) einen Namen gemacht hatte und dem Pflegesohn wesentliche literarische Kenntnisse vermitteln konnte. 1565, nach Scheidts Tod, reiste Fischart nach den Niederlanden und nach Paris, wo er am späteren Collège de France, der Gegeninstitution zur scholastischen Sorbonne, studierte. Er verkehrte hier in hugenottischen Kreisen. In Straßburg und Siena setzte Fischart das Studium fort und promovierte 1575 in Basel zum Doktor beider Rechte. 1581 wurde Fischart Advokat am Reichskammergericht in Speyer und wahrscheinlich 1584 Amtmann im lothringischen Fohrbach.

Für seine vielen antikatholischen Schriften bediente sich Fischart der marktgängigen Formen, die austauschbar geworden waren und von beiden Seiten mit wachsender Wut und Drastik realisiert wurden. An Ecks «Enthobelung» erinnert die gegen den publizierenden Franziskaner Johannes Nas gerichtete Polemik *Der Barfüßer Secten und Kuttenstreit* (1570), die in Bild und Text zeigt, wie der heilige Franziskus und seine Regel von seinen eigenen, in Sekten aufgespaltenen Anhängern «gemarttert, zerrissen, zerbissen, zertrent, geschändt, anatomiert ... würt». Die Kampfschrift war der Gegenentwurf zur *Anatomia Lutheranismi* (1568), der alle-

gorischen Demontage von Luthers Körper, mit der der konvertierte Nas gegen
die Spaltungen auf evangelischer Seite polemisiert hatte. Als vorrangiges Angriffs-
ziel dienten Fischart die Jesuiten, die er meist Jesuwider oder Sauiter nannte. Im
Jesuiterhütlein (1580) wird die Hölle als Hutfabrik geschildert, wo man unter Luzifers Anleitung dabei ist, den katholischen Würdenträgern Kopfbedeckungen zu
basteln, in die alle nur möglichen Laster hineingenäht werden. Die meisten birgt
das «mit der Nadel römischer Tyrannei» genähte viereckige, «vierhörnige» Hütlein
der Jesuiten. In diesem Requisit ist die Summe der höllischen Bosheiten verdinglicht und so nicht nur die Societas Jesu verhöhnt, sondern auch der Brauch der
katholischen Kirche, immaterielle Glaubensaspekte zu Gewändern und Requisiten
des Kultes zu konkretisieren. Die antikatholische Seite empfand das als entseelende
Verdinglichung. Fischart nutzte das gleiche Prinzip, wenn er die gesamte katholische Hierarchie zum bösartigen *Binenkorb Deß Heyligen Römischen Immenschwar-
mes* (1579) vergegenständlichte; im *Bienkorf* (1569) des Niederländers Philip van
Marnix war diese Idee vorgebildet.

Fischarts Fähigkeit, polemisch mit der Waffe allegorischer Verdinglichung zu
kämpfen, war nicht nur zeitüblich, sondern entsprach in besonderem Maße seiner
unbedingten Nähe zu allem Physischen und Dinglichen[12]. Aus dieser Nähe lebt
seine Dichtung, die stets wortreiche Weitergestaltung bereits vorhandener Texte
ist. Daß Fischart ebenso zum Eulenspiegelstoff wie zur Tiersatire griff, war somit
konsequent. Die Versifizierung des Volksbuches zum *Eulenspiegel Reimensweiß*
(1572) ist zugleich eine strikte Ausformung des in dem bekannten Narren ver-
körperten Prinzips, alles auf kreatürliche und materielle Bedingtheiten zu reduzie-
ren, die Sprache wörtlich zu nehmen und so die Alltagswelt der Kleinbürger zur
Verkehrten Welt zu verfremden. Der Umfang des Volksbuches wurde verdrei-
facht und Eulenspiegels Neigung zu Fraß und Trunk so verstärkt, daß man die
Geschichten nicht zu Unrecht als Vorstufe zu Fischarts Hauptwerk *Geschichtklitterung* bezeichnet hat. Die närrische und grobianische Literatur des 16. Jahrhunderts
hat die Bearbeitung beeinflußt. In seiner Vorrede betont Fischart, dabei den Namen des «Helden» ausspielend, die Spiegelfunktion der Schrift und damit nach dem
Sprachgebrauch seiner Zeit deren didaktischen Gehalt. In der für ihn charakteristischen Bildersprache aus der Tierwelt und an die Tradition, die Brant begann,
anknüpfend, sagt Fischart, daß er seinen *Eulenspiegel* schrieb, «auf das die Welt ihre
Stier- und Katzenköpff ..., die Midische Eselsohren, die Nidische stinckende Mäu-
ler, die bleiche neidige Lefftzen, und die mißgünstige pleckende Hundszan, darinnen beschauw und bespiegel».

Fischart nutzte nicht nur Tiermetaphern, sondern auch das Modell der Tiersatire zur kreatürlich-realistischen Spiegelung menschlicher und besonders weiblicher Welt. Einzelne Motive der *Floeh Hatz, Weiber Tratz* (1573) gehen bis in die
Antike zurück. Der erste Teil ist die Klage des Flohs über die mörderische Verfolgung durch die Weiber. Hier wurde für die erste Fassung als Text eine fremde

Vorlage genommen, die dann für die zweite Fassung entscheidend umgearbeitet wurde. Im zweiten Teil tritt der Autor selbst in der Rolle des «Flohkanzlers» auf, verteidigt die angeschuldigten Frauen und fällt im Namen Jupiters das Urteil, das den Flöhen die Beschränkung auf Tierblut gebietet und Weiberfleisch nur gestattet, wenn die Damen schwatzen, baden oder tanzen. Die Flöhe liefern die poetische Legitimation für das Anprangern weiblicher Torheiten, ihre besondere Wirkung jedoch und der satirische Effekt liegen in der höheren Rechtfertigung, mit der sie ihr niederes Tun zu motivieren und zu verbrämen wissen. Als verliebte Jünglinge, Ritter oder Räuber leben die Flöhe in einer Wahnwelt, aus der sie durch «Tratz» und Abwehr der Weiber purzeln und so auf ihre nur «gaile art», ihre bloße Tierheit reduziert werden[13]. Hackinsbäcklein, Nachtzwacker, Schlizscheu oder Zanhak sind einige der typischen Namen aus dem flöhischen Don-Quichoten-Heer, das auf den hügelreichen, von Unterröcken eingehegten Kampfgeländen angreift und scheitert.

Wie jeder Satiriker hatte Fischart nicht nur die Fähigkeit, ex negativo zu schildern, sondern wußte auch Beispielhaftes und Wissenswertes direkt zu vermitteln. Selbstbewußter bürgerlicher Geist calvinistischer Provenienz kommt so im *Philosophisch Ehzuchtbüchlin* (1578) zu Wort wie in *Das Glückhafft Schiff von Zürich* (1576), mit dessen Versen die Leistung einer eintägigen Rheinbootsfahrt einiger Züricher Bürger nach dem verbündeten Straßburg festgehalten und gewürdigt wurde.

Seit 1533 begann François Rabelais (1494–1553), sein Romanwerk *Gargantua und Pantagruel* herauszugeben. Die Geschichte der drei Generationen von Riesen, Sohn Pantagruel, Vater Gargantua und Großvater Grandgousier, ist ein groteskes, von scharfer Zeitsatire durchsetztes Geschehen, in dem die Normalkategorien des Alltags nicht gelten und ein kreatürlicher Realismus triumphiert[14]. Hier fand Fischart die seiner Schreibweise adäquate Vorlage, die er übersetzend auf den dreifachen Umfang in die *Affentheuerlich Naupengeheurliche Geschichtklitterung* (1575) umgestaltete. Dieses Hauptwerk Fischarts ist ein monströses Monument realistischer Literatur und zugleich ein Musterexempel für die dialektische Problematik des literarischen Realismus. In dem Werk ist weder etwas durch äußere Formgesetze eingegrenzt noch unter feste innere Bezugspunkte subsumiert oder durch sprachliche Normen geregelt, sondern das Ganze ist ein wucherndes, phantastisches und den Leser zuweilen strapazierendes Gebilde.

Die Fabel der Handlung ist einfach und folgt Rabelais. Der Riese und König Grandgousier heiratet Gurgelmilta. Ihres Sohnes Gargantua Aufwachsen und Erziehung werden geschildert, bis es wegen einiger Bäcker und ihrer Fladen zu einem Krieg mit König Bittergroll kommt. Der herangewachsene Gargantua und seine Leute besiegen den Eindringling. Im Kampf tut sich besonders ein Mönch hervor, für den deshalb am Schluß eine Abtei gegründet wird, deren Leben durch humanistisch-calvinistische Antiideale zu den mönchischen Gelübden bestimmt werden soll.

Diese Fabel ist in einer Weise realisiert, die alle empirischen Gesetzlichkeiten durchbricht und diese zum Spielball der Monstren macht[15]. Gargantua, dessen Schuhsohlen aus elfhundert Kuhhäuten bestehen, ißt in seinem Salat sechs Pilger mit, ohne es zu merken. Das Riesenhafte ist jedoch nicht nur überdimensioniert und darum unwahrscheinlich, sondern wirkt wie die Verkörperung jeglicher Maßlosigkeit: die Unwahrscheinlichkeit ist Prinzip. Das wird gerade dann deutlich, wenn genaue Zahlenangaben mit der Höhe der Zahl kontrastieren: Gargantua läßt in seinem Urin 260418 Männer ersaufen, Weiber und Kinder nicht mitgerechnet. Fischart entspricht sprachlich solchen Paradoxien von genau gefaßtem Detail und nicht faßbarem Ganzen mit seiner Fülle von Worten und Vergleichen, die jeweils einen einzelnen Sachverhalt wiedergeben, umschreiben und häufig in einem Wirrwarr von Synonymen untergehen lassen. Fischarts Sprachspiele sind sein wesentlicher Beitrag zur Ausgestaltung des französischen Grundtextes. Rabelais' wie Fischarts Sprache ist reich an rhetorischen Figuren, nur daß Fischart Ausdrücke, die Rabelais dreimal gebraucht, um ein Vielfaches steigert. So erscheint das schlichte Rabelaissche Wort «tanzten» bei Fischart als «danzten, schupfften, hupfften, lupfften, sprungen, sungen, huncken, reyeten, schreieten, schwangen, rangen: plöchelten: fußklöpffeten: gumpeten: plumpteen: rammelten: hammelten, voltirten: Branlirten, gambadirten, Cinqpassirten: Capricollirten: gauckelten, redleten, bürtzleten, balleten, jauchtzeten, gigageten, armglocketen, hendruderten, armlaufeten, warmschnaufeten (ich schnauff auch schier)». In solchen Häufungen haben die Worte ihre begriffliche Qualität verloren und sind zu bloßen Klanggebilden geworden, deren Endlosigkeit den Leser überwältigt. Begriffliches oder Logisches werden in der Welt der Riesen und ihrer Maßlosigkeit negiert. Die Funktion des Maßlosen hat Fischart in seiner Vorrede umrissen, er wollte «ein verwirretes ungestaltes Muster der heut verwirrten ungestalten Welt» vorspiegeln, um die Welt «von ihrer verwirrten ungestalt und ungestalten verwirrung abzufüren und abzuvexieren». Dieser Satz ist ein wichtiges Dokument zur Realismusfrage und zeigt, warum nur eine als fragwürdig oder verwirrt gesehene Welt in einem realistischen Werk gespiegelt werden kann. Die Verwirrung der empirischen Wirklichkeit, das Versagen ihrer Normen wird als Ausscheiden aller begrifflich ordnenden Momente in der mimetischen Realität reflektiert. Das Fehlen der begrifflich ordnenden, die Wirklichkeit selektierenden Momente hat, wie Hugo Sommerhalder zeigte, die bloße, ad infinitum fortsetzbare Reihung von Wirklichkeitselementen oder Dinglichkeiten zur Folge. Aus dem Fehlen der Normen resultiert darum jene Monstrosität, die Fischart so konsequent zu seinem Hauptthema machte. Die Negation von Norm und Begriff ist im ziellosen, in sich selbst kreisenden und darum naiven Handeln der Monstren vollzogen. Der Sinn von Gargantuas Tun kann nur in diesem Tun selbst liegen: «er ißt um seines Wanstes und trinkt um seines Vollseins willen»[16] und lebt damit in einer auf groteske Weise Verkehrten Welt.

Wie vertraut Fischart mit dem Instrumentarium des Grotesken ist, beweisen seine Verse zum *Gorgonisch Meduse Kopff*, einem Holzschnitt Tobias Stimmers, der den Papstkopf aus verschiedensten Kultgegenständen zusammengesetzt zeigt:

Besonders durch die Bilder Giuseppe Arcimboldos (1527–1593) wurde dieses Gestaltungsprinzip bekannt. Fischart interpretiert den Kopf als Ungeziefer und seine Teile, die Kultgegenstände, als Babelshurenschmuck – «Weil es schaint hailig äußerlich und töd den Geist doch innerlich». In Bild und Versen werden die Dinge, die aus ihren eigentlichen Funktionen und Sinnzusammenhängen gelöst sind, aufeinandergehäuft. Damit ist auf polemische Weise ihre Sinnlosigkeit demonstriert. Was hier zur speziellen Papstsatire ausgeformt ist, erscheint in der *Geschichtklitterung* als allgemeines Weltprinzip, das umso deutlicher hervortritt, je leerer die Köpfe der Riesen und je praller ihre Bäuche werden: in der *Trunckenen Litanei*, dem 8. Kapitel, erreichen Fischarts Schilderungen ihren unbedingten Höhepunkt. Hier ist die Verselbständigung der Sprache und ihr Ende im rülpsenden Gestammel durch das Saufen motiviert. An keiner anderen Stelle ist Fischarts Stil seiner Thematik so adäquat, denn die Litanei braucht von keinem Erzähler vermittelt zu werden, da das Chaos der Satz- und Liedfetzen sich selbst erzeugt und trägt.

4. GROBIANUS

Für das Verhalten der Riesen hat das 16. und 17. Jahrhundert mit dem Wort «grobianisch» den populären Begriff besessen. Grobianisch benehmen sich viele Narren, auch Eulenspiegel und vor allem natürlich Herr Grobianus selbst als Eigentümer des Begriffs und Inkarnation alles Derben und Unflätigen. Vom Ter-

minus Grobian weiß man, daß er erstmalig als Übersetzung für rusticus in Zen-
ingers *Vocabularius theutonicus* (1482) erscheint[17]. Brant griff den Namen auf und
zeigte den Heiligen Grobianus im 72. Kapitel des *Narrenschiffs* als enthemmten
Säufer, der «die Sauglock läutet», das heißt schmutzige Reden hält. Auch hier
führte Murner das Bild weiter und ließ in der *Schelmenzunft* Grobian als Schwein
einer Tischgesellschaft präsidieren, wobei detailliert zu schweinigem Benehmen
aufgefordert wird. Durch Brant und Murner wurde Grobian zum Repräsentanten
eines bestimmten Distrikts der Verkehrten Welt: der verkehrten Tischzucht.
Tischzuchten waren die aus mittelalterlicher Kloster- und ritterlicher Standes-
pädagogik erwachsenen Anweisungen zum guten Benehmen. Mit den gesellschaftlichen Umschichtungen seit dem Spätmittelalter verloren die gesellschaftlichen Lehren ihren bisherigen festen Boden, so daß einige repräsentative Benimm-
büchlein von Exempeln geordneter Welt zu Beispielen der Verkehrten Welt per-
vertierten. Eine der bekanntesten Sammlungen von Verhaltensregeln, der ursprünglich aus der Antike stammende und von Notker Teutonicus übersetzte
Deutsche Cato erschien im 15. Jahrhundert in einer Neubearbeitung unter dem
Titel *Wie der Meister sein Sun lernet.* Hier waren die alten Regeln umgekehrt und
der junge Mann fortlaufend zu unflätigem Benehmen aufgefordert. Gleiches geschieht in dem *Kleiner Grobianus* genannten Werk: *Grobianus Tisch zucht bin ich
genant, Den Brüdern im Sew orden wol bekant* (1538), dessen Autor W(ilhelm)
S(alzmann?) in 16 Artikeln Anweisungen für pöbelhaftes Benehmen vermittelte.
Dieses Werk, dazu Brants *Narrenschiff* und das ebenfalls mit paradoxer Umkehrung wirkende *Lob der Torheit* des Erasmus waren dem aus der Gegend Hannovers
stammenden Theologen Friedrich Dedekind (1524–1598) bekannt, als er sein Lebenswerk, den lateinischen *Grobianus*, verfaßte.

 Grobianus. De morum simplicate libri duo (1549) wurde rasch sehr populär, wie die
dichte Folge der Nachdrucke und Bearbeitungen zeigt. Fischarts Patenonkel und
Lehrer, der Wormser Schulmann Caspar Scheidt (ca. 1520–1565), übertrug das
Werk, dieses um große Partien und Randbemerkungen ergänzend, ins Deutsche:
Grobianus, Von groben sitten, und unhoefflichen geberden (1551). In seiner Vorrede
motivierte Scheidt die verkehrte Didaktik mit dem jetzt verkehrten Zustand der
Welt: «Dann so in jetzwerenden zeiten vil ding, so keins lobs wirdig, auffs höchst
gelobt müssen werden, warumb wolten wir dann nicht auch die grobe, bewrische,
unzüchtige sitten, die wol von den Alten allweg gescholten, aber nu von dem
grösten hauffen und meisten theil geübet, gelobt, und für ein schönen wolstand
geacht, und in vil lendern getriben werden, mit allerley Sprachen preisen und
rhumen?» Hauptthema der Schrift sind alle zum Komplex des Essens und Trinkens
gehörenden Gewohnheiten. Hier und in den anderen Bereichen menschlichen
Miteinanders wird eine rüpelhafte Ichbetonung gefordert, die jegliche Rücksicht
auf Mitmenschen ausschließt und sich damit als grobianischer Reflex auf das seit
der Renaissance erstarkte Ichbewußtsein erweist.

Wie stark sich das 16. Jahrhundert durch den Totalaspekt des Verkehrten repräsentiert sah, dokumentierte auch Hans Sachs, indem er nach zwei ernstge-
meinten Anstandsbüchern auch *Die verkert dischzuecht Grobiany* (1563) verfaßte.
Später, mit dem Zurücktreten der Verkehrten Welt, mußten auch die grobianischen Benimmbücher ihren Platz den Sammlungen wieder ernstgemeinter Anstandsregeln räumen. Für die zweite Hälfte des 17. Jahrhunderts, als sich die höfische Gesellschaft in Deutschland konsolidierte, wurden die *Komplementierbücher*,
die *Discurse von der Höflichkeit* so exemplarisch, wie es die grobianischen Texte für
die vorangegangenen Jahrzehnte waren.

5. MOSCHEROSCH

Der Dreißigjährige Krieg war nicht nur ein Nährboden grobianischer Rohheit,
sondern er förderte zugleich das parvenühafte Gegenverhalten: das Nachahmen
fremder Sitten in Kleidung, Sprache und Umgang, das durch die Anwesenheit der
fremden Heere in Deutschland ausgelöst wurde. Mit diesem «A-la-mode» genannten Verhalten setzte sich eine ganze Gruppe von Schriften, die Alamodeliteratur,
kritisch auseinander.

Besonders durch Johann Michael Moscherosch (1601–1669) wurde das Wort
Alamode zum Schlachtruf nationaler Begrenzung. Wahrscheinlich waren Moscheroschs Vorfahren jüdischen Glaubens und während der Judenverfolgungen in
Spanien von dort nach Deutschland ausgewandert. Der in Willstätt (Oberrhein)
geborene Amtmannssohn besuchte die Straßburger Lateinschule und Universität.
1624 nach Abschluß seiner Jurastudien reiste er, war Hauslehrer und dann in wechselnden Stellungen Amtmann und Rat. Unter dem Namen «Der Träumende»
wurde Moscherosch 1645 Mitglied der Fruchtbringenden Gesellschaft. Moscherosch hatte unter den Kriegsereignissen sehr zu leiden. Er wurde ausgeplündert,
durch Hunger und Pest bedroht und verlor seine erste und zweite Frau.

Für Moscherosch war Alamode wie alle anderen Laster Folge einer Haupt-
sünde: «Und wann ich eben die Teutsche Warheit reden soll, haben Zorn, Schwäl-
gerey, Stoltz, Geitz, Üppigkeit, Faulheit, Mord und viel tausend andere Sünden
einig und allein ihren Ursprung von der Heucheley» [18]. Wie Moscherosch ein
Laster nutzt, um die anderen zu motivieren, so schuf er, um diese darstellen zu
können, eine Figur, die er Philander nannte und zum Helden seines Hauptwerkes
Wunderliche und Warhafftige Gesichte Philanders von Sittewalt (1640ff) machte. Philander wird im Laufe der Geschichte mit verschiedenen Formen der mehr als bloße
Verstellung bedeutenden Heuchelei konfrontiert, oder er repräsentiert sie wie das
Alamode-Verhalten in eigener Person.

Das Werk ist uneinheitlich. Der erste Teil beginnt als Übersetzung einer französischen Fassung der *Träume (Sueños)* des Spaniers Don Francisco Gomez de

Quevedo y Villegas (1580–1645). In sieben Kapiteln werden sieben verschiedene Sünden- und Narrenkomplexe dargestellt. Der zweite Teil ist selbständiger gearbeitet und hat die gleiche Kapitelzahl. Der große Erfolg des Werkes verursachte so viele Nachahmungen, daß Moscherosch sich 1650 genötigt sah, das, was wirklich seiner Feder entstammte, in der Vorrede zu bestätigen: «... dieser Erste Theil, welcher in sich haltet: 1. Den Schergen-Teufel 2. Weltwesen 3. Venus-Narren 4. Toden-Heer 5. Letztes Gericht 6. Höllenkinder 7. Hof-Schule. Und das ander Theil, so in sich begreift: 1. Alamode-Kehrauss 2. Hanss hinüber Ganss herüber 3. Weiber-Lob 4. Thurnier 5. Podagram 6. Soldaten-Leben 7. Reformation. Welche zwey Teile in 14 Gesichten ... ich für meine Spiel-Arbeit halte».

Zwei Gesichte ragen aus den übrigen heraus und haben dem Gesamtwerk seine bleibende Bedeutung gesichert: *Alamode-Kehrauss* und *Soldaten-Leben*. Den Kehraus des Modernen besorgen sieben uralte Teutsche Helden, die auf der Vogesenburg Geroldseck hausen und vor deren Gericht Philander geschleppt wird, um sich für sein welsches Aussehen und Auftreten zu verantworten. Mit Arminius, Widukind und anderen langbärtigen, tierfelligen Recken versucht Moscherosch die Basis zu geben, von der aus er seine Gegenwart satirisch betrachtet. Uns scheint diese Basis selbst satirisch gebrochen und die Recken als eine Parodie, nicht nur, wenn sie den mit «welscher» Gabel Salat essenden Philander abkanzeln: «Ich esse, Sprach Hanss Thurnmeyer, wie ein Rechter, Redlicher Boyrischer Schwob; wozu sollen mir sonst die Finger?»

Man hat die überanstrengte Deutschtümelei, die alles Gegenwärtige an der vergangenen «Teutschen Dapferkeit und Redlichkeit» mißt, mit Moscheroschs nichtdeutscher Herkunft motiviert[19]. Fraglich ist jedoch, wie weit sich Moscherosch mit seinen Teutschen Helden identifiziert, denn der Gerichtshof, vor dem Philander steht, wirkt in späteren Teilen wie aus Mitgliedern der Fruchtbringenden Gesellschaft zusammengesetzt. Diese sprechen Philander frei. Mit den Richtern wechselt die Perspektive, die Moscherosch anlegt. Er hat als Satiriker nicht den festen Standpunkt, wie ihn Brant im Narrenbegriff oder Murner im weltanschaulichen Engagement haben. Messen Brant und Murner die Wirklichkeit an ihren Begriffen, so geht Moscherosch von den tadelnswerten Zuständen aus und wechselt mit den Objekten, die er satirisch betrachtet, die Position, von der aus er kritisiert. Unter den Oberbegriff Heuchelei läßt sich alles subsumieren, im einzelnen jedoch scheint die schlichte Antithese der Maßstab jeder Schilderung zu sein, so daß sich die alte deutsche Sage von den deutschen Recken auf Geroldseck als Gegenbild zur modernen Internationalität, zum Alamode nicht besser verwenden ließ. Aus dem Fehlen festerer Positionen erklärt sich der uneinheitliche, vielfältige Charakter des Werkes und das schwankende Verhalten seines Helden Philander.

Im *Soldaten-Leben* gerät Philander in einen Landsknechthaufen, der seine Macht nur noch zu Raub, Mord und Schinderei nutzt. Nach anfänglichem Widerstreben arrangiert sich Philander mit den Marodeuren und wird damit einer der ihren.

Das ermöglicht die realistische Schilderung der Kriegszustände, die bis ins sprachliche Detail geht (ein Wörterbuch der «Feld-Sprach» wird mitgeliefert). Man meinte hier die Vorstufe zu Grimmelshausens Schilderungen zu finden. Bei Grimmelshausen ist jedoch alles auf die Perspektive des Simplicius bezogen, während bei Moscherosch alles Geschilderte Einzelheit bleibt. Zwar wird das Geschehen von moralisierend-skeptischen Erwägungen Philanders unterbrochen, aber ohne daß eine skeptische Distanz sonst im Stil des Berichtes von den ad infinitum fortsetzbaren Ereignissen des Soldatenlebens zu spüren ist. Zu sehr gehört Philander dem Milieu an, das er schildert. Eine übergreifende, alles einordnende Perspektive fehlt. Die Gegebenheiten bleiben sie selbst, sie werden *nach ihrer Natur* geschildert. Darum die Wirklichkeitsnähe. Darum muß aber auch der bessere Standpunkt, die Gegenposition, weitgehend unabhängig von der Schilderung des Soldatenlebens vermittelt werden: das Bild vom guten Krieger zeichnet *Der Soldaten Lehr-Brieff*, der Philander zugespielt wird und in 80 Strophen Ermahnungen für ein tugendhaftes, christliches Soldatenleben und -sterben enthält.

Moscherosch lag die unmittelbare Didaktik. Kurz nach Beendigung der *Gesichte* schrieb er einen «Lehrbrief» für seine Kinder: *Insomnis Cura Parentum (Schlaflose Sorge der Eltern*, 1643) ist ein glaubensfrommes, aus 32 Kapiteln bestehendes Traktat, mit dem Moscherosch seine «Hertz-lieben-Kinder» zu einem gottesfürchtigen und vernünftigen Leben ermahnt. Die direkte Didaktik trat neben die Demonstration vielfältig verkehrter Welt, da die bindende Perspektive fehlte, die die Moralsatiriker des 16. Jahrhunderts persönlich hatten und die Grimmelshausen zu einem konstruktiven Moment machen sollte.

6. ABRAHAM A SANCTA CLARA

Bei geistlichen und weltlichen Schriftstellern war das Thema der Verkehrten Welt gleichermaßen beliebt. Da die Didaktik ex negativo stets die wirkungsvollere war, hatten die Predigtmärlein, besonders die Sammlungen realistischer Beispielerzählungen, ihren festen Platz in der Predigtlehre der Orden. Wie im 16. Jahrhundert unter den Geistlichen vor allem Geiler von Kaisersberg und Murner die Möglichkeiten der Narrensatire nutzten, so erwarb im 17. Jahrhundert der Augustinermönch Abraham a Sancta Clara (1644-1709) mit seinen realistischen Predigten und Narrenbüchern größte Popularität. Abraham hieß mit bürgerlichem Namen Johann Ulrich Megerle und war der Sohn eines Gastwirts aus Kreenheinstetten (Schwaben). Es fällt auf, daß viele Hauptautoren der Verkehrten Welt dem Wirtshausmilieu entstammten oder selbst zeitweilig Gastwirte waren. Als kaiserlicher Prediger wirkte Abraham sehr erfolgreich vor allem in Wien.

Um der Welt den Spiegel vorzuhalten, trieb Abraham u.a. in *Wunderlicher Traum von einem großen Narren-Nest* (1703), in *Karren voller Narren* (1704) und mit

Hundert Ausbündige Narren (1709) vielfältige und vehemente Sündenschelte. Abrahams Sprachfertigkeit äußerte sich besonders als Wortwitz. Wie vor allem *Judas, Der Ertz-Schelm* (1686ff) zeigt, konnten die erzählten Beispiele soviel Eigengewicht gewinnen, daß der Rahmen, hier die biblische Geschichte, kaum noch ins Gewicht fällt. Die Gebundenheit und Harmonie von Paradigma und Gesamtwerk, die die satirischen oder polemischen Schriften Brants oder Murners auszeichnet, ist zugunsten der Beispielketten aufgehoben. Man kann darin eine Parallele zur gleichzeitigen manieristischen Schreibweise sehen. Der manieristischen Überbetonung des Stils entsprach die Überbetonung des Exempels durch die vielen Schwänke, Fabeln und Geschichtchen Abrahams, deren Wert und Unwert schon Gervinus treffend abgewogen hat: «seine anekdotischen Possen gemischt mit dunklen Legenden, seine Aufklärung neben seinem Aberglauben, seine Derbheiten neben seinen höfischen Schmeicheleien, seine Volksmanier in Erzählung, Wortspiel, Sprichwort und Schwank verbunden mit seinen lateinischen Brocken ... seine ganze burleske Manier angewandt auf lauter Kleinlichkeiten, und nirgends von einer Erkenntnis der Grundfehler seines Volks und seiner Wiener Gemeinde oder seiner Zeit ausgehend[20].» Da es ihm weniger um das Prinzip als um das Detail und Exempel ging, tritt Abraham hinter die Narrendichter des 16. Jahrhunderts zurück.

7. GRIMMELSHAUSEN

Hielten die Moralsatiriker der Welt den Spiegel vor, indem sie Beispielreihen der Laster und Sünden unmittelbar vor Augen führten, so gestaltete Grimmelshausen Welt selbst, indem er ihre Verkehrtheit als Erfahrung seines Simplicius Simplicissimus vergegenwärtigte und zum Totalsinn der Weltvanitas weitete. Damit wurde das Verkehrte nicht mehr mit der Elle des Richtigen gemessen, sondern die Wahrheit selbst wurde jetzt zum Problem.

Hans Jakob Christoffel von Grimmelshausen (1621–1676) stammte aus dem hessischen Gelnhausen, wo sein Großvater und wahrscheinlich auch sein Vater als Gastwirte lebten. Die Familie war ursprünglich adlig. 1635, nach einem Überfall auf die Stadt, verschleppten Soldaten den Jungen. Er kam durch die Kriegswirren in verschiedene Gegenden Deutschlands, diente anfangs als Pferdejunge und zuletzt als Regimentsschreiber. Nach Kriegsende heiratete Grimmelshausen und wurde von seinem ehemaligen Kommandanten als Verwalter von dessen Familienstammsitz in Gaisbach im Schwarzwälder Renchtal angestellt. In gleicher Funktion diente Grimmelshausen auch anderen. Er erwarb eigenen Besitz und lebte für zwei Jahre von der Bewirtschaftung seines Gasthauses «Zum silbernen Sternen», bevor er 1667 Schultheiß von Renchen wurde.

Das Schicksal Grimmelshausens weist ihn als einen Mann harter Erfahrungen und praktisch-derber Wirksamkeit aus und läßt ihn wenig zur allgemeinen Vorstellung von der Existenz eines poeta doctus und Mitglieds der nobilitas literaria passen. Man hat in Grimmelshausen darum lange den «Volksschriftsteller» gesehen, der «nach dem Leben» schrieb und mehr «genial» als «gebildet» war. Günther Weydt korrigierte diese Meinung und zeigte, wie Grimmelshausen trotz seiner Tätigkeit als Schaffner und Wirt ein Mann «magno ingenio et eruditione» war[21]. So kennzeichnete bereits das Kirchenbuch den nicht auf Schulen, sondern autodidaktisch erworbenen Bildungshorizont des Dichters, und so bestätigen es seine Schriften. Das unmittelbar Erlebte und Erfahrene war das Fundament, auf dem Grimmelshausen baute. Um als gestaltete Wirklichkeit vermittelt werden zu können, bedurfte es der Reflexion und Schulung durch vielfältige Lektüre. Grimmelshausen begann erst als gereifter Mann zu veröffentlichen. Seine erste Schrift *Schwartz und Weiß oder der Satyrische Pilgram* erschien 1666. In dichter Folge schlossen sich die weiteren Arbeiten an.

1668 erschien das Hauptwerk *Der Abentheuerliche Simplicissimus Teutsch*, die in der Ichform erzählte Lebensgeschichte des Vaganten Simplicius. Sein Weg vom naiven Kind durch die Irrtümer der Welt bis zur Erkenntnis, daß die Welt die Summe aller Irrtümer ist, wurde als Charakterentwicklung interpretiert und damit das Werk als Entwicklungsroman verstanden. Die dem widersprechende Interpretation sah in Simplicius eine Addition isolierter Typen, da er in verschiedenen Stadien Narr, Weltmensch, Einsiedel verkörpert[22]. In der Vielfalt der Rollenexistenz liegt jedoch ihre Identität, da sie sich als ständig wechselhaft darstellt und begreift. Das Auf und Ab der Lebensumstände von Simplicius kennzeichnet seinen ganzen Weg. Auf die wiederholte, moralisch-religiös motivierte Abkehr von der Welt folgt jeweils die Rückkehr in das Weltleben. Die Einheit von Figur und Roman liegt gehaltlich in ihrer aus moralisch-religiöser Perspektive begründeten relativierend-entlarvenden Funktion und formal in der allegorischen Struktur des Werkes. Beides steht in engster Wechselwirkung, das eine ist durch das andere vermittelt.

Im 9. Kapitel des sechsten Buches, das als «Continuatio» der Ausgabe 1669 zugefügt wurde, begegnet Simplicius der von Hans Sachs übernommenen Figur des Baldanders. Es ist eine Schlüsselszene des Romans. Baldanders wechselt vor den Augen Simplicii fortwährend seine Gestalt und sagt, daß er den Menschen die Kunst lehre, «mit allen Sachen, so sonst von Natur stumm sein, als mit Stühlen und Bänken, Kesseln und Häfen und so weiter» zu reden. Die Lehre des Baldanders ist zunächst die Lehre von der allegorischen Schreibweise, die allgemeine Sachverhalte durch konkrete Dinge repräsentieren läßt. Das Verhältnis von Ding und Bedeutung ist willkürlich. Die Dinge erlauben stets veränderbare Deutung, sie sind ständig baldanders. Die Figur Baldanders erweist sich so als die Allegorie ständiger Veränderbarkeit, also als die Allegorie der Allegorie. Damit ist Baldanders auch die Verkörperung weltlicher Unbeständigkeit, die Personifikation oder Verdinglichung der Lebenserfahrungen von Simplicius. Was Baldanders darstellt, formuliert er zugleich in einem verschlüsselten Spruch, dessen Auflösung lautet: «Magst dir selbst einbilden, wie es einem jeden Ding ergangen, hernach einen Diskurs daraus formirn; und davon glauben, was der Wahrheit ähnlich ist, so hastu, was dein närrischer Vorwits begehret.»

Baldanders und seine Sentenz bestätigen Geschehen und Gehalt des Romans, sie weisen aber auch auf das Schicksal des Lesers und Interpreten, der sich seinen Diskurs aus dem Text formiert, wenn er nur eine der vielfältigen Bedeutungsmöglichkeiten erfaßt. Das Spiel mit dem Leser beginnt bereits bei dem Verfassernamen, der stets baldanders ist. Grimmelshausen jonglierte mit den 28 Buchstaben seines Namens und nannte sich «Samuel Greifnson von Hirschfeld» am Ende des Werkes, das unter dem Namen «German Schleifheim von Sulsfort» auf dem Titelblatt begonnen wurde. Das Namensspiel gründet ebenso in der allegorischen Struktur des Werkes wie die astrologischen Beziehungen, die Weydt aufgedeckt hat[23]. Die einzelnen Stadien von Simplicius' Lebensweg sind den Planeten Saturn, Sonne, Mars, Jupiter, Venus, Merkur und Mond zugeordnet. Grimmelshausen sah wie Fischart eine «verwirrte ungestalte Welt» vor sich, von der er jedoch im Gegensatz zu Fischart ein klares, einleuchtendes Muster schuf, indem er auf allegorische Weise das Ungestalte, sich stets Ändernde, in Gestaltetes, in konkrete Figuren, Ereignisse und Beziehungen umzuformen vermochte. Das Allgemeine auf diese Weise durch Konkretes zu vermitteln, hieß nicht nur allegorisch, sondern auch realistisch schreiben. Im *Simplicissimus* handelt es sich nicht mehr um den naiven Realismus der grobianischen Texte, der Schwänke oder Volksbücher. Indem u.a. der Schwank zum Mittel wird und Grimmelshausen ihn so in das Werk integriert, daß er stets dessen Gesamthorizont transparent macht, muß hier von einem instrumentalen Realismus gesprochen werden. Auch der Narr, die Hauptfigur realistischer Dichtung, dient bei Grimmelshausen nur als Medium, um die Narrheit der Welt zu verdeutlichen. Baldanders hingegen erweist sich nicht nur als Allegorie der Allegorie, sondern auch als Allegorie des Realismus und damit als Beispiel des instrumentalen Realismus, wenn er stets wechselnde Rollen einnimmt und so jede verbindliche Festlegung auf eine bestimmte Rolle oder Bedeutung negiert. Auf diese Weise verkörpert Baldanders die Relativierung aller «die Dinge einordnenden Sinnzusammenhänge», also das realistische Grundprinzip (s. S. 80), das zugleich das Prinzip des Romans ist und mit dem Satz «Der Wahn betrügt» auf die entscheidende Formel gebracht wurde.

An drei markanten Stellen des Romans, jeweils in der Mitte des ersten, dritten und fünften Buches, wird die Verkehrtheit der Welt direkt veranschaulicht[24]. So träumt im ersten Buch Simplicius das Bild vom «Ständebaum», in dem das soziale Gefüge der Zeit allegorisch und kritisch vergegenwärtigt ist. Im dritten Buch begegnet Simplicius einem Menschen, der sich für Jupiter hält und den Teutschen Helden ankündigt. Dieser soll als Wundermann alle politischen und religiösen Mißstände Deutschlands beseitigen. Gegen solche Prophetie wirken die realen

Verhältnisse, die der Roman sonst zeigt, so verkehrt, wie dann auch Jupiter selbst erscheint, als er sich als flohgeplagter Phantast enthüllt und damit seine Vorstellung von weltlicher Einheit und Vernunft als närrische Utopie entlarvt. Ähnlich gebrochen ist das Bild der Menschenwelt, das Simplex in der Mummelsee-Episode des fünften Buches vor dem König der Sylphen zeichnet. Hier fällt der Bericht so positiv aus, daß seine Ironie und damit die Verkehrtheit der menschlichen Verhältnisse überdeutlich werden. Die Erfahrung des Verkehrten wird stets auf Simplicius bezogen und durch ihn motiviert. Er träumt oder erlebt die satirischen Situationen. Damit existiert nicht mehr der feste Standpunkt, von dem aus Brant oder Murner die Welt betrachten und von dem aus die Welt als beliebig fortsetzbare Reihe verschiedener Narrheiten erscheint. Statt einer statischen Perspektive gestaltete Grimmelshausen die an Simplicius handlungsimmanente Perspektive, die mit der Handlung veränderbar, also stets «baldanders» ist.

Besonders in diesem Punkt ging *Simplicissimus* über den picarischen Roman hinaus, in dessen Tradition er als Icherzählung steht. Der spanische Schelmenroman bestand aus einer Kette austauschbarer Episoden, deren Gehalt Picaro als nur «funktioneller Charakter» vermittelte[25]. Grimmelshausen kannte den picarischen Roman hauptsächlich aus der Feder des moralisierenden Aegidius Albertinus (1560 bis 1620), dessen Hauptwerk *Luzifers Königreich und Seelengejaidt*(1616) sündhaftes Verhalten anschaulich-exemplarisch anprangerte. Albertinus übertrug den Picaroroman *Guzman de Alfarache* (1599) des Mateo Aleman (1547–ca. 1613) ins Deutsche und sorgte damit gegen seine Absicht für die Publizität dieser Gattung im deutschen Sprachbereich.

Grimmelshausen entfaltete den Schelmenroman zum satirischen Roman. Zur Satire gehören, wie Opitz in seiner Poetik sagte, «zwey dinge»: die Lehre von den guten Dingen und die harte Verweisung der Laster. In Moscheroschs *Soldaten-Leben* wurden beide Positionen in der unmittelbaren Schilderung des Bösen durch den miterlebenden Philander und durch den «Soldatenlehrbrief» vermittelt, der das positive Gegenbild zeichnet. Bei Grimmelshausen ist der satirische Dualismus einerseits in der Spannung von Simplicius' Weltleben und seiner christlichen Weltverneinung gegeben und andererseits so in die Handlung eingeformt, daß das «Ideal» seinen positiven Gehalt zugunsten eines funktionalen verloren hat. Die Gegenposition zur Wirklichkeit dient so nur noch deren Entlarvung. Da der kritische Utopist Jupiter flohgeplagter Phantast ist, sind seine Ideen relativiert und weiteres Beweisstück der Verkehrten Welt. In der Beschreibung der Schlacht von Wittstock, an der Simplicius teilnimmt, kommt die Verkehrtheit am konzentriertesten zu Wort: «Die Erde, deren Gewohnheit ist, die Toten zu bedecken, war damals an selbigem Ort selbst mit Toten überstreut, welche auf unterschiedliche Manier gezeichnet waren, Köpfe lagen dorten, welche ihre natürlichen Herren verloren hatten, und hingegen Leiber, die ihrer Köpfe mangelten ... da sah man, wie die entseelten Leiber ihres eigenen Geblüts beraubet, und hingegen die lebendigen mit

fremdem Blut beflossen waren, da lagen abgeschossene Arm, an welchen sich die
Finger noch regten, gleichsam als ob sie wieder mit in das Gedräng wollten, hingegen rissen Kerls aus, die noch keinen Tropfen Blut vergossen hatten, dort lagen
abgelöste Schenkel, welche ob sie wohl der Bürde ihres Körpers entladen, dennoch
viel schwerer worden waren, als sie zuvor gewesen ...» Kontrasthaft setzte Simplicius das vermeintlich Richtige gegen das pervertierte Wirkliche. Hier ist zur Ein-
zelschilderung verdichtet, was im Aufbau des Ganzen wirkt. Durch den Gegensatz
stets als verkehrt demonstriert, ergibt sich aus der Summe der geschilderten Umstände das Gesamtbild einer verkehrten Welt, die Simplicius durchläuft und die
ihm zum Exempel ihrer Verneinung wird.

Der *Simplicissimus* wurde bereits ein Jahr nach seinem Erscheinen wiederge-
druckt. Andere Ausgaben mit in der Verfasserschaft umstrittenen Texterweiterun-
gen folgten bald. Wichtiger als die Anhängsel sind die Schriften, in denen Figuren
und Perspektiven des Romans weiterlebten: die Simpliciaden. Grimmelshausen
selbst wies auf den inneren Zusammenhang seines Hauptwerks mit den Lebens-
beschreibungen *Der Ertzbetrügerin und Landstörtzerin Courasche* (1670) und des zeitweiligen Gefährten von Simplicius *Der seltzame Springinsfeld* (1670) oder mit dem
zweiteiligen Roman *Das wunderbarliche Vogel-Nest* (1672, 2. Teil 1675) hin: «alles
von diesen Simplicianischen Schriften aneinander hängt und weder der gantze
Simplicissimus noch eines auß den obengemeldten letzten Tractätlein allein ohne
solche Zusammenfügung genugsam verstanden werden mag»[26]. Entscheidender
als stoffliche Zusammenhänge sind Entsprechungen im Gehalt der Einzel-
schriften, die über den engeren Rahmen der Simpliciaden hinausgehen und auch
für die übrigen Werke Grimmelshausens gelten. Sie alle sind auf mittelbare oder
unmittelbare Weise Beispiele für das Baldanders der Welt, dessen Nichterkenntnis
Selbstbetrug bedeutet. So hat das Vogelnest die Eigenschaft, seinen Besitzer un-
sichtbar zu machen. Es ermöglicht dadurch, hinter die Masken zu schauen und zu
erfahren, wie die Welt betrügt und betrogen wird. In der antimachiavellistischen
Schrift *Simplicianischer Zweyköpffiger Ratio Status* (1670) wiederholte Grimmelshausen seinen Grundgedanken, daß «aus allen Menschen kein eintziger allein zu-
finden seye, er habe auch einen so klugen und guten Kopff als er immer wolle, der
sein gründliche Beschaffenheit» richtig reflektieren und beschreiben könne. Gegen
das Faktum des unvermeidbaren Selbstbetrugs und der Heuchelei der Welt hilft
nur dessen Erkenntnis. Ihr dienen alle simplicianischen Schriften. Es war darum
konsequent, daß Grimmelshausen die Beispiele positiver Tugendhaltung, die er
gestaltete, in die ferne Vergangenheit legte. So geschah es in seinen Josephs-
romanen und den um 500 und 700 n.Chr. spielenden Werken *Dietwalts und Ame-
linden anmuthige Lieb- und Leids-Beschreibung* (1670) und *Des Durchleuchtigen Printzen
Proximi und Seiner ohnvergleichlichen Lympidae Liebs-Geschicht-Erzehlung* (1672).

In den kleineren Schriften gab Grimmelshausen Teile und Teilansichten von
dem, was im *Simplicissimus* zum Gesamtbild verdichtet war. Das im Roman im-

plizit Enthaltene konnte hier explizit zum Einzelthema gemacht werden: so die Sprachauffassung im *Teutschen Michel* (1673) oder das stets gegenwärtige Prinzip der Verkehrten Welt als Erzählung des *Ewig-währenden Calenders*, den Grimmelshausen 1670 herausgab.

8. BEER

Der große Erfolg von Grimmelshausens Roman machte dessen Titel populär. Eine Flut von Simpliciaden folgte und unterhielt das Publikum mit Abenteuergeschichten, Beschreibungen fremder Länder oder politischen und religiösen Aktualitäten. Aber allein in Johann Beer (1655–1700) hatte Grimmelshausen einen legitimen Nachfolger. Beer plagiierte nicht den Meister, sondern entwickelte, an ihm geschult, eine eigene epische Begabung. Wie Grimmelshausen stand Beer in der Tradition der picaresken Literatur und der Verkehrten Welt, aber er modifizierte diese Überlieferung entscheidend. Verfolgt man diese Umformung, so hat man zugleich wesentliche Aspekte von Beers Werk und seinem zeitlichen Hintergrund.

In Beers Romanen wird das Narrentum zum Schabernack, es verliert seinen Gehalt als Weltmetapher und verflacht zur Kuriosität, zur lustigen «Invention». Das Narrenmotiv dient nicht mehr der Verfraglichung der Welt, sondern ihrer heiteren Selbstbestätigung. Wenn Beers Figuren sich närrisch gebärden, dann ist das als Mummenschanz oder Hochzeitsnarretei Flucht vor dem ordentlichen und darum langweiligen Alltag. Für die wirklichen Narren baut Beer in seinem Roman *Der Berühmte Narren-Spital* (1681) ein festes Haus, in dem sie angekettet hocken müssen. Damit ist die Verkehrte Welt hinter Schloß und Riegel verbannt. Die Narren sind Verrückte geworden, und ihre Zunft gibt nicht mehr ein Bild der Welt, sondern das Gegenbild. «Hic Stultorum est Concilium/Quod Sapientibus dat Consilium» ziert als Spruch das Narrenspital, das eine Gesellschaft von Adel zwecks Belustigung inspiziert. Die Irren bilden als Schauobjekte nur noch eine Episode der Handlung. Unter den Besuchern ist auch der Held des kleinen Romans, «der faule Herr Lorenz hinter der Wiesen», ein Genie völligen Sich-gehen-Lassens. Dieser auf seine Blähungen und Läuse reduzierte Nachfahre Gargantuas ist der intentionslose Gegentyp zu denen, die wegen ihrer Unbedingtheit als zu heftig Liebende, zu junge Doktoren oder zu eifrige Soldaten Insassen des Narrenspitals sind.

Lorenz ist als einer «von Adel» der Prototyp aller kleinen Landedelleute, die Beer zu den Figuren seiner Romane macht. Diese Leute leben unabhängig auf ihren Landsitzen und Gütern, für die sie ihre Verwalter haben. Sie engagieren sich weder im Hof- noch im Heeresdienst und können sich darum ausschließlich ihren Grillen widmen. Ohne bedeutende Funktion in der Gesellschaft, entbunden von Haupt- und Staatsaktionen, gilt für sie auch das Gesetz der Stiltrennung nicht mehr, das Standespersonen den heroisch-tragischen Bereich zuweist. Zusammen mit Vaganten, Knechten und Jägern leben sie ihrem Vergnügen an besonderen Ereignissen, die sie aufsuchen oder inszenieren, um sich daran zu «zerlachen».

Starkes Interesse an allem Besonderen und Aufregenden nur in weit düsterer Form zeigt Johann Beer auch persönlich in seinem Tagebuch, das vorzugsweise Verbrechen und ungewöhnliche Unglücksfälle verzeichnet. Vieles wirkt wie eine Antizipation: Beer hätte auch sein eigenes Ende beschrieben, denn er fiel bei einem Vogelschießen einem unglücklichen Schuß zum Opfer. Beer stammte aus Oberösterreich, er wurde in St. Georgen im Attergau geboren. In der Nachbarschaft diente er als Page und besuchte eine Klosterschule, bis 1669 konfessionelle Gründe den protestantischen Vater nach Regensburg ziehen ließen. Dort besuchte Johann das Gymnasium poeticum, wo er durch seine musischen Begabungen so auffiel, daß er in der Schule einen Freiplatz und für sein Studium ein Stipendium erhielt. Bereits nach einem Semester engagierte man Beer an den herzoglichen Hof in Halle, mit dem er 1680 nach Weißenfels übersiedelte. Im interessanten Residenzleben konnten Beers vielseitige Talente zur Entfaltung kommen. Er war Konzertmeister, Bibliothekar, Musiker, Dichter, Schauspieler und Spaßmacher. Er schrieb neben seinen vielen Romanen musikalische Schriften und philosophische Abhandlungen.

Wie Grimmelshausen veröffentlichte Beer seine Romane unter verschiedenen Pseudonymen. Jan Rebhu, Zendorius a Zendorii oder Wolfgang von Willenhag sind wenige der vielen Namen, die Leser und Forscher so lange irreführten, bis Richard Alewyn Beer als den wirklichen Autor entdeckte und seine Bücher durch einordnende Interpretationen und neue Ausgaben zugänglich machte[27]. Beers Romane wurden zwischen 1677 und 1685 geschrieben. Alewyn teilte sie in drei Hauptgruppen: 1. *Der Simplizianische Welt-Kucker* (1677ff.) und die anderen picaresken Romane; 2. die den heroisch-galanten Romantyp parodierenden Rittergeschichten *Printz Adimantus* (1678) und *Ritter Spiridon aus Perusina* (1680); 3. die satirischen Schriften *Bestia Civitatis* (1681), *Weiber-Hächel* (1680), *Der Politische Bratenwender* (1682) und andere, mit denen Beer gegen die ihm widerwärtige Kleinbürgerwelt zu Felde zieht.

In den meisten Werken Beers sind Erzähler und Held identisch. Die Ichform ist picarische Tradition. Im Gegensatz zu Grimmelshausens Simplicius, der aus einem wechselvollen Spannungsverhältnis zur Welt lebt, ist der Held Beers von seiner Welt nicht distanziert. Er ist der schlichte Berichter, der seine Erlebnisse und Abenteuer schildert. Das Erzählte und nicht das erzählende Subjekt ist wichtig. Die Situation, die Handlung dominiert. Beers Prosa hat novellistischen Charakter. Programmatisch für sein ganzes Werk und in Abgrenzung gegen traditionelle Positionen läßt Beer den Erzähler der *Teutschen Winternächte* erklären: «Aber ich habe mich im Gegenteil weit eines andern beschlossen, weil ich weder dir noch einem andern zu Gefallen große Oratorien ausspintisieren werde, indem ich eine

Sache und nicht Worte tractiere. Derowegen soll die Sache nicht mit Worten, sondern das Wort mit Sachen angefüllet sein, denn die Worte verderben die Zeit viel mehr, da sie hingegen durch die Sachen verkürzt wird[28].» Diese Sätze kündigen die literarische Wende an. Mit der Argumention gegen die «Oratorien» wird nicht nur gegen die traditionelle Rolle der Rhetorik gesprochen, deren Elemente in Werken wie *Adimantus* bereits parodiert erscheinen. In diesen Sätzen klingt zugleich ein neuer Realismusbegriff an. Nicht mehr die literarische Spiegelung von Wirklichkeit wird gemeint, sondern der Wahrscheinlichkeits- oder Wirklichkeitscharakter des literarischen Werkes selbst. Denn je wahrscheinlicher ein Geschehen ist, desto spannender und zeitvertreibender wirkt es. Das entspricht der oben festgestellten Änderung der Narrenrolle und der Tatsache, daß Beer die Verkehrte Welt ins Narrenhaus bannt. Indem Beer der «Sache» vor dem «Wort» den Vorrang gibt, betont er zugleich das Ende der Infragestellung «der Sachen», der Realität. Sie ist nicht länger Vanitas.

Wie Beer auf die unterhaltende Funktion der Literatur zielt, so spielt die Unterhaltung in seinen Romanen eine große Rolle. Beer mußte sein bedeutendstes Werk schaffen, als er die Unterhaltung zum entscheidenden handlungstragenden Moment machte. Der Doppelroman *Teutsche Winternächte* (1682) und *Die kurtzweiligen Sommer-Täge* (1683) zeigt das gesellige Leben des Landadels, dem die picaresken Erlebnisse der einzelnen, der Edelleute selbst, der Pagen, Jäger und Schreiber zur Unterhaltung dienen. Da der jeweilige Erzähler stets dem Milieu angehört, das er schildert, wird dieses Milieu nicht in Frage gestellt. Auf das «Interessante» der Schilderung kommt es an. Christliche Weltskepsis und soziale Stufung sind von absoluten Voraussetzungen zu bloßen Handlungsmotiven oder thematischen Versatzstücken geworden. Besonders in diesem Punkt wird das Ende des Barock offenbar. Wie sich Beers Figuren «verlustigen», so haben sie ihre Stimmungen, die sie sehr häufig Einsiedler spielen lassen. Die Eremitage ist nicht mehr eine Heilsfrage, sondern Quell neuer, unheimlicher und darum berichtenswerter Begegnungen mit Gespenstern, wilden Tieren und Unwettern. Ebenso wird die soziale Polarität, die Beer sehr gern in die erotische Beziehung zwischen Edelfräulein und nicht adligem Schüler oder Pagen kleidet, zum bloßen Motor des Geschehens; denn die Beziehung endet meist mit einer Heirat, weil sich der Standesunterschied als nicht vorhanden oder als unwichtig erweist.

Betrachtet man die ganze Reihe der picarischen Romane Beers, so zeigt sich eine von Alewyn nachgewiesene deutliche Steigerung, an deren Ende, gleichsam die oberste Stufe verkörpernd, die *Winternächte* und *Sommer-Täge* stehen. Hier ist das picareske Vagantentum, aus der Perspektive des seßhaften Edelmannes erfaßt, nur noch Stoff zur Unterhaltung. Es ist nicht mehr Gerüst der Handlung wie in Beers erstem Roman, dem *Welt-Kucker*, dessen Held Jan Rebhu in eine endlose Kette erotischer und phantastischer Abenteuer verwickelt wird, die ihn durch Italien und bis in die Türkensklaverei führen. Die Zwischenstufe nimmt *Jucundi*

Jucundissimi Wunderliche Lebens-Beschreibung (1680) ein. Hier ist der Vagant am ländlichen Adelssitz seßhaft geworden, er steigt die soziale Stufenleiter zum Schwiegersohn und Erben der Edelfrau empor. Der Titel dieses Werkes ist wie vieles andere in den Büchern Beers Grimmelshausen nachgebildet. Alles Übernommene formt Beer jedoch auf strikte Weise in seine Handlungen ein. In dieser Handlungsfunktion erschöpfen sich dann die Motive und weisen nicht mehr, wie bei Grimmelshausen, über das unmittelbare Geschehen hinaus. An die Stelle des Simplicius, des Naiven, an dem die Welt ihre Verkehrtheit erweist, ist Jucundus getreten, der Liebenswürdige und der Welt Angenehme, der die Welt bestätigt. In Beers Gesamtwerk finden sich noch die Motive seiner satirisch-realistischen Vorgänger. Die Weise jedoch, wie die Motive und Elemente umfunktioniert werden und ihren ursprünglichen Gehalt verlieren, kündigt das Ende des Barock an und gibt den ersten Hinweis auf ein neues Wirklichkeitsverhältnis, das dann in der Aufklärung seinen philosophischen und literarischen Ausdruck findet.

9. WEISE UND REUTER

Die Durchdringung von Subjekt und Objekt, wie sie mit Simplicius' Durchschreiten der närrischen Welt gegeben war und in den bekannten Versen des Titelemblems formuliert wurde[29], fand in den nachfolgenden Werken der realistisch-satirischen Tradition keine Fortsetzung. Sie zerfiel in den Prosaschriften Christian Weises und Christian Reuters in objektiv-starre Narrenschau einerseits und subjektive Verkehrtheit ohne objektives Korrelat andererseits. Reuters *Schelmuffsky* (2 Fassungen des 1. Teiles 1696, 2. Teil 1697) gehört wie der *Finkenritter* und später *Münchhausen* als *Curiöse und sehr gefährliche Reisebeschreibung Zu Wasser und Lande* zur Gruppe verkehrter Reiseschilderungen. Hier wird der Narr nicht beschrieben, sondern berichtet selbst, so daß das Werk aus der Unangemessenheit der Perspektive und der Unwahrscheinlichkeit der erzählten Ereignisse lebt. Schelmuffsky phantasiert aus primitiver Sichtweise großartige Reiseabenteuer. Die der Kavalierstour nachgeahmte Renommierfahrt des Kleinbürgers führt bis zum Großmogul von Indien. Der Widerspruch von Figur und Ereignis war seit je eine Quelle des Komischen. Auch *Herr Peter Squentz* lebte aus gleicher Spannung (s. S. 199). Nur saßen in Gryphius' Komödie die Repräsentanten der literarischen Norm, also der Entsprechung von Stil und Thema mit auf der Bühne. In Reuters Roman fehlt der Gegenpol, Schelmuffsky entlarvt sich mit seiner Erzählung selbst, sie ist darum subjektiver[30]. Entsteht im *Simplicissimus* aus dem ständigen Baldanders der subjektiven Sichtweise das objektive Bild der Verkehrten Welt, so bestätigt sich Schelmuffskys unverändert verkehrte Perspektive an den wechselnden Ereignissen.

Reuters Werk bedeutet die Umkehr der Situation, die Weise in *Die drey ärgsten*

Ertz-Narren in der gantzen Welt (1672) gestaltet hatte. Die Verkehrtheit ist bei
Weise Objekt der Betrachtung. Die Kavalierstour ist kein angemaßtes und darum
verkehrtes Phantasieprodukt, sondern wird von einem jungen Adligen und seinen
Begleitern wirklich durchgeführt, um die größten Narren der Welt zu finden.
Die Reisenden treffen alle möglichen närrischen Verhaltensweisen an, meist klein-
bürgerliche Alltagsgrotesken, die nicht mehr eine Vanitaswelt entlarven, sondern
ex negativo das bessere Verhalten oder «kluge Lebens-Regeln» vermitteln sollen.
Es gelingt darum nicht, den gesuchten größten Narren zu finden. Von ihm kann
in einer abstrakten Erörterung am Ende des Buches nur gesagt werden, daß er
«umb zeitliches Kothes willen den Himmel verschertzt». Damit ist die Tradition,
die mit Sebastian Brant begann, an ihr Ende gelangt. War es Brants Leistung, das
abstrakte Laster auf allegorische Weise Wirklichkeit werden zu lassen, so brachen
bei Weise Realität und allegorisiertes Laster wieder auseinander. Die Grundtorheiten werden am Ende als allegorische Bilder an eine Schloßwand gemalt.

Dem entspricht es, daß jetzt die Handlungen an diesseitigen, sozialen Maßstäben
gemessen werden[31]. Wer mehr will, als ihm zusteht, wird zum *Politischen Näscher*
(1676), wie er im gleichnamigen Romanfragment Weises dargestellt ist. Als Anwalt politischer Weltklugheit waren Weise die extremen Lösungen von Welt-
verlorenheit oder Weltverneinung, zwischen denen Simplicius schwankte, fremd.
Ebensowenig wie die «ärgsten Ertz-Narren» wurden in der Fortsetzung ihrer
Geschichte *Die Drey Kluegsten Leute in der gantzen Welt* (1675) gefunden. Die
politische Weltklugheit, um die sich Weise sonst als Erzieher junger Adliger und
Bürger bemühte, brachte er in den *Ertz-Narren* auf die Formel, «daß der jenige
vor den Klügsten gehalten wird, der sich am besten vor der instehenden Gefahr
[des Bösen] hüten, und seinen Nutzen in allen Stücken befördern kan». Die
moralische Bewährung geschieht nicht mehr um der Moral und der hinter ihr
stehenden Religion selbst willen, sie äußert sich nicht mehr als Distanz zur Welt,
sondern soll dem Fortkommen in der Welt dienen. Aus der Verkehrten ist damit
die Vernünftige Welt geworden, in der der Kontrast von religiöser und diesseitiger
Haltung nicht mehr entlarvt wird, sondern als innerer Widerspruch weiterlebt[32].
Im 18. Jahrhundert, besonders bei Johann Gottfried Schnabel, wurde dieser Widerspruch dann wieder aufgedeckt und als Gegensatz von böser, politischer Wirklichkeit und heiler Inselutopie betont (s. S. 276).

Durch Weise gewann der «politisch» genannte Roman ähnliche Popularität wie
die Bezeichnung «simplicianisch» durch Grimmelshausen. Beer verwandte den
Begriff «politisch» oft in seinen Titeln. Arnold Hirsch sah den Höhepunkt des
politischen Romans in den drei Werken, die der Kollege Weises, Johann Riemer
(1648–1714), schrieb: *Der Politische Maul-Affe* (1679), *Die Politische Colica* (1680),
Politischer Stockfisch (1681)[33]. Die neue Orientierung auf das Diesseits und die
Integration von Adel und Teilen des höheren Bürgertums in die Verwaltungsauf-
gaben des Staates bildeten die Voraussetzung des politischen Romans. Stellte er

aus didaktischer Absicht gern allgemeine, für die Gesellschaft schädliche Fehlhaltungen dar, so konnte gleiches auch auf die einzelnen Stände oder Berufe angewandt werden. Neben dem politischen entstand der *Medizinische Maul-Affe* (1694), und *Der Politische Quacksalber*, eine Komödie Weises, wurde Vorbild für *Der Musicalische Quack-Salber* (1700), den Johann Kuhnau (1660–1722) schrieb. Die Musikerromane etablierten sich besonders durch die Werke von Wolfgang Caspar Printz (1641–1712) als eigene Gattung und reflektierten die Tatsache, daß der Musiker am Ausgang des 17. Jahrhunderts seine Rolle unter den bürgerlichen Berufen fand. Kuhnaus *Musicalischer Quack-Salber* ist ein vagabundierender Nichtskönner, der am Ende gebessert und nach fleißigem Studium Capellmeister wird. Das picarische Modell war damit in das Gegenteil verkehrt. Verdeutlichte das Vagantentum Picaros oder Simplicius' die Unbeständigkeit der Welt, so ist der musikalische Vagant des beginnenden 18. Jahrhunderts so lange disqualifiziert, bis er beständig wird und sich in die bürgerliche Arbeitswelt einordnet. Das Verkehrte ist vom Weltprinzip zur korrigierbaren Fehlhaltung reduziert und der Narr zu dem Außenseiter geworden, der dann in Gottscheds Machtbereich zum Feuertod verurteilt wird (s. S. 243). Das Urteil, das der Aufklärer vollziehen ließ, hatten die Poetiker des 17. Jahrhunderts längst gesprochen. Für das barocke Ordodenken waren Narr und Tier außerhalb des literarischen Normengefüges und allenfalls im Rahmen des niederen Stiles zugelassen.

VIERTER TEIL

Barock

ERSTES KAPITEL

Vanitas und Ordo

Als Ernst Robert Curtius 1948 vorschlug, die deutsche Literatur des 17. Jahrhunderts in die gesamteuropäische Stiltradition des Manierismus einzuordnen und den Begriff «Barock» auszuschalten, erfuhr die Diskussion um Sinn und Zweck dieser Epochenbezeichnung neue Impulse[1]. Curtius' Argumentation richtete sich gegen die problem- oder geistesgeschichtliche Interpretation, mit der man zwischen den beiden Weltkriegen versucht hatte, die Literatur des 17. Jahrhunderts aus sich selbst zu verstehen. Dagegen hielt die formhistorische Betrachtungsweise mit großer empirischer Beweislast ihr Plädoyer für die Aufhebung der Epochengrenzen und für die Auffassung, daß die Literatur des 17. Jahrhunderts Glied oder «Endprodukt» von Traditionen ist, die in der Antike wurzeln. So zutreffend Curtius' Argument war, daß es «unhistorisch» ist, Literatur ohne Berücksichtigung ihrer in die Vergangenheit weisenden Voraussetzungen zu verstehen, so sehr war zu ergänzen, daß es ebenso unhistorisch ist, Literatur durch retrospektive Erklärungen von den besonderen Bedingungen ihrer Entstehungszeit abzulösen. Der Epochenbegriff «Barock» erwies sich darum bei aller in ihm enthaltenen Unschärfe als notwendig, denn er meint die Symbiose der das Literaturwerk prägenden traditionalistischen und zeitgenössischen Voraussetzungen. Der von Karl Otto Conrady ausgesprochenen Forderung, den verschwimmenden Allgemeinbegriff «Barock» durch differenziertes Erfassen der Einzelphänomene abzusichern, ist die Forschung in den letzten Jahren auf wichtigen Gebieten nachgekommen[2]. Das Verhältnis von Rhetorik, Emblematik und Patristik zu einzelnen Gattungen oder Autoren des 17. Jahrhunderts wurde in wegweisenden Untersuchungen dargestellt[3]. Sie halfen, die Barockliteratur aus ihren jahrtausendalten Voraussetzungen zu verstehen, forderten aber zugleich die Frage heraus, warum diese Traditionen in der Barockzeit wirksam wurden. Diese Frage kann nur im Hinblick auf die politische und geistige Situation der Zeit beantwortet werden.

Für den Historiker endet mit der ersten Jahrhunderthälfte, mit dem Westfälischen Frieden, das «Zeitalter der Glaubenskämpfe». Es besiegelte die konfessionelle Spaltung durch die endgültige Zerstückelung des alten Reiches in Territorialherrschaften, unter denen die größeren sich als absolutistisch regierte Staaten konsolidierten. Während des Dreißigjährigen Krieges wurde die deutsche Bevölkerung um mehr als ein Drittel dezimiert. Pest und Hexenwahn hielten auch in den Gegenden schaurige Ernte, die von der Soldateska verschont blieben. Die zweite Jahrhunderthälfte war ebenfalls eine Kriegsperiode für viele deutsche Länder, die in die Auseinandersetzungen und Interessenpolitik der angrenzenden Mächte, besonders der Türken und Franzosen, verwickelt wurden. In der Literatur ist der Krieg ebenso Thema geworden wie der langersehnte Friede. Die großen Motive der Zeit, die Vergänglichkeit oder Vanitas alles Irdischen und die Bewältigung des Vanitasbewußtseins sind ohne den historischen Hintergrund nicht denkbar. Dieser Zusammenhang ist jedoch in den letzten Jahren in Frage gestellt worden[4]. Man hat darauf hingewiesen, daß die Kriegsverheerung nicht allgemein war und daß die Vergänglichkeitsthematik topisch oder gattungsmäßig zu verstehen ist und darum nicht Ausdruck eines erlebnisbedingten Pessimismus sein konnte[5]. So richtig dieses Argument hinsichtlich der traditionellen, topischen Verwendung des Vanitasmotivs ist, so wenig ist damit die Frage beantwortet, weshalb der Vanitastopos und die Gattung der Bußgedichte, die mit der Demonstration menschlicher Vergänglichkeit zur inneren Umkehr aufriefen, im 17. Jahrhundert eine so dominierende Stellung gewannen. Das Leidensmaß und die Todesrate der deutschen Bevölkerung oder auch die Biographien der einzelnen Barockdichter, seien es Grimmelshausen oder Gryphius, Logau oder Moscherosch, geben hier eine eindeutige Antwort. Nur ein Beispiel sei genannt. Breslau gilt als eine Stadt, die im Vergleich zu anderen Orten dank ihrer Befestigungen glimpflich davonkam. Hans Heinrich Borcherdt konnte jedoch feststellen: «Die Innungsakten der Kretschmerzunft bieten eine Schilderung, viel furchtbarer, als wie sie die späteren Chronisten zu geben wußten. 15000 Flüchtlinge hatte die Stadt zu beherbergen, in der ein entsetzlicher Schmutz lag, der nur mit energischen Maßregeln zu bekämpfen war. So war der Pest Tor und Tür geöffnet. Im September 1633 starben wöchentlich 400–500 Menschen, im ganzen von 36000 Einwohnern 15000[6].»

Ein sehr großer Teil der Barockschriftsteller stammte aus Schlesien. Dieses Land spielte für die Literatur jetzt die Rolle, die das Oberrheingebiet im 16. Jahrhundert innegehabt hatte und Sachsen im Zeitalter der Aufklärung übernehmen sollte. Das periodische Vorherrschen bestimmter Literaturlandschaften ist weniger aus dem «Stammescharakter» der Alemannen, Schlesier oder Sachsen zu erklären als aus dem Schicksal ihrer Gegenden. Über die historischen Voraussetzungen der Literaturrolle Schlesiens hat Herbert Schöffler Wesentliches berichtet[7]. Er zeigte, wie die konfessionellen Auseinandersetzungen in dem Land zwischen Österreich und Brandenburg besonders hartnäckig ausgetragen wurden. Fürstentümer, Standesherrschaften und Bevölkerung waren protestantisch geworden und sahen sich dem wachsenden gegenreformatorischen Druck der Habsburger ausgesetzt, die allgemeine Landesherren und zugleich Herzöge von zunächst einigen schlesischen Gebieten waren. Die allmähliche Mediatisierung weiterer Fürstentümer bedeutete zunehmende Macht der katholischen Partei. Die schlesischen Dichter waren Protestanten oder als solche geboren und zumeist in höheren politischen oder administrativen Diensten tätig. Dadurch lebten sie im unmittelbaren Spannungsfeld der politisch-konfessionellen Gegensätze. Eine Folge dieser Gegensätze war das Fehlen einer schlesischen Universität und das Wandern der jungen Schlesier zu Studienanstalten außerhalb der Landesgrenzen. Bevorzugtes Ziel der Juristen und Mediziner war die niederländische Universität Leyden. Kaum einer der großen literarischen Namen Schlesiens fehlte auf der Immatrikulations- oder zumindest Besuchsliste Leydens. Hier herrschte die antihabsburgische Tradition, die den protestantischen Schlesiern vertraut war. Die 1576 gegründete Universität lag im unabhängigen, von der spanischen Vorherrschaft befreiten Teil der Niederlande und entwickelte sich vor dem Hintergrund des wirtschaftlich aufblühenden Landes zu einem Zentrum freier Forschung und Lehre[8]. Leyden wurde Wirkungsstätte und oftmals auch Zufluchtsort einflußreicher Schriftsteller und Denker vor allem reformierten Glaubens. Hier kamen die Studenten in Kontakt mit den neuesten naturwissenschaftlich-medizinischen oder philosophischen Erkenntnissen. Die Niederlande waren eine heile Gegenwelt, und der für die Barockzeit als symptomatisch bezeichnete Kontrast von praller Lebensfülle oder Weltgenuß einerseits und Vanitaserfahrung andererseits ist u.a. aus der unterschiedlichen Situation niederländischer und deutscher Gegenden erklärbar. Da Gegensätze den Blick schärfen und der räumliche den geistigen Abstand steigert, half der Leydener Aufenthalt den deutschen Intellektuellen, das in der Heimat Geschehende besser zu bewältigen. Dabei konnten sie an die philosophischen Bemühungen anknüpfen, die die Niederlande ihrer eigenen zurückliegenden Leiderfahrung entgegengesetzt hatten: an die christliche Neubelebung der stoischen Philosophie.

Im Mittelpunkt der um 300 v.Chr. in Griechenland entstandenen Stoa stand die Anleitung zur Tugend, die als vernunftgemäßes Handeln begriffen und der Abhängigkeit von Leidenschaften oder Affekten entgegengesetzt wurde. Die Freiheit vom Einfluß der Affekte und irdischen Güter verursacht die ataraxia oder Gemütsruhe des stoischen Weisen, dessen innere Unabhängigkeit die Möglichkeit der Selbsttötung einschloß. Hauptvertreter der späten Stoa war Lucius Annaeus Seneca (ca. 4 v.Chr.–65 n.Chr.), dessen Schriften mehr Anleitung zum praktischen Handeln und empirische Beweisführung als theoretische Untersuchungen gaben. Die Vergänglichkeit oder der Wandel alles Irdischen war ein immer wieder aufgegriffenes Thema Senecas. In seiner Abhandlung *De providentia* stellte er die Theodizeefrage: wie ist die Idee von einer in der Welt waltenden Vorsehung mit dem Übel vereinbar, das den Guten zustößt? Er beantwortete sie mit dem Abhärtungsprinzip: das Übel in der Welt dient dazu, die Tugend zu erproben und zu stärken. An diesen Gedanken konnte Boethius (ca. 480–524) anknüpfen, der als hoher römischer Staatsbeamter unschuldig zum Tode verurteilt wurde und im Kerker sein Werk *De consolatione philosophiae* (524) schrieb. Die Theodizeefrage beantwortete auch Boethius mit der providentia-Vorstellung, nach der alles, was den Menschen als unbegreifliches Fatum bedrängt, dem göttlichen Plan entspricht. Das, was böse wirkt, erscheint nur so und hat in der göttlichen Gesamtordnung auch seine gute Funktion.

Die stoizistischen Gedanken wurden während der Renaissance wiederbelebt und dann von den Holländern aufs neue interpretiert. 1584 gab der in Leyden geborene Justus Lipsius (1547–1606) seine Schrift *De constantia* heraus, die auf der Seneca-Boethius-Tradition fußte und die Bewältigung alles möglichen Unglücks durch innere Stabilität oder die Gemütsruhe zum Thema hatte. Die in alle wichtigen Sprachen übersetzte Abhandlung wurde unter dem Titel *Von der Bestendigkeit* (1599) auf deutsch veröffentlicht[9]. Wie seine antiken Vorgänger vereinte Lipsius den Fortuna- oder Vanitasgedanken, nach dem alles wechselhaft, hinfällig und verkehrbar schien, mit der Idee der ewigwährenden, unwandelbaren Ordnung Gottes. An Senecas providentia-Begriff anknüpfend, erklärte er Leid und Unglück der Welt als notwendig, da sie aus Gottes Vorsehung resultieren. Der im Fortunarad allegorisch fixierte Kreislauf, der ständig alles verändert und ins Gegenteil umschlagen läßt, ist selbst unveränderbar, ewig und Gottes Gesetz. Auch Unglück und Leid, wie sie Kriege bewirken, haben darum ihren Sinn als Strafe, Prüfung oder Chance menschlicher Bewährung. Wie alles Negative eine positive Seite hat, so geht in dieser Welt nichts unter, sondern wird nur verwandelt. Der Mensch ist aufgerufen, Einsicht in dieses Weltprinzip zu gewinnen. Wer nur das Unglück oder fatum sieht, hat Scheinbewußtsein und bleibt Spielball seiner Affekte. Wer im fatum die Ordnung oder providentia erkennt, überwindet es. Beständigkeit hat der Weise, der die allgemeine Unbeständigkeit durchschaut.

Der Ordogedanke, die Vorstellung einer alle Weltbereiche umfassenden Ordnung, ist ebenso als das entscheidende Charakteristikum des 17. Jahrhunderts dargestellt worden wie das von den unmittelbaren historischen Ereignissen genährte Vanitasbewußtsein[10]. Beides ist jedoch im Zusammenhang zu sehen. Die Weise, wie vom antiken und neuen Stoizismus die Erfahrung der Vergänglichkeit alles Irdischen auf die Idee der Vorsehung und göttlichen Ordnung bezogen wurde, bestimmte Thematik und Gehalt der Literatur in starkem Maße. Die Kenntnis der Schriften von Seneca, Boethius oder Lipsius gehörte zur Grundausbildung jedes Barockschriftstellers.

Das Ordodenken des 17. Jahrhunderts brachte in Zusammenhänge, was seit der Renaissance einzeln durchdacht und aufgestellt war. Erich Trunz hat bei Ausklammerung des Vanitasaspektes den Ordogedanken in seinen Verästelungen und inneren Verbindungen dargestellt[11]. Ein Knotenpunkt dieser Zusammenhänge war der alte Mikro- und Makrokosmos-Gedanke. Das bildhafte Denken der Zeit setzte mittels der Figuration[12], der Zahlenkomposition, der Allegorik und Emblematik alle Weltbereiche miteinander in Beziehung und erklärte aus den Naturelementen ebenso Menschliches wie Göttliches oder bezog verschiedene Zeitabschnitte und Repräsentanten der Geschichte und Heilsgeschichte aufeinander. Alles Einzelne hatte erst durch die übergreifenden Zusammenhänge Sinn, auf die es verwies. So spekulierte der Pansoph über die geistige Bedeutung der Naturelemente, und dem Polyhistor ging es nicht um das einzelne historische Ereignis oder die Summe historischer Fakten, sondern um deren exemplarischen Charakter. Auf diesen geistigen vom Mittelalter überkommenen Voraussetzungen wurzelte auch das feste System ständischer Ordnung. Auch sie galt als Natur- und Gottesgesetz. Vom Herrscher bis zum Bauern war jedem seine objektive Rolle zugewiesen, vor der das Subjektive, Individuelle irrelevant war. Der ständischen Hierarchie entsprachen die Gesetze des Sprechens, die in Briefstellern und Komplimentierbüchern formuliert wurden. Jedem Stand gebührte seine Weise, zu reden und angesprochen zu werden. Auch für die Dichtung galt das allgemeine Ordnungsprinzip. Zahlreiche Poetiken verkündeten die aus der Rhetorik abgeleiteten Normen, in denen sich wiederum die gesellschaftlichen Verhältnisse spiegelten.

Das Zusammenspiel rhetorischer Gesetzlichkeiten, allegorischer Struktur, stoisch-christlicher Welthaltung führte zu einer vielfältigen Literatur, die bei der ersten Lektüre meist unzugänglich wirkt, deren Reiz sich jedoch mit der Interpretation entfaltet. Eine in so vielschichtigen Ordnungsbezügen stehende Dichtung ist kein Objekt für den auf nur unmittelbare Weise Lesenden oder nur stofflich Interessierten. Wagt man die Frage, was den verschiedenen Literaturwerken der Zeit gemeinsam ist, dann wäre eine unter den möglichen Antworten, daß auf stets variierte Weise eine Wirklichkeit gezeigt wurde, deren Teile allegorisch oder emblematisch als Beispiele ihrer eigenen Vergänglichkeit erscheinen und daß die Erfahrung dieser Vergänglichkeit jene stoische Distanz zur Welt bedingte, die sich als rhetorisch-deiktische Sprachhaltung äußerte. Im Märtyrer, der im Bewußtsein göttlicher Ordnung weltliche Qual verlachte, im mystischen Epigramm, das weltlich-empirische Begriffe zugunsten mystisch-spiritueller Bedeutsamkeit relativierte oder im petrarkistischen Sonett, das die Distanz zum eigenen Liebesleid zum Thema hatte, wirkte stets das gleiche Prinzip: das Zusammenspiel der scheinbaren Gegensätze vanitas und ordo.

Erst in der manieristischen Dichtung, die um die Jahrhundertmitte begann, funktionierte dieses Zusammenspiel nicht mehr, denn der Barockmanierismus lebte aus der Auflösung des Ordodenkens. An seine Stelle trat das Spiel, in dem Stil und Themen aus ihrer festen Zuordnung entlassen waren. Der Stil war nicht länger Mittel zum Zweck, sondern wurde sich selbst zum Zweck. Zugleich verflachte das Vanitasthema zu einem Motiv, das beliebig und unverbindlich verwendbar war.

ZWEITES KAPITEL

Gestalten

1. OPITZ

Durch Martin Opitz mündete in breitem Strom in die deutschsprachige Literatur, was bislang nur vereinzelt oder im neulateinischen Bereich wirksam gewesen war und längst die Dichtung anderer europäischer Völker prägte. Schon in seiner Jugendschrift *Aristarchus sive de contemptu linguae Teutonicae* (1617) argumentierte Opitz mit lateinischen Worten für den Gebrauch der deutschen Sprache. Er schrieb zunächst lateinische Gelegenheitsgedichte, von denen ein Teil unter dem Titel *Strenarum Libellus* (1616) veröffentlicht wurde, und begann 1618, größere deutsche Gedichte zu verfassen. Opitz war der erste in der humanistisch-rhetorischen Tradition stehende Autor, dessen deutschsprachige Werke schnell seine lateinischen an Rang weit übertrafen[13].

Martin Opitz (1597–1639) wurde als Sohn eines Fleischers und Ratsherrn protestantischen Glaubens in Bunzlau geboren. Er besuchte die Schulen seiner schlesischen Heimat. Sein Studium begann 1619 in Heidelberg, wo «ein deutscher Nachsommer der südlichen Renaissance» (Gundolf) das adäquate Klima für den formbegabten und geselligen Studenten war. Die beginnenden Kriegswirren trieben Opitz aus der süddeutschen Humanistenmetropole. Er reiste über Leyden, wo er ein Vierteljahr blieb und Daniel Heinsius besuchte, nach Dänemark und ging 1622 für ein Jahr als Lehrer nach Siebenbürgen. 1625 wurde Opitz in Wien vom Kaiser zum poeta laureatus gekrönt. 1626 machte ihn der zum Katholizismus konvertierte Burggraf Karl Hannibal von Dohna zum Privatsekretär. Dohna, der als Präsident der kaiserlichen Kammer die dominierende politische Rolle in Schlesien spielte, war scharfer Protestantengegner, aber aus politischen Gründen, so daß der Zusammenarbeit mit seinem konfessionell toleranten und wohl zum Calvinismus übergetretenen Sekretär nichts im Wege stand. Im Auftrage Dohnas war der 1627 geadelte Opitz von Boberfeld ständig auf Reisen. Da Opitz nicht als Dogmatiker, sondern als Diplomat für Dohna arbeitete, konnte er zugleich gute Beziehungen zu Fürsten anderer Konfession pflegen und nach Dohnas Sturz seine gewandte Feder und Verhandlungsfähigkeit in den Dienst der reformierten Herzöge von Brieg und Liegnitz stellen. 1636 erhielt Opitz die Sinekure eines Hofhistoriographen beim polnischen König. Er starb mit 41 Jahren in Danzig an der Pest.

Auf Vorläufer und Vorbilder seines Schaffens kommt Opitz in der Vorrede seiner Gedichtsammlung *Teutsche Poemata* (1624) zu sprechen. Dort nennt er Petrarca «sinnreich», Ronsard «berühmt» und preist den «niederländischen Apollo» Heinsius als so hoch gestiegen, daß er ihn mit seinen «nidrigen Sinnen nit ergründen» könne. Dieser Wertungsklimax entsprach Opitzens literarisches Verhältnis zu den Genannten. Wie er zu Petrarca eher eine Gegenstellung bezog[14], so war der Einfluß der Holländer auf Opitz sehr groß. Das meiste übersetzte er aus dem Niederländischen.

Daniel Heinsius (1580-1655) lehrte an der Universität Leyden und hatte für die niederländische Sprache und Dichtung das bewirkt, was Opitz für den deutschen Sprachbereich nachvollziehen wollte. Die Niederländer hatten in den letzten Jahrzehnten des 16. Jahrhunderts ihre literarische Renaissance nachgeholt und sich bemüht, an die Leistungen der Plejade anzuknüpfen. Die lyrischen Ergebnisse dieser Bemühungen wurden versammelt im *Nievwen Lusthof* (1602), im *Bloem-Hof* (1608) und in Heinsius' *Nederduytschen Poemata* (1616), die Opitz sämtlich als Vorbilder und Quellen nutzte. Aus der letztgenannten Sammlung übersetzte er *Dan. Heinsii Lobgesang Jesu Christi* (1633) und führte sich damit beim Verfasser ein. Außer mit Heinsius trat Opitz mit Hugo de Groot oder Grotius (1583–1643) in Verbindung, der seine theologischen Werke mit der Absicht schrieb, die konfessionellen Gegensätze durch die historische Erkenntnis des wahren Christentums zu überwinden[15]. Opitz übersetzte de Groots *Von der Wahrheit der christlichen Religion* (1631). Auch de Groots Landsmann Justus Lipsius war konfessionelle Indifferenz vorgeworfen worden. In seinem Werk *De constantia* ist kein konfessioneller Standpunkt erkennbar, und ähnlich Opitz pendelte er zwischen Katholizismus, Protestantismus und Calvinismus. Die in *De constantia* geäußerten Gedanken hatten auf Opitz und seine Schriften großen Einfluß.

Lipsius schilderte zu Beginn des zweiten Buches seiner Abhandlung die Gärten als Kontrastidylle zur Welt der Sorgen und äußeren Betriebsamkeit. Er griff damit das in der Renaissance und auch bei Erasmus beliebte Thema vom hortus amoenus auf, das in der deutschen Literatur des 17. und 18. Jahrhunderts eine wichtige Rolle spielen sollte. Auch für Opitz bedeutete der hortus amoenus mehr als nur ein Motiv. Immer wieder setzte er die Ideallandschaft in den satirischen Gegensatz zur verworrenen Gaukelei der Welt der Eitelkeiten. So beschrieb er in dem Alexandrinergedicht *Zlatna Oder Getichte von Ruhe deß Gemüthes* (1623) einen Siebenbürger Bergwerksort als Idylle mit den traditionellen Requisiten Berg, Tal und Wasser, wo man frei der üblichen Bindungen sich selbst leben kann[16]. Gleiches kam in *Lob des Feldtlebens* (1623; 1624 als *Die Lust des Feldbawes*) zum Ausdruck, das Horazens zweiter Epode nachgestaltet ist. Auch in *Vielguet* (1629) erfolgte erst die Abrechnung mit den Scheinwerten der Vanitaswelt und dann der Preis ländlicher Idylle als Bezirk des Weisen, der die Eitelkeit der Welt durchschaut und darum constantia hat. Opitzens Weg zur Schäferdichtung war darum konsequent. Auch hier war er Pionier und verfaßte nach dem Vorbild von Vergils Eklogen und vor allem Sannazaros *Arcadia* (s. S. 202) die *Schäfferey von der Nimfen Hercinie*

(1630). Die ins Riesengebirge verpflanzten Teile des locus amoenus dienen als Kulissen für belehrend-gelehrige Gespräche und panegyrische, der gräflichen Familie Schaffgotsch geltende Gedichte, die Opitz und seine Freunde vortragen.

Der so mit dem Idyllenthema Vertraute war kein Eskapist, der sich im Ausmalen wirklichkeitsfremder Bereiche gefiel. Vielmehr bewegte sich Opitz ganz auf stoischen Pfaden, wenn er die Sonderwelt ruhiger Natur mit dem Zustand der Gemütsruhe verband[17]. Die Idylle und die in ihr mögliche ataraxia setzten die Welt der Affekte und äußerlichen Güter voraus. Es ging Opitz um die Möglichkeiten der Distanz zu dieser Welt, damit sie besser bewältigt werde. Diese Absicht war auch Kern des *TrostGedichte In Widerwertigkeit Deß Krieges* (1621, gedr. 1633), deren auf 4 Bücher verteilte 2302 Alexandriner als selbständigste Dichtung von Opitz gelten und die erste literarische Vergegenwärtigung und Interpretation des Dreißigjährigen Krieges darstellen. Der Text beginnt mit der formelhaften Vorwegnahme des anschließend Detaillierten:

> *Des schweren Krieges Last, den Deutschland jetzt empfindet*
> *Und daß Gott nicht umbsonst so hefftig angezündet*
> *Den eifer seiner macht, auch wo in solcher Pein*
> *Trost her zu holen, soll mein getichte sein.*

Die Äußerung über den Zweck des Gedichts verrät, daß das Geschilderte nicht um seiner selbst willen genannt wird. Das ist besonders dann relevant, wenn von den Greueln des Krieges und von der Soldateska gesprochen wird, die sie verübte:

> *Der Alten graues Haar, der jungen Leute Weynen*
> *Das Klagen, Ach und Weh der Grossen und der Kleinen,*
> *Das Schreyen in gemein von Reich und Arm geführt*
> *Hat diese Bestien im minsten nicht gerührt.*
> *Hier halff kein Adel nicht, hier ward kein Stand geachtet,*
> *Sie mußten alle fort, sie wurden hingeschlachtet.*

Nicht der Krieg wird hier angeklagt und die Geschehnisse nicht als das bejammernswerte Unglück schlechthin dargestellt, sondern als die Mittel Gottes aufgefaßt, mit denen er die Menschen schult und straft. In der Weise, wie Opitz den Krieg als notwendiges Instrument Gottes beschrieb, folgte er Lipsius' Gedanken. Bereits der Niederländer hatte behauptet, daß die Menschen aus der Einsicht in die Notwendigkeit des Unglücks «Trost für unser trawren schöpffen». Trost erfährt derjenige, der im Geschehen das Prinzip erkennt und dadurch stoische Distanz zur Unmittelbarkeit des Leides gewinnt.

Dem Trostzweck machte Opitz auch die sprachliche Struktur des Gedichtes dienlich. Vorherrschendes Stilmerkmal ist die Reihung unverbundener Substantive oder Satzteile, also die asyndetische Reihung. Richard Alewyn wies auf den ausgeprägt nominalen Stil: «Das Nomen trägt die ganze gedankliche Last der

Opitzschen Sprache. Es hat die logische Hegemonie des Satzes[18].» Hier wirkte
die lateinische Dichtungstradition weiter. Asyndetische Reihungen sind nach Lausberg ein Mittel pathetisch-eindringlicher Wirkung. Da die allgemeine Wirkung
des Gedichts «Trost» sein sollte und dieser in der Distanz zum geschilderten Kriegs-
leid besteht, ist die beabsichtigte Wirkung des Gedichts die Distanzierung des
Lesers. Karl Otto Conrady hat darauf hingewiesen, daß die «hart-bewußte Gliederung des Sprechens ... die Dichtung eines Opitz verfremdet»[19]. Der Leser wird
deshalb ebenso durch den Stil des Gedichts in die Distanz zum Geschilderten versetzt wie durch die im Gedicht vermittelte Erkenntnis, daß das Leid eine aus
Gottes Willen resultierende Notwendigkeit ist. Die rhetorische Struktur des
Trostgedichts und ihr Gehalt erweisen sich damit als kongruent.

Daß Opitz selbst in der Distanz des Schilderers blieb, entsprach ebenso seinem
deiktischen Stil[20] wie seiner grundsätzlichen Lebenshaltung, auch gegenüber dem
Krieg. Diese Haltung kam am schlüssigsten in der Ironie der Verse zum Ausdruck,
die den Titel *Lob des Kriegs-Gottes* (1628) tragen. Mars und seine zum Heldentod
bereiten Jünger verfallen hier tautologischem Spott:

> *Wer jung erschossen wird, der pfleget nicht zu alten*
> *Und stirbt zu Tode hin. Es wird mir auch gesagt,*
> *Der Fürwitz sey ein ding, das einem, der sich wagt*
> *Nicht allzeit wohl bekömpt ...*
> *Dem einen ist zu thun, zu schreiben mir gegeben,*
> *Und möcht' ich, wie geschieht, nicht in den Büchern leben,*
> *Ich lebte gar nicht mehr, ...*

Der Widerspruch, der zwischen Opitzens Preis stoischen Heldentums und ironischer Distanzierung vom Heldentod liegt, erklärt sich aus der gattungsgebundenen
Äußerungsweise. Danach gehörte die Darstellung heldischer Haltung in den
Rahmen der «Heroischen Gedichte», zu denen in erster Linie die Tragödien
zählten. Opitz rechnete auch sein *TrostGedichte In Widerwertigkeit Deß Krieges*
dazu, dessen Intention für ihn die gleiche war wie bei den Tragödien. In der Vorrede zur Übersetzung von Senecas *Troerinnen* (1625) sagte er, daß die Tragödie
«großer Leute, gantzer Städte und Länder aussersten Untergang» zeige und den
Betrachter oder Leser das eigene Unglück «weniger fürchten und besser erdulden»
lehre. Auch die Tragödien hatten die kathartische Funktion des Trostgedichtes.
Zum populärsten römischen kam das bekannteste griechische Trauerspiel, das
Opitz wahrscheinlich mit Hilfe einer lateinischen Quelle übersetzte: Sophokles'
Antigone (1636). Alewyn meinte in seiner eingehenden Analyse dieser Übertragung, die Sprache des Stückes bliebe «so gleichgültig gegenüber ihrem Inhalt, so
stoisch unerschüttert, als wollte sie die vom idealen Zuschauer geforderte Ataraxie
selbst vorbilden»[21]. Dieser Redegestaltung entsprach auch die Kälte, mit der in
Opitzens Drama *Judith* (1635) die biblische Heroine den Holofernes köpft. Opitz

zählte *Judith* zu seinen «geistlichen Poemata», die durch die Gleichgültigkeit der
Sprache gegenüber ihrem Inhalt allgemein charakterisiert sind. So blieb es in der
Klage bey dem Creutze unsers Erlösers bei der äußerlichen Beschreibung des ster-
benden Christus, und in *Salomons hohes Lied* muß die Vorrede ausdrücklich betonen, daß es sich nicht um «Buhlergetichte» handelt. Opitzens weltanschauliche
Position war keine Basis für religiöse Poesie. Die im politisch-konfessionellen
Bereich sichtbare Unverbindlichkeit des Schlesiers entsprach seiner diplomati-
schen Berufsrolle und fand ihren Niederschlag auch in seiner Dichtung. Sie lebte
aus dem Gegenteil einer Bekenntnishaltung, denn ihr Grundgesetz hieß Distanz.
Seine besten Werke schrieb Opitz dann, wenn die ihm eigene Distanz nicht allgemeines Kriterium seines rhetorischen Sprechens blieb, sondern zugleich Thema
und Gehalt seiner Dichtung werden konnte. Das war in dem Trostgedicht der
Fall und wurde in zahlreichen Sonetten wieder erreicht, deren dialektische Struktur das geeignete Medium für den so oft zum Thema gemachten Gegensatz von
Welt und Gegenwelt oder für das Spiel ironischer Brechungen war. Als Beispiel
für die gestaltete Distanz sei ein Sonett zitiert:

> *Ein jeder spricht zu mir, dein Lieb ist nicht dergleichen*
> *Wie du sie zwar beschreibst: Ich weiß es wahrlich nicht,*
> *Ich bin fast nicht mehr klug; der scharfen Sinnen Licht*
> *Vermag gar kaum was weiß und schwarz ist zu erreichen.*
>
> *Der so im Lieben noch was weiß heraus zu streichen,*
> *Durch Urteil und Verstand, und kennt auch was gebricht,*
> *Der liebet noch nicht recht. Wo wahr ist was man spricht,*
> *So hat der welcher liebt der Sinnen gar kein Zeichen*
>
> *Und ist ein lauter Kind. Wer Schönheit wählen kann*
> *Und redet recht davon: der ist ein weiser Mann.*
> *Ich weiß nicht wie ich doch die Phantasie gelose*
>
> *Und was die süße Sucht noch endlich aus mir macht:*
> *Mein Wissen ist dahin, der Tag ist mir die Nacht*
> *Und eine Distelblüt' ist eine schöne Rose.*

Auch hier geht es um den stoizistischen Abstand zum Unmittelbaren, zur Affekt-
haltung des Liebenden. Ihm erscheint die Welt als verkehrt. Der Beschreibende
hingegen sieht sie richtig und kann darum die Verkehrtheit benennen. Da der
Autor den fassungslosen Zustand gestaltet, kann er ihm nicht verfallen sein, und
die Ichform des Sonetts birgt das Gegenteil einer Ichaussage. Da das Liebesthema
dialektisch auf die Kunstform bezogen wird, ist die Kongruenz von Liebesthema
und Sonettform ironischer Natur. Diese Ironie wird in der Schlußzeile deutlich
ausgespielt, wenn die «schöne Rose» als Distel entlarvt wird. Die metaphorische
Relativierung der Metapher ist mehr als eine beliebige Pointe. Sie zeigt nicht nur

das Scheinbewußtsein des Liebenden, sondern den Scheincharakter des ganzen Sonetts, indem sie dessen Eingangszeilen bestätigt. Kunst (Beschreiben der Liebe) und Wirklichkeit (Liebe) sind in ein Kontrastverhältnis gebracht, und der Gegensatz ist bis zur Paradoxie ausgespielt. Im Sonett *Vom Wolffsbrunnen bey Heidelberg* hat Opitz ein entsprechendes Verhältnis an einem räumlichen Modell gestaltet. Der Brunnen erscheint als Bereich des Schönen schlechthin, das nur von seinem Gegensatz her faßbar und gültig ist. Das Schöne und die Wirklichkeit sind ausdrücklich dialektisch aufeinander bezogen. Opitz war ebensowenig ein Bekenner wie ein bloßer Artist und Formenspieler. Sein Engagement fand er in der stoisch begründeten Distanz, die es ermöglichte, die Idylle als Bereich der Gemütsruhe, der Erkenntnis und der Kunst gegen die «Widerwertigkeit» der Wirklichkeit zu setzen. Es ging Opitz darum sehr um die Kunst, um die Literatur selbst. Seine dauernde Übersetzertätigkeit und seine theoretischen Bemühungen, die als *Buch von der Deutschen Poeterey* (s. S. 144f) ein epochemachender Erfolg wurden, sind aus dieser Haltung ebenso zu verstehen wie seine große Formbewußtheit. Als der Heidelberger Julius W. Zincgref (1591–1635) 1624 Opitzens *Teutsche Poemata* edierte, war der Schlesier über diese Ausgabe nicht glücklich. Zincgref, der als Vorläufer seines Hauptwerkes *Teutsche Apophtegmata* (1626) die Sammlung *Emblematum Ethico-Politicorum Centuria* (1619) herausgab, veröffentlichte im Anhang der *Poemata* 52 Gedichte, die als repräsentativer Spiegel der deutschsprachigen Lyrik vor dem Auftritt Opitzens anzusehen sind. Opitz selbst sah beim Erscheinen der *Poemata* viele seiner darin enthaltenen Gedichte als metrisch unvollkommen an, da er sich inzwischen zum Prinzip der Identität von Vers- und Wortakzent bekannte. Im 7. Kapitel der *Poeterey* formuliert, wurde es zum Grundgesetz des deutschen Verses für die kommenden Jahrhunderte. Als Ausgabe, die den neuen Erkenntnissen entsprach und die Beispiele für die Theorie der *Poeterey* lieferte, erschienen dann die *Acht Bücher Deutscher Poematum* (1625). Weitere vermehrte Auflagen folgten bis zur zweiteiligen Ausgabe letzter Hand *Geistliche Poemata* (1638), *Weltliche Poemata* (1638/44).

2. GRYPHIUS

Umbringt mitt höchster angst, vertäuft in grimme schmertzen,
Besturtzt durch schwerdt und feur, durch libster freunde todt,
Durch blutverwandter flucht und elendt, da uns Gott
Sein wort, mein licht, entzog: als toller feinde schertzen
Als falscher zungen neidt drang rasend mir zue herzen,
Schrib ich, was itz kombt vor, mir zwang die scharffe noth,
Die federn in die faust.

Mit diesen bekannten Alexandrinern gab Gryphius eine Begründung seines Schreibens, die der von Opitz entgegengesetzt war. Opitz verfaßte seine Werke, «damit die schwere Zeit nun werde hingebracht». Sah er in den Gedichten das Trostmittel gegen «die Widerwertigkeit» der Welt, so machte Gryphius die Trostlosigkeit irdischer Existenz zum dauernden Thema.

Dazu bot das Schicksal Andreas Gryphius (1616–1664) viele Voraussetzungen. Glaubenskampf, Pest, Brand, Kriegsverwüstungen sowie Krankheit und Tod seiner nächsten Angehörigen waren die dicht gesetzten Meilensteine seines frühen Lebensweges. Die Biographie liest sich streckenweise wie ein Katastrophenbericht. Gryphius wurde in dem 1615 durch einen Großbrand zerstörten Glogau geboren, wo der Vater Paul Gryphius die Stellung eines Archidiakons innehatte. Der Vater starb, als Andreas vier Jahre alt war, mit elf verlor er seine Mutter, die sich noch einmal mit dem Lehrer und Pfarrer Michael Eder verheiratet hatte. Dieser betreute den Stiefsohn pädagogisch, nachdem die in Glogau zwangsweise durchgeführte Gegenreformation Gryphius' schulische Entwicklung abgebrochen hatte. Eder holte Gryphius in das schon auf polnischem Gebiet liegende und darum von den Kriegseinwirkungen verschonte Fraustadt, nachdem wieder Feuer und Pest in Glogau gewütet hatten. Von 1634 bis 1636 absolvierte Gryphius ein allgemeines Grundstudium am Danziger Gymnasium academicum. Der dort lehrende Professor für Mathematik und Poesie, Peter Crüger, beeinflußte den jungen Schlesier nachhaltig. Er machte ihn mit den Opitzschen Gedanken und den neuen astronomischen Erfahrungen und Spekulationen von Kopernikus, Galilei und Kepler vertraut. 1636 berief ihn der dank seiner Konversion bis zum habsburgischen Hofpfalzgrafen aufgestiegene schlesische Beamte Georg Schönborner zum Hofmeister seiner Söhne. Schönborner, der selbst poeta laureatus war, nahm sein Recht, diesen Titel weiterzugeben, 1637 gegenüber Gryphius wahr. Nach dem frühen Tod seines Gönners begleitete Gryphius 1638 dessen Söhne zum Studium in die Niederlande. An der Leydener Universität wirkte er eifrig als Lernender und Lehrender. Er hatte hier Gelegenheit, sich mit Heinsius und seinen Gedanken auseinanderzusetzen und auf der Bühne die holländische Dramatik, vor allem Vondel (s. S. 185), zu studieren. Da der Krieg in Deutschland noch weiterwütete, nutzte Gryphius 1644 die Möglichkeit, wieder als Reisebegleiter nach Paris zu kommen. Er blieb hier ein Jahr, lernte Hugo Grotius kennen und die Stücke Corneilles schätzen und kritisieren. 1645 folgte ein Aufenthalt in Italien, wo Gryphius die commedia dell' arte studierte. Nach einem einjährigen Aufenthalt in Straßburg reiste er 1647 in die schlesische Heimat zurück. Gryphius wurde 1650, nachdem er drei Universitätsrufe ausgeschlagen hatte, Syndikus der protestantischen Landstände in Glogau. 1649 heiratete er und wurde siebenmal Vater. Vier seiner Kinder sah Gryphius sterben, die einzige ihm bleibende Tochter war schwachsinnig. Nur der älteste Sohn Christian (1649–1706), der selbst literarisch produktiv war, überlebte die Jugendjahre. Als Gryphius 1664 einem Schlaganfall

erlag, war er ein beruflich erfolgreicher und durch sein literarisches Wirken hoch-
berühmter Mann. Unter dem Namen «Der Unsterbliche» hatte man ihn 1662 zum
Mitglied der «Fruchtbringenden Gesellschaft» gemacht.

Auch Gryphius begann mit lateinischen Jugendwerken, den zwei Herodesepen
(*Herodis Furia et Rachelis Lachrymae*, 1634; *Dei Vindicis Impetus et Herodis Interitus*,
1635) und der Ölbergerzählung *Olivetum Libri tres* (1637, gedr. 1646). Die Epen
waren Teilverwirklichungen des Plans, alle wichtigen Lebensstationen Christi
darzustellen. Dieser Plan und die Weise seiner Ausführung kündigten Stil und
Thematik der späteren Dichtung Gryphius' an: die imitatio Christi der Märtyrergestalten und die Dramatik, die in der Stiltendenz der Herodesepen zu Aktion und
Disput bereits enthalten war[22]. Auch die Schilderung verwesender Körper, die für
Gryphius zum Sinnbild irdischer Existenz wurden, erreichte bereits in der Darstellung des physischen Verfalls von Herodes einen Höhepunkt: «Unersättlicher
Durst und Hunger quält ihn, sein Inneres ist von stinkend fauligen Geschwüren
aufgetrieben, von Würmern zernagt ... Das Fleisch von den Knochen schwindet
wie Schnee vor dem Südwind oder Wachs vor der Flamme. Hals, Haupt, Waden,
Hände, Finger, Schultern, Arme gehen in Fluß über. Aufgedeckt wird der Sitz
des Atems ...[23].» Das so Beschriebene wurde nicht um seiner selbst willen geschildert, sondern zum Maß furchtbarer Schuld und des ebenso furchtbaren Urteils
Gottes. In der mittelalterlichen Tradition der Bußpredigt und -dichtung war
Leid und Vergänglichkeit des Irdischen Folge menschlicher Sündhaftigkeit. Die
Demonstration der Sterblichkeit sollte zur inneren Umkehr bewegen. Gryphius
war der kausale Zusammenhang von kreatürlicher Schuld und kreatürlicher Endlichkeit wohlvertraut[24]. Seine Vanitasdichtung stand in der Tradition der Buß-
dichtung, war aber darüber hinaus durch modernes wissenschaftliches Interesse
genährt. Zu Gryphius' Zeit hatte die Anatomie besonders in der holländischen
Medizin einen großen Aufschwung genommen. Rembrandt malte 1632 seine
Anatomie des Dr. Tulp. Auch Gryphius schulte sich in Holland in anatomischer
Praxis und hat selbst «etliche Sectiones vorgenommen»[25]. Noch 1659 sezierte er in
seiner schlesischen Heimat zwei Mumien und verfaßte darüber den lateinischen
Bericht *Mumia Wratislavienses* (1662). Erst aus dem wissenschaftlichen Interesse
Gryphius' wird die Eindringlichkeit, mit der Gryphius die Welt als Leichenhaus
darstellte, voll verständlich. Konfrontiert mit der bloßen Materie und den ihr
immanenten Gesetzlichkeiten konnte der Gläubige Gott nur noch jenseits des
Irdischen suchen. Damit war der Weg, den Lipsius oder Opitz gingen, für
Gryphius versperrt. Die weltimmanente Idylle war ihm kein Gegenbereich. «Mir
graut vor aller gärte zier» hieß es in den *Gedancken über den kirch-hof* (1057), zu
denen Gryphius Jacob Baldes Enthusiasmen anregten. Der Kirchhof, wo die sich
aus ihren Gräbern lösenden Körper die Wirklichkeit der Lebenden als kurzen eitlen
Traum entlarven, erscheint als Antiidylle. Es ist der Ort, wo nicht Ruhe, sondern
tiefste Beunruhigung erwächst, wo die Lehren der antiken Denker, die man so

gern in der «gärte zier» zu erörtern pflegte, irrelevant werden. Siebenmal mit «O schul» angerufen, wurde der Friedhof zum Weltmodell und Beispiel dafür, was unsere irdische Bestimmung ist, bis beim Jüngsten Gericht über das weitere Schicksal entschieden wird. «Ach todten! ach! was lern ich hier?» lautet die wiederholte Frage, die nur der Tote beantworten kann, denn «Die Leiche nur weiß nichts von Lügen».

Das Weltbild des Gryphius bestimmte sein Verhältnis zu den literarischen Gattungen. Er war, sieht man von den Jugendwerken ab, nicht Epiker, sondern Lyriker und Dramatiker. Geht man davon aus, daß die epische Situation ursprünglich die Immanenz des Sinnhaften bedeutete, dann wird aus der Gryphschen Gegenstellung zu dieser Position sein Abstand zu epischer Gestaltung deutlich. Gryphius' Weise, die Immanenz mit vanitas zu identifizieren und so statt Welt die Negation der Welt zum Hauptthema zu machen, begünstigte Gattungen, die aus der Gestaltung des Gegensätzlichen und Paradoxen lebten, also das Sonett, das Epigramm oder das Märtyrerdrama mit seinem nicht handelnden Helden. Die Gattung, die Gryphius' Welthaltung am unmittelbarsten entsprach, waren die in der Barockzeit sehr populären Leichenreden. Sie zählten zwar nicht zum engeren Bereich der Literatur, waren aber nach rhetorisch-literarischen Prinzipien geformt. Die Schlüsselfunktion der *Dissertationes funebres, Oder Leich-Abdanckungen* (1666) hat Hans-Jürgen Schings analysiert und gezeigt, wie die Texte durch Zitate und Sinnbildsprache einerseits mit der Patristik und andererseits mit der Dichtung Gryphius' verbunden sind[26].

In der Lyrik waren weniger die Oden als die Sonette Gryphius' wesentliche Leistung. 1637 erschien das erste in Lissa gedruckte Bändchen *Sonette*. 1639 gab Gryphius in Leyden die *Son- undt Feyrtags-Sonnete* heraus. Weitere, größere Ausgaben folgten, in die die frühen Gedichte teils variiert wiederaufgenommen wurden. Die Weise, wie Gryphius hier dem Hauptmotiv der vanitas immer neue Aussage- und Gestaltungsmöglichkeiten abgewann, setzte größte artistische Meisterschaft voraus. Das Motiv wurde entweder unmittelbar zum Thema *(Menschliches Elende)* in anlaßgebundenen Gedichten durchgespielt *(Trawrklage des Autoris/ in sehr schwerer Kranckheit)* oder auf Christus bezogen *(Über des HERRN JEsu todten Leichnamb)*. Das dialektische Prinzip des Sonetts, seine Fähigkeit, das Paradoxe auszudrücken, wurde von Gryphius bis zur Grenze der Formsprengung oder bis zum einzelnen Bild und Wort hin verwirklicht. So waren die Dinge, die Gryphius als Bilder bevorzugte, durch ihre Kurzlebigkeit und leichte Vernichtbarkeit charakterisiert: Wiesenblumen, Asche, Staub, Rauch, Wind, fließende Wasser, Tau, Reif oder Schnee. Verwehend, zerfließend oder schmelzend war ihnen gemeinsam, daß sie ihre eigene Aufhebung bedeuteten. Sie stammten aus der Bildsprache der Bibel und waren durch die allegorisch-emblematische Schrift- und Dingauslegung der Patristik hindurchgegangen, bevor Gryphius sie aufgriff[27]. Neben Dingen, die ihre eigene Aufhebung aussagten, standen Begriffe, deren

Bedeutungsspielraum ambivalent war und gegensätzliche Bedeutungen erlaubte. Diese sonst von den mystischen Dichtern ergriffene Möglichkeit nutzte Gryphius u.a. in seinem Sonett *Über die Geburt Jesu*, indem er aus dem Wort «Nacht» ein Antithesenspiel aufbaute, dessen Kern der Gegensatz von natürlich-finsterer Nacht und der lichten Nacht der Gottesgeburt war[28]. Daß Nacht darüber hinaus wechselnd Vanitaswirklichkeit und Heilsgewißheit bedeutete, war ebenfalls in der biblisch-patristischen Tradition verankert. Indem Gryphius Begriffe aneinanderreihte, gegensätzlich aufeinander bezog und gleiches mit Sätzen oder Satzgruppen wiederholte, folgte er den Möglichkeiten der Rhetorik. Anaphorische Reihungen, Antithesen, Oxymora begründeten jedoch kein formales Spiel, sondern trugen schwere und vielschichtige Bedeutungsgehalte. Gryphius gelang dadurch eine zu seiner Zeit nicht wieder erreichte Intensität der Sprache[29].

Rhetorische Form und biblische Bildlichkeit bedeuteten objektives Sprechen und den Anspruch der Wahrheitsverkündung. Dieser Anspruch erfuhr weitere Steigerung und zugleich Absicherung durch das Stilmittel der Zahlenkomposition. Marian Szyrocki hat gezeigt, wie in der Lissaer Sonettausgabe mit der zahlenmäßigen Anordnung von Silben, Worten, Zeilen und Gedichten eine Geheimsprache geführt wurde, die das in den Texten Gesagte bestätigte[30]. An 6. Stelle der Erstausgabe stand das Sonett, dessen Thema den Gehalt vieler anderer Gedichte einbeschloß und dessen Titel, der als einziger der Sammlung groß geschrieben wurde, als Motto aller Dichtung Gryphius' gelten könnte:

VANITAS, VANITATUM, ET OMNIA VANITAS

Ich seh' wohin ich seh, nur Eitelkeit auf Erden,
  Was dieser heute baut, reist jener morgen ein,
  Wo itzt die Städte stehn so herrlich, hoch und fein,
Da wird in kurtzem gehn ein Hirt mit seinen Herden:
Was itzt so prächtig blüht, wird bald zutretten werden:
  Der itzt so pocht und trotzt, läst ubrig Asch und Bein,
  Nichts ist, daß auff der Welt könt unvergänglich seyn,
Itzt scheint des Glückes Sonn, bald donnerts mit beschwerden.
  Der Thaten Herrligkeit muß wie ein Traum vergehn:
  Solt denn die Wasserblaß, der leichte Mensch bestehn
Ach! was ist alles diß, was wir vor köstlich achten!
  Alß schlechte Nichtigkeit? als hew, staub, asch unnd wind?
  Als eine Wiesenblum, die man nicht widerfind.
Noch wil, was ewig ist, kein einig Mensch betrachten!

Bereits der Titel enthält so viele Buchstaben wie die Sammlung Sonette. Das Gedicht ist deutlich in zwei Teile gegliedert. In den ersten sechs Zeilen wird jeweils an einzelnen Beispielen Vergänglichkeit demonstriert und in der siebenten Zeile die Schlußfolgerung gezogen. Da die Zahl 6 nach der Apokalypse die Zahl der vergänglichen, Luzifer verfallenen Welt ist, entspricht die Aussage der ersten 6 Zeilen ihrer Anzahl. Gleiches gilt für die Zeilen 8 bis 13. Auch der 6. Platz des Gedichts in der Sammlung ist damit erklärt. Die jeweils 7. Zeile entspricht in ihrer Aussage und Funktion der apokalyptischen Bedeutung der Zahl 7, die bei Gryphius eine große Rolle spielt und so viel wie «Offenbarung» oder «Wahrheit» meint[31]. Die in der 7. und 14. Zeile verkündete Wahrheit ist jedoch ein negativ formulierter Sachverhalt. Vom Unvergänglichen und Ewigen, das den logischen Gegensatz zum sonst demonstrierten Zeitlichen bildet, wird in beiden Zeilen gesagt, daß es «auf der Welt» nicht existiert und von den Menschen nicht betrachtet wird. Das bestätigt die Antithetik, die in den übrigen Zeilen wirksam ist und die nicht den Gegensatz von Welt und Überwelt verdeutlicht, sondern durchaus weltimmanent bleibt. Die beiden Zentralbegriffe Eitelkeit und Nichtigkeit, an denen die Exempelketten hängen, umspannen jeweils den ganzen Gegensatz, das Gebaute wie das Eingerissene, das Blühende wie das Zertretene. Die Schlußzeile des Sonetts erfährt so ihre paradoxe Begründung durch das Vorangegangene, da auch im Gedicht selbst nicht das, was «ewig», sondern was «vergänglich» ist, betrachtet wird. Diese Paradoxie, die für das Gesamtwerk von Gryphius gilt, ist nur an wenigen Stellen aufgehoben, wo von der Freude der Jenseitsexistenz gesprochen wird. Gegen die in Lyrik und Dramatik an unerschöpflichen Beispielen demonstrierte und beklagte Hinfälligkeit alles Irdischen bildet die Darstellung der Jenseitsfreude kein Äquivalent. Der Grund liegt in der dualistischen Struktur von Gryphius' Weltbild. Die Weise, wie er alles Zeitliche oder Weltliche für Wahn und vanitas erklärte, schloß die Möglichkeit aus, im Zeitlichen das Ewige zu ergreifen. Das Zeitliche blieb dem Ewigen entgegengesetzt und damit entwertet. Diese weltanschauliche Polarität bestimmte nicht nur den Gehalt der Sonette, sondern auch die Struktur von Gryphius' Dramen.

Im Gegensatz zum gleichzeitigen katholischen Drama, wie es im Werk Calderons gipfelte, verbot Gryphius' Vanitasbegriff den weltlich wirkenden, christlichen Helden. Der weltlich Handelnde war bei Gryphius Tyrann oder Intrigant, der christliche Held hingegen passiv und als irdisches Objekt der Tyrannei ein Märtyrer. Walter Benjamin hat auf die protestantische Voraussetzung dieser Figurenkonzeption hingewiesen. Luthers Abkehr von den «guten Werken» nahm den menschlichen Handlungen ihren Wert[32]. Es entstand eine «leere Welt», die von den barocken Dramatikern zum Aktionsraum des Bösen gemacht werden konnte. Aus dem Gegensatz von Märtyrerpassivität, die weltliche Verstrickung meidet, und Tyrannen- oder Intrigantenaktivität lebten alle vier Trauerspiele Gryphius'. Die Dramenübersetzungen *Beständige Mutter, Oder die Heilige Felicitas* (vor 1646, aus Causinus' lateinischem Text) und *Die sieben Brüder, Oder Die Gibeoniter* (zwischen 1638 und 1644, aus Vondels *De Gebroeders*) gingen voran. In Gryphius' erstem eigenen Trauerspiel *Leo Armenius, Oder Fürsten-Mord* (1646, gedr. 1657) fällt der zaudernde Titelheld und oströmische Kaiser durch den Anschlag des Rebellen Balbus, der Herrscher wird. In *Catharina von Georgien, Oder Bewehrete Beständigkeit* (1647?, gedr. 1657) widersetzt sich die christliche Königin als Gefangene den Heiratsanträgen des heidnischen Chach Abas von Persien und wird sein Blutopfer. In *Ermordete Majestät. Oder Carolus Stuardus* (1650?, gedr. 1657, 2. Fassung 1663) wurde der englische Königsmord an Karl I. durch die Cromwellpartei dramatisiert und Karl als weltverzichtender Märtyrer gezeichnet. Auch in *Großmüttiger Rechts-Gelehrter, Oder Sterbender Ämilius Paulus Papinianus* (1659) muß der Titelheld sterben, da er sich weigert, seinem Herrscher zu dienen und damit gegen seine ethischen Prinzipien zu handeln. Gryphius hat in seinen Märtyrergestalten den Bezug auf die Leiden und das Ende Christi deutlich ausgeführt und im *Carolus Stuardus* bis zur Figuration gesteigert[33]. Sterbend wurden die Märtyrer eins mit Christus. Der Versuch des Mystikers, Gott im Hier und Jetzt zu erfahren, widersprach Gryphius' dualistischem Weltbild, und nur der Märtyrer konnte die unio mystica vollziehen, indem er die Welt verließ. Da dies das ersehnte Ziel des Märtyrers ist, wird seine stoische Vernunfthaltung durch religiöse Affekte ergänzt[34], die den weltlichen Affekten und Verstrickungen der Tyrannen oder Intriganten entgegengesetzt ist. Figuren wie Chach Abas in *Catharina* oder Bassian im *Papinianus* sind als Opfer ihrer Leidenschaften das Gegenbild derer, die sie physisch vernichten. Ihre Affektabhängigkeit begründet ihre Unbeständigkeit. Überwinden die Märtyrer die Welt, entrinnen sie der Zeitlichkeit, indem sie die Ewigkeit gewinnen, so sind die Tyrannen der Welt und Zeitlichkeit verfallen. Sie sind damit nicht nur geistig vernichtet, sondern durch das Weiterrollen des Fortunarades auch in ihrer irdischen Existenz gefährdet.

Hinter der in jedem Stück sorgfältig durchgeführten Kontrastierung der Figuren und hinter der Antithetik ihres Sprechens steht die Umkehr dessen, was von Sophokles bis Shakespeare als zielbezogenes Handeln des Helden die dramatische Situation bestimmte. Gryphius' Titelfiguren bewirken kein Geschehen, sondern reagieren rhetorisch auf Geschehen. Ihrer Distanz zur Welt entspricht die Distanz des rhetorisch-deiktischen Sprechens. Wenn Papinian als Rechtsgelehrter und Reichshofmeister am römischen Hof Kaiser Bassians sich weigert, dessen Affektmord an seinem Mitregenten und Bruder zu verteidigen, dann lehnt der große Jurist und damit Berufsrhetoriker ab, was eine Möglichkeit der Rhetorik seit ihrem Ursprung war: die Überredung um jeden Preis, die Fähigkeit, aus schwarz weiß zu machen. Papinians Ethos läßt ihn nicht jeden Fall vertreten, er ist nicht gegenüber dem, was er verteidigen soll, distanziert, sondern gegenüber der Summe aller Fälle, gegenüber der Wirklichkeit als solcher. Das läßt ihn ebenso den Tod hinnehmen, wie es ihn zum Tode bestimmt. Papinian verkehrt die sophistische Handhabung der Rhetorik. Er läßt nicht eine Lüge oder Fiktion als plausibel oder wirklich erscheinen, sondern zeigt die Wirklichkeit als nichtige Fiktion. Auch das Stück *Cardenio und Celinde, Oder Unglücklich Verliebte* (nach 1649, gedr. 1657) lebt aus einer derartigen Umkehr, die der paradoxe Kern aller Gryphschen Dichtung ist. Das Stück wurde «Trauer-Spiel» genannt, obwohl es «Buhlersachen» zum Thema hatte, die die Barockpoetik ausschließlich der Komödie zuordnete. Da das Spiel um die Liebe die Verwerflichkeit erotischer Leidenschaften demonstriert und Cupido als der Besiegte erscheint («Des Todes strenge Faust bricht seine Pfeil entzwey»), wäre hier «Antikomödie» die treffendste Bezeichnung.

Gryphius hat die paradoxe Grundsituation seines Schreibens selbst kommentiert. In der Vorrede zu den *Thränen über das Leiden JEsu Christi* (1652) schreibt er, daß er dagegen sei, «alle Blumen der Wolredenheit aus Gottes Kirche» zu bannen, doch ließ er seine rhetorischen Blumen in einem Leichengarten wachsen. Der Rede-schmuck sollte nicht verschönen, sondern eine grausige, Entsetzen fordernde Welt betonen, denn «Was man der welt zu ehren schreibet, das vergehet mit der welt und beschwärtzet offt die finger und gewissen derer, die damit bemühet»[35]. Da zugleich, wie Gryphius meint, die himmlische Seligkeit «in dieser Zeit so wenig recht abgemalet werden kan», blieb nur die Möglichkeit, der Welt nicht «zu ehren» zu schreiben, also sie zu verneinen. Das Prinzip, das für die Märtyrer galt, nahm Gryphius zugleich für die Dichtung selbst in Anspruch: sie überdauert nach seiner Meinung nur, wenn sie die Welt der Vergänglichkeit nicht preist, sondern entlarvend schildert.

Handelt es sich bei dieser totalen Vanitasdemonstration «um ein pathetisch-heilspädagogisches Verfahren», das «einen Pessimismus grundsätzlicher Art» aus-schließt und dessen Gestus der Weltverachtung nur topisch oder gattungsmäßig aus der Tradition der Patristik und der Erbauungsliteratur zu verstehen ist? So meinte Hans-Jürgen Schings aus seiner Kenntnis der Rolle, die die patristisch-mittelalterliche Tradition für Gryphius' Werk spielte[36]. Wie weit sind Gryphius' Schriften aus mittelalterlichen Voraussetzungen erklärbar? Hugh Powell hat in seinen Überlegungen zu «Gryph's Weltanschauung» vor einer zu mittelalterlichen Einordnung gewarnt und auf Gryphius' naturwissenschaftliches Interesse hinge-wiesen[37]. Kosmologie und Mechanik hatten große Fortschritte gemacht, die wie die Wissenschaft der Anatomie Gryphius sehr vertraut waren. Mit dem Zerfall des geozentrischen Weltbildes war der Mensch aus dem Mittelpunkt des Alls gerückt, und mit der anatomischen Kenntnis und der Affektpsychologie war er in den gerade entdeckten Kausalmechanismus von Ursache und Wirkung gespannt wor-den. Das ließ dem naturwissenschaftlich Geschulten die Welt in einem Maße ent-göttlicht erscheinen, daß Gott nur noch als Weltgegensatz oder radikale Welt-verneinung denkbar war. Die Kirchen leugneten darum die neue Kosmologie und wandten sich gegen anatomische Versuche. Wenn jedoch der Blick für das Neue so offen blieb wie bei Gryphius, dann mußte mit der Kenntnis der Weltmechanik die Überzeugung der Weltvanitas wachsen. In diesen philosophisch-naturwissen-schaftlichen Voraussetzungen und Gryphius' ebenso persönlicher wie allgemeiner, durch die geschichtlichen Ereignisse bewirkten Leiderfahrung ist sein weltanschau-licher Dualismus, seine strikte Trennung von Ewigkeit und Zeit gegründet. In

seiner Dichtung bediente sich Gryphius der Bild- und Thementradition mittel-
alterlich-antiken Ursprungs, aber er tat es aus den Bedingungen seiner Zeit heraus.

3. DIE NÜRNBERGER

Die Idylle, die Opitz als Gegenbereich zur Widerwärtigkeit der Wirklichkeit beschrieb, wurde der Nürnberger Dichtergruppe, den Pegnitzschäfern, zum Selbstzweck. Den Nürnbergern kam es mehr auf die Formen literarischen Sprechens als
auf deren Gehalt an. Die Religion war mehr Thema als Voraussetzung, und die
Gesellschaft wurde nicht mehr zu Trost und Buße veranlaßt, sondern gepriesen
und gefeiert. Mit Harsdörffer, Klaj und Birken begann die Barockdichtung sich
selbst zu bespiegeln. Viele Literaturwerke der Pegnitzschäfer gehören darum in
die Stilgeschichte des Manierismus[38].

a) Harsdörffer

Georg Philipp Harsdörffer (1607–1658) entstammte einer Nürnberger Patrizier-
familie. Er wurde Jurist und reiste nach Abschluß seiner in Altdorf und Straßburg
absolvierten Studien für fünf Jahre durch Frankreich, die Niederlande, England
und Italien. Von 1637 bis 1655 wirkte er am Stadtgericht von Nürnberg. 1655
wurde Harsdörffer als Mitglied des hohen Rates Regierungsbeamter. Wolfgang
Kayser umriß den Bildungshorizont des Nürnberger Patriziers: «Es gibt kaum
eine Zeitströmung, kaum eine Fertigkeit, Kunst, Wissenschaft, mit der er nicht
irgendwie verbunden wäre. Er übersetzt katholische Mystik und Erbauungsliteratur, ist ein Schüler und Freund der bedeutendsten lutherischen Geistlichen seiner
Zeit, ist bekannt mit Werken und Vertretern der mystischen Richtung, beherrscht
mehrere fremde Sprachen und Literaturen, sucht deren Leistungen in Deutschland
bekannt zu machen, behauptet daneben einen bedeutenden Rang innerhalb der
deutschsprachlichen Bestrebungen, hat sich eine umfassende Kenntnis der humanistischen Gedankenwelt angeeignet und ist auf der Höhe der naturwissenschaftlichen Bildung seiner Zeit[39].» Harsdörffer war ein eklektischer Kopf, der alles aufgriff und verwertete, was ihm an kulturellem Gut begegnete. Besonderen Einfluß
übte die italienische Literaturwelt auf ihn aus. Harsdörffer veröffentlichte in 22
Jahren über 20000 Druckseiten[40]. Er schrieb Gedichte, Stücke, Erzählungen, Naturwissenschaftliches, Moral- oder Anstandslehren und anderes mehr. 1645 übersetzte er Montemayors Schäferroman Diana. Harsdörffers wichtigste Veröffentlichungen waren seine Frauenzimmer-Gesprächspiele, das Pegnesische Schaefergedicht
und seine Poetik, deren Bezeichnung Poetischer Trichter (s. S. 146f) selbst zum Sinnbild geworden ist.

Die *Frauenzimmer-Gesprächspiele* erschienen von 1641 bis 1649 in 8 Bänden und hießen vom 3. Band ab nur noch *Gesprächspiele*. Zwei «Jungfrauen», eine «kluge Matron», ein «gelehrter Soldat», ein «verständiger Hofmann» und ein «weitgereister belesener Student» machten alles das aus Wissenschaften und Künsten zum Thema, was den Bildungshorizont Harsdörffers bestimmte. Zugleich trugen sie Gedichte, Spiele und Erzählungen vor, die der Verfasser selbst erdacht oder übersetzt hatte. Harsdörffer sah sich mit seinen Gesprächsspielen in der auf Plato zurückgehenden Tradition der Dialogliteratur, die in der Renaissance wieder sehr populär geworden war. Diente in den bisherigen Dialogen das Frage- und Antwortspiel der Vermittlung bestimmter Erkenntnisse, Ansichten oder moralischer Sätze, so hatten Harsdörffers Gespräche eine andere und bei aller sachlichen Vielfalt immer wieder durchbrechende Tendenz, Gespräche über das Gespräch zu sein. Die sprachlichen und literarischen Formen, die sonst dazu dienten, bestimmte Inhalte zu vermitteln, wurden hier selbst zum Gegenstand der Unterhaltung gemacht. So sprach man über Rhetorik, Allegorie, Emblematik, Theater, Musik, Malerei, tugendhaftes Verhalten und vieles andere, indem ein Gesprächspartner die anderen zu emblematischen oder allegorischen Deutungen aufforderte, zu Wortspielereien oder moralischen Auslegungen erzählter Geschichten anregte. Im 5. Band wurden die «Vernunftkunst» und die «Redkunst» zu Freudenspielen inszeniert, in denen die logischen oder rhetorischen Begriffe als Stückfiguren auftraten. Die synästhetische Verknüpfung von Dichtung, Malerei und Musik erweiterte die Möglichkeiten der Deutspielerei und demonstrierte, «wie alle Künste gleichsam als an einer Kette aneinander hangen, deren ein Glied an das andere geschlossen. Die Reimkunst ist ein Gemälde, das Gemälde eine abstimmende Musik und diese gleichsam eine beredte Reimkunst». In diesen Rahmen paßte die Oper, da sie Wort, Musik und Bild verband. Harsdörffer nahm darum in den 4. Band das Singspiel *Seelewig* auf, deren von allegorischen Figuren vorgetragener Text fortlaufend durch deutende Passagen unterbrochen wurde. Das im 5. Band gedruckte kurze Singspiel *Die Tugendsterne* lebte aus der allegorischen Vieldeutigkeit der singenden sieben Planeten. Sieben allegorische Kupfer ergänzten auch hier den Text zur Einheit von Wort, Musik und Bild. Das Zugleich von Darstellung und Deutung war bereits die literarische Grundform des 16. Jahrhunderts (s. S. 61) und erfüllte konfessionspolemische oder sonstige zweckbezogene Funktionen. In den *Gesprächspielen* trug das Verhältnis von Darstellung und Deutung seinen Zweck in sich. Die Deutung geschah um der Deutung willen und endete gern in der Feststellung, daß das Geschilderte die Naturelemente oder die Tugenden, die Lebensalter oder die Temperamente bedeutete. Die Form war zum Inhalt geworden, und der humanistisch-barocke Bildungskanon zelebrierte sich selbst. Dem entsprach es, daß die gesellschaftliche Bedingtheit, die für alle Barockliteratur selbstverständlich war, wiederholt und mit Nachdruck zum Thema gemacht wurde, indem man sagte, «daß die Poeterey kein Handel für den gemeinen Mann, weil sie seinen Verstand weit übertrifft, und er darvon zu urtheilen pflegt, wie der Blinde von der Farbe». Die *Gesprächspiele* waren nicht mehr nur gesellschaftsbezogen, sondern stellten die Selbstinszenierung der barocken Literaturgesellschaft dar. Fünf der sechs Gesprächsteilnehmer waren «von Adel».

Die Begegnung Harsdörffers mit Johann Klaj im Jahr 1644 gab die Möglichkeit, das Gesprächsspiel nicht nur zu beschreiben, sondern auch in der Wirklichkeit fortzusetzen. Zu diesem Zweck wurde anläßlich einer Doppelhochzeit in Nürnberger Patrizierkreisen der «Löbliche Hirten- und Blumenorden an der Pegnitz» durch Strefon (Harsdörffer) und Clajus (Klaj) gegründet. Vorbild war die «Accademia degli Intronati» in Siena. Pflicht jedes Pegnitzschäfers sollte es sein, die Geselligkeit zu pflegen und der «Mutterzunge mit reinen und zierzeigenden Reimgedichten und klugen Erfindungen emsig» zu dienen. So war es in dem Gründungsopus *Pegnesisches Schaefergedicht, in den Berinorgischen Gefilden angestimmet von Strefon und Clajus* (1644) vorgestaltet. Mit Opitzens *Hercinie* war die «Schäferei» in Deutschland bekannt geworden. Das Nebeneinander von Prosa, Dialog und Vers sowie die Fähigkeit, alle möglichen Bereiche von der Panegyrik bis zu weltanschaulich-philosophischen Gedanken zum Thema zu machen, charakterisiert diese Literaturform. Sie gehört zur Gattung der Idyllendichtung, und ihre Qualität ist durch das Maß bestimmt, in dem ihre Themen und Formen dem Idyllenprinzip gerecht werden. Zu Beginn des Nürnberger *Schaefergedichts* wird die Pegnitzidylle als «Ruhstelle der Hirten», deren Schafe ihre Bücher sind, deutlich aus der kulturvernichtenden Kriegswirklichkeit ausgegrenzt. Soweit folgten die Pegnitzschäfer den Spuren von Lipsius und Opitz. Es kam ihnen aber nicht mehr auf den Gegenbezug, die stoisch begründete Distanz zur Welt, an, sondern auf eine Poesie, deren Stil und Themen in einer für deutschsprachige Gedichte neuartigen Zuordnung bestanden: die Bild- und Klinggedichte. Harsdörffer schrieb in seiner Poetik, die inventio «wird entweder hergeführet von dem Wort oder von dem Dinge selbsten, darvon man handelt ... Erstlich das Wort giebet eine Erfindung entweder in seinem angebornen Laut ... oder mit versetzten Buchstaben»[41]. Damit war die poetologische Erklärung einer Wort- und Formspiellyrik gegeben, in der die res ex verbis begründet werden konnten. Das bedeutete, daß der Stil sich selbst zum Zweck, also «manieristisch» wurde. Im Bild- oder Figurengedicht, das schon die Antike kannte[42], versuchte man, mit der Anordnung der Zeilen den Umriß eines Gegenstandes wiederzugeben, der in einer direkten oder indirekten Beziehung zum Thema des Gedichtes stand. Im Klinggedicht hingegen wollten die Pegnitzschäfer mittels der Lautmalerei der Worte dem Textinhalt entsprechen («Die schnelle Welle wallt»). Indem so einerseits das Bild und andererseits der Klang das mit den Worten Gesagte spiegelte, waren die Grenzen zum Malerischen und Musikalischen geöffnet und der Synästhesiegedanke im Ansatz verwirklicht.

Harsdörffer, der in der Fruchtbringenden Gesellschaft sehr treffend «Der Spielende» hieß, bemühte sich besonders um die Klangmalerei. Sie wurde seit alters von der Rhetorik als onomatopoeia (Urschöpfung) eines Wortes aus der lautlichen Erscheinung der mit dem Wort bezeichneten Sache definiert[43]. Harsdörffer stützte sich mit seinen lautmalerischen Absichten und Versuchen auf die Spekulationen von Justus Georg Schottelius (1612–1676). Dieser bedeutendste deutsche Sprachgelehrte des 17. Jahrhunderts gab 1641 seine *Teutsche Sprachkunst* heraus, die zusammen mit der *Teutschen Vers- oder Reimkunst* (1645) die Keimzelle zu dem Lebenswerk *Ausfuehrliche Arbeit von der Teutschen Haubtsprache* (1663) bildete. Schottelius war Jurist und Regierungsbeamter in Wolfenbüttel, Mitglied der Fruchtbringenden Gesellschaft und seit 1646 des Pegnesischen Blumenordens. Sein *Fruchtbringender Lustgarte* (1647) vereinigte verschiedene Dichtungen (Andachtspoesie, Sprüche, Gelegenheitsgedichte und ein mythologisch-allegorisches Spiel). Gegen die oft beklagte Sprachmengerei und den Sprachverfall meinte Schottelius das unveränderliche, reine Wesen der deutschen Sprache in den sogenannten «Stammwörtern» zu finden. Er nahm an, daß sie göttlichen Ursprungs seien und daß ihr «Schall» das «Ding, dessen Namen sie sind» eigentlich ausdrücke[44]. Die Diskussion darüber, ob die Worte ontische Qualität haben oder nur ein konventionell festgelegtes Zeichensystem sind, hatte schon in der Antike stattgefunden (s. Platos Dialog *Kratylos*) und lebte im Gegensatz von humanistisch-rhetorischem und mystischem Wortverständnis fort. Daß Harsdörffer zur Begründung seiner Klangmalerei viele Gedanken von Schottelius, aber nicht deren eigentliche sprachphilosophische Basis übernahm, mag man als bezeichnend für seine Arbeitsweise ansehen. Für Harsdörffer blieb die Sprache Material, nicht Offenbarung von etwas Wesenhaftem, sondern Kunstgebilde. Er schrieb, um die Sprache «in kunstrichtige Verfassung» zu bringen[45].

Nach dem legitimen Prinzip, auch die Literaturwerke anderer als Material zu nutzen und eigener Deutung zu unterwerfen, legte Harsdörffer die Prosasammlungen *Der Große Schau-Platz Jämmerlicher Mordgeschichte* (1650ff.) und *Der Große Schau-Platz Lust- und Lehrreicher Geschichte* (1650) an. Er vereinigte hier italienische, französische und spanische Novellen und machte sie zu Exempeln moralischer Lehre[46]. Die weite Verbreitung, die diese Werke fanden, ist jedoch weniger aus der Lehrabsicht als aus dem interessanten Stoff zu erklären.

b) Klaj

Johann Klaj (1616–1656), der Mitbegründer des Pegnesischen Blumenordens, stammte aus Meißen, studierte in Wittenberg bei Buchner (s. S. 145) und kam 1644 nach Nürnberg. Hier protegierten ihn Harsdörffer und der einflußreiche Förderer des Blumenordens, Johann Michael Dilherr (1604–1669), der Professor, Prediger und auch Verfasser geistlicher Dichtung war. 1647 wurde Klaj Lehrer in Nürnberg und 1651 Pastor in Kitzingen am Main.

Auch Klaj war in seinen Anschauungen zur Sprache und Dichtung, die er in einer *Lobrede der Teutschen Poeterey* (1645) formulierte, von Schottelius beeinflußt. Er arbeitete wie Harsdörffer mit der Klangmalerei, sie war ihm ein Mittel eindringlicher Wirkung. Das entsprach der religiösen Thematik seiner Hauptwerke, den Redeoratorien *Auferstehung Jesu Christi* (1644), *Höllen- und Himmelfahrt Jesu Christi* (1644), *Herodes der Kindermörder* (1645), *Der leidende Christus* (1645), *Engel- und Drachen-Streit* (o.J.) und *FReudengedichte Der seligmachenden Geburt Jesu Christi* (1650).

Conrad Wiedemann hat gezeigt, wie Klajs poetisches Selbstverständnis in die auf Plato zurückgehende Tradition der Inspirationslehre gehört, für die die Sprache das Werkzeug göttlicher Offenbarung ist[47]. Klajs Klangmalerei folgte soweit Schottelius' Vorstellung von der Ursprache und der wesenhaften Funktion des Wortklanges. Jede rhetorisch-sophistische Unverbindlichkeit des Sprechers gegenüber seiner Rede wurde ausdrücklich negiert: «Der Poet muß die Neigungen und Eignungen, welche er seynem Zuhörer beybringen wil erstlich in sich empfinden[48].» Der vorausgesetzte Bekenntnischarakter der Rede entsprach der Absicht affektiver Beeinflussung der Hörer, deren Sinne synästhetisch angesprochen werden sollten. Zu diesem Zweck bediente sich Klaj häufig bildlicher und klanglicher Konstruktionen, die durch ihre Ungewöhnlichkeit zu wirken hatten. Da eine so konzipierte Sprache nicht mehr durch die Sache, die sie beschrieb, sondern nur durch den quasi-religiösen Anspruch des Sprechenden einerseits und durch die intendierte Wirkung andererseits motiviert war, grenzen Klajs Werke an den Stilbereich des Manierismus[49]. Sie waren weniger Kunst im Dienst der Religion als religiös motivierte Kunst. Hinter der in der *Lobrede der Teutschen Poeterey* geäußerten Forderung an die Dichter, velut alter deus Welt zu stiften, stand nicht ein religiöser, sondern ein ästhetischer Weltbegriff. Er bestätigte sich in einer Sprache, die sich selbst zum Zweck wurde. Damit ist eine dominierende Tendenz beschrieben, die viele Teile der *Redeoratorien* oder auch das *Weynacht-Liedt* (1644) charakterisiert. Zugleich gelangen Klaj, wie die *Andachtslieder* (1644) zeigen, schlichtere religiöse Werke.

Daß ein gesellschaftlicher Anlaß zur Gründung des Pegnesischen Blumenordens führte, war kein Zufall, sondern entsprach der allgemeinen, im Lauf des 17. Jahrhunderts wachsenden Neigung der hohen Stände, ihr Auftreten zu inszenieren. Im Zeitalter der Allongeperücke und der Gleichsetzung von Welt mit Theater gestaltete man sein Erscheinen umso bühnenmäßiger, je bedeutender der Anlaß und je größer das Publikum war[50]. 1649/50 wurden die Verhandlungen, die den Dreißigjährigen Krieg beendet hatten, mit Detaildiskussionen in Nürnberg fortgesetzt. Sie wurden von einer Reihe von Festen unterbrochen, an denen die Pegnitzschäfer wesentlich mitwirkten. Damit hatten die Ereignisse am Kriegsende das ästhetische Programm der Nürnberger eingeholt. Die «Schäferei» wurde Wirklichkeit, denn man inszenierte die Feste als Kunstwerke, die mit Musik, allegorischem

Schaugepränge, Feuerwerk und Festmählern alle Sinne affizierten[51]. Da so Kunst zur Wirklichkeit geworden war, hieß diese darstellen, ein Kunstwerk schaffen. Mit seinen Friedensdichtungen *Irene* (1650) und *Geburtstag Deß Friedens* (1650) war Klaj einer der Gestalter und zugleich Chronisten der Nürnberger Feiern.

c) Birken

Besonders intensiv bemühte sich Sigmund von Birken (1626–1681) als Organisator und mit literarischen Beiträgen um die Nürnberger Friedensfeiern. Der unter dem Namen Betulius als Pfarrerssohn in Wildenstein bei Eger Geborene kam 1645 erstmals nach Nürnberg. Er studierte Jura und Theologie und betätigte sich als Erzieher. 1645 wurde er unter dem Namen Floridan Mitglied und 1662 nach Harsdörffers Tod Oberhirt des Pegnesischen Blumenordens. 1654 erhielt Betulius das Adelspatent und nannte sich von Birken.

Floridan gab die *Fortsetzung Der Pegnitz-Schäferey* (1645) heraus, in die er auch Gedichte der Freunde aufnahm. In den Mittelpunkt der wortgewandten Fort-führung der Kling- und Bildgedichte setzte Birken panegyrische Verse, die die Heeresführer des Dreißigjährigen Krieges würdigten. Das panegyrische Intervall wurde nach dem Vorbild von Opitzens *Hercinie* in einer Grotte angesiedelt, die Clajus und Floridan besuchen, nachdem sie das leidende, verwüstete Deutschland besungen haben. Die Kriegsklage wurde durch die folgenden Lobsprüche auf die Verantwortlichen des Krieges deutlich relativiert und damit die Kehrseite der zweckfreien Wort- und Klangspielerei offenbart. Die völlige Unverbindlichkeit seines Wortesetzens, die Birken ausdrücklich betonte, und die ihm erlaubte, sich aller Themen zu bedienen, ließ ihn die Worte sehr häufig zur Huldigung der Mächtigen nutzen. Das begründete seinen gesellschaftlichen Aufstieg. Birken wid-mete sich mit gleicher Gewandtheit der gern *Helden-Saal* oder *Lorbeerhayn* be-titelten Beschreibung fürstlicher Genealogien wie der Schilderung «höchstlöb-licher» Reisen oder Gegenden. Seine geographische Arbeit *Der Donau Strand und Hungarische Chronik* (1664), die die Donaugebiete vom Urquell bis zur Mündung beschrieb, erreichte mehrere Auflagen. Diese sachbezogene Schriftstellerei, zu der auch die nach einer lateinischen Vorlage Baldes verfaßte Satire auf das Rauchen *Die truckene Trunckenheit* (1658) gehört, war Birkens Stil adäquater als die geist-lichen Themen, die er leider nicht vermied. Hier hatten Gryphius und Gerhardt die Maßstäbe gesetzt, und nicht nur an ihnen gemessen blieben die paronomati-schen oder anderen wortspielerischen Bemühungen Birkens schwach. Thema und Stil disharmonierten, wenn das Vanitasmotiv die Formulierung fand

Der freche Zahn der Zeit zehrt alle Zier hinweg,

oder Christi Schicksal beschrieben wurde als

MEnschenunleidliches Leiden leidet der gemenschte Gott,
  Gott, der Mensch und Menschenheiland, duldet undultliche Noth.

Der Paradoxie des Kreuzestodes, die Gryphius im Gehalt seiner Gedichte wiederzugeben vermochte, wurde die Mechanik verbaler Spielerei nicht gerecht. Gerade
die geistliche Lyrik zeigt, wie sehr es trotz der objektiven, gattungsgebundenen
Äußerungsweise, die Birken auf die Formel brachte, «wir dichten im Gedicht ... es
ist ein bloßes nennen», auch auf das subjektive Engagement des Autors ankam.
Das «bloße nennen» widersprach geistlicher Thematik, fand aber in Panegyrik,
Sachbuch und Klangmalerei die passenden Objekte.

DRITTES KAPITEL

Formen und Gattungen

1. GESELLSCHAFT UND GESELLSCHAFTEN

Die gesellschaftliche Verankerung von Dichter und Dichtung war im 17. Jahrhundert total und hat darum viele Aspekte. Nach wie vor fand sie ihren äußeren Ausdruck in der Poetenkrönung. Die von Horaz und der Rhetorik übernommenen Wirkungsqualitäten der Dichtung (delectare, prodesse, movere) setzten die Gesellschaft voraus, die ebenso in der Zuordnung der Stillagen und Themenkreise zu sozialen Gruppen vorhanden war. In der Fülle der zu Geburt, Taufe, Heirat, Tod verfaßten Gelegenheitsdichtung und in der enkomiastischen oder satirischen Literatur war die soziale Funktion unmittelbar gegeben. Sie kam ebenso in den Widmungen an Fürsten und Standesherren zum Ausdruck wie in der Verlagspolitik, die der Privilegien bedurfte. Obwohl viele Barockdichter ganz im bürgerlichen Rahmen blieben, spielte der hohe Adel für die Literatur eine große Rolle nicht zuletzt dank der Tatsache, daß Höfe oder Residenzen weitgehend die materiellen Kulturträger waren. Der esoterische Charakter der Gelehrtendichtung ergänzte den elitären Anspruch der herrschenden sozialen Gruppe und sicherte dadurch dem poeta doctus selbst einen hohen gesellschaftlichen Rang[52]. Die Dichter bedurften der Aristokratie und diese der Dichter um der Reputation willen. Der Poet wirkte häufig als Hauslehrer, Agent, Hofhistoriograph und vor allem als Lieferant panegyrischer Selbstbestätigung bei festlichen Anlässen. Daß die panegyrische Haltung nicht bis zur Ausschließlichkeit Birkens oder Hallmanns zu gehen brauchte, zeigt das Verhältnis von Opitz zu Dohna oder von Gryphius zu Schönborner.

Konkreter Ausdruck des gesellschaftlichen Selbstverständnisses von Dichter und Dichtung waren in besonderer Weise die Sprachgesellschaften. Im Jahr 1617 wurde u.a. durch die Initiative des Fürsten Ludwig von Anhalt-Köthen (1579–1650) die Fruchtbringende Gesellschaft gegründet. Vorbild war die Florentiner Accademia della Crusca und ihr Programm einer nationalen Sprachpflege. Angesichts der durch den Dreißigjährigen Krieg bewirkten kulturellen Mißverhältnisse, die sich auch in der Sprachvermengung und -verrohung äußerten, bildeten die Absichten der Fruchtbringenden ein geistiges Nothilfeprogramm. Die Gesellschaft wollte in dem von den Interessengegensätzen zerrissenen Land als einigendes Band wirken. Zum Bemühen um die Sprache kam das um die Literatur. Nichts ist bezeichnender für die gesellschaftliche Rolle der Literatur im 17. Jahrhundert als die Tatsache, daß der Kern dieser einflußreichsten Sprachgesellschaft der hohe Adel war und die literarischen Mitglieder bürgerlicher Herkunft nur akzeptabel waren, solange der liberal eingestellte Fürst Ludwig die Fruchtbringende leitete. Als nach dem Tode des Fürsten seine Prinzipien zugunsten des aristokratischen Kastengedankens aufgegeben wurden, sank die Bedeutung der Gesellschaft, der viele bekannte Barockdichter angehörten. Als Vereinsemblem diente die Palme, da sie «Frucht und Nutzen» bringe. Sinnbildliche und meist sehr treffende Namen erhielt auch jeder, der der Gesellschaft beitreten durfte.

Neben der Fruchtbringenden hatten die übrigen Gesellschaften mehr oder weniger nur lokalen Rang. Dem *Hirten- und Blumenorden an der Pegnitz* (s. S. 137) kam als der Plattform der Nürnberger sicher der zweite Platz zu. Zesens 1643 gegründete *Teutschgesinnte Genossenschaft* und der von Rist 1656 ins Leben gerufene *Elbschwanorden* waren zu sehr an die Interessen und Vorstellungen ihrer Gründer gebunden, um diese zu überdauern oder größeren Einfluß zu gewinnen. Über die *Aufrichtige Gesellschaft von der Tannen*, die 1633 in Straßburg entstand, weiß die Forschung wenig zu berichten. Moscherosch und zeitweilig Zesen gehörten dieser Gruppe an. Auch Grimmelshausen hatte Beziehungen zu ihr.

2. POETIK

Das Bemühen der Fruchtbringenden Gesellschaft um die poetologischen Normen trug zur Blüte der Poetik bei, die in der deutschen Literatur ein Jahrhundert dauerte. Sie begann um 1640 und fand in den theoretischen Schriften Gottscheds und der Schweizer ihre letzte große Entfaltung. Da die Poetik ein Derivat der Rhetorik war, blieb sie solange aktuell, wie rhetorisch-deiktischer und literarischer Stil identisch waren. Erst Lessing zog hier den scharfen Trennungsstrich. Zunächst als «Anleitung» zur Dichtung verstanden, wurde die Poetik umso mehr zur kritischen Reflexion der Poesie, je näher man der Aufklärung kam. Die Voraussetzung für die dominierende Rolle der Poetik lag im Selbstverständnis des Dichters. Er hatte ingenium oder angeborene Begabung mit iudicium zu vereinen, das für die Beachtung der poetischen Regeln sorgte. Der Verbreitung und Diskussion dieser Regeln dienten die Dichtungslehren. Sie konnten an drei Vorbilder oder Traditionen anknüpfen: an die antike Poetik, an die Rhetorik und an die Renaissancepoetik, die selbst eine Symbiose aus antiker Poetik und Rhetorik darstellte. Ohne größere Nachwirkung auf die deutschen Dichtungslehren des 17. Jahrhunderts blieb die deutsche Humanistenpoetik, die sich mit Ausnahme von Joachim von Watts *De poetica et carminis ratione* (1518), des Jesuiten Jacob Pontanus' *Poeticarum institutionum libri tres* (1594) und wenigen anderen Versuchen als ars versificandi oder metrificandi präsentierte. Die Poetik erforderte indes mehr: Reimlehre und Metrik waren nur ein Teil, zu dem die Dichtungslehre treten mußte.

1508 wurde erstmalig der griechische Text der aristotelischen Poetik von Aldus Manutius gedruckt. Zu dem Interesse für Aristoteles' Werk kam das für Horazens *De arte poetica*. Hatte Aristoteles das Ziel der Dichtung in der Mimesis (imitatio, Nachahmung) gesehen, so formulierte Horaz als Zweck, daß sie nutzen und erfreuen solle (prodesse und delectare). Beide Zielsetzungen vereinte die Renaissancepoetik und übernahm dazu von der Rhetorik die Absicht, auf Affekte zu wirken (movere). Nachahmung war somit kein Selbstzweck, sondern Mittel zum Zweck des prodesse, delectare und movere. Marco Girolamo Vidas (1490–1560) *De arte poetica* (1527) gilt als die erste selbständige Renaissancepoetik. Sie war nach dem Aufbau der Rhetorik in inventio, dispositio und elocutio gegliedert und wandte die im Rahmen der elocutio tradierte Lehre von den drei Stilen auf die Dichtung an [53]. Die Zusammenfassung aller poetologischen Bemühungen der Renaissancezeit geschah durch Julius Caesar Scaliger (1484–1558) in seinen *Poetices libri septem* (1561). Dieses Werk wurde Vorbild und Hauptquelle der einzelnen volkssprachigen Poetiken und in Deutschland zuerst von Martin Opitz mit großem Erfolg für sein *Buch von der deutschen Poeterey* (1624) genutzt. Den Unterschied zwischen Rhetorik und Dichtung erklärte Scaliger mit dem Mimesisbegriff. Wirkt der Redner unmittelbar auf den Hörer, so der Poet durch die imitatio. Der Dichter ist analog Gott, aber auf nachahmende Weise Schöpfer einer zweiten Wirklichkeit. Damit knüpfte Scaliger an die platonische Inspirationslehre und den Geniebegriff der Florentiner Platoniker an [54]. Die Mikro-Makrokosmos Analogie half die Vorstellung von Dichtung als Eigenwelt begründen.

Im 3. Kapitel seiner *Poeterey* reduzierte Opitz den Imitatiokomplex auf die Bemerkung, «das die gantze Poeterey im nachäffen der Natur bestehe, und die dinge nicht so sehr beschreibe wie sie sein, als wie sie etwan sein köndten oder solten». Dieser kurzen Erwähnung der imitatio als dem Unterscheidungskriterium von Rhetorik und Poesie stehen mit dem 5. und 6. Kapitel die Hauptteile der *Poeterey* gegenüber, in denen die rhetorischen Grundvorstellungen als Elementarprinzipien der Literatur wiederkehren. Nachdem in den ersten vier Kapiteln über das Wesen und die Funktion der Dichtung im allgemeinen und der deutschen Poesie im besonderen gesprochen wurde, beginnt das 5. Kapitel mit dem Hinweis, daß «die Poesie, wie auch die Rednerkunst, in dinge und worte abgetheilet wird». Es folgt eine Kurzbemerkung zu Teil I des rhetorischen Systems, zur inventio, der sich als variierte dispositio die Verbindung der einzelnen Literaturformen mit bestimmten Themen anschließt. Gilt das 5. Kapitel den «dingen», so das 6. «der zuebereitung und zier der worte», also dem, was die Rhetorik als elocutio behandelt. Das Wichtigste ist hier die Zuordnung der drei genera dicendi zur sozialen Rolle derer, die sich des niederen, mittleren oder hohen Stiles bedienen. Die soziale Relevanz der Stillagen ergänzt die Entsprechung der Literaturformen mit bestimmten Themen. Das 7. Kapitel, das der Metrik und dem Reim gilt, bringt das metrische Grundgesetz der Einheit von Wort- und Sinnakzent. Die Opitzsche *Poeterey* enthält in nuce das, was die späteren Poetiken variierend und erweiternd wiederholten. Der Kern des Ganzen war die Anwendung rhetorischer Vorstellungen auf die Literatur. Sie kam auch in dem Anspruch zum Ausdruck, daß die Poeterey «alle andere künste und wissenschaften in sich» halten solle. Das Einmünden humanistisch-rhetorischer Literaturnormen in die deutschsprachige Dichtung, wie es die Opitzsche Poetik in ihrer Gesamtheit darstellte, begründete und dokumentierte die Herrschaft des poeta doctus und der Gelehrtendichtung, die bis dahin in dieser Form nur im neulateinischen Rahmen galt.

Im Zeichen der neuen poetologischen Bemühungen fing man an, sich auch vom Katheder aus mit deutscher Dichtung zu befassen. Ab 1616 begann in Wittenberg August Buchner (1591–1661) als Professor der Poesie und Beredsamkeit zu wirken. Der Lehrer und Forscher, der seine Kenntnisse der antiken und humanistischen Quellen in die Bemühungen um die deutsche Literatur einmünden lassen konnte, gewann eine einflußreiche Position, aus der heraus er Opitzens Arbeit ergänzte und erweiterte. Viele Barockdichter waren Buchners Schüler, unter ihnen Schottelius, Klaj, Zesen, Buchholtz und noch Thomasius. Buchners Gedanken zur deutschen Dichtung zirkulierten lange in seinen Schülerkreisen, bevor sie nach seinem Tode als *Kurtzer Weg-Weiser zur Deutschen Tichtkunst* (1663) und, nach dem Handexemplar verbessert, als *Anleitung Zur Deutschen Poeterey* (1665) herausgegeben wurden. Anders als bei Opitz wurde der Imitatiobegriff von Buchner sehr betont. Ein Gedicht unterscheidet sich für ihn von anderen Formen dadurch, daß es «meistentheils erst ausgesonnen» ist. Im Gegensatz zum Philosophen, Redner und Historiker hat der Poet darauf zu achten, daß seine Rede nicht nur verständlich wie die der anderen sei, sondern darüber hinaus «schön, lieblich und *scheinbar*», denn er ist ein «Nachfolger der Natur», der nicht «das ding selbsten», sondern «dessen Gemälde» gibt[55]. Das bedeutete kein naturalistisches Programm, sondern den Hinweis darauf, daß der Dichter eine zweite Wirklichkeit schafft. Scaligers velut-alter-deus-Formel wurde erneuert, wenn Buchner vom Poeten sagte, daß er «alles höher, kühner, verblümter und fröhlicher setzt», damit «was er vorbringt, neu, ungewohnt ... und mehr einem Göttlichen Ausspruch oder Orakel» gleicht. Damit war nicht nur der «hohe Stil» für den Poeten gefordert, sondern auch die Wirkung beschrieben, die die gestaltete Fiktion der geschilderten Tatsächlichkeit voraushat.

Ausführlich behandelte Buchner Fragen des Stiles, der Reimtechnik und vor allem der Metrik. Er beschrieb die Bedeutung des sprachlichen Klanges und öffnete damit den Weg, den unter Schottelius' Führung dann die Nürnberger erfolgreich beschritten (s. S. 138). Hatte Opitz die Wahl zwischen jambischen und trochäischen Versen gelassen, so führte Buchner im gewichtigen 7. Kapitel seiner *Anleitung* den daktylischen Vers ein und erweiterte damit die formalen Möglichkeiten der deutschen Verssprache in starkem Maße.

Einwände, die von der Fruchtbringenden Gesellschaft kamen, ließen Buchner den Druck seiner Poetik hinausschieben. Das gab seinem Schüler Philipp Zesen die Chance, im *Deutschen Helicon ... Oder Unterricht, wie ein Deutscher Vers und Gedichte auf mancherley Art ohne Fehler recht zierlich zu schreiben* (1640) als erster Buchners metrische Neuigkeit zu publizieren[56]. Zesen stellte den Dactylus als «rollende Palmen- oder Dattelart» oder kürzer als «Buchner-art» vor und pries in der ihm eigenen Sprache den «Durchleuchten Buchner» als «der schönen und färtigen Dattel-ahrt würdigen Vater». *Helicon* trat neben Opitzens *Poeterey*, die bis dahin mit sieben Auflagen allein das Feld beherrschte[57]. Was bei Opitz, dem die antiken Klassiker als Vorbild galten, noch Programm für die deutsche Literatursprache war, diente Zesen bereits als Realität und Argument. Er stufte die deutsche Dichtung höher als die griechische und lateinische ein, weil sie «das natürliche ohren maß beobachtet». Die Überlegenheit der deutschen Sprache sah Zesen auch in ihrer Fähigkeit, Reime zu bilden. Der Reim stand für Zesen, der in diesem Punkt weit über Buchner hinausging, im Mittelpunkt seiner Bemühungen. Die verschiedenen Fassungen des *Helicon* enthielten wachsende «Anweiser gleichlautender Reimwörter».

Den Einfluß Buchners bezeugen auch die *Zwey Bücher Von der Kunst Hochdeutsche Verse und Lieder zu machen* (1642), die der Schlesier Johann Peter Titz (1611–1698) verfaßte. Der inventio-Bereich, der schon bei Opitz eine schwache Rolle spielte, wurde von Titz ebenfalls wenig beachtet. Dafür standen die stilistischen und metrischen Fragen, wie bei den meisten deutschen Poetiken des 17. Jahrhunderts, im Mittelpunkt. Die Konsequenz aus dieser allgemeinen Tendenz zog Harsdörffer, indem er den Bereich des Stiles, der elocutio, auch für Fragen der inventio zuständig machte. Harsdörffers *Poetischer Trichter*, dessen drei Teile 1647, 1648 und 1653 erschienen, ist darum neben Opitzens *Poeterey* die wichtigste Poetik der Barockzeit. Harsdörffer schrieb, daß die Erfindung entweder ausgehe vom Wort, vom Ding, von dessen Umständen oder von den «gehörigen Gleichnissen», denn diese seien «die allertieffste Quelle etwas schönes und zur Sache dienliches zu erfinden». In dieser Äußerung aus der ersten Stunde des ersten Teiles ist der weitere Aufbau und Gehalt der Harsdörfferschen Poetik antizipiert. Teil I und II sind in je sechs Stunden gegliedert, in denen «die Dicht- und Reimkunst einzugiessen» sei. Wird im ersten Teil zunächst kurz zu Dichtung, inventio und Sprache Stellung genommen und länger über Reimmöglichkeiten gesprochen, so wird im zweiten Teil das zu Beginn Umrissene ausführlich abgehandelt und außer der Beschreibung der verschiedenen Schauspielarten die inventio «aus dem Namen», «den Sachen und ihrer Umstände» sowie aus den «Gleichnissen» diskutiert. Auch der dritte Teil greift die Grundthemen wieder auf und enthält als Kern ein Lexikon «fast aller sachen», die von Aal bis Zwilling in der Dichtkunst genannt werden können. Trotz vieler Vorreden und Anhänge läßt sich eine Grundlinie erkennen, die vom Begriff über dessen Ausweitung zum Exempel führt. So dient das Lexikon des dritten Teiles mit seinen ausweitenden Umschreibungen oder auch Deutungen der genannten Dinge der Herstellung der schon zu Anfang so betonten Gleichnisse. Der wiederholt ausgesprochene Leitgedanke des *Trichters*, nach dem «die Poesie ein redendes Gemälde» ist, setzte die enge Verknüpfung von Dichtung und Rhetorik voraus und fand im Gleichnis das Hauptmittel seiner Verwirklichung. Denn als Gleichnis begriff Harsdörffer vom Lehrgedicht bis zum Emblem alle Möglichkeiten, bei denen etwas Dargestelltes eine bestimmte Deutung erforderte. Daß es dabei mehr auf den Deutungsvorgang als solchen und weniger auf das Gedeutete selbst ankam, spiegelt «das Zurücktreten der Sachbezüge ... vor der Form der Darbietung»[58], das als allgemeines Kriterium für die Poetik und Poesie Harsdörffers anzusehen ist.

Bedeutete Harsdörffers Satz, daß die inventio vom Wort ausgehen könne, schon in nuce ein manieristisches Programm, so kommt dieser Aspekt auch in Birkens *Teutscher Rede-bind-und-Dicht-Kunst* (1679) zu Wort. Birken betonte die inventio-Tätigkeit sehr und nannte die Erfindung die Seele des Gedichts («Der schöne und sonderbare Ausfund/ ist der GebändRede Seele»). Zugleich wurde vom Dichter vor allem Scharfsinnigkeit gefordert, also die Fähigkeit zum Pointenstil, der als manieristische Ausdrucksweise gilt[59]. Dieses Programm fand in Birkens Bild- und Klinggedichten seine produktive Anwendung. Daß in seiner Poetik auch die panegyrische Funktion der Dichtung betont wurde, entsprach Birkens literarischer Praxis. Wollten die «Heiden» mit ihrer Poesie nur «nutzen und belusten», so fügte Birken als vornehmsten Zweck hinzu, die Ehre Gottes und der menschlichen Helden zu preisen. Von den zwölf Kapiteln der *Rede-bind-und-Dicht-Kunst* gelten die ersten neun der Verslehre, das zehnte der inventio und den einzelnen Gattungen, die auch in den beiden letzten Kapiteln behandelt werden. Den Gattungen gesellte Birken als neue Möglichkeit das «GeschichtGedicht» zu, also den Roman, wie er ihn im Werk Anton Ulrichs verkörpert sah und an anderer Stelle gewürdigt hatte (s. S. 208).

Gab Birken der ungebundenen Rede ihren Platz neben Vers und Reim, so blieb der Kieler Professor Daniel Georg Morhof (1639–1691) weit konservativer und machte den Reim zur Voraussetzung der imitatio. Morhofs bis ins späte 18. Jahrhundert hinein berühmter *Unterricht von der Teutschen Sprache und Poesie* (1682) erhielt klare antimanieristische Positionen und widersprach damit poetologischen Gedanken, wie sie Birken geäußert hatte. Der inventio-Bereich war für Morhof keine Freibahn des ingeniums, sondern die strenge Schule der Alten, die Norm und Vorbild geschaffen hatten: «ehe einer erfinden kann, muß er zuvor gelesen und gesamblet haben, sonsten wird er leeres Stroh dreschen. Er muß nicht allein die vornehmbsten Teutschen Poeten, sondern auch die Lateinischen und Griechischen, von welchen doch alles herfliesset, wohl durchkrochen, und ihre Künste ihnen abgelernet haben»[60]. Das iudicium stärker als das ingenium betonen, hieß klassizistisch denken und Gottscheds Regelbewußtsein antizipieren. Doch blieb der Ansatz schwach und Morhofs Schrift weniger wegen ihrer im dritten Teil gegebenen poetologischen Äußerungen bekannt. Entscheidender waren der erste

Teil, in dem Morhof von der Geschichte und Grammatik der deutschen Sprache handelte, und der zweite Teil, der einen Überblick über die Geschichte der europäischen Dichtung zu geben versuchte. Das trug dem Verfasser den Ruf eines «Vaters der Literaturwissenschaft» ein[61].

Morhofs literarhistorische Bemühungen gingen in die Vorbetrachtung der *Gründlichen Anleitung zur Teutschen accuraten Reim- und Dicht-Kunst* (1704) von Magnus Daniel Omeis (1646–1708) ein. Da Omeis zugleich in der Tradition der Nürnberger stand, kompilierte er aus gegensätzlichen Quellen[62]. Die Stellungnahme zur inventio entsprach der von Birken und liest sich wie die Umkehrung der Morhofschen Formulierung: «Eine gute Erfindung ist die Seele des Gedichtes, welches ohne jene ganz todt und leblos und nur ein eitles Geschwätz zu nennen ist.» Der Aufbau der *Gründlichen Anleitung* folgte dem üblichen Schema. Der erste Teil galt der Reimkunst, der zweite der Dichtkunst.

Die zahlreichen weiteren Poetiken des ausgehenden 17. und beginnenden 18. Jahrhunderts können hier nicht aufgezählt werden. Unter ihnen nehmen Christian Weises Äußerungen insofern eine wichtige Sonderstellung ein, als sie den Kontrapunkt zu allen manieristischen Programmen setzten, die die inventio gern aus dem Formalen begründeten. Weise entschied das res-verba-Verhältnis «zugunsten der Realia» und rückte damit das Formale in den zweiten Rang. In den Versen wird nach seiner Meinung «die bloße Lieblichkeit der Worte nicht viel ausrichten ... wofern es an gutem Zeuge, das ist an wichtigen realien mangeln sollte»[63]. Aus dieser Haltung wurde Weise auch zum Anwalt der Prosa.

3. FORMEN UND GESTALTEN DER LYRIK

a) Voraussetzungen

Das 17. Jahrhundert war für die deutsche Lyrik eine sehr fruchtbare Epoche. Was begründet die Vielfalt und zum Teil hohe Qualität der Lyrik dieser Zeit? Die rhetorische Tradition galt immer. In der neulateinischen Poesie war die Formensprache der deutschen Barocklyrik vorweggenommen. Die plötzliche Entfaltung der deutschen Lyrik setzte deshalb zeitgeschichtliche Bedingungen und daraus resultierende geistige Haltungen voraus, die in den längst vorhandenen Formen die adäquate Möglichkeit zum Sprechen sahen.

In den gleichen Jahren, in denen Opitzens Formulierung der poetischen Regeln erschien, machten die Naturwissenschaften entscheidende Fortschritte. In Mechanik und Astronomie zerstörten Beobachtung und mathematische Analyse alte Dogmen. Galilei und Kepler bewiesen jetzt schlüssig die Falschheit des geozentrischen Weltbildes. Die Rechentafel widerlegte damit wichtige Aussagen der Bibel, und es nützte nichts, diese Tafel zerbrechen zu wollen. Der Himmel war leerer geworden und der Mensch in das Spannungsfeld der alten Glaubenssätze und des neuen Wissens getreten. Gryphius' Lyrik ist der überzeugendste Ausdruck dieser Spannung. Polarität ist das Schlüsselwort des Jahrhunderts. Im dualistischen Weltbild Descartes' stand die ausschließlich mechanischen Gesetzen folgende physische Wirklichkeit dem Bewußtsein als denkender Substanz gegenüber. Wie die Philosophie war die gesamte Wirklichkeit von einer Fülle von Dualismen charakterisiert. Standesrechte und Absolutismus lagen im Streit. Die konfessionelle Spaltung war der für die deutsche Bevölkerung schwerstwiegende Gegensatz, der, als er sich zu den verheerenden kriegerischen Auseinandersetzungen weitete, das Exemplum einer Welt lieferte, deren blutige Vergänglichkeit die Hoffnung auf ein besseres Jenseits verstärkte[64].

Das große Spektrum der Gegensätze, deren Vergegenwärtigung in dem immer wieder betonten Kontrast von vergänglicher Scheinwelt und nicht zeigbarem Jenseits kulminierte, war nicht nur Thema, sondern bestimmte auch die formale Struktur besonders der Lyrik. Die antithetischen Gedanken fanden im zweiteiligen Alexandriner ihre adäquate Versform (s. S. 193 f). Zu Paaren gebündelt erschien der Alexandriner im *Epigramm*, dessen Zweizeiligkeit der Zweischenkligkeit der Versform entsprach und damit die Möglichkeit, antithetische Gehalte auszudrücken, potenzierte. Das Epigramm ist durch eine prägnante dialektische Spannung charakterisiert, die meist in eine Pointe mündet. Das Epigramm kam mit dem 17. Jahrhundert wieder zu großer Blüte. Zweigliedrigkeit hieß auch das innere Gesetz des *Sonetts*, in dem Oktave und Sextett im Verhältnis von Aufgesang und Abgesang stehen, also im Gegensatzverhältnis von Erwartung (oder Spannung) und Erfüllung (oder Entspannung). Das Sonett ist dem Epigramm verwandt, denn die Pointe charakterisiert auch das Sonett. Dem Epigramm wie dem Sonett eignet das dialektische Spiel, die paradoxe Aussage, beide repräsentierten und formulierten am schlüssigsten den Geist der Epoche. Auch die *Ode* spielte seit dem 16. Jahrhundert eine repräsentative Rolle. Sie ist weniger durch strikte Dialektik charakterisiert als durch eine sehr rhetorisierbare Struktur, die die Ode besonders für enkomiastische Aufgaben geeignet machte. In seiner großen Anthologie barocker Texte konnte Albrecht Schöne die Gedichte nicht nur nach formalen Gattungen gruppieren, sondern mußte sie auch nach Themen oder Anlässen anordnen. Darin spiegelt sich die starke Rolle der Gelegenheitsdichtung der Zeit. Die Hochzeits- oder Begräbnislieder behaupteten eigene Positionen neben dem Kling- oder Sinngedicht.

Es entsprach dem antithetischen Geist dieser Zeit, daß die genannten Formen durchaus verschiedenen Intentionen gehorchen und völlig konträre Gehalte zum Ausdruck bringen konnten. Sehr geistliche und sehr weltliche Gedanken fanden die gleiche Formensprache. Es genügt darum nicht, auf die rhetorische Stuktur dieser Literatur zu verweisen oder die rhetorischen Elemente zu addieren. Die Funktionszusammenhänge, in denen diese Elemente stehen, sind entscheidend. Das Epigramm diente ebenso realistisch-satirischen Zwecken wie dem Versuch der

Mystiker, vom Transrealen zu sprechen und das nicht Sagbare sagbar zu machen. Das Sonett war gleichzeitig Ausdruck galanter und religiöser Dialektik. Im einen Fall verwirrte Cupido die Vorstellungen von Sein und Schein, im andern Fall entlarvte das Vanitasbewußtsein die Scheinhaftigkeit alles Seienden. Leichte Tändelei im Schäferkostüm und schwerringende Prophetengeste erwiesen sich als die konträren Ausdrucksweisen des gleichen Zeitgeistes, indem sie dieselben Formen nutzten. Keine Epoche ist durch den Januskopf treffender charakterisiert. «Der Wahn betreugt», schrieb Grimmelshausen. Man zeigte den Wahn, die Illusion als wirklich, indem man mit dem Schein spielte, und gleichzeitig das Wirkliche als Illusion, indem man auf den Schein verwies.

b) Weltliches Epigramm – Logau

Die Renaissance belebte auch das in der Antike als Aufschrift auf Monumenten entstandene und später besonders von Martial (40–102 n. Chr.) zur satirischen Form entwickelte Epigramm wieder. Die Humanisten imitierten mit neulateinischen Epigrammen die antiken Autoren. Opitz führte die auch Sinnspruch genannte Gattung in die deutschsprachige Literatur ein (s. *Teutsche Poemata*, 1624; sowie die Sammlung *Florilegium Variorum Epigrammatum*, 1629). Fast alle Barockdichter schrieben Epigramme. Meist handelte es sich um Nachbildungen der Sprüche Martials, von denen zwischen 1600 und 1700 mindestens 53 Ausgaben erschienen[65]. Dazu kamen als Quellen die Sprichwortsammlungen und die Werke der neulateinischen Epigrammatiker, unter denen besonders der Engländer John Owen (ca. 1560–1622) als Vorbild galt. Den rhetorisch Geschulten war die Epigrammatik ein dankbares Übungsfeld. Im res-verba-Dualismus, in der Möglichkeit, mit den verbis zu jonglieren, lag die Voraussetzung für die satirische Beleuchtung der res. Mittels der Wortspielstruktur des Epigramms, die auf der Mehrdeutigkeit der Begriffe oder auf deren kontrasthafter Verwendbarkeit basierte, wurde eine fragwürdige, scheinhafte und widersprüchliche Welt entlarvt. Das Epigramm der mystischen Dichter hatte seine Voraussetzung in der Ambivalenz des mystischen Vokabulars. Normalworte wie Leben, Sterben, Tod erfuhren durch die Konfrontation mit dem mystischen Bedeutungsgehalt des gleichen Wortes ihre Relativierung ins Scheinhafte, Vorläufige oder Vordergründige (s. S. 219ff). Auch im satirischen Epigramm wurde die Welt als Scheinwelt entlarvt, jedoch am einzelnen Beispiel, von Fall zu Fall. Statt genereller Betonung der Eitelkeit der Welt wurden die vielen Eitelkeiten, die kleineren oder größeren Untugenden und Fehlhaltungen, aufs epigrammatische Korn genommen:

> *Den Geizhals und ein fettes Schwein*
> *Schaut man im Tod erst nützlich seyn*

Der Meister des satirischen Epigramms im 17. Jahrhundert hieß Friedrich von Logau. Er wurde durch Lessing neu entdeckt und 1759 herausgegeben. Logau selbst veröffentlichte zu seinen Lebzeiten drei Sammlungen: 1638 *Erstes Hundert Teutscher Reimen-Sprueche Salomons von Golau*, eine weitere Ausgabe 1653 und die Gesamtausgabe 1654 *Salomon von Golaw Deutscher Sinn-Gedichte Drey Tausend.*

Friedrich von Logau (1604–1655) entstammt einer besonders durch den großen Krieg in bedrängte Verhältnisse gebrachten Adelsfamilie, auf deren Erbgut Brockutt bei Nimptsch (Schlesien) er geboren wurde. Ein juristisches Studium befähigte ihn zum Dienst für die Herzöge von Brieg, die ihn ab 1644 als Rat beschäftigten. Ein Jahr vor seinem Tod übersiedelte Logau an den Hof von Liegnitz. Die Fruchtbringende Gesellschaft nahm ihn unter dem Namen «Der Verkleinernde» auf. Die Tatsache, daß Logau gichtkrank und fast bis zum Ende seines nicht sehr langen Lebens mit finanziellen Sorgen vor allem wegen seines von den Wallensteinern verwüsteten Gutes belastet war, mag die wichtige persönliche Voraussetzung für seine satirisch-skeptische Perspektive sein. Der objektive Grund liegt in der Tatsache, daß Logaus Lebenszeit als Erwachsener fast identisch mit der Zeit des Dreißigjährigen Krieges ist. Er lebte in einer Epoche, deren Härte ein unerbittlicher Prüfstein aller Tugenden und Haltungen war, und in der sich vieles, was sich als Tugend aufspielte, als das Gegenteil erwies.

> *Die Alten konten frölich singen*
> *Von tapffern, deutschen Heldens-Dingen,*
> *Den ihre Väter aussgeübet.*
> *Wo Gott noch uns ie Kinder gibet,*
> *Die werden unsrer Zeit Beginnen*
> *Beheulen, nicht besingen können.*

Logau war kein Dogmatiker der Form. Seine Sprache war auf der einen Seite zum volkstümlichen Knittelvers, auf der anderen zur Sinnspruch-Reihung, also zur Elegie offen. Es gibt kaum einen menschlichen Bereich, den Logau nicht satirisch durchlüftete: von der heuchlerischen Hofschranze und dem reichen Philister bis zur plündernden Soldateska sind alle Stände und vom Trinken bis zum Beichten alle menschlichen Tätigkeiten zum Stelldichein versammelt. Mit dieser Summierung der Unzulänglichkeiten analysierte Logau die Misere seiner Zeit, in der kleine und große Fehler chaotische Wirkungen haben konnten.

Logaus realistischem Blick lag nicht die Parteinahme oder das Engagement für eine Überzeugung. Das Wissen um die gemeinmenschlichen Grundtorheiten erlaubte dem Adligen weder eine standesbedingte noch eine konfessionsgebundene Perspektive, die nur den Nichtzugehörigen in Frage zu stellen vermochte. Vielmehr verbot ihm sein Wissen die Beschränktheit eines Gruppenhorizonts und ermöglichte so klassische wie mit Recht berühmt gewordene Formulierungen:

Luthrisch, Päpstisch und Calvinisch, diese Glauben alle drey
Sind vorhanden; doch ist Zweiffel, wo das Christentum dann sey.

Der Lakonismus des simplen Konstatierens, das Registrieren dessen, was «vorhanden» ist, entsprach zugleich dem Naturell des Sinnspruchs und seines genialen Verfertigers. Das Epigramm ist als «Aufschrift» sachbezogen und läßt das Ich des Autors als kritischen Makler hinter die Sache zurücktreten. Logau konfrontierte nicht sich, sondern die Gegebenheiten mit dem Leser, der damit aufgerufen war, die Gegebenheit und sich selbst zu bessern oder zumindest das Fragwürdige zu erkennen. Bereits das 18. Jahrhundert hat Logau als Antipoden zu Lohenstein aufgefaßt und dessen rhetorischen Aufwand negativ gegen Logaus Klarheit und Kürze abgegrenzt. Ohne dem Vorwurf des Schwulstes und der damit verbundenen einseitigen Wertung von Lohenstein zuzustimmen, muß die Konfrontation bejaht werden. Lohenstein hatte sein Faible für die Macht, für das Engagement und auch das «Hofleben», wie Logau das alles verachtete. Er war als Skeptiker, toleranter Humanist und Meister des paradoxen Details ein echter Nachfahre von Erasmus. Mit diesem teilte er die Liebe zu «Sprüchen» und wie dieser wußte er:

Wann keine Thorheit mehr wird seyn,
So wird die Menschheit gehen ein.

c) Sonett

Es wird angenommen, daß die ersten Sonette im Umkreis des sizilianischen Hofes Kaiser Friedrichs II. geschrieben wurden[66]. Gesetz und Berechnung bestimmten ebenso die geistige Atmosphäre dieses Hofes wie auch die Arbeit an der komplizierten Sonettform. Dank seiner dialektischen Struktur konnte das Sonett gegensätzliche Zeiten bis heute überdauern und von zarter Liebessprache bis zur Dokumentation politischen Hasses allen Inhalten gerecht werden[67]. Obwohl bereits ein Jahrhundert nach seiner Erfindung mit Petrarca der unübertroffene Meister des Sonetts lebte, wurde es in Deutschland erst im Barock heimisch. Seit Mitte des 16. Jahrhunderts gab es hier Übersetzungen und Tastversuche in eigener Produktion. Das erste deutsche Sonett war eine von Christoph Wirsung (ca. 1500–1571) angefertigte Übersetzung aus dem Italienischen. Der Kölner Balthasar Froe (2. Hälfte des 16. Jh.s) übertrug Sonette des emigrierten Niederländers Jan van der Noot (1539–ca. 1595) und versuchte sich dabei in den ersten genau datierbaren deutschen Alexandrinern[68]. Drei Jahre später erschienen Fischarts *Etlich Sonett* (1575). Anfang der achtziger Jahre schrieb Melissus-Schede das erste deutsche Hochzeitsgedicht in Sonettform, das weit später Zincgref mit eigenen Sonetten in seine Edition *Auserleßener geticht anderer Teutscher Poeten* (1624) aufnahm. Auch Weckherlin gehörte zu den Pionieren dieser Gattung, die sich voll entfaltete, als

Martin Opitz mit seinen metrischen Vorstellungen den Anforderungen des Alexandriners gerecht wurde. Opitzens Vorbild war der über den Niederländer vermittelte französische Sonettyp mit dem Reimschema abba abba ccd eed. Von Opitz zu Hoffmannswaldau spannte sich der Bogen der großen barocken Sonettkunst, die ihren Höhepunkt in Gryphius fand.

Da Beispiele weltlicher Sonette bereits an anderen Stellen gebracht wurden, sei hier ein Blick auf eines der geistlichen Sonette von Gryphius geworfen. 1631 erschienen in Leyden seine *Son- undt-Feyrtags-Sonnete*. Deren stoffliche Basis waren die «Perikopen» genannten Texte des Neuen Testamentes, die im festen Rhythmus des Kirchenjahres an Sonn- und Feiertagen von der Kanzel verlesen und interpretiert wurden. Mit der Ausgestaltung der Perikopen konnte Gryphius an die Vorbilder anknüpfen, die die geistlichen Dichter Johann Heermann, Valerius Herberger (1562–1627) und Johann Arndt (1555–1621) geschaffen hatten[69]. In Gryphius' geistlichen Sonetten wurden häufig die Leiden der Welt auf das Leid dessen bezogen, der es stellvertretend auf sich nahm. Die große Paradoxie des göttlichen Todes wurde zum Exemplum der widersinnigen, gefährdeten Welt gemacht, einer Welt, die ihr wahres Antlitz nie wieder so deutlich demaskierte wie am Karfreitag.

Am gutten Freitage

O schmertz! das leben stirbt! o wunder! Gott mus leiden
Der alles trägt, felt hin! die ehre wirdt veracht!
Der alles deckt ist nackt! der alles tröst verschmacht!
Der luft und bäume schuff, mus luft undt Wälder meiden!
Undt hatt die luft zur pein! und mus am holtz verscheiden!
Der glantz der herlikeit verschwindt in herber nacht!
Der segen wird zum fluch, die unerschöpfte macht
Hatt keine kräfte mehr! den König aller Heiden
Erwurgt der Knechte Schar! was bosheit hatt verschuldt
Zahlt unschuldt willig aus! wie embsig ist gedult,
Was wiederwill verschertzt, auf's new hervorzue bringen!
O härtter weit als stein, den nicht die trew bewegt!
Wen Sonn' undt Luft verschwarzt! wen sich der Erdtkreis regt!
Wen todten auferstehen und hartte fels zue'-springen.

Den Widersinn vom Tod Gottes durch die Welt, deren Meister er ist, vermittelt das ganze Sonett bis in seine kleinsten antithetischen Einheiten: die Oxymora. In Gryphius' gesamter Dichtung zeigt sich das Verhältnis von Gott und Mensch bis zum Äußersten gespannt, und der Mensch erscheint in anderen Gedichten als «Schlachttier des Himmels» wie Gott hier als Opfer der Menschen. Nur das Sonett war geeignet, diese Zerreißprobe auszudrücken. Die unselige Menschheit, die

Christus mordete, erhielt damit das göttliche Geschenk eines Vorbilds, das ihr unter dem Leitwort «imitatio christi» einen Weg aus der unheilvollen Wirklichkeit zeigt. Das ist der paradoxe Kern des Kreuztodes, und Gryphius, der das Leid der Welt und besonders seiner Zeit so vielfältig beschrieb, hat damit – das ist die paradoxe Gleichung der Sonette – auch die Existenz Gottes, wie sie in Christus verkörpert ist, beschrieben.

d) Ode – Weckherlin und Balde

Im Gegensatz zum Sonett ist die Odenform offener und darum im Lauf ihrer Geschichte verschieden definiert worden. Das griechische Wort ωδή bedeutet Lied, und noch für Opitz sind in der *Poeterey* Ode und Lied ein und dasselbe. Was wir heute unter Ode verstehen, registrierte Opitz als Hymne. Ode und Lied sind beide strophisch gegliedert, meiden den Alexandrinervers und konnten wie die anderen Formen sowohl geistlichen als auch weltlichen Themen dienen. Die mangelnde begriffliche Trennung von Ode und Lied im 17. Jahrhundert widersprach nicht ihrer unterschiedlichen Verwendung. Bevorzugte das weltliche Lied die geselligen Themen, vor allem der Liebe und des Trinkens, so entwickelte sich die Ode zur panegyrischen Gattung par excellence und diente dem Lob oder der Würdigung von Gott und Heilsfiguren, Fürsten, Gönnern, sozialen Ereignissen und topographischen Gegebenheiten. Bediente sich die Ode des mittleren und hohen Stiles, so das Lied der mittleren oder niederen Stillage.

Pindar und Horaz waren die Vorbilder der neulateinischen und volkssprachigen Odendichter. Im Gegensatz zu Horaz blieb Pindar unbekannt, bis Aldus Manutius ihn 1513 druckte. Ronsard schrieb dann Oden in Pindars Weise, die exemplarisch wurden. Kennzeichen des pindarischen Typs ist die Dreiteiligkeit von Strophe, Antistrophe und Epode. Diese Dreiheit konnte innerhalb einer Ode beliebig wiederholt werden. Der pindarische Typ war somit strenger gegliedert als die übrigen Formen. Celtis, Melissus und andere Humanisten versuchten sich in neulateinischen Oden. Zugleich gab es eine reformatorische Odendichtung, die besonders biblische Themen gestaltete. Melissus war der erste Deutsche, der Ronsard nachahmte und die dreiteilige pindarische Odenform verwandte[70].

Von den Poeten der Plejade lernte auch der Begründer der deutschsprachigen Odendichtung: Georg Rudolf Weckherlin (1584–1653). Der in Stuttgart Geborene studierte Jurisprudenz und unternahm als Begleiter württembergischer Diplomaten mehrere Reisen, die ihn auch nach Paris führten. Hier konnte er sich intensiv mit der französischen Literatur beschäftigen. Weckherlin wollte für die deutsche Literatur bewirken, was die Plejade für die Franzosen erreicht hatte. Die Gedichte Ronsards, Du Bellays und der anderen dienten ihm als Muster. Der württembergische Herzog machte seinem Hof die literarischen Interessen Weckherlins, der seit 1615 sein Sekretär war, zunutze und ließ ihn zunächst die glanzvolle Taufe seines Sohnes beschreiben. *Triumf, NEwlich bey der F. kindtauf zu Stuttgart gehalten* (1616) wurde Weckherlins erste Veröffentlichung. «Die neuen kunstvollen Strophenformen, welche Weckherlin der Plejade verdankt, der neue Bilderreichtum, die Kunstgriffe der Wiederholung motivisch wichtiger Wörter ... gaben zum erstenmal die ganze Wucht und Grazie der höfischen Gebärde wieder[71].» Die Ode war das adäquate Ausdrucksmittel der gesellschaftlichen Ebene, in der Weckherlin lebte. Die württembergische Hofwelt war ihm Thema und Publikum zugleich. In seiner wichtigsten Edition, den zwei Bänden *Das Erste Buch Oden und Gesäng* (1618) und *Das ander Buch Oden und Gesäng* (1619), folgen auf Huldigungsoden des oft pindarischen Formtyps eine größere Zahl von Liebesgedichten und einige moralisch-satirische Gedichte. Die Doppeltitel weisen auf das Nebeneinander des Panegyrisch-Erhabenen und Liedhaften, mit dessen Liebesthematik der Formelschatz des Petrarkismus in die deutsche Literatur mündete.

Seit 1620 hielt sich Weckherlin am englischen Hof auf. Hier stand er König Karl I. bis zu dessen Absetzung in hohen politischen Funktionen zur Seite. Als Weckherlin über zwei Dekaden nach den *Oden und Gesäng* wieder mit einer größeren Edition in Deutschland hervortrat, war hier die literarische Landschaft entscheidend verändert. Die Opitzsche Versreform und die Lyrikpublikationen der jungen Schlesier hatten neue Maßstäbe gesetzt, die Weckherlin, der sich durch seine räumliche Ferne isoliert und wenig beachtet sah, nicht mehr als Pionier erscheinen ließen. In seiner neuen Sammlung *Gaistliche und Weltliche Gedichte* (1641) paßte sich Weckherlin teils der Opitzschen Versregel an, teils suchte er sie zu variieren und seinem bisherigen alternierenden Prinzip treu zu bleiben. Die geistlichen Gedichte waren Psalmenparaphrasen, und unter den weltlichen waren Epigramm und Sonett zur Odenform getreten. Man kann es als symptomatisch für die gewandelte Situation Weckherlins ansehen, daß das Meisterwerk der neuen Sammlung nicht eine Ode erhabenen Stils, sondern deren Parodie oder Umkehr war: die Ode

Drunckenheit

Ho, sind das Reutter oder Mucken?
Buff, buff, es ist ein hafenkäß:
Zu zucken, schmucken, schlucken, drucken,
Warumb ist doch der A. das gsäß?
Pfuy dich, kiß mich, thust du da schmöcken?
Wer zornig ist der ist ein Lump,
Hey ho, das ding die Zähn thut blöcken
Bumb bidi bump.

Indem hier die gleichen Formmittel, die sonst «die Grazie der höfischen Gebärde» trugen, einen ganz unhöfischen Zustand vergegenwärtigen, sind, wie später bei

Grimmelshausen, die großen Möglichkeiten genutzt, die in der dialektischen Anwendung der Gesetze vom «inneren aptum» (s. S. 32) lagen. In der formal vollendeten Darstellung des Zustands wachsender Formlosigkeit war das Prinzip der Entsprechung von Stil und Thema verkehrt worden.

In seiner letzten Phase konnte sich der einstige literarische Hofmann auch als satirischer Hofkritiker präsentieren. Der Odendichter hatte klaren Sinn für die Macht. Im englischen Bürgerkrieg zwischen Royalisten und Parlamentariern entschied sich Weckherlin für die letzteren. In den späten Gedichten, die in der Ausgabe letzter Hand *Gaistliche und Weltliche Gedichte* (1648) enthalten sind, konnte darum höfische Form nicht nur unhöfischen, sondern ausgesprochen antihöfischen Inhalt vermitteln[72].

An den Hofe.

Rund-umb

Glick zu, du Hof und du Hofleben,
Da wenig Trauben und vil Reben,
Da weder warheit, trew noch zucht,
Des prachts, lists und betrugs erbsucht,
Mit Schalckheit und Torheit verweben.
Du Hof, an dem die sünden kleben,
Mit allen Lastern rund-umbgeben,
Du Nest der Trägheit und Unzucht
Glick zu ...

Der Meister neulateinisch-geistlicher Odendichtung im 17. Jahrhundert war der Jesuit Jacob Balde (1604–1668). Die Zeitgenossen nannten ihn den deutschen Horaz, denn Balde war von dem Römer in vieler Hinsicht beeinflußt. Der gebürtige Elsässer verbrachte sein Leben in Bayern. Balde trat 1624 in den Jesuitenorden ein, wurde zunächst in Ingolstadt Professor für Rhetorik und dann in München kurfürstlicher Prinzenerzieher, Hofprediger und schließlich bayrischer Hofhistoriograph. Aus Gesundheitsgründen legte Balde seine Ämter nieder und zog 1634 nach Neuburg an der Donau, wo er als pfalzgräflicher Hofprediger ein Refugium fand. Unter seinen zahlreichen Werken sind eine Neubearbeitung der *Batrachomyomachia* (s. S. 81), das geistliche Drama *Jephtias* (1637) und das *Poema de vanitate mundi* (1638), das an geschichtlichen Beispielen die Vergänglichkeit bewies. Als Hauptwerk gilt die nach horazischem Vorbild geordnete Odensammlung *Lyricorum libri IV Epodon lib. I* (1643).

Die Ode war für Balde das genuine Ausdrucksmittel wie für Gryphius das Sonett. Die auf dem dualistischen Weltbegriff des protestantischen Schlesiers bauende Vanitasdemonstration bedurfte der dialektischen Formen, um sich mitzuteilen. Für den Katholiken und Jesuiten hingegen galt die sinnliche Präsenz des

Göttlichen, die zu hymnischer Beschreibung herausforderte. Nur dort, wo Balde den Hymnus umkehrte und die Welt des Verfalls schilderte, konnte Gryphius an ihn anknüpfen. So geschah es mit den Enthusiasmen, die das Vorbild für Gryphius' *Kirchhofgedanken* wurden. Balde verwandte in seinen Oden das humanistische Bildungsarsenal, indem er Begriffe und Motive aus der antiken Mythologie, Geschichte und Literatur aufgriff. Von Horaz übernahm Balde auch das Metrum. Wie alle Jesuitendichter stellte er das humanistische Bildungsgut in den Dienst der Religion. Die Odenzeilen

> *Eheu ludimus et ludimur! impares*
> *Signis, interitu pares*[73]

lassen sich als Motto über die ganze Dichtung Baldes setzen. Die Menschen spielen nur Rollen verschiedenen Ranges auf dieser Erde, denn sie sind nur Figuren im Spiel Gottes. Die seit der Antike bekannte Welt-Spiel-Gleichung war das wohl dankbarste und fruchtbarste Motiv der katholischen Literatur[74]. Balde machte die Gleichung nicht nur zum Thema, sondern auch zur Maxime seines Schreibens, indem er mit den Motiven und Begriffen der literarischen Tradition spielte und sie ambivalent gebrauchte. Er konnte ebenso den «locus amoenus» preisen wie den «locus horribilis» beschreiben, zugleich stoische Gedanken äußern und die stoische Haltung ablehnen[75]. Wie Gott mit den Menschen, so spielte der Autor mit seiner Wirklichkeit zum Preis des Überwirklichen. Auch damit war Scaligers velut-alter-deus-Formel befolgt. In seinen Zeitgedichten projizierte Balde die historischen Ereignisse des Dreißigjährigen Krieges auf antike Geschehnisse, ebenso konnte die Mutter Christi als antike, wenn auch getaufte Göttin erscheinen. Maria wurde als Jungfrau der Haine, der Berge Göttin, Frühlingsmutter und Blumengöttin begrüßt und so mit der Feier des Sinnlichen das Übersinnliche gepriesen. Baldes Mariendichtung gilt als die Krönung seines Schaffens und als ein Höhepunkt der Odendichtung überhaupt. Alle Mittel dieser Gattung wurden zur wirkungsvollen Folie gemacht, vor der Marias siegreiche Erscheinung umso heller erstrahlte. Damit war auch Baldes Dichtung ein großes Beispiel für die Kunst der Jesuiten, den Glanz des humanistischen Bildungsgutes zu übernehmen, seine Idee aber zu überwinden. Solange das Bewußtsein europäischer Kultureinheit fraglose Selbstverständlichkeit war, blieb Baldes neulateinische Dichtung ein gepriesenes Vorbild deutschsprachiger Autoren, die sich an der Latinität schulten. Die Wende kam mit Herder, der Balde für die Nationalliteratur in Anspruch nahm, indem er ihn übersetzte und seine deutsche Gesinnung lobte.

e) Kirchenlied

Die Grenzen zwischen geistlicher und weltlicher Dichtung waren im 17. Jahrhundert fließend. Es gab kaum einen Dichter, der nicht in beiden Bereichen wirkte, und es gibt viele Literaturwerke, bei denen man im Zweifel sein kann, ob sie dem geistlichen oder weltlichen Bereich zuzuzählen sind. Nie wieder seit dem 17. Jahrhundert haben die geistlichen Voraussetzungen eine so bedeutsame Rolle für die Dichtung gespielt. Das Wissen um den Einfluß von Bibel, patristischen Schriften und Andachtsbüchern auf die Literatur ist erst in jüngster Zeit erweitert worden und wird wohl auch zukünftig erweitert werden[76]. Aus der biblisch-patristischen und mystischen Tradition kam ein Strom von Themen, Motiven und Bildern und beeinflußte nicht nur das literarische Werk des so dezidiert dem geistlichen Bereich zugewandten Gryphius, sondern auch noch die Schriften der Manieristen. Im Gegenlauf dazu übernahm die geistliche Dichtung Formen und Motive weltlicher Poesie, um in und mit ihnen geistliche Gehalte auszudrücken.

Geistliche Dichtung umschließt als Oberbegriff formal und thematisch verschiedene Gruppen. Das geistliche Sonett und das mystische Epigramm gehören ebenso dazu wie Klajs Redeoratorien und das nach seiner Funktion weit aus dem literarischen Rahmen herausragende Kirchenlied. Besonders beliebte geistliche Themen waren während des 17. Jahrhunderts der Psalter und das Hohelied Salomons. Mit Melissus und Lobwasser begann die poetische Neufassung der Psalmen, die von Weckherlin, Opitz und anderen fortgesetzt wurde. Wegen seines bildlich-uneigentlichen Gehaltes war auch das Hohelied häufig Objekt von Paraphrasierungen.

Das Kirchenlied unterscheidet sich von der übrigen geistlichen Dichtung dadurch, daß es ausschließlich aus gereimten, singbaren Strophen besteht und sein Motivkreis durch die Ordnung des Kirchenjahres und des Gottesdienstes weitgehend bestimmt ist[77]. Nachdem das deutschsprachige Lied durch Luther seinen festen Platz im Gottesdienst und Gesangbuch erhalten hatte, begann eine vielfältige Kirchenliedproduktion, die auch auf den katholischen Bereich übergriff. Die Literaturwende zu Beginn des 17. Jahrhunderts, die die Formung der deutschsprachigen Dichtung nach humanistischen Prinzipien brachte, erfaßte auch das Kirchenlied und bewirkte dessen Literarisierung. An die Stelle der formelhaft schlichten Verse, wie sie im 16. Jahrhundert vorherrschten, trat ein differenzierterer Stil und Strophenbau. Am Beispiel des in Schlesien geborenen Geistlichen Johann Heermann (1585–1647) wurde der Einfluß der neuen Form deutlich sichtbar. Heermann verfaßte bis zum Erscheinungsjahr von Opitzens *Poeterey* vorwiegend lateinische Dichtung, hatte sich aber schon seit längerem in deutschen Versen versucht und schrieb nach 1624 ganz unter dem Einfluß der Opitzschen Versregeln. Heermanns geistliche Gesänge waren zu ihrer Zeit sehr populär und erschienen in mehreren Ausgaben und Auflagen, unter denen die *Devoti musica cordis Hausz- und Hertz-*

Musica (1632) sowie die *Sonntags- und Fest-Evangelia* (1636) die erfolgreichsten waren. Heermann verwandte antike Odenmaße und unter anderen Versmaßen auch den Alexandriner. Seine geistlichen Gesänge wurden von Gryphius sehr geschätzt und auch zum Vorbild für eigene Gestaltung genommen. Die Quellen, auf die sich Heermann stützte, entsprachen denen von Gryphius. Zu *Devoti musica cordis* vermerkte Heermann, daß die Lieder «den H. Kirchenlehrern und selbsteigner Andacht» entstammen. Die Gedanken der Kirchenväter und Mystiker fand Heermann in Martin Mollers Erbauungsbuch *Meditationes sanctorum Patrum* (1597), aber auch in den patristischen Texten selbst. Als Hauptquelle diente, wie auch bei den anderen Kirchenlieddichtern, die Bibel. Trotz der Verwendung rhetorischer Figuren und kunstvoller Strophenformen unterschieden sich Heermanns Verse von der gleichzeitigen weltlichen Lyrik durch eine Simplizität, die ihre Singbarkeit garantierte. Das gilt in weit stärkerem Maße auch für Paul Gerhardt (1607 bis 1676), den größten unter den evangelischen Kirchenlieddichtern. Der in Gräfenhainichen Geborene war Prediger in Mittenwalde, Berlin und Lübben. Die meisten seiner 120 Kirchenlieder erschienen erstmals als *Pauli Gerhardi Geistliche Andachten* (1667). Daß die Lieder nicht auf theologischem, sondern auf religiösem Grunde wurzelten, begründete ihre Schlichtheit und bis heute dauernde Popularität. Diese Schlichtheit war zugleich seelsorgerischer Zweck der Gesänge. Der Liedanfang «Geh aus mein Herz und suche Freud» ließe sich als Motto über das Gesamtwerk Gerhardts schreiben, denn hier war zum Thema gemacht, was mit den meisten Liedern intendiert wurde: Zuversicht durch die Einsicht, daß alle Dinge in Gottes Hand liegen.

So wirkungsvoll Gerhardt als geistlicher Dichter war, so wenig war es Opitz, wenn er geistliche Gedichte schrieb. Die verschiedene Weise, wie beide den Text des 42. Psalms paraphrasierten, mag als Beispiel für die gelehrte und religiöse Bewältigung des gleichen Themas dienen. Der Psalm beginnt: «Wie der Hirsch schreit nach frischem Wasser, so schreit meine Seele, Gott, zu dir». Daraus machte Opitz:

> *Gleich wie ein Hirsch mit schneller flucht*
> *Ein frisches quell im walde sucht,*
> *Und embsig läufft nach kühlen bächen;*
> *So ist auch meine seel', o Gott:*
> *Sie dürstet nach dir in der noth,*
> *Und sehnet sich dich an zuesprechen.*

Die Strophe hat zwei Teile. Die erste Hälfte dient dem stark ausgebauten Vergleichsmotiv, wobei in Zeile 2 und 3 der gleiche Sachverhalt wiederholt wird. Die zweite Hälfte zieht nach deutlichem Bruch die Konsequenz. Auch hier wird in Zeile 5 und 6 das gleiche Faktum durch Wiederholung betont. Die «seel» ist Objekt von Vergleich und Schilderung. Der Sprechende oder Singende bleibt in der Distanz des Schildernden. Anders Gerhardt:

Wie der Hirsch in großen Dürsten
Schreiet und frisch Wasser sucht,
Also sucht dich Lebensfürsten
Meine Seel in ihrer Flucht;
Meine Seele brennt in mir,
Lechzet, durstet, trägt Begier
Nach dir ...

Das Vergleichsmotiv ist hier fast so knapp wie im biblischen Text gehalten und eilt durch Rhythmus und Gleichheit des Verbums «sucht» bruchlos auf das Verglichene zu, auf das es allein ankommt. Entsprechend gilt die wiederholende Betonung hier ganz der Seele, die nicht Objekt der Schilderung bleibt. Das Sprecher-Ich identifiziert sich mit ihr und verharrt so in einer Situation ehrfurchtsvoller Hingabe. Das Singen der Lieder Gerhardts wurde dadurch zur protestantischen Glaubenshandlung. Das darf nicht zur Verwechslung mit dem subjektiven Gehalt späterer Lyrik verführen. Ein Ich spricht sich hier nicht aus und macht sich damit zur Welt, sondern ordnet sich im Glaubensakt ein und versöhnt sich auf diese Weise mit der Welt. Gerhardts Lieder ersparten den mühsameren Weg intellektueller Einsicht in Gottes Wirken, den die Buß- und Trostgedichte der Zeitgenossen mit Hilfe stoischer Gedanken wiesen. Gerhardt konnte sich darum souverän über das Tun der weltlichen Dichter hinwegsetzen:

Weltscribenten und Poeten
Haben ihren Glanz und Schein,
Mögen auch zu lesen sein,
Wenn wir leben außer Nöten;
In dem Unglück, Kreuz und Uebel
Ist nichts Bessers als die Bibel.

Auf die «Weltscribenten» bezog sich auch Friedrich Spee, aber nicht indem er sie ablehnte, sondern indem er von ihnen lernend sie zu übertreffen suchte.

f) Spee

Die geistliche Lieddichtung der Katholiken kulminierte im Werk Friedrich Spees von Langenfeld (1591–1635). Mit Balde und Bidermann, von dem noch zu sprechen sein wird, bildete Spee das große jesuitische Dreigestirn der Barockliteratur. Der im rheinischen Kaiserswerth Geborene trat 1610 in die Societas Jesu ein. Er studierte Philosophie und Theologie und wirkte als Professor in Paderborn, Köln und schließlich Trier. Spee entkam 1629 mit Mühe einem Mordanschlag und litt lange an den Verletzungen. Er starb an der Pest, die er sich bei der Pflege verwundeter Soldaten in Trier holte.

Spee war eine lichte Gestalt in dem sonst dunklen Jahrhundert. Sein literarisches Werk ist Teil seines Gesamtwirkens, das auf Trost und Hilfe zielte und das Opfer der eigenen Existenz nicht scheute. Er wollte ursprünglich Missionar werden und fand dann seine Aufgabe darin, gegen verbrecherische Verblendung im eigenen Christenland zu kämpfen. In Paderborn hatte er Menschen, die als Hexen und Hexer verurteilt waren, letzten Beistand zu leisten. Aus dieser Erfahrung, seinem christlichen Mitleid und logisch-juristischem Denkvermögen erwuchs Spees große Streit- und Anklageschrift *Cautio criminalis seu de processibus contra sagas* (1631), die das grausame Zusammenspiel von Folter und Aberglauben, Niedertracht oder Besitzgier auf Seiten der Denunzianten, Prozeßführenden und ihrer Auftraggeber entlarvte. Spee diskutierte nicht das Problem, ob es wirklich Hexerei gebe, sondern prüfte mittels 51 Fragen die Verfahrensweise, die Situation und Mentalität von Opfern und Verfolgern. Er zeigte, daß es einem Unschuldigen kaum gelingen konnte, dem teuflischen Mechanismus von Anklage und Folter zu entrinnen. Obwohl bald Neuauflagen und Übersetzungen der *Cautio criminalis* erschienen, ist das Maß des über die moralische Notwendigkeit hinausgehenden praktischen Erfolges der Schrift umstritten. Einige schwächere Versuche, die Hexenprozesse zu kritisieren, waren vorausgegangen, aber erst mit Thomasius Schriften (u.a. *Theses inaugurales de crimine magiae*, 1701) kam der Kampf gegen das von den Obrigkeiten vieler Landesteile erlaubte oder geförderte Mordsystem zu einem erfolgreichen Abschluß.

Dem geistlichen Fundament, von dem aus Spee zum Ankläger wurde, gab er im *Güldenen Tugend-Buch* (1632, gedr. 1649) Wort und Gestalt. Indem Spee in dieser Anleitung zur rechten Glaubenshaltung und -praxis den Leser unablässig ansprach oder in ein Frage- und Antwortspiel hineinzog, suchte er ihn zu größtmöglicher Intensität der Andacht zu bewegen. Aufbau und Gestalt des Werkes sind durch die «drey Göttlichen Tugenden des Glaubens, der Hoffnung und der Liebe» bestimmt. In charakteristischer Verkehrung der ursprünglichen Reihenfolge wurden die Tugenden zur Klimax: der Glaube gab die Voraussetzung für die als Hoffnung bezeichnete Sehnsucht nach der Begegnung und der Einheit mit dem Göttlichen, die in der Liebe erreicht war. Der Andächtige wurde damit zu einem Zustand geleitet, der mystischer Haltung nahekommt.

Von der Liebe, dem mystischen Traditionsmotiv der Jesusminne, sprach Spee auch in geistlichen Liedern, den Sponsagedichten, die Teil der postum erschienenen Sammlung *Trutz Nachtigall* (1649) sind. Der Titel brachte das Zugleich von literarischem und geistlichem Anspruch der Lieder auf eine Formel: «Trutz Nachtigall wird diß Büchlein genandt / weiln es trutz allen Nachtigalen süß / unnd lieblich singet / unnd zwar auffrichtig Poetisch; also daß es sich auch wohl bey sehr guten Lateinischen unnd anderen Poeten dörfft hören lassen.»

Die Gedichte blieben damit auf die Normen weltlicher Lyrik bezogen. Zu den ursprünglich religiösen Gattungen wie der des Bußgedichts kam die Füllung der weltlichen Formen des Lob- und Trauergesangs oder der Ekloge mit geistlichem Gehalt. Unabhängig von Opitz war es die formulierte Absicht Spees, für die deutsche Sprache zu wagen, was die neulateinischen Poeten erreicht hatten. Auch auf die von Opitz geforderte Einheit von Wort- und Versakzent kam Spee dank seiner Begabung für Sprachklang und Form. Wie verschieden bei gleicher Thematik der rhetorisch-deiktische Stil von den einzelnen Poeten verwirklicht werden konnte, zeigt ein Vergleich von Opitzens *Klage bey dem Creutze unsers Erlösers* mit Spees Gedicht *Uber das Ecce Homo.* Blieb der weltliche Lyriker bei äußerlicher Beschreibung, so gab der geistliche Poet der Erschütterung Ausdruck, um diese im Leser zu provozieren. Spee hat seinen Anspruch, es den weltlichen Lyrikern gleichzutun, nicht nur erfüllt, sondern übertroffen. Einige Gedichte aus *Trutz Nachtigall,* wie der im Volksliedton gehaltene *Trawr-Gesang von der noth Christi am Oelberg in dem Garten,* gehören zu den besten deutscher Sprache:

> *Bey stiller nacht / zur ersten wacht*
> *Ein stimm sich gund zu klagen.*
> *ich nam in acht / waß die doch sagt;*
> *That hin mit Augen schlagen.*

In dieser Kontrafaktur war das weltliche Lied mehr als nur Form- und Motivquelle, es wurde verfremdet. Die Antiidylle des Ölberggartens, in dem «kein vogel-sang / noch frewden-klang» zu hören ist, wirkt umso nachhaltiger, als der Kontrast zum weltlichen Lied dauernd mitschwingt.

Spee war der Meister unter den zahlreichen Poeten, die Formen und Motive weltlicher Dichtung für geistliche Gedichte fruchtbar machten. So nutzten der Jesuit Johann Khuen (1606–1675) und der Kapuziner Johann Martin (1633–1702), der sich Laurentius von Schnüffis nannte, ebenfalls die großen Möglichkeiten der Kontrafaktur. Die Schäferei war als Maskenwelt der dankbarste Motivbereich, der sich zu geistlichen Zwecken ausgestalten ließ. Hier blühte die Jesusminne. Wie Spee und nach ihm Scheffler (s. S. 223) gestaltete Schnüffis in seiner Gedichtsammlung *Mirantisches Flötlein* (1682) und seinem geistlichen Roman *Philoteus* (1665) das schäferliche Liebesverhältnis von Seele und Gott. Auch die geistlichen Lieder des protestantischen Pansophen Christian Knorr von Rosenroth (1636–1689) gehören in diesen Umkreis.

Die Ursache für die Popularität der Hirtenwelt als geistlicher Szenerie lag in der mystischen Tendenz der Lieder. Das Hirtenreich Arkadien war seit der Antike das Land des goldenen Zeitalters, denn von seinen Bewohnern nahm man an, daß sie im Zustand naiver Einheit mit sich und ihren Göttern lebten. Was als mythischer Zustand verloren war, wurde mystisch wieder gesucht und war mittels der Hirtenthematik beschreibbar. Auf arkadische Weise, als Liebesverhältnis Seele–Gott, konnte die ersehnte Einheit mit dem Göttlichen gestaltet werden.

g) Weltliches Lied

Was das weltliche Lied von den anderen lyrischen Formen unterscheidet, hat Opitz in der *Poeterey* klar ausgesprochen: «Die lyrica oder getichte die man zur Music sonderlich gebrauchen kan» bevorzugen als Themen «buhlerey, täntze, banckete, schöne Menscher ... Sonderlich aber vermahnung zue der fröligkeit». Das Lied verhält sich damit zu der von Opitz «Hymne» genannten Ode wie die Komödie zur Tragödie. Das Lied ist die realistische Gattung unter den lyrischen Formen. Wenn auch als Kunstdichtung verstanden, nimmt es die Gegenposition zu den Möglichkeiten des hohen Stiles ein. Opitz machte gerade diesen Punkt zum Thema des Beispiels, das er seiner Lieddefinition anhängte:

> *Ich empfinde fast ein grawen*
> *Das ich, Plato, für und für*
> *Bin gesessen uber dir;*
> *Es ist zeit hienauß zue schawen,*
> *Und sich bei den frischen quellen*
> *In dem grünen zue ergehn,*
> *Wo die schönen Blumen stehn,*
> *Und die Fischer netze stellen*
> *Worzue dienet das studieren,*
> *Als zue lauter ungemach?*

Das Lied als die bewußt gestaltete Antithese zu den komplizierteren Formen und den ihnen eigenen Inhalten oder Gehalten zu begreifen, führt weiter als die von Günther Müller vertretene These, nach der das Lied Opitzens zwar nicht «Seelenausdruck» sei, dafür aber «Persönlichkeitsabdruck» oder «Gestaltung einer maßvoll epikuräischen Lebensauffassung»[78]. Das trifft sicher für die Dichter zu, die sich hauptsächlich der Liedgattung widmeten. Für Opitz hingegen war das Liederschreiben in erster Linie eine Stilentscheidung. Das wird durch den von Günther Müller beobachteten Sachverhalt bestätigt, daß Opitz immer zu verstehen gab, er könne «viel Bedeutenderes, Gelehrteres, Ernsteres sagen».

Ein weniger gebrochenes Verhältnis zur Lieddichtung hatten diejenigen Poeten, die wie Wenzel Scherffer von Scherffenstein (1603–1670), die Leipziger Studentendichter oder die Königsberger (s. S. 173) vom Musikalischen oder vom geselligen Zweck ausgingen und in der Vertonbarkeit eine Hauptqualität des Liedes sahen. So zeichneten sich die Gedichte, die der Musikfreund Andreas Tscherning (1611 bis 1659) schrieb, durch eine bündige und knappe Ausdrucksweise aus, die oft ihre Singbarkeit begründete. Tscherning war wie Opitz Handwerkersohn aus Bunzlau und wurde 1644 in Rostock Professor für Poesie. Seine geistlichen und weltlichen Lieder, besonders die der Sammlung *Deutscher Getichte Früling* (1642), wurden im

17. Jahrhundert wegen ihrer stark von Opitz beeinflußten formalen Qualität sehr geschätzt. Erst als man den «Niederschlag der Seele» in der Lyrik suchte, machte man dem Verfasser seine montierende Schreibweise zum Vorwurf und sah es als Argument gegen den «Dichter» an, daß er, wie es guter Humanistenbrauch war, im Anhang an die zweite Auflage seiner Poetik *Unvorgreiffliches Bedenken über etliche mißbräuche ... der edlen Poeterey* (1659) eine *Schatzkammer* von Bildern und Sentenzen anlegte, aus der er seine Gedichte «zusammenstückeln» konnte[79].

Die Zahl der an der Lieddichtung beteiligten zweit- oder drittrangigen Autoren war beträchtlich. Die objektive Formensprache des 17. Jahrhunderts bewirkte bei allen denjenigen eine literarische Fruchtbarkeit, denen das Hantieren mit den üblich gewordenen Formen, Motiven oder Bildern leicht fiel. Ob Zacharias Lund (1608–1667), Gottfried Finckelthaus (1614–1648) oder Johann Georg Schoch (1634 bis ca. 1690), ihre Gedichte blieben meist im Rahmen des Gängigen. Die Barockpoeten der zweiten und dritten Garde sind so durch ihre Austauschbarkeit charakterisiert, wie es die bedeutenden Dichter der Epoche auszeichnet, daß sie mit der objektiven Sprache und den konventionellen Motiven durchaus Eigenes oder Unverwechselbares zu sagen verstanden. Das gilt unter den Lieddichtern besonders für Fleming, Dach und Günther.

Unter den Epigonen des neuen Stiles, den sie formgewandt traktierten, waren Tscherning, der Dresdner Hofdichter David Schirmer (ca. 1623–1683) und der bei Hamburg geborene und wirkende Pastor Johann Rist (1607–1667) sicher die erfolgreichsten. Rist war ein ländlicher uomo universale im Predigergewand. Er trieb Naturspekulation und die Poeterei als gesellschaftliche Betätigung und Bestätigung, wurde geadelt und erhielt die Pfalzgrafenwürde. Rist gründete 1656 den Elbschwanorden. Er gab, Harsdörffer nachahmend, die *Monatsgespräche* (1663 ff.) heraus und verfaßte mehrere Spiele. Die Idylle, in der er lebte, war ihm nicht Gegenwelt, sondern Raum heiterer Selbstsicherheit und Spannungslosigkeit, die auch seine versreichen weltlichen Gedichte prägte. 1643 und während des Nordischen Krieges brach die Soldateska zerstörend in seine Pfarrei ein. Rists spätere Jahre standen im Zeichen seiner geistlichen Lieder, von denen er die stattliche Zahl von 659 veröffentlichte und deren bekanntestes Beispiel *Betrachtung der Ewigkeit* Zeugnis von Rists Fähigkeit gibt, mit einfachen, kraftvollen Bildern zu sprechen. In seinen weltlichen Liedern herrschte die der Gattung eigentümliche, realistische Tendenz, die sich ebenso in antihöfischen oder schwankhaften Themen und in Liebesgedichten äußern konnte, in denen es um den konkreten Vollzug der Liebe ging:

> *Daß jetzt der Stier die Kühe sucht,*
> *Der Bock die weißen Ziegen,*
> *Daß Philomel dem Thereus flucht,*
> *Die Dohlen häufig fliegen;*
> *Das, singen wir ohn' allen Spott,*

> *Verschaffest du, der Liebe Gott,*
> *Du kanst sie all betriegen.*

Georg Greflinger (ca. 1620–ca. 1677) aus der Regensburger Gegend wurde Mitglied des Elbschwanordens, nachdem er im Anschluß an seine lange Soldatenzeit 1648 Notar in Hamburg geworden war. Greflinger übersetzte Emblemata, verschiedene Fachbücher und erstmalig Corneilles *Cid* ins Deutsche[80]. Er gab die Zeitschrift *Nordischer Mercurius* heraus und schrieb *Der Deutschen Dreyßig-Jährige Krieg* (1657). In seinen Gedichtsammlungen *Seladons Beständige Liebe* (1644) und *Seladons weltliche Lieder* (1651) fällt ein Gedichttyp auf, der nach dem Satz- und Gegensatzprinzip geformt ist und häufig Widerspiel genannt wurde: So erscheinen eine schöne und eine häßliche Jungfrau als

Gelbe Haare I Güldne Stricke I	*Graues Haar voll Läuss und Nisse*
Tauben-Augen I Sonnen-Blicke I	*Augen von Scharlach I voll Flüsse*
Schönes Mündlein von Corallen	*Blaues Maul vol kleiner Knochen*
Zähnlein I die wie Perlen fallen.	*Halb verrost und halb zerbrochen.*

In solcher mechanischen Kontrastierung ist das Antithetische, das als Zeitstil bezeichnet wurde, bewußt veräußerlicht und damit die gängige Barockmetapher parodistisch entlarvt worden. Greflingers realistisch-derbe Gedichte sprechen vom Gegenteil petrarkistischer Verzichthaltung und Sublimierung. Sie sprengen damit nicht die Konvention, wie behauptet wurde[81], sondern haben ihren durchaus konventionellen Ort in der realistischen Liedgattung, wie sie Opitz definiert hatte. Diese Gattung bevorzugte Vergleiche mit Elementen aus der niederen Realität. In einem Scherzgedicht nannte Ernst Christoph Homburg (1605–1681) die *Dahmen ohne Freyer*

> *Eine Wage sonder Schüssel,*
> *Dann ein Maalschloß sonder Schlüssel,*
> *Eine Wiege ausser Kind,*
> *Und ein Blaßbalg ohne Wind.*

Diese Tendenzen fanden in Kaspar Stieler (1632–1707) einen Meister. Stielers Preis galt der Sinnlichkeit. Liebeskummer und -freude, Eifersucht, Verwechslung oder die mühevollen Wege zum Bett der Geliebten waren die stets variierten Themen, mit denen Stieler zu einem Boccaccio der deutschen Lyrik wurde. Enthielt das Hauptwerk des Italieners zehnmal zehn Geschichten, so teilte Stieler die Gedichte seiner Sammlung *Die geharnschte Venus oder Liebes-Lieder im Kriege gedichtet* (1660) in sieben Zehnergruppen und einen Anhang von Sinnsprüchen ein. In Titel und Beginn der Sammlung wurde der aus der Antike stammende Liebe-Krieg-Topos aktualisiert. Stieler vermittelte den derben Inhalt in kunstvollen Formen. Günther Müller hat die Polarität von Form und Inhalt der Gedichte treffend analysiert: «Dies Gegeneinanderspiel wird dadurch möglich, daß doch auch die Form von sinnlicher Prägnanz ist. ... Stieler sind die Worte Träger der klar umrissenen gegenständlichen Bedeutung und des Rhythmus, und zwar eines packenden, scharfen, zielstrebigen Rhythmus. Von ihm sind auch die mit überlegener Sicherheit gebauten verwickelten Strophengebilde erfüllt[82].» Stieler verstand es jedoch, die Worte nicht nur als Träger klar umrissener Bedeutung zu setzen, sondern auch mit ihrer Vieldeutigkeit zu spielen. Seine Sinnreden leben aus dem Zugleich von alltäglicher und erotischer Bedeutung der Worte, wie das Epigramm der Mystiker aus der Doppelung von normalen und mystischen Bedeutungsgehalten. Ob sexuelle oder mystische Zweideutigkeit, das Epigramm wurde beiden gerecht.

Die realistische Tendenz des Liedes erlaubte es, viele der genannten Lieddichter unter dem Sammelbegriff «Antipetrarkismus» zu vereinigen[83]. Sprach der Petrarkismus von der Nichterfüllbarkeit der Liebe, also vom Liebesleid, so waren für den Antipetrarkismus der Liebesvollzug, die Ehe sowie die Frauen- oder Männersatire die Hauptthemen. Viele Lieder dieses Typs wurden anonym in Sammlungen nachgedruckt, unter denen das *Venus-Gärtlein* (1656) die erfolgreichste war. Die Popularität der realistischen Liedgattung hat lange zu der Annahme verführt, daß es sich hier meist um «zart duftende Blümchen des Volksgesanges[84]» handele. Das Wissen um den kunstlyrischen Charakter dieser Lieder ist inzwischen jedoch Allgemeinbesitz geworden.

h) Fleming

Was Opitz theoretisierte und gestaltete, beeinflußte in großem Maße auch den jungen Poeten, der sich neben Gryphius zum bedeutendsten Lyriker des 17. Jahrhunderts entwickelte: Paul Fleming. Ihm lieferte Opitz mehr als nur die neuen Normen, denn besonders Fleming erscheint in vieler Hinsicht als der Nachkomme, der in reichem Maße ernten konnte, was der Vorangegangene angelegt und abgesteckt hatte. Seine Dankbarkeit und Verehrung für den großen Vermittler hat Fleming ausdrücklich lyrisch manifestiert (Sonette auf den fälschlich angenommenen Tod des Opitz). Besonders die dialektische Gestaltungsweise des Opitz hat Fleming ebenso spielerisch wie vielfältig angewandt und mit dieser Dialektik das rhetorische Erbe der Uneigentlichkeit übernommen. Fern der Ich-Offenbarung steht Opitzens Lyrik, und auch Flemings Poesie sollte nicht auf subjektive Bekenntnisgehalte hin befragt werden.

Paul Fleming (1609–1640) gehört zu den genialen Begabungen, deren reiches Jugendwerk demonstriert, welcher Verlust durch den frühen Tod zu beklagen ist. In Hartenstein im Sächsischen als Theologensohn geboren, kam er 1623 an die Leipziger Thomasschule, deren Kantor Hermann Schein mit seiner Liedkunst dem jungen Fleming wichtige Impulse gab. An der Leipziger Universität studierte Fleming Medizin und erwarb den Magistertitel. Die für sein Leben folgenreichste Bekanntschaft machte er während dieser Zeit mit dem in Leipzig lebenden Adam Olearius (1603–1671). Olearius wurde zur Teilnahme an einer Gesandtschaft durch Rußland zum Persischen Reich aufgefordert und vermittelte auch Fleming eine Stellung in dieser Expedition. Des Olearius Bericht von der 1635 begonnenen und wirtschaftspolitischen Zielen geltenden Reise *Offt begehrte Beschreibung Der Newen Orientalischen Reise* (1647) wurde zu einer berühmten geographischen Pionierschrift und war mit ihren Karten lange die einzige zuverlässige Informationsquelle für Landschafts- und Bevölkerungsverhältnisse der bereisten Gegenden. Das Unternehmen verzögerte sich am Beginn, und ein Jahr mußte Fleming mit einem Teil der Gesandtschaft in Reval (Estland) bleiben. Er verkehrte dort im Haus des Kaufmanns Niehus, dessen Tochter Elsabe seine Neigungen weckte. Das Mädchen heiratete jedoch ein gutes Jahr nach Flemings Weiterreise einen seßhaften Akademiker. Nach seiner Rückkehr verlobte sich Fleming mit Elsabes Schwester Anna und reiste nach Leyden, wo er zum Doctor medicinae promovierte. In Hamburg wollte Fleming als Arzt praktizieren, doch er starb plötzlich an einem Lungeninfekt. Er hatte gerade eine Ausgabe seiner gesammelten Gedichte für den Druck vorbereitet.

Olearius folgte dem Wunsch des Verstorbenen, *D. Paul Flemings Teütsche Poemata* (1642) herauszugeben. Eine kleinere Sammlung, *Poetischer Gedichte Prodromus* (1641), war vorausgegangen, und eine Teiledition von Flemings lateinischen Gedichten (*Lateinische Poemata*, 1646) folgte. Flemings rasch wachsende Popularität zeigen mehrere Neuauflagen der *Poemata* während der folgenden Jahre. Wie nur wenige seines Jahrhunderts war Fleming ausschließlich Lyriker. Ein allegorisch verschlüsselter Staatsroman *Margenis* (wohl nach Barclays *Argenis* s. S. 201) blieb Plan. In der Lyrik dominieren zeitüblich die Gelegenheitsgedichte, also die vielen zu traurigen, würdigen oder freudigen Anlässen geschriebenen und den Repräsentanten seiner Umwelt geltenden Poeme. Weniger ihnen als seiner Liebesdichtung dankt Fleming seine Berühmtheit. Ode, Sonett und Alexandrinergedicht sind seine Hauptformen, zu denen noch zahlreiche Epigramme kamen.

Die Teilnahme an der langen und gefahrvollen Expedition, die Ferne von Heimat und sicherer Existenz waren für Flemings literarische Produktivität Voraussetzungen, die dem gelehrsamen Schreibtischpoeten, der Distanzen nur imaginieren konnte, fehlten. Die ungewöhnlichen Lebensumstände Flemings bedingten den speziellen Charakter seiner Lyrik, den man immer wieder als «erlebnishaft» oder als Vorstufe zur späteren Erlebnislyrik bezeichnet hat. Wie weit nun ist diese Lyrik bereits «subjektiv»? Daß Fleming seine Studien in Leipzig abbrach und sich der Expedition anschloß, bedichtete er in folgendem Sonett:

Was ist es denn nun mehr, dass du so hungrig bist
viel Länder durch zu sehn bei Regen, Frost und Hitze,
durch Wildnüss und durch See zu kommen an die Spitze,
wo Leute, die man ehrt? Ernährst du, was dich frisst,
*   die Faulheit dieser Zeit? Vernimst du noch die List*
des leichten Wahnes nicht, wirst willig arm vom Witze
und Mangel reich zu sein? Bist keinem Stande nütze?
Bleibst allzeit ungeehrt und ewig ungeküsst?
*   War dieses nun dein Zweck Sophien so zu hassen,*
Olympen Feind zu sein, Hygeen zu verlassen?
Tu Rechnung von dir selbst, von dir und deiner Tat!
*   Doch, du bist wider dich. Die Sehnsucht fremder Sachen,*
was wird sie dermaleins noch endlich aus dir machen,
weil auch dein eigner Rat bei dir selbst Stat nicht hat?

Die Entscheidung des Autors, die Heimat zu verlassen, ist Thema. Ist das Gedicht
darum ein Dokument subjektiver Unmittelbarkeit? Keineswegs. Deutlich wird
gesagt, daß Fleming die Gesellschaft verläßt, um in ihr zu avancieren. Die Entscheidung des Ichs wird von ihren sozialen Folgerungen her erfaßt. Indem Fleming
die eigene Entscheidung zum Thema des Sonetts macht, objektiviert oder distanziert er sie. Das Ich wird als angeredetes Du zum Gegenspieler des Verfasser-Ichs.
Diese Gegensätzlichkeit ermöglicht die Antithesen, aus denen das Sonett lebt. Indem der Verfasser dem angesprochenen Ich bestätigt, «arm vom Witze» zu sein,
dokumentiert er seinen Witz. Darum ist die Antithese zu Beginn des letzten Ter-
zetts: «Doch, du bist wider dich» die entscheidende des Sonetts. Als kürzester Satz,
der als einziger identisch mit einer Halbzeile ist, fällt diese Aussage auch syntak-
tisch aus dem Rahmen der übrigen und ist dadurch betont. Diese Spaltung in ein
Sprecher-Ich und ein angesprochenes Ich ist charakteristisch für Fleming und in
vielen Gedichten formuliert. Hier geht Fleming im Rahmen des Petrarkismus
neue Wege. Mit seiner ersten Veröffentlichung hatte er sich noch als gewandter
Spieler mit bewährten Mustern gezeigt. In *Rubella seu Suaviorum liber* (1631) dominieren die Motive und Formen der neulateinischen Liebeslyrik. Dann wurde
Fleming durch die Expeditionsteilnahme aus den bisherigen sozialen Bindungen
gelöst und war auf sich selbst gestellt. Die Folge war, daß er sich selbst thematisch
wurde. Das bedeutete jedoch keinen Schritt zur «subjektiven Lyrik». Zwar meint
Hans Pyritz, daß durch das Zusammentreffen von Liebe zu Elsabe und Reise nach
Persien das individuelle Erleben Fleming zu vollerem Durchbruch in seiner Lyrik
kommt, indem beide Faktoren eine latente Konfessionsbereitschaft des Autors
verursachen[85]. Pyritz weist mit Recht darauf hin, daß Fleming durch die Reise in
eine ganz andere Situation kam, daß er abgeschnitten von den literarischen Quellen
und herausgerissen aus dem Stromkreis der Gesellschaft war. Daß aber dadurch

die Umweltbeziehungen ihren gegenständlichen Charakter verlieren, daß sie «ent-objektiviert und in den Strom des gelebten Lebens hineingerissen» werden, ist eine von Pyritz gezogene Folgerung, die sich aus der Reisesituation nicht zwangsläufig ergibt und aus den Gedichten Flemings kaum herauszulesen ist.

Fleming ist der bedeutendste deutsche Vertreter des Petrarkismus. Petrarcas Grundsituation der unerfüllbaren Liebe wird von Fleming variiert, wenn er Ent-fernung zu Elsabe oder ihren Verlust beklagt. Die Weise jedoch, in der Fleming seine Liebe und die Wirkung seiner Liebe zum Thema macht, ist das Gegenteil von «Entobjektivierung». Fleming zeigt die Not eines glücklos liebenden Ichs und proklamiert zugleich die Distanz zu solcher Not. Das Ich hat sich an der Liebe zu bewähren. Nicht Hingabe an ein Liebesleid, sondern stoische Distanz zum Ich bleibt das Ziel. Einsicht in das «Verhängnis», das stärker ist, Einsicht in den ewigen Wechsel der Dinge, der auch das Liebesleid ändert, ist das unausgesprochene oder formulierte Postulat. So beginnt eine von Flemings Liebesoden:

> *Mein Unglück ist zu gross,*
> *zu schwer die Not,*
> *so mancher Herzensstoss*
> *dreut mir den Tod.*
> *Mein Schmerz weiss von keiner Zahl.*
> *Vor, nach und allemal*
> *häuft sich die Qual –*

um nach einigen Strophen fortzufahren:

> *Mit Gott und mit der Zeit*
> *muss alles sein.*
> *Ein Wechsel kehrt mein Leid*
> *und ganze Pein*
> *Hat nichts als Unbestand bestand,*
> *so wird mein Ach zuhand*
> *in Lust verwant.*

Damit hat in Flemings Schriften das Persönliche die Rolle übernommen, die in den Gedichten der anderen die überpersönlichen Ereignisse innehatten. Wurde das «verheerte Deutschland» von Opitz nicht um seiner selbst willen geschildert, son-dern als Prüfstein der Bewährung, so hier der Liebeskummer. «Nimm dein Ver-hängnis an», heißt es in Flemings berühmtem Sonett *An sich*. Die Distanz, mit der Opitz der Widerwärtigkeit der allgemeinen Wirklichkeit begegnete, ist hier zu einer Distanz gegenüber dem Ich und seinen Nöten geworden und oft als Aus-einandersetzung des Ichs mit sich selbst formuliert:

> *Ich bin mir Freund und Feind. So streitet Streit mit Friede,*
> *so schlagen sie sich selbst stets an einander müde.*

Somit haben nur die res gewechselt. Fleming macht nicht einen Schritt in Richtung «spontaner Subjektivität», sondern bereichert, beeinflußt vom Petrarca, die für seine Zeit verbindlichen rhetorischen Gestaltungsweisen um einen neuen wichtigen Themenkreis.

Wie sehr Fleming in der Lage war, sich selbst zu objektivieren, zeigt die Tatsache, daß er sich wenige Tage vor seinem Tode die eigene *Grabschrift* schrieb, in der folgerichtig die Distanz zum eigenen Ich zur Distanz dem eigenen Tod gegenüber wird:

Ich war an Kunst und Gut und Stande gross und reich.
Des Glückes lieber Sohn. Von Eltern guter Ehren.
Frei; meine. Kunnte mich aus meinen Mitteln nähren.
Mein Schall floh überweit. Kein Landsmann sang mir gleich.

Von Reisen hochgepreist; für keiner Mühe bleich.
Jung, wachsam, unbesorgt. Man wird mich nennen hören,
Bis dass die letzte Glut dies alles wird verstören.
Dies, deutsche Klarien, dies Ganze dank ich euch.

Verzeiht mir, bin ich's wert, Gott, Vater, Liebste, Freunde,
Ich sag euch gute Nacht und trete willig ab.
Sonst alles ist getan bis an das schwarze Grab.

Was frei dem Tode steht, das tu er seinem Feinde.
Was bin ich viel besorgt, den Odem aufzugeben?
An mir ist minder nichts, das lebet, als mein Leben.

i) Dach und die Königsberger

Eine Grabschrift, wie sie sich Fleming verfaßt hat, hätte Simon Dach nie geschrieben. Er war an «Kunst», doch nicht an «Gut und Stande gross und reich». Er sah sich nicht als des «Glückes lieber Sohn», sondern beklagte ein Schicksal, das ihm zuerst lange Jahre wirtschaftlicher Not und später quälende Krankheit bescherte. Lebensbewältigung ist so häufig das Thema Flemings wie Todesbewältigung das Thema Dachs, auch deshalb, weil man ihn besonders häufig aufforderte, Verstorbene mit Versen zu würdigen. Denn in einem weiteren Punkt wirken beide Autoren wie Antipoden: gewann Flemings Lyrik ihr Profil durch die Lösung des Autors aus den heimatlichen Bindungen, so sind Dachs Gedichte ohne sein Eingebettetsein in die Gesellschaft und Ordnung der Universitätsstadt Königsberg nicht denkbar.

Simon Dach (1605–1659) wurde in Memel als Sohn eines armen Gerichtsdolmetschers geboren. Als Famulus und Kostgänger von Verwandten, dann als

Privatlehrer fristete er während der Schul- und Studienzeit ein kümmerliches Leben. Seine Hauptstudien galten antiker Literatur. 1633 wurde Dach Lehrer und 1639 Konrektor an der Königsberger Domschule. Dem physisch labilen, an der Lunge kränkelnden Dach bedeutete die Professur für Poesie, die er nach 1639 durch Vermittlung des preußischen Kurfürsten an der Königsberger Universität erhielt, eine gewisse Erleichterung.

Simon Dach hinterließ ein umfangreiches Werk, dessen großer Teil anlaßgebundene, zu Hochzeiten, Leichenbegängnissen und anderen wichtigen Daten im Leben der kleinen und großen Patrizier Königsbergs verfaßte Gedichte sind. Diese bestellte Poesie ist als Spiegel Dachs und seiner Umwelt nicht weniger charakteristisch als die ohne Aufforderung und Geld geschriebene Lyrik, wenn auch Dach sich gelegentlich unmutig über den Nebenberuf als emsiger Verseschmied geäußert hat. Der erfahrene Gelegenheitslyriker verstand sich auf die Übereinstimmung von Stillage und gesellschaftlicher Position des Adressaten. So wurde die Hochzeit eines May. Munck humorvoll-familiär bedichtet:

> *Was that Herr Munck*
> *Für einen Sprung?*
> *Nicht von des Thurmes Spitzen,*
> *Wer also springt,*
> *Nach Unglück ringt,*
> *Kömt ziemlich schlecht zu sitzen.*

Der Adlige Daniel von Tettau und seine Frau wurden aus gleichem Anlaß wesentlich respektvoller gewürdigt:

> *Edles Paar, die Zeit dient dir*
> *Oder warlich du den Zeiten,*
> *Daß itzt deiner Heyrath Zier*
> *Alle Freude muß begleiten.*
> *Lufft und Erde, Wald und Feld*
> *Sich wie neugeboren hält.*

Als aber Kurfürst Friedrich Wilhelm 1641 Königsberg einen Besuch abstattete, zelebrierte Dach ihn mit einer lyrischen Geste ganz im Geiste des absolutistischen Zeitalters: «Gott kommt sonst nimmermehr uns Menschen zu Gesicht!» Schon als 1635 der Polenkönig Wladislaus IV. nach Königsberg gekommen war, hatte sich Dach mit der Technik repräsentativer Demonstration vertraut gezeigt und das Textbuch zum Singspiel *Cleomedes* verfaßt. Ein zweites Singspiel *Sorbiusa* folgte 1644 zur Hundertjahrfeier der Königsberger Universität. Zu beiden Opern schrieb Heinrich Albert die Musik.

Was war Dachs besondere Leistung? Immer wieder hat man die «eindringliche Naturnähe» mancher Gedichte und die «Gefühlsunmittelbarkeit, die auf den Sturm und Drang vorausweist», betont[86]. Ohne Zweifel ist die Schlichtheit vieler Verse Dachs in einer Zeit auffallend, die die rhetorischen Wortballungen schätzt. Viele von Dachs Motiven und Bildern sind nicht nur schlicht im volksliedhaft-formelhaften Sinn, sondern wirklichkeitsnah und aus der Sphäre des Alltags genommen. Berühmt ist seine Schilderung der durch Atemnot schlaflosen Nacht:

> *Der Sternen Glantz muß weichen*
> *Und macht dem Tage Bahn:*
> *Ich habe noch vor Keichen*
> *Kein Auge zugethan.*

Die Klage wurde jedoch nicht laut, um Ausweglosigkeit auszudrücken. Dach formulierte sie nicht um ihrer selbst willen, sondern, wie die letzte Strophe deutlich sagt, um den beruflichen Ausfall zu motivieren. Die nächtliche Not wurde um eines bestimmten, auch hier gesellschaftsgebundenen Zweckes willen genannt. Entsprechende Funktionen haben auch die anderen realistischen Szenen oder Details in Dachs Lyrik. Sie sind als Exempla genannt, ihre Funktion ist uneigentlich. So geht es nicht um die Natur selbst, wenn Dach ein Gedicht beginnt:

> *Jetzt schlafen Berg' und Felder*
> *Mit Reif und Schnee verdeckt.*

Vielmehr wird die Naturszene und mit ihr der Jahreszeitrhythmus zum Beispiel des ewigen Wechsels aller Dinge. Dachs Leistung liegt darin, daß die Exempla stimmen. Gerade ihre Wirklichkeitsnähe garantiert ihre Überzeugungskraft. So findet Dach für alle Dickhäutigen, die der Tod eines Mitmenschen nicht zu heilsamer Selbstbesinnung bringt, das treffende Beispiel vom Hühnerhof:

> *Recht als wan eine Magd ein Huhn*
> *Würgt in der Hüner-Kammer,*
> *Die andern man sieht kläglich thun,*
> *Da ist Geschrey und Jammer.*
> *Sie hat sich kaum hinaus gethan,*
> *Kein Leid ist hier zu sehen,*
> *Sie kahkeln fort, der Vater Hahn*
> *Hebt wieder an zu krehen.*

Dieser Nähe zum kleinen Alltag entsprach Dachs Distanz zu den großen Problemen seines Landes. Die religiöse Spaltung und der Dreißigjährige Krieg fanden kaum sein literarisches Interesse. Die anspruchsvolleren Formen von Epigramm, Sonett und Ode, die oft der gedanklichen Auseinandersetzung mit den allgemeinen Zeitproblemen dienten, blieben Dach ferner als die realistische Gattung des Liedes, dessen Meister er war.

Der Krieg drang nicht bis in den deutschen Osten, und Königsberg war eine

Oase des Friedens, die jedoch von schweren Pestnöten bedrängt war. Es ist bezeichnend, daß Dach noch die Enklave innerhalb der Enklave suchte. Sie hieß die «Musikalische Kürbishütte». In Königsberg hatte sich ein Kreis von Männern versammelt, etwa zwölf Bürger, die sich gemeinsam der Literatur und Musik widmeten. Das Lied stand im Mittelpunkt ihres Interesses. Die führenden Köpfe waren Robert Roberthin (1600–1648) und Heinrich Albert (1604–1651). Dach, der Produktivste und literarisch Bedeutendste des Kreises, war von Roberthin beeinflußt. Dieser konnte als weitgereister und gebildeter Weltmann dem an die Provinz gebundenen Dach wesentliche literarische Einsichten vermitteln, vor allem die Theorien des Opitz, mit dem Roberthin in Verbindung stand. Heinrich Albert, der Königsberger Domorganist, wirkte als Komponist und Poet und war während seiner Leipziger Studienzeit musikalischer Schüler Hermann Scheins und seines Onkels Heinrich Schütz. Er besorgte außerhalb der Stadt einen Garten, der zum geliebten Treffpunkt der Königsberger Musengruppe wurde. Der Garten trug Kürbisse, in die man Namen und Sprüche schnitt. Das gab dem Gartenhäuschen und schließlich der ganzen Gruppe die Bezeichnung «Kürbishütte». Sie bestand nicht lange. Die Freunde nannten sich mit Recht «Sterblichkeitsbeflissene». Die meisten wurden als Opfer der Pest früh zu Grabe getragen. Unter Dachs zahlreichen zu Todesfällen geschriebenen Trostgedichten sind viele in ihrem Kern trostlose Nachrufe auf liebe Freunde.

Die Kürbisgartenlandschaft war nicht nur Raum, sondern auch Thema lyrischer Gestaltung. Das Nennen von Wiesen, Blumen, schattenspendenden Bäumen und Vogelsang bedeutete jedoch keine naturnahe Schilderung. Dach, der geschulte Lateiner, bezeichnete den Kürbisgarten wiederholt als «hortus amoenus» und wies damit auf die topische Tradition der Naturelemente. Sie waren die klassischen Kulissen des locus amoenus und füllten oder begrenzten eine Idylle des Friedens, deren Beschreibung alles Unfriedliche und Sorgenhafte der übrigen Welt voraussetzte. Als «Drangsals-trost» und «Kranckheits-Arzt» gepriesen, bewies auch der locus amoenus Drangsal und Krankheit, die von Dach so häufig zum Thema gemacht wurden.

k) Hoffmannswaldau und die Galanten

«Der Herr von Hoffmannswaldau / welcher ein Schüler des Opitzes gewesen / hat ihm doch gantz einen andern weg / als Opitz und Gryphius, erwehlet; indem er sich sehr an die Italiäner gehalten / und die liebliche schreib-art / welche nunmehr in Schlesien herrschet / am ersten eingeführet. Zwar muß ich gestehen / daß sein stylus zu Tragoedien oder heroischen gedichten sich nicht wohl schicken würde: allein er hat sich auch an dergleichen dinge niemahls gemacht; sondern hat seine meiste kunst in galanten und verliebten materien angewandt / worinnen er sich auch so sinnreich erwiesen / daß man ihn billig für den deutschen Ovidius preisen mag.» Mit diesen Worten aus der Vorrede zu *Herrn von Hoffmannswaldau und andrer Deutschen auserlesener und bißher ungedruckter Gedichte* (1697) erklärte der Herausgeber Benjamin Neukirch (1665–1729) Hoffmannswaldau zum Vater der galanten Dichtung. Christian Hofmann von Hoffmannswaldau (1617–1679) war der Sohn eines geadelten kaiserlichen Kammerrats aus Breslau. Von 1636 bis 1638 besuchte er das Gymnasium academicum in Danzig und begegnete hier Opitz. 1638 ging Hoffmannswaldau zum Jurastudium nach Leyden, wo er Gryphius kennenlernte. Eine Bildungsreise nach England, Frankreich und Italien schloß sich an. 1641 kehrte Hoffmannswaldau in die Heimat zurück. Seine erfolgreiche Berufslaufbahn gipfelte in der Präsidentenstelle des Breslauer Ratskollegiums.

Zu den ersten literarischen Arbeiten nach der Heimkehr Hoffmannswaldaus gehören die *Poetischen GrabSchrifften*. Dieser Sonderform der Epigrammatik hatte sich schon Martial gern bedient. Im neulateinischen Schrifttum des 16. Jahrhunderts und bei den Barockdichtern war die Form gleichermaßen populär. Man unterschied ernste und witzige Grabschriften und bevorzugte besonders die letzteren, in denen gern Größe, Beruf oder hervorstechendes Merkmal eines Menschen in ein paradoxes Verhältnis zu seinem Totsein gebracht wurde.

> *Grabschrifft eines gehenckten Seilers.*
> *WAs diesen leib erhält; kan oft den leib verterben*
> *Ich lebte von dem strick, und must am strick ersterben.*
>
> (Gryphius)

Die Grabschrift war weit weniger als das Epigramm durch einen bestimmten Sachbezug charakterisiert. Zwar konnten auch hier Lob und Tadel historischen Persönlichkeiten gelten, doch war das dann nur Anlaß für einen guten Einfall oder ein Wortspiel. Auf die Pointe kam es an. Da die Grabschrift weniger zielbezogene Satire als eine Form war, die ihren Zweck als Pointe in sich fand, wurde sie besonders von den Manieristen geschätzt. Man hat den Manierismus als Stil der Pointe, des acumen oder acutus definiert[87]. Das acumen galt als Leistung des besonders produktiven ingenium, also der Eigenschaft, der das rhetorische System den inventio-Bereich zuordnete und das iudicium als Kontrollinstanz beigesellte[88]. Der Manierist verließ sich mehr auf sein ingenium als auf das iudicium, das für die Einhaltung der poetischen Regeln zu sorgen hatte. Ihm kam es mehr auf seinen Einfall als auf die objektiven Normen an. Da Hoffmannswaldau die Originalität seines Schaffens sowie die inventio-Tätigkeit ausdrücklich betonte und zugleich den Gelehrsamkeits- und Lehranspruch der Dichtung reduzierte, war seine literarische Grundkonzeption manieristisch. In den Vorreden, mit denen Hoffmannswaldau seine Werke einleitete und die als Dokumentation seiner poetologischen Ansichten gelten, schrieb er: «Ich scheue mich nicht zu bekennen/ daß ich zu den Poetischen Sachen von Jugend auff einen zimlichen Zug gehabt/ und darinnen fast mein eigener Meister gewesen bin/ massen ich denn keine gedruckte Anweisung dazu auffgeschlagen/ und allein durch fleissige Uberlesung der reinen deutschen Reimen/ reimen lernen/ biß daß ich bey anwachsenden Jahren/ vermittelst fleissiger Durchsuchung gelehrter Schrifften/ auch endlich tichten und erfinden können/ indem das erste alleine/ der Pritschmeisterey gar nahe kommt/ das andere aber/ so zu sagen/ der Poesie Seele ist[89].» Das war keine Vorwegnahme subjektivistischer Ästhetik, sondern ein manieristisches Konzept, denn die starke Betonung des «Erfindens» zielte bei gleichzeitigem Beiseiteschieben der «gedruckten Anweisung» nicht auf Originalität, sondern auf das originelle Spiel.

Dieses Spiel trieb Hoffmannswaldau in seiner gesamten Lyrik. Die Pointe war nicht nur in den Grabschriften, sondern auch in anderen Formen wie der des Sonetts häufig Ziel und Zweck des Gedichtes. Der formalen Vielfalt von 66 verschiedenen Strophenformen, derer sich Hoffmannswaldau bediente, stand seine Konzentration auf zwei Hauptthemen gegenüber: die Liebe und die Vergänglichkeit. Hoffmannswaldaus Begründung für seine ästhetische Spielhaltung, die er mit dem Satz formulierte: «Was ich thue / das thue ich Lust halben[90],» war zugleich die Motivation für die beherrschende Rolle, die die «Lust» als Thema spielte. Jede Stilhaltung hat ihr adäquates Thema. In der Vorrede zu seiner Sammlung *Sinnreiche Helden-Briefe verliebter Personen von Stande* (1663, gedr. 1679) nannte Hoffmannswaldau die Liebe die «Herzwurzel» der Poesie und diese den «lieblichsten Blumengarten» der Liebe. Vierzehnmal kamen hier in einer Prosazusammenfassung und anschließendem Briefwechsel von je 100 Alexandrinern Liebesaffären zu Wort, die Hoffmannswaldau am Rande der Geschichte aufgelesen hatte. Man pries mit der Zier der Worte die Zierden der oder des Geliebten und zeigte den Wunsch, den anderen zu besitzen. Da in der nur sexuellen Beziehung die Partner sich wechselseitig zu Objekten werden, entsprach die deiktisch-objektivierende Sprache dem Thema. Auch die Liebesgedichte schilderten oft das äußere Erscheinungsbild der Frau, die als Addition einzelner physischer Vollkommenheiten dargestellt wurde. Oder ein klagendes Ich beschrieb die Wirkung der Liebe auf sich selbst mit den aus der petrarkistischen Tradition vertrauten Metaphern, ohne daß deren ursprünglicher Gehalt mitgeliefert wurde. Auf die Metapher selbst und weniger auf das, was sie umschrieb, kam es an. Der ornatus war nicht mehr Mittel zum Zweck, sondern der Stil wurde sich selbst zum Zweck. Er diente nicht mehr wie bei Opitz dem Ausdruck ironischer Distanz zur Welt oder wie bei Gryphius paradoxer Weltverneinung, der Stil hatte jede dienende Funktion aufgegeben. Darum wäre es auch müßig, nach einem realen Erlebnishintergrund der Poesie Hoffmannswaldaus zu suchen. Der Verfasser lyrischer Erotica lebte das Leben eines soliden, tüchtigen Stadtpatriziers. Die Verselbständigung des Stiles war Folge des von Hoffmannswaldau betonten freien «erfindens», da das die Unverbindlichkeit gegenüber jedem Sachbezug einbeschloß. Das wird besonders bei Betrachtung der geistlichen Gedichte Hoffmannswaldaus deutlich. Zur Beschreibung der Vergänglichkeit alles Irdischen dienten teils die gleichen Bilder, mit denen in anderen Gedichten irdischer Glanz gepriesen wurde. Hoffmannswaldau hat die inhaltliche Unverbindlichkeit seiner Figuren und Tropen reflektiert und zum Beweis weltlicher Unbeständigkeit erklärt. Daß so die stilistische Ambivalenz gesteigert werden konnte, zeigt, wie sehr Hoffmannswaldaus gestaltete Wirklichkeit auf das rein Sprachliche oder Ästhetische beschränkt blieb. Nicht im kunstvollen Bezug von Sprache und gemeinter Realität, sondern im kunstvollen Spiel der Sprache selbst liegt die Bedeutung der Texte. So konnte der Autor in dem Gedicht *Die Wollust* diese als «der Menschen höchstes Guth» preisen und im darauffolgenden Gegenpoem *Die Tugend* von der Wollust sagen, ihre Küsse «trieffen von Verderben». Strophenzahl und Versmaß ist in beiden Gedichten gleich, die Aussage aber entgegengesetzt. Solche Kontrafaktur ist nicht nur aus dem Rollencharakter barocker Lyrik zu erklären und als allgemeines Kriterium für die Dichtung anzusehen[91]. Vielmehr ist sie Ausdruck des spätbarocken Manierismus mit seiner völligen Freiheit der «inventio», die das Spiel mit den Gegensätzen erlaubte. Der Stil wurde Manier, als man den Rollencharakter von bloßer Voraussetzung zum thematisch ausgespielten Kontrast verabsolutierte. Drückten Opitz oder Gryphius in ihren Gedichten Distanz zur Welt aus oder Fleming Distanz zum Ich, so wurde daraus für den Manieristen Distanz zum Gedicht selbst, dessen Aussage ins Gegenteil verkehrbar war. Das bedeutete den Triumph der verba über die res, des Stils über die Sache. Hoffmannswaldaus Vorbild und Anreger war der Italiener Giambattista Marino (1569–1625). Nach ihm wurde die spätbarocke Verwirklichung des in jeder Stiltradition möglichen Manierismus auch Marinismus genannt.

Hoffmannswaldau gilt als der Vater der galanten Dichtung in Deutschland. Je nach dem Blickpunkt, von dem aus man die zwischen 1680 und 1730 verfaßte galante Literatur betrachtet, wird man sie als letzte Phase und Auflösungserscheinung des Barock oder als Frührokoko bezeichnen. Zur späteren Rokokodichtung ergaben sich Berührungspunkte durch das Prinzip, daß der Stil nicht mehr Mittel zum Zweck, sondern Selbstzweck war (s. S. 256). Auch die Betonung des Scherzund Spielhaften in Programm und Dichtung der Galanten fand in der Rokokoliteratur nach 1730 seine Fortsetzung. Zugleich bedeutete die galante Dichtung eine Spätphase der Barockliteratur, da sie deren Formen und Motive spielerisch bis zur Parodie verwandte. Wie auch der galante Roman zeigte (s. S. 273 f), wurden Gattungs- und Stilgrenzen aufgehoben und die poetologischen Normen ausdrücklich in den Hintergrund gedrängt. So forderte Benjamin Neukirch, «ernsthaffte dinge schertzend, und schertzhaffte ernstlich zu sagen» und alles zu «meiden / was entweder nach kunst oder regeln schmecket», denn «da die nachläßigkeit in andern dingen ein fehler ist / so wird sie allhier zur tugend»[92]. Das, was Hans Aßmann Freiherr von Abschatz (1646–1699), Hans von Assig (1650–1694), Johannes von Besser (1654–1729), Heinrich Mühlpfort (1639–1681) oder Erdmann Neumeister (1671–1756) schrieben, war die imitierend-verflachende, derbe oder parodistische Verwirklichung des galanten Stils, dessen Meister Hoffmannswaldau blieb. Aßmann von Abschatz wollte die «mit allzuvielem Venus-Saltz marinierten Speisen einiger Welschen der deutschen Mund-Art, welche die Reinligkeit liebet», nicht zumuten. Seine weniger gewürzte Liebeslyrik blieb darum meist spannungsloses Hantieren mit den gängigen Begriffen und Figuren der petrarkistischen Tradition. Auf der anderen Seite bewirkte die Nachlässigkeit gegenüber den Regeln, von der Neukirch sprach, eine Reihe von galanten Gedichten, deren Obszönität bis heute kaum übertroffen ist. Die wohl glücklichsten Beispiele der galanten Poesie sind Scherzgedichte, in denen man der barocken Stilhaltung den parodistischen Schluß-punkt setzte. Denn damit wurde die Rolle, die der galante Stil insgesamt in der Literaturentwicklung einnahm, im Gehalt des einzelnen Gedichts reflektiert.

1) Exkurs: Manierismus

In der Einleitung des vierten Teils, bei der Besprechung der Nürnberger und Hoff-mannswaldaus wurde vom Manierismus gesprochen. Das erfordert einen Blick auf seine allgemeine Rolle im 17. Jahrhundert. Der Vorschlag, den Manierismus als Ersatzbegriff für die Epochenbezeichnung Barock einzuführen, darf als ge-scheitert angesehen werden[93]. Als stilistisches Phänomen ist der Manierismus zu eng, um alles das leisten zu können, was eine Epochenbezeichnung voraussetzt. Nur wenn man ihn als «Spätstil» qualifiziert, gewinnt er eine gewisse epochale Relevanz. Für das 17. Jahrhundert fällt unter anderem das, was man lange mit dem vagen Ausdruck «Schwulst» belegte und in der Hauptsache der sogenannten zwei-ten schlesischen Schule zuordnete, unter die Bedingungen des Manierismus.

«Der Manierist will die Dinge nicht normal, sondern anormal sagen. Er bevor-zugt das Künstliche und Verkünstelte vor dem Natürlichen. Er will überraschen, in Erstaunen setzen, blenden[94].» Was besagt diese allgemeine Beschreibung Cur-tius' für die besonderen Verhältnisse im 17. Jahrhundert? Was heißt «Künstlichkeit» und was bedeutet die Absicht, zu überraschen oder zu blenden im Rahmen einer Literatur, die dank ihrer rhetorischen Struktur grundsätzlich wirkungsorientiert ist?

Wenn bei Hoffmannswaldau oder anderen die Pointe zum Zweck eines Sinn-spruchs oder Sonetts gemacht wurde, dann war die Wirkung anstelle einer be-stimmten Funktion, etwa der Buße oder des Trostes, zum Zweck selbst geworden. Der Effekt als solcher war intendiert, es ging nicht mehr um bestimmte Inhalte, die vermittelt werden sollten. Statt Überredung herrschte Überraschung. Dem entsprach die Dominanz der verba über die res, wie sie auch in den Bild- und Klinggedichten zum Ausdruck kam. Die als «sinnreiche Erfindung» betonte in-ventio wurde manieristisch, wenn man sie als inventio aus der Form praktizierte. Die Erfindung «aus dem Wort», von der etwa Harsdörffer im *Trichter* sprach, er-fuhr schon die antimanieristische Kritik Zesens. Im *Helicon* wandte er sich gegen die

Erfindung «aus dem Namen», «weil es nähmlich eine zuflucht derjenigen/ die aus ihrem gehirne keine andere erfindungen zu wege bringen können/ zu sein pfleget/ und mehr ein gekünstelt/ als von der natur selbst eingegebenes werk ist». Gleiches gilt für Erfindungen «aus derselben nahmen verkehrung und buchstabenwechsel ... welches/ wiewohl es bei den Alten Dicht-meistern/ als ein bloß-gekünsteltes und bisweilen gezwungenes werk/ eben so wenig/ als das forige/ ist im gebrauche gewesen/ so kan es doch zu zeiten viel kurtz-weile» verursachen[95]. Damit ist eine wesentliche Qualität manieristischer Dichtung angesprochen worden: ihr Spielcharakter. Harsdörffer trug den Beinamen «der Spielende», und von Hoffmannswaldau sagte Benjamin Neukirch, daß es ihm «an ernsthafftigkeit ... gemangelt»[96]. Der Gesamtbereich der Klangspielerei ist darum ebenso dem Manierismus zuzuordnen wie die Vorstellung vom Menschen als Spieler, die Lohenstein in der bedeutsamen Widmungsrede seines Dramas *Sophonisbe* vermittelte. Die Gleichsetzung von Welt und Spiel war eine Zentralmetapher des Barock. Sie setzte Gott als Regisseur voraus und faßte das menschliche Leben als vergängliche Rolle. Mit dem Spätbarock traten Gott und Vanitasbewußtsein in den Hintergrund. Es blieb der Mensch als Spieler, der seine Rolle weniger von ihrem Ende her begriff als von der Möglichkeit zu spielen überhaupt. Wie der Stil im manieristischen Gedicht, so konnte das Spiel zum Selbstzweck werden, nachdem die religiösen Voraussetzungen abgeschwächt oder irrelevant geworden waren. Der literarische Barockmanierismus ist somit auch aus der seit Mitte des 17. Jahrhunderts stärkeren Beschränkung auf die Immanenz zu erklären.

Der Mensch spielte, indem er «sinnreiche Erfindungen» schuf. Im Zeitalter des objektiven Regelkanons konnte sich Subjektivität nur als Antithese, als Außenseitertum (Mystiker, Günther) oder als spielerische Willkür äußern. In der Sprache der Rhetorik hieß das: Betonung des ingeniums und seiner Funktion, der inventio, auf Kosten des iudiciums, das auf die Regeln zu achten hatte. Ohne diesen Aspekt sind Hoffmannswaldaus Vorreden nicht verständlich und noch in Goethes Aufsatz *Einfache Nachahmung der Natur, Manier, Stil* (1789) ist dieses Schema gegenwärtig, denn Manier ist auch hier die Freiheit der Erfindung.

m) Günther

> *... Dem ist kein Titul recht,*
> *Der schilt es ein Pasquill, der nennt den Auspuz schlecht,*
> *Weil weder Bengals Gold noch süß- und seltne Sachen,*
> *Noch Ambra, noch Saphir die Zeilen kostbar machen.*

Von seinen literarischen Anfängen im Stil der späten Schlesier löste sich Johann Christian Günther (1695–1723) rasch, um dann eine Gegenposition zu beziehen. So wenig Günther dadurch ein Lieblingskind seiner Zeit und Zeitgenossen wurde, so sehr schätzten ihn spätere Biographen, da sie bei ihm das fanden, was die Dichter der Barock- und Aufklärungzeit in dieser Konsequenz nicht boten: literarisch gestaltete Subjektivität. Man hat Günther darum gern auf die spätere Bekenntnisdichtung bezogen oder ihn den bedeutendsten Lyriker vor Goethe genannt. Goethe selbst hat die Werke Günthers sehr gepriesen und zugleich die «Charakterlosigkeit» ihres Verfassers bedauert. Was so getadelt wurde, war jedoch unauflöslich mit dem verknüpft, was lobenswert schien. Das Subjektive in Günthers Dichtung war Ursache und vor allem Folge fehlender sozialer Integration. Die Gesellschaft verschloß sich ihm und zwang ihn damit in eine Außenseiterrolle, in der ihm berufliche Existenz und familiäres Glück versagt blieben. Im Gegensatz zu anderen Dichtern der eigenen und vorangegangenen Zeit verhinderten Günthers poetische Fähigkeiten seinen gesellschaftlichen Aufstieg, anstatt ihn zu begründen, und erfuhren gerade dadurch ihre besondere Ausprägung. Die Weise, wie Günther für den einzigen Titel, den er erlangte, die Krönung zum poeta laureatus, zahlen mußte, war symptomatisch und zeigte das paradoxe Verhältnis von Intention und Konsequenz in Günthers Leben. Da er die für die Dichterkrönung erforderlichen Mittel nicht aufbringen konnte, mußte er zur Schuldhaft in den Karzer[97].

Der im schlesischen Ort Striegau Geborene konnte dank Freundesunterstützung das Schweidnitzer Gymnasium besuchen und ging zum Medizinstudium nach Wittenberg. Die Schlüsselrolle im Schicksal Günthers spielte sein Vater, der sich mit Fleiß und Kargheit zum Arzt emporgearbeitet hatte und aus kleinbürgerlicher Moral und Religiosität der poetischen Aktivität seines Sohnes mit wachsender Skepsis gegenüberstand. Als Günther durch erotische und vor allem parodistisch-satirische Gedichte Feinde bekam, wurde er verleumdet, woraufhin der Vater den Sohn verstieß. Hier lag die Wurzel für Günthers soziales Scheitern, denn unter den protestantisch gebliebenen Schlesiern galt die Prinzipienstrenge, die der Diaspora eigen ist. Für den Lutheraner war das Vaterverhältnis Spiegelbild des Gottesverhältnisses und der verstoßene Sohn der Sünder schlechthin[98]. Da es Günther nicht gelang, den Vater umzustimmen, verhinderte die fehlende familiäre Versöhnung die gesellschaftliche.

Man hat das Schicksal Günthers mit dem Flemings verglichen, der ebenfalls außerhalb der Gesellschaft lebte, als er seine Rußland- und Persienreise machte[99]. Fleming und Günther waren Mediziner, und beide starben sehr jung. Auch in Thematik und Form besonders ihrer Liebesgedichte ergaben sich Entsprechungen. Dennoch war das in der Lyrik gestaltete Ichverhältnis beider verschieden. Fleming wie Günther machten häufig den Abschied oder das Fernsein der Geliebten zum Thema. Fleming:

Nein! ich muß nunmehr von hinnen;
Es, es muß geschieden sein.

> *Stellt das klägliche Beginnen,*
> *Liebste, stellt das Weinen ein!*
> *Wohl dem, wer beherzt nimmt an,*
> *Was er doch nicht ändern kann.*

Fleming sprach immer wieder von der Distanz zum leidenden Ich. Für ihn galten die stoischen Prinzipien, und trotz oder gerade wegen seines räumlichen Fernseins blieb er im Rahmen der allgemeinen Normen, deren bindende Rolle immer wieder betont wurde. Anders Günther:

> *Mein Kummer weint allein um dich,*
> *Mit mir ist's so verloren,*
> *Die Umständ' überweisen mich,*
> *Ich sei zur Not geboren.*
> *Ach, spare Seufzer, Wunsch und Flehn,*
> *Du wirst mich wohl nicht wiedersehn*
> *Als etwan in den Auen,*
> *Die Glaub' und Hoffnung schauen.*

Wie Günther sich von der Allgemeinheit ausgeschlossen sah, so fand er keinen Halt mehr in einer objektiven Ethik. Das galt umso stärker, als er sich nicht mehr auf die Stoa, sondern auf Leibniz-Wolffsche Gedanken bezog. Den Weltoptimismus der Frühaufklärung konnte Günther nach seinem Schicksal nur als Gegensatz erfahren. Seine Klagelieder geben bitteres Zeugnis davon. Im Bewußtsein, «verloren und zur Not geboren zu sein», wurde alles sinngebende Allgemeine irrelevant. Dadurch wurde aber zugleich das Besondere oder Konkrete zum Bereich des «Wahren». Konkrete Situationen wurden in Liebesgedichten und Klageliedern ausgesprochen, und als Satiriker zeigte Günther, was sich hinter der allgemeinen Konvention wirklich verbarg:

> *Kommt dann und wann ein Kiel, der frey heraus bekennt,*
> *Den Plason einen Filz, Dorinden kröpficht nennt,*
> *Der Laster Übermuth in Reim und Scherz erzählet,*
> *Sich selber nicht verschont und blos die Boßheit quälet,*
> *So bricht der tolle Schwarm mit Schwerd und Feuer los ...*
> *Man spuckt und macht ein Creuz und sieht und weist ihm nach,*
> *Man warnt die ganze Stadt vor selbst erlidtner Schmach ...*

Günthers Fähigkeit, konkrete Situationen zu vergegenwärtigen, bestimmte seine Gedichte insgesamt und ließ ihn den traditionellen Motiven und Gesten, wie sie von Opitz und besonders Fleming vorgestaltet waren, neuen Gehalt abgewinnen. Auf das Zusammenspiel von Tradition und neuer Situation verwies Gerald Gillespie: «It should be emphasized, however, that Günther does not turn to, or create

out of, ‹nature› in the sense of later eighteenth-century doctrines of organic
creativity. Rather, he is quite conscious of his affinity with seventeenth-century
masters ... What matters, however, is how he applied it once more to actual,
naturalistic situations[100].» Günthers Liebesgedichte galten Frauen, die «actually,
naturalistically» seinen Lebensweg gekreuzt hatten: Leonore, Rosette, Flavia und
Phillis. Leonore spielte die Hauptrolle, da mit ihr meist Günthers Jugendliebe
Magdalene Eleonore Jachmann gemeint war. Günther gab die Hoffnung auf sie
auf, als er seine beruflichen Pläne endgültig gescheitert sah.

In seinen zahlreichen, für Geld verfaßten Gelegenheitsgedichten zeigte sich
Günther nicht weniger als Meister, da er die Mittel dieser Gattung souverän bis
zur Ironie beherrschte. Seine Fähigkeit, auch das würdigende Gedicht in einen
satirischen Angriff zu verkehren, verriet die wirkliche Position des Dichters, dem
mehr die kritische als die panegyrische Haltung entsprach. Die Subjektivität, die
aus dem Mißverhältnis zum Objektiven lebte, konnte sich nur kritisch oder leidend äußern. Erst ein halbes Jahrhundert später mußte Subjektivität nicht mehr
aus der Distanz zur Welt wirken, sondern konnte zum Genie werden, das Welt
schaffte.

4. DRAMA

a) Jesuitenschauspiel

Durch die Societas Jesu erreichte die Entwicklung des Dramas im 17. Jahrhundert
einen ersten Höhepunkt. Diese Leistung gründete nicht zuletzt in der Fähigkeit
der Jesuiten, von der dramatischen Tradition zu lernen[101]. Die Patres setzten einerseits die Arbeit des humanistischen Schultheaters fort, indem sie Stücke von Plautus und Terenz aufführten und sich damit an den Meistern der römischen Komödie
schulten. Andererseits wurde an die Tradition des Mysterienbeispiels angeknüpft;
hier konnte man die Bearbeitung biblischer Stoffe studieren. Der dritte Einfluß,
der sehr wesentlich wurde, kam vom in ganz Westeuropa beheimateten Moralitätenspiel. Das «moral play», das in Frankreich als «Moralité» und in den Niederlanden als «Spelen van Sinne» (Sinnspiel) auftrat, hat seine Wurzeln in den Anfängen des Christentums und seine Blüte im endenden Mittelalter und der Reformationszeit. Diese Zeitpunkte sind symptomatisch, denn das Moralitätenspiel
ist ein ausschließliches und darum deutliches Exempel allegorischer Gestaltung.
Wie an anderer Stelle gezeigt wurde (s. S. 37), spielt die Allegorie in Zeiten des
Umbruchs, der Umwertung eine besondere Rolle, da sie dank ihrer Struktur zur
Waffe weltanschaulicher Auseinandersetzungen prädestiniert ist. Im Moralitätenspiel sind die handelnden Figuren personifizierte Abstrakta. Tod und Liebe, Geiz,
Keuschheit oder Hoffart werden durch die allegorische Konkretisierung zu agie-

renden Personen und Handlungsträgern gemacht. Im 4. Jahrhundert n.Chr. gestaltete der Spanier Prudentius mit *Psychomachia* den allegorischen Kampf von Langmut gegen Zorn, Glauben gegen Aberglauben, Hochmut gegen Bescheidenheit. Damit war zum ersten Mal in der christlichen Literatur die Auseinandersetzung zwischen guten und bösen Seelenkräften, der Kampf zwischen Tugenden und Lastern um den Menschen gezeigt. Er wurde zum Hauptmotiv des Moralitätenspieles. Lebte Prudentius, der selbst bekehrter Heide war, noch zur Zeit der Auseinandersetzung des jungen Christentums mit den heidnischen Religionen, so ist auch die große Rolle der Moralitäten seit dem Ende des Mittelalters aus der sich bis ins 17. Jahrhundert verschärfenden weltanschaulichen Krisen- und Konkurrenzsituation zu verstehen. Der Streitdialog, der im *Ackermann von Böhmen* (s. S. 15f) seinen Höhepunkt fand, und die Totentänze reihten sich in den allegorischen Dramenreigen ein, so daß aus der Überschneidung von moral play und Totentanzthematik in England das erfolgreiche Spiel vom *Everyman* entstehen konnte. Noch Hofmannsthal ging bei seiner Neufassung des *Jedermann* bewußt von der Krisensituation seiner Zeit aus.

Das Erbe des Moralitätenspieles, das die Jesuiten antraten, konnten sie erfolgreich für ihre weltanschaulichen Zwecke fruchtbar machen. Die Renaissance hatte die antiken Götter und Heroen wiederentdeckt und als allegorische Figuren innerhalb repräsentativer Festspiele und Festzüge genutzt. Ebenfalls mittels allegorischer Personifikationen konnten die Jesuiten nun gegen diese, wenn auch nur ästhetische Wiederbelebung heidnischer Bereiche und besonders die damit verbundene Aufwertung und Autonomie des Individuums wirken. Dabei wurde die Allegorie, die von den Humanisten zum nur weltlichen Ausdrucksmedium gemacht worden war, von den Jesuiten wieder zwischen die Pole Transzendenz und Immanenz gespannt.

Nicht nur für die Jesuiten, sondern auch für die Benediktiner und anderen Orden, die ihnen hierin nachfolgten, war das Schreiben und Aufführen der Stücke ein Teil ihres missionarischen Wirkens. Das Drama trat neben die Predigt und war die sinnliche Vergegenwärtigung dessen, was von der Kanzel verbal verkündet wurde. Wirkung auf den Hörer und Zuschauer war Zweck der Spiele wie der Predigt. Wirkung war auch die Hauptabsicht der Rhetorik, die neben den dramatischen Traditionen für das Jesuitendrama strukturbestimmend wurde. Die meisten der schriftstellernden Patres leiteten an den Jesuitenschulen die höchste Klasse, die entsprechend dem Lehrstoff «Rhetorica» hieß, oder sie waren Professoren der Rhetorik an den Hochschulen. Diese berufliche Beschäftigung mit Sentenzenbüchern und Paragraphen der Rhetorik formte die poetische Theorie und Praxis der Jesuiten, deren Schüler sich mittels des Deklamierens im Unterricht für die Aufführungen am Ende des Schuljahres oder an Festtagen zu üben hatten.

An den poetologischen Stellungnahmen wird der rhetorische Ausgangspunkt der Jesuitendramatik deutlich. Jacob Pontanus (1542–1626) ging es in seinen

Poeticarum institutionum libri tres (1594) noch ganz im humanistisch-philologischen Sinne um die Arbeit am Wort[102]. In der erfolgreichsten Jesuitenpoetik kam der enge Zusammenhang mit der Rhetorik schon im Titel zum Ausdruck: *Palaestra eloquentiae ligatae* (1654). Der Verfasser Jacob Masen (1606–1681) betonte den Mimesisaspekt, da mit der Wahrscheinlichkeit des Geschehens die beabsichtigte Wirkung von Furcht und Mitleid wächst. Daß Masen das Hauptgewicht auf die Dramengattung legte, der er den dritten Band seiner viele Auflagen erzielenden Poetik widmete, entsprach der literarischen Praxis der Jesuiten. Wie Willi Flemming summierte, wollte man «Komisches, Grausiges, Schauriges, Schaugepränge, Musik und Tanz in den Dienst des einen Zweckes, der Propaganda fidei» stellen. «Das Gemüt des Zuschauers galt es zu rütteln, es zu lockern durch Komik, ihm zu imponieren durch Pomp, es zu erschüttern durch Schreckliches[103].» Typisch für das Jesuitendrama war darum die Gattungsmischung. Musik und Ballett gehörten ebenso zur Aufführung wie ein sich mit der Zeit steigernder Aufwand an bühnentechnischen Wirkfinessen. Im Unterschied zum weltlichen Drama kannte das Jesuitenstück keine strenge Scheidung von Komödie und Trauerspiel. Das Stück konnte einen lustigen und einen ernsten Handlungsstrang haben, und die Bezeichnung comedia war ebenso üblich wie die Benennung comicotragoedia.

Unter den frühen Jesuitendramatikern war Jacob Gretser (1562–1625) der produktivste, aber ohne die Nachwirkung, die Mathäus Rader (1561–1634) durch sein Lehrer- und Freundesverhältnis zu dem größten Jesuitendichter Jacob Bidermann (1578–1639) hatte. Der in Ehingen (Schwaben) geborene Bidermann trat 1594 in den Orden ein und lehrte nach dem Studium zunächst Rhetorik am Münchener Jesuitenkolleg, dann Philosophie und schließlich Theologie. Von 1624 bis zu seinem Lebensende war er in Ordensfunktionen in Rom tätig. Bidermanns literarische Aktivität blieb nicht auf die Dramatik beschränkt, aber hier vollbrachte er die entscheidenden Leistungen.

Die Titelhelden der Stücke Bidermanns entsagen entweder als Eremiten oder Märtyrer der Welt, um die Ewigkeit zu gewinnen, wie *Joannes Calybita* (1618) und *Philemon Martyr* (1618), oder sie sind ins Weltliche verstrickt und verlieren dadurch ihr zeitliches und ewiges Wohl wie *Belisarius* (1607) und *Cenodoxus* (1602; übers. v. Joachim Meichel 1635). Der erfolgreiche Kriegsheld Belisar und der berühmte Arzt und Gelehrte Cenodoxus sind Bidermanns Hauptrepräsentanten irdischen Erfolgs, die an ihrer unchristlichen Haltung scheitern. Beide verkörpern nach Stand und Tun den Typ, den die Renaissance ausgeprägt hatte. Belisar, der Feldherr Justinians, stürzt von der Höhe des militärischen Ruhms und wird zum geblendeten Bettler, der so erst die providentia im Walten Fortunas erkennt. Cenodoxus ist die große gegenreformatorische Abrechnung mit der humanistischen philautia, die den Menschen Christus über sich selbst vergessen und damit der Verdammnis verfallen läßt[104]. Gretsers *Udo* (1598) regte Bidermann zu seinem bedeutendsten Stück an. Als Quelle diente die Legende vom heiligen Bruno, der sein Weltleben endete und den Kartäuserorden gründete, als er Zeuge von der Verdammung eines Gelehrten wurde.

Den drei Personengruppen in *Cenodoxus*, den menschlichen, heilsgeschichtlichen und allegorischen Figuren, entsprechen die drei vom mittelalterlichen Theater überkommenen Ebenen des Dramas: Erde, Himmel und Hölle. Im Kampf um des Doktors Seele werden die drei Ebenen durch die Allegorie verknüpft. Philautia, die Selbstliebe, ist so Kompagnon der Unteren wie des Doktors Schutzengel dem himmlischen Bereich zugeordnet ist. Das Gegengewicht zu den allegorischen und metaphysischen Figuren bilden die schwankhaften Szenen, in denen nach terenzischem Muster Lakaien, Schmarotzer und Diebe menschlich, allzu menschlich agieren. Durch die kunstvolle Verflechtung der Ebenen und Personen hat das Stück eine innere Logik, die der geistlichen Tendenz des ganzen folgt und in die entscheidende Sentenz mündet:

> *Omnis enim dignitas*
> *Mera est inanitas ...*
> *Vita enim hominum*
> *Nihil est, nisi somnium.*

Cenodoxus' Fehler, diese Maxime nicht zu sehen, läßt ihn die Maßstäbe seines Handelns nicht aus der eigentlichen Wirklichkeit, sondern aus dem Weltleben gewinnen. Er verwechselt Schein und Sein, als er über die Weltbühne geht, und richtet sich nach dem falschen Publikum, da er den göttlichen Zuschauer vergessen hat. Den umgekehrten Weg läßt Bidermann seinen Philemon Martyr gehen, der als Mime und Flötenspieler ein Mann des Bauches ist, bis er gegen Geld einem heimlichen Christen die Pflicht einer heidnischen Kulthandlung abnimmt. Philemon wird darüber selbst zum Christen und stirbt für seinen Glauben. Was Rolle war, wird wirkliche Existenz, die zugleich die Entlarvung der Wirklichkeit als rollenhaft bedeutet. Antike Gottheiten haben hier die Funktion der Teufel. Sie sind dadurch gewertet und spannen zugleich als Antipoden der Engel den menschlichen Bereich zwischen Ober- und Unterwelt.

Mit der Gestaltung der außerweltlichen Bereiche ist der verbindliche Sinnhorizont gegeben, der das Drama zum weltanschaulichen Lehrstück macht. Die Tendenz ist in der Struktur verankert. Es geht nicht um Handlung, sondern um Demonstration. Ernst Robert Curtius fand für diese Form den Begriff «theozentrisches Drama», das er gegen das nur aus dem menschlichen Bereich lebende anthropozentrische Drama abgrenzte[105]. Tendiert das Handlungsdrama zur Infragestellung des Sinnhorizonts, also zur Tragödie, so bleibt im theozentrischen Drama alles Tragische ausgeklammert und der Sinn bekräftigt. «Comoedia» nannte Bidermann seinen *Philemon Martyr*, obgleich der Held gefoltert, zur Zielscheibe der Pfeilschützen und schließlich enthauptet wird. Im Licht der Glaubensgewißheit verblaßt die irdische Qual nicht nur, sondern bewirkt Vorfreude auf das Jenseits.

Nur durch dekorativen Pomp konnte Bidermann übertroffen werden. Die Spät-
zeit des barocken Jesuitendramas brachte den Triumph des Visuellen über das
Wort, des Theatralischen über das Literarische. Höhepunkt dieser Entwicklung
waren die Wiener Aufführungen der Stücke Nikolaus' von Avancini (1612–1686),
der von der italienischen Oper beeinflußt war. Auch hier konnte die Wirkung sich
selbst zum Zweck und damit das Spiel manieristisch werden.

b) Trauerspiel

Die jesuitische und mehr noch die niederländische Dramatik hatten starken Einfluß
auf die Entwicklung des deutschsprachigen Trauerspiels. Dem ersten deutschen
Barockdrama, Gryphius' *Ein Fürsten-Mörderisches Trawer-Spiel | genannt Leo Arme-
nius* (1646, gedr. 1650) ging das Stück *Leo Armenius sive Impietas punita* (1645) des
englischen Jesuiten Joseph Simeons (1595–1671) voran. Gryphius wird das in Rom
gedruckte Stück gekannt haben, da er im Erscheinungsjahr in Italien weilte. Die
Tendenzen beider Dramen sind konträr. Für den Jesuiten ist Leo als Verfolger der
orthodoxen Kirche ein böser Tyrann und sein Tod die gerechte Strafe. Für Gryphius ist der Kaiser der heilige Repräsentant gottgesetzter Weltordnung und seine
Ermordung schlimmstes Verbrechen. Demonstrierte der Jesuit mit Leos Untergang den Triumph der Kirche über weltliche Macht, so offenbarte bei Gryphius
der Untergang der weltlichen Macht nicht göttlichen Sieg, sondern göttliches
Leid, da in Leos Schicksal das Martyrium des Gottessohnes wie später stärker noch
in *Carolus Stuardus* figuriert wurde[106]. Das einfache Gegenüber von Immanenz
und siegreicher Transzendenz rechtfertigte die Bezeichnung Comoedia oder Co-
mico-Tragoedia für die Jesuitenstücke. Im protestantischen Barockdrama hingegen kam der Immanenz eine andere und stärkere Bedeutung zu. Die Transzendenz
barg sich bei Gryphius meist in der Negation der Immanenz, um nach Gryphius
ganz in den Hintergrund zu treten. Weniger die Jenseitsfreude als die diesseitige
Leiderfahrung stand im Mittelpunkt des darum Trauerspiel genannten Dramas.

Leo Armenius ist erstmalig in der Weise gegliedert, die für die weiteren Stücke
verbindlich wurde. Fünf Akte, genannt Abhandlungen, wurden jeweils durch das
Auftreten eines Chores, des Reyen, voneinander getrennt. Für Gliederung sowie
Namen und Gebrauch der Reyen gaben die Niederländer das Vorbild, die damit
an den Aufbau des antiken Dramas anknüpften. Es waren die niederländischen
Bemühungen um Seneca und die Griechen, die auf das deutsche Barockdrama
weiterwirkten und weniger die Arbeit der deutschen Schuldramatiker und Spät-
humanisten. Daniel Heinsius (s. S. 123) mit seinem *De tragoediae constitutione liber*
(1616) und Jost van den Vondel (1587–1679), der Stücke von Sophokles, Euripides
und Seneca übersetzte, wurden zu Vätern des deutschen Barocktrauerspiels und
nicht die etwa der gleichen Generation angehörenden Deutschen Caspar Brülow

(1585–1627) oder Wolfhart Spangenberg (ca. 1570–1636), der antike Dramen für die Straßburger Schulbühne bearbeitete.

Der barocke Reyen hatte mit dem griechischen Chor nur das Auftreten gemein. Blieb der Chor während des ganzen Stückes anwesend, um ratend oder warnend die Handlung zu begleiten, so wurden die Reyen nur am Aktende von wechselnden Personen oder Gruppen vorgetragen, die allegorischer Natur sein konnten. Meist entstammten die Reyenfiguren der Tradition des Moralitätenspiels, dem allegorischen Humanistenstück und dem Jesuitendrama, zu dessen vielfältigen Zwischenspielen auch das Ballett gehörte. Harsdörffer hat die Funktion des Reyen präzise beschrieben: «Dieses Lied sol die Lehren/ welche aus vorhergehender Geschichte zu ziehen/ begriffen/ und in etlichen Reimsätzen mit einer oder mehr Stimmen deutlichst hören lassen[107].» Damit hatte der Reyen eine Schlüsselrolle, denn in ihm kam das zu Wort, was als Prinzip besonders den Gryphschen Trauerspielen immanent und auch in der rhetorisch-deiktischen Sprachhaltung der Figuren gegenwärtig war: statt Aktion Reaktion auf Handeln zu zeigen, statt Geschehen die Bedeutung von Geschehen zu vermitteln. Walter Benjamin hat das Verhältnis von Abhandlung und Reyen allegorisch gedeutet, und von Albrecht Schöne wurde es emblematisch interpretiert: «Auf eben dieser Unterscheidung von Abhandlung und Reyen aber beruht zugleich ihre Verbindung. Denn unterschieden werden hier Darstellung und Auslegung, Besonderes und Allgemeines, Bild und Bedeutung, die doch als Komplementärerscheinungen erst miteinander das charakteristische Ganze bilden[108].» Im Barockdrama fand das Grundprinzip von Darstellung und Deutung, das bereits die Literatur des 16. Jahrhunderts prägte, seine größte Entfaltung. Die allegorische Struktur der Stücke wird schon in deren Benennung deutlich: es sind meist Doppeltitel. Gryphius verwandte nur zweiteilige Bezeichnungen, die den Namen der Hauptfigur und den Sachverhalt nannten, den diese Figur exemplifizierte. Harsdörffer forderte: «Den Namen deß Trauerspiels sol man hernemen von der Haubtperson/ oder auch von der Lehre auf welche alles gericht seyn sol[109].» Der Einzelfall wurde zum Beispiel des Allgemeinen gemacht, die didaktische Wirkung war auch hier der allegorischen Struktur immanent. Schon das Humanistendrama verwandte Doppeltitel dieser Art, die dann in der Dramatik der Jesuiten und anderer Orden wiederauftauchten. Was war das Allgemeine, das exemplifiziert wurde, und wer erschien als der beispielhafte Einzelne? Das Allgemeine war die als Tugend-Laster-Polarität vermittelte Weltanschauung der Zeit in der besonderen Sichtweite des jeweiligen Autors. Der Einzelne, der als exemplum virtus aut vitii diente, war gemäß den poetologischen Normen im Trauerspiel der Fürst oder eine fürstengleiche Person.

Psychologie und Ethik vereinten sich im 16. und 17. Jahrhundert in der Lehre von den Affekten, die im Zusammenhang mit der stoischen Philosophie besonders von den Niederländern neu durchdacht wurde[110]. Die holländischen Denker belebten die antike Affektendiskussion wieder, in der zwei Tugendbegriffe gegeneinanderstanden: das Ideal der Matriopathia, nach der gute neben schlechten Leidenschaften stehen und die Affekte nur zu mäßigen sind, und das Ideal der Apathia, nach der die Affekte verwerflich sind und der Weise von ihnen frei ist (s. Lipsius S. 120). Insgesamt kamen die Wertvorstellungen der Barockschriftsteller dem Ideal der Apathie oder Ataraxie näher. Aus dem Gegeneinander von vernünftiger Affektbeherrschung und sündhafter Affektabhängigkeit lebten die Trauerspiele des 17. Jahrhunderts. Besonders aus protestantischer Perspektive konnte das Handeln als Verwirklichung des Affekts begriffen werden[111]. Der regierende Fürst war dank seiner Gewalt über Leben und Tod seiner Umwelt der schicksalsmächtige Initiator von Handlungen. War er selbst Spielball seiner Affekte, dann wurde er zum handelnden Tyrannen. Der Märtyrer hingegen, der zumindest von allen niederen Leidenschaften völlig frei war, zeichnete sich durch Passivität und magnamitas (Großmut) aus, mit der er alles hinnahm, was fortuna bot. Die magnamitas des Märtyrers resultierte aus seiner constantia, die ihn die vanitas-Welt verachten ließ[112]. Das dialektische Verhältnis von Tyrann und Märtyrer, das vor allem die Dramen Gryphius' bestimmte, erfuhr in den Trauerspielen der ihm folgenden Autoren Abwandlungen.

In der Renaissance hatte man die Handlungsfreiheit des Fürsten, die durch keine moralisch-religiösen Postulate einzuengen war, gefordert und beschrieben. Das 17. Jahrhundert, das die große Auseinandersetzung neubelebter christlicher Vorstellungen mit den Ideen der Renaissance brachte, erinnerte an die «schuldbeladene Physis»[113], der auch der Fürst ausgesetzt war, und gestaltete den von seinen Affekten getriebenen Herrscher. Dieser wurde allerdings zeitlich oder räumlich außerhalb des christlichen Rahmens angesiedelt, während besonders bei Gryphius der christliche Fürst den Märtyrerpart übernahm.

c) Lohenstein

Die soziologische Relevanz des Barocktrauerspiels ergibt sich aus der gleichzeitigen absolutistischen Regierungsform. Man kann die Dramen des 17. Jahrhunderts auch als moralische Fürstenspiegel lesen. Besonders bei Lohenstein, dem zweiten großen Dramatiker der Epoche, wurde der politische Bezug aktuell. An die Stelle der Spannung von Transzendenz und Immanenz, aus der Gryphius' Trauerspiele lebten, trat bei Lohenstein eine weltimmanente Spannung, in der Tugend und Laster nicht nach religiösen, sondern nach politischen Aspekten polarisiert wurden[114].

Seit Gottsched wurde Lohenstein von den Literaturhistorikern disqualifiziert. Er galt als Hauptvertreter des Schwulstes und als ein Mann «ohne Gefühl für Anstand», dessen Muse als «kalte berechnende Dirne, geschminkt mit Gelehrsamkeit»[115] über die barocke Literaturbühne ging. Erst in den letzten Jahrzehnten ist wissenschaftliche Beschäftigung an die Stelle des Vorurteils getreten.

Daniel Casper von Lohenstein (1635–1683) wurde im schlesischen Nimptsch als Sohn des 1670 geadelten, von da ab den Beinamen Lohenstein tragenden kaiserlichen Steuerbeamten und Ratsmannes Hans Casper geboren. Er besuchte das Breslauer Magdalenengymnasium, studierte in Leipzig und Tübingen Jurisprudenz und wirkte nach den üblichen Bildungsreisen als Anwalt und Regierungsrat in Schlesien. 1670 wurde Lohenstein Syndikus der Stadt Breslau und 1675 kaiserlicher Rat, nachdem er als erfolgreicher Diplomat zwischen seiner Stadt und dem Wiener Hof vermittelt hatte. Jurist und Syndikus war auch Gryphius gewesen. Er wie Lohenstein waren somit aus Berufsgründen geschickte Rhetoriker, und besonders Lohensteins rednerische Fähigkeiten waren bei den Zeitgenossen berühmt. Geändert hatte sich seit Gryphius der Zeithintergrund. Lohenstein erlebte den Dreißigjährigen Krieg nur noch als Kind. Seine Zeit stand im Zeichen des sich konsolidierenden Absolutismus und der machtpolitischen Auseinandersetzungen um Deutschlands Randgebiete. Für den zu Habsburg-Österreich gehörenden Lebensraum Lohensteins hieß das: Auseinandersetzung mit dem Frankreich Ludwigs XIV. und weit dringlicher noch die Bewältigung der Türkenflut, die im Sterbejahr Lohensteins bis vor die Tore Wiens drang.

Lohensteins erstes und letztes Trauerspiel *Ibrahim Bassa* (1653) und *Ibrahim Sultan* (1673) spielen im osmanischen Bereich. Die Themen des zweiten und vorletzten Dramas entstammen der nordafrikanischen Geschichte: *Cleopatra* (1661, sehr erweitert 1680) und *Sophonisbe* (aufgeführt ca. 1666, gedr. 1680). Rom ist der Schauplatz des dritten und vierten Stückes: *Agrippina* (1665), *Epicharis* (1665). Die sechs Trauerspiele sind so durch Geographie, Thematik und Erscheinungsweise zum dreifachen Duo geordnet[116].

Die Tatsache, daß Lohenstein keine Doppeltitel verwandte und sich mit dem Namen der Hauptfigur begnügte, weist auf die besondere Struktur seiner Dramen und Dramenfiguren. Durch die Beschränkung auf die Immanenz wurde das handelnde Individuum in den Vordergrund gerückt und auch die Rhetorik in ihrem ursprünglichen Sinn verwandt. Sie war jetzt wieder Parteienrede und stand im Dienst der Konkurrenz, der Politik, des dramatischen Gegeneinanders. Das Zugleich von «eiskaltem Rationalismus» und «überhitzter Sprache» Lohensteins ist oft mit Tadel konstatiert worden. Dieses Zugleich war jedoch allgemeines Kennzeichen des rhetorischen Stils, der sich des Pathos zum nüchtern kalkulierten Zweck der Wirkung bediente. An die Stelle des Gryphschen Märtyrers, der sein Seelenheil im Nichthandeln bewahrte, setzte Lohenstein den vernünftig Handelnden, der das Verhängnis nicht als irrationales Fatum, sondern als Objekt geschichtsmächtiger Persönlichkeiten begriff. Mit der Gestaltung des Gegenspielers jedoch, des affektunterworfenen Tyrannen, ging Lohenstein den von Gryphius mit Chach Abas oder Bassian beschrittenen Weg weiter. Im Erstling *Ibrahim Bassa* ist es Sultan Soliman, der die Frau seines Günstlings und Feldherrn Ibrahim Bassa begehrt und durch Intrigen der Feinde Ibrahims veranlaßt wird, diesen erwürgen zu lassen. Wie im ersten Stück des Gryphius stehen die Konstellation Herrscher–Feldherr und die Möglichkeit eines Verrats im Mittelpunkt. War jedoch in *Leo Armenius* die Einheit von Herrscher und Märtyrer angedeutet und Balbus der machtbesessene Aufrührer, so ist Lohensteins Sultan so negativ gezeichnet wie Ibrahim, sein Opfer, unschuldig. Die Situation ist spiegelbildlich verkehrt worden. Der in Gryphius' Stück vollzogene Verrat bleibt in Lohensteins Werk Verleumdungsargument der Intriganten. Die bewegenden Impulse, in deren Spannungsfeld die Figuren handeln, sind die aller Transzendenz entgegengesetzten Kräfte Eros und Politik[117]. In dieses Spannungsfeld stellte Lohenstein vor allem historische, in seiner Epoche als Dramenfiguren beliebte Frauengestalten. Für die Heroinen Cleopatra, Agrippina und Sophonisbe ist Politik unlöslich mit Erotik verknüpft. Beides sind die Fäden, an denen sie hängen, mit denen sie ihre Partner zu umgarnen versuchen und in die verstrickt sie scheitern. Das gilt auch für die Männer, die sich vor dieser Verstrickung nicht zu bewahren verstehen. Nur Epicharis ist ausschließlich revolutionäre Politikerin, die vergeblich versucht, Nero zu stürzen, und dafür Folter und Tod erleidet.

Von Lohensteins Dramen ist *Sophonisbe* am meisten diskutiert worden[118]. Die Titelheldin, die Frau des Numiderkönigs Syphax, der von dem römischen Vasallen Massinissa besiegt wurde, beginnt den siegreichen Feind zu lieben und trachtet sich Massinissa zu verbinden. Da sie gerade vorher ein Beispiel opferbereiter Gattenliebe gegeben hatte, steht derjenige vor einem psychologischen Rätsel, der Sophonisbe mit dem Maß klassisch-geschlossener Individuen mißt. Nicht subjektive Charakteranlagen motivieren Sophonisbes Verhalten, sondern überpersönliche Zwecke und Determinanten. Das gilt auch für die übrigen Figuren. Scipio, der Repräsentant der Römer, ist aus Staatsräson gegen Massinissas Bindung an Sophonisbe und stellt den Vasallen vor die Wahl der Liebe oder der Regentschaft. Antwortet Massinissa zunächst:

> *Nein! Sophonisbe / nein! Reich / Zepter / Purpur / Kronen*
> *Sind gegen deinen Werth Schaum / Blasen / Schalen / Bohnen,*

so entscheidet er sich wenig später gemäß der von Scipio vertretenen politischen Vernunft für das Gegenteil und antwortet auf die anklagende Frage nach seiner «Treu' und Eh'»: «Wo es um Zepter geht / da sind sie Eitelkeit». Auch Sophonisbe hätte so entschieden, auch Cleopatra oder Agrippina. Als summum bonum erscheint das politisch Zweckmäßige, das nicht nach persönlichen Bindungen fragt und auch die Erotik determiniert. Die Liebe der Lohensteinschen Heroinen ist abhängig von der Macht und politischen Bedeutung der somit austauschbaren Männer. Klaus Günther Just hat sehr treffend von der «Realerotikerin» Sophonisbe gesprochen[119].

Massinissas Entscheidung gegen Sophonisbe und für Rom gilt allgemein als Entscheidung der Vernunft gegen die Leidenschaft und der Römer Scipio als Repräsentant politischer Tugend, die mit Vernunft gleichgesetzt wird. Scipio oder Augustus in *Cleopatra* sind damit als Wertträger gesehen, die die These vom Wertrelativismus Lohensteins zu widerlegen scheinen[120]. Dabei bleibt jedoch unberücksichtigt, daß Scipio nicht nur die Vernunft, sondern auch die siegreiche Macht vertritt und aus politischem Interesse gegenüber Massinissa für die Vernunft argumentiert. Massinissa wiederholt in seiner Entscheidung für Rom Sophonisbes Entscheidung für Massinissa. Er wählt weniger die Vernunft als aus Vernunft die Macht. Lohenstein selbst hat in der wichtigen Widmungsvorrede zu seinem Stück, in der er die Welt als Spiel der Menschen interpretiert, Sophonisbe und Massinissa in gleicher Weise beurteilt:

> *Die für den Ehmann itzt aus Liebe sterben wil*
> *Hat in zwey Stunden sein' und ihrer Hold vergessen.*
> *Und Massinissens Brunst ist nur ein Gauckelspiel*
> *Wenn er der / die er früh für Liebe meint zu fressen /*
> *Den Abend tödtlich Gift als ein Geschencke schickt /*
> *Und / der erst Buhler war / als Hencker sie erdrückt.*
> *So spielet die Begierd und Ehrgeitz in der Welt /.*

Von einem klaren Wertentscheid Massinissas kann keine Rede sein. Der in der Widmungsrede entwickelte Spielbegriff, der als Substrat des Lohensteinschen Weltbildes angesehen wird, läßt nur die Möglichkeit, erfolgreich oder ohne Fortune zu spielen. Allgemein gilt, daß derjenige das Spiel besser beherrscht und erfolgreicher bleibt, der seine Affekte und Triebe zügelt oder unter einer Maske verbirgt, und jener untergeht, der Spielobjekt seiner Leidenschaften wird. Dem wäre die Frage entgegenzuhalten, ob das Kausalverhältnis nicht umgekehrt wirkt und derjenige, der sich als der Siegreiche erweist, von Lohenstein als der Höherwertige gesehen, während jener, der wie die Türken unterliegen soll, als der Minderwertige konzipiert und gestaltet wurde. Das an die Dramenfiguren gelegte Wertsystem transzendiert nicht das Spiel und ist darum nicht absolut, sondern ist spielimmanent und darum relativ. «Das Recht liegt / wo man siegt», sagt Sophonisbe. Nur in *Epicharis* ist das Verhältnis von Erfolg und Wert umgekehrt. Das Drama ist darum das ethisch anspruchsvollste Lohensteins. Die Reyen, in denen die Sinndeutung des Dramengeschehens unmittelbar Wort wird, bestätigen das. Nur noch zum Teil treten die «höheren Mächte» als Fortuna, Tod oder Rache auf. Bedeutsamer ist, daß der dramatische Augenblick oft durch die Reyen innerzeitlich transzendiert wird, indem vom Ende der Trauerspielhandlung oder vom weiteren Verlauf der Weltgeschichte gesprochen wird. Immer wieder streiten in den Reyen die verschiedenen Vertreter der Wollust gegen die Verkörperungen der Tugend, wobei Tugend und Laster nach geopolitischen Räumen verteilt sein können. Beide sind damit einer wertenden Vorentscheidung nachgeordnet. An die Stelle der Gryphschen Zeitpolarität tritt bei Lohenstein eine Spannung der

Räume. Die neutral-allgemeine Wertung der Welt als Vanitas ist durch die parteiisch-besondere Wertung der einzelnen Weltbereiche ersetzt. Österreich und sein Kaiserhaus sind als der oft gepriesene Zielpunkt der Weltgeschichte so der Inbegriff des Positiven, wie die Türkenwelt im ersten und letzten Drama als der negative Kontrast erscheinen. Im Schlußreyen von *Cleopatra* repräsentieren die Flüsse Nil, Tiber, Donau und Rhein die Reiche Ägypten, Rom, Österreich und Deutschland. Der Nil erkennt entsprechend der vorangegangenen Dramenhandlung die Oberhoheit des Tibers an. Donau und Rhein jedoch sprechen von der späteren Entmachtung Roms zugunsten des Heiligen Römischen Reiches und preisen Kaiser Leopold I. als denjenigen, «der dem August es gleiche thut». Entsprechend wird Habsburg in den Schlußreyen von *Sophonisbe* und *Ibrahim Sultan* gefeiert. Wie Gryphius im Vanitasbegriff den archimedischen Punkt hatte, der seine Dichtung trug, so brauchte auch Lohenstein den Fixpunkt, in den seine dramatischen Perspektiven münden konnten. Dieser Fixpunkt war das österreichische Kaiserhaus, die Machtinstanz seiner unmittelbaren Umwelt. Das Haus Habsburg hatte für Lohenstein die gleiche Bedeutung, die Scipio für Massinissa hatte. Mögen auch Lohensteins innere Überzeugungen für ein Bürgerregiment, wie Epicharis es wollte, gesprochen haben[121], seine politische Klugheit ließ ihn gemäß seinem Spielbegriff die Rolle des Panegyrikus der Habsburger ergreifen. Lohenstein nimmt nicht mehr zur Welt schlechthin Bezug, sondern engagiert sich im Hier und Jetzt. Das erlaubt ihm, die Welt nach Schwarz-weiß-Kategorien einzuteilen. Wer gegen Österreich steht wie die Türken, ist absolut schlecht und wird mit allen Mitteln der Rhetorik angeprangert. So zu Anfang von *Ibrahim Sultan*, wenn der Bosporus klagt:

> *Ob man der Fürsten Därm auf Pfählen noch sieht glimmen/*
> *Die Mutter und der Sohn blutschändend seyn vermischt;*
> *Ob bey gekochtem Kind ein Hencker-Vater tischt:*
> *So gehen doch der Türcken Greuel-Thaten*
> *Der Welt und Vorwelt Sünden für.*
> *Byzanz hegt ietzt des Teufels giftge Saaten/*
> *Beherbergt nur Wolf/ Schlangen/ Tygerthier!*

Auch Greuelpropaganda hat ihre literarische Tradition.

d) Epigonen

Zeichen der Epigonalität ist das leichte Handhaben der Mittel, die in vorangegangenen Werken einer bestimmten Absicht oder zentralen Tendenz dienten. Die Entsprechung von Absicht und Mitteln, von Gehalt und Gestalt, die Gryphius und Lohenstein auf sehr verschiedene, aber gleichermaßen strikte Weise in ihren

Dramen zeigten, war weniger leicht und glatt als schwer und spannungsvoll. Der Breslauer Johann Christian Hallmann (1640–ca. 1740) hat sich an Gryphius und Lohenstein nicht nur geschult, sondern sie nachzuahmen versucht. Auch Hallmann besuchte das Magdalenäum und wurde Jurist. In seinen Intrigendramen *Die beleidigte Liebe oder die großmütige Mariamne* (1670), *Die himmlische Liebe oder die beständige Märterin Sophia* (1671) und *Die sterbende Unschuld oder die durchlauchtigste Catharina* (1676) kombinierte er Lohensteins dramatischen Aktivismus mit der Märtyrergestaltung des Gryphius. Während die Bösen handeln, bleiben die Märtyrer passiv duldend, aber ohne die geistig-moralische Kraft und Wirkung, die Gryphius' Figuren auszeichnet. Am erfolgreichsten war Hallmann mit *Mariamne*. Herodes ist als schwacher, affektabhängiger Charakter Spielball der gegen Mariamne und ihre Sippe intrigierenden Gruppe, so daß er zum Mörder seiner Frau und ihrer Angehörigen wird. Indem Herodes zugleich Schicksalsinstanz und böser Schwächling ist, bleibt die Frage nach dem Sinn der durch ihn und seine falschen Berater verübten Verbrechen offen. Diese Frage beantwortet weder, im Sinne Gryphius', die Dulderin Mariamne noch, im Sinne Lohensteins, die siegreichen Intriganten auf befriedigende Weise. Das oft erwähnte «Verhängnis» bleibt als sinngebende Instanz ebenso unverbindlich wie der im Schlußreyen eröffnete, von Lohenstein übernommene Ausblick auf die Befreiung des «in Ketten der herodianischen Tyraney schmachtenden Palaestina» durch das späte Erscheinen des messianisch verheißenen «Oesterreichischen Salomon/ nemlich des unüberwindlichsten Leopoldi».

Hallmann war geschickt und vermochte besonders charakteristische Elemente aus den Stücken seiner Vorläufer so in die eigenen Dramen einzubauen, daß sie dort dramatisch funktionskräftig wurden, jedoch nicht mehr über die unmittelbare dramatische Funktion hinauswiesen. Lohenstein nachahmend, ließ er geographische Räume Sprache gewinnen. Am Beginn von *Mariamne* stellt der Schauplatz «ein Gebürge in und umb Jerusalem» vor. Der Berg Sion als Vorredner spricht:

> *Herodes! ach! ach! ach!*
> *Dein Wütten / Blut-Hund / macht / das Berg' auch müssen schreyen/*
> *Und dich vermaledeyen!*

Hatte bei Lohenstein die Personifikation geographischer Komplexe allegorischdeutende Funktion, so wurde bei Hallmann die Spannung, die solche Personifikation in sich tragen kann, kurzgeschlossen, und das Ganze zu einem bloßen Moment der Exposition. Der Gebrauch von Personifikationen und Metaphern aus Gründen der dramatischen Ökonomie verrät literarische Gewandtheit des Bühnenpraktikers Hallmann, der mit Gedanken, Situationen oder Metaphern seiner Vorgänger spielerisch umzugehen vermochte. Es bedeutete aber zugleich das Aussetzen der Spannung, die diese Elemente trug, und damit das Ende barocker Gestaltungskraft.

Charakteristisch für diese Situation waren Hallmanns Versuche, in seinen Spielen und Stücken verschiedene Gattungen zu mischen. Die Trauerspiele wurden oft mit opernhaften Elementen durchsetzt. *Catharina* erschien als *Musicalisches-Trauerspiel* und das Stück *Antiochus und Stratonica* (1669) als *Trauer-Freuden-Spiel*. Die Krankheit des Königssohnes Antiochus bewirkt Trauer, sie ist aber Liebeskummer, der sich löst. Sing- und Trauerspielteile mit freudigem Ende wurden zum Pastorell *Die Sinn-reiche Liebe oder der glückselige Adonis und die vergnügte Rosinella* (1673) verbunden, das Hallmann aus Anlaß der zweiten Eheschließung des österreichischen Kaisers Leopold I. schrieb. Der Aufmerksamkeit des Hauses Österreich waren auch die mit historischen Anmerkungen verknüpften Laudationes auf die Führer Schlesiens von Piasto bis Leopold gewidmet: *Schlesische AdlersFlügel oder Warhaffte Abbild- und Beschreibung aller Könige/ Ober-Regenten und Obristen Hertzoge* (1672).

Epigone war auch der Lausitzer August Adolf von Haugwitz (1645–1706), bei dem die Glätte der Verse in keinem Verhältnis zum gestalteten Märtyrerthema stand. Er schrieb außer Sonetten das Mischspiel *Soliman* und das Märtyrerspiel *Maria Stuarda*. Es scheint fraglich, ob man von einer Nähe zu Gryphius sprechen kann[122], wenn die Heldin im Ton Geibels kundtut:

> *Man mag mich zu den Thieren schmeißen,*
> *Ein Tiger-Thier mag mich zerreißen,*
> *Ich will auch in des Löwens Rachen*
> *Mit Daniel den Tod verlachen;*
> *Es mag mich lichter Schwefel brennen,*
> *Und Fleisch und Bein von Adern trennen ...*
> *Kurtz: Ich kann alle Marter höhnen*
> *Bloß mit Erinnrung meines Schönen.*

Gemeint ist Christus.

e) Sprache

Die verbindliche Versform des barocken Dramas war der Alexandriner. Der sechshebige Jambus mit starker Pause nach der dritten Hebung verdankte seinen Namen den altfranzösischen Alexanderepen und kam über die französische und niederländische Renaissancedichtung nach Deutschland. Das auffällige Kennzeichen der Zweiteilung, die die Versform so geeignet für alle antithetisch strukturierten Gedanken machte, hat Schiller treffend charakterisiert: «Die Eigenschaft des Alexandriners, sich in zwei gleiche Hälften zu trennen, und die Natur des Reims, aus zwei Alexandrinern ein Couplet zu machen, bestimmen nicht nur die ganze Sprache, sie bestimmen auch den inneren Geist dieser Stücke, die Charaktere, die Gesinnung, das Betragen der Personen. Alles stellt sich dadurch unter die Regel des Gegensatzes, und wie die Geige des Musikanten die Bewegungen der Tänzer leitet, so auch die zweischenklige Natur des Alexandriners die Bewegungen des Gemüts und der Gedanken[123].» Von der dialogischen Aufteilung auf verschiedene Sprecher bis zur Summierung vieler Alexandriner in einem Monolog ging der abwechslungsreiche Gebrauch. *Papinian* beginnt mit einer monologischen Alexandrinerkette von 156 Gliedern und enthält zugleich Redewechsel, die den Vers zerteilten:

> C.: *Glück zu! P.: Woher so früh? C.: Recht aus der Frauen Saal.*

Die Struktur des Alexandriners und sein reimbedingtes paarweises Auftreten befähigten ihn zur sentenziösen Bündigkeit. Die Sentenz konnte darum zu einem wesentlichen Baustein im sprachlichen Gefüge des Barockdramas werden. Die Geschichte der Sentenz gehört zur Geschichte der Rhetorik. «Sententia» hieß der abschließende Urteilsspruch des antiken Gerichtsprozesses. Der urteilende Charakter blieb der Sentenz erhalten, sie ist weniger Beschreibung als Kommentar einer Sache. Dazu kommt die schon von den Redelehren registrierte Intention der Sentenz, belehrend das Handeln von Personen beeinflussen zu wollen. Beides mußte die Sentenz zum Dialogpartikel prädestinieren. Seneca machte sie zum Grundelement seiner Dramendialoge. Der Römer war ein Meister im stichomythischen Gebrauch der Sentenz[124]. Die Stichomythie, den schnellen Redewechsel, bei dem auf jeden Partner ein Vers oder Doppelvers entfällt, gab es schon im griechischen Drama. Bei Seneca wurde die Stichomythie zum Sentenzenkampf, besonders dann, wenn der eine Sprecher die Worte des anderen aufgriff und mit diesem Aufgreifen zu widerlegen suchte. Von Seneca lernten die barocken Dichter. Die Sentenz dominierte besonders im Streitdialog des barocken Dramas.

Charakteristikum des sentenziösen Satzes ist seine Allgemeingültigkeit. Der Sprechende redet nicht von sich oder von seinen unmittelbaren Absichten, sondern er will seine Absichten durch das Nennen eines objektiven Sachverhaltes erreichen, der gleichsam als Exempel zitiert wird. Darum die Wiederholbarkeit der Sentenz und ihre scheinbare Unabhängigkeit von der dramatischen Situation, in der sie gründet. Nicht erst Schillers dramatische Sentenzen konnten sich zum Sprichwort verselbständigen. Die Florilegien der Humanisten sind Sentenzensammlungen aus der antiken Literatur, und die erfolgreiche Sammlung Johann Christoph Männlings (1658–1723) genannt «Lohensteinius Sententiosus» (1710) machte die sentenzenhaften Sätze des schlesischen Dramatikers zu beliebig verfügbaren Sinnsprüchen oder «Haupt-klugen Staat- und Lebens-Regeln».

Kompilationen von Sentenzen sagen indes wenig über ihre Funktion im dramatischen Gefüge. Denn gerade die Allgemeingültigkeit des sentenziösen Satzes, seine Ablösbarkeit von der dramatischen Situation charakterisiert diese Situation. Die Sentenzen sprechende Figur redet distanziert, auch das Persönliche wird objektiviert. Die Figur steht somit weniger in als vor dem Geschehen, das sie reflektiert und deutet. Diese Sprachhaltung war besonders demjenigen adäquat, der durch sein Vanitasbewußtsein von weltlichem Treiben distanziert war. Es machte die Sentenz außerdem zum beliebten Kampfmittel im Rededuell. Wie im richtigen Duell ging es dabei nicht um das Erfinden neuer Figuren, sondern um das Parieren der vorgeschriebenen, vom Gegner mit mehr oder weniger Geschick ausgeführten Bewegungen. In Gryphius' *Carolus Stuardus* argumentiert der schottische Gesandte gegen Cromwell:

> *Pocht, Britten nicht zuviel, der tag ist noch nicht hin!*
> Cr.: *Wir haben unterdes den morgen zum gewinn.*
> Ge.: *Wer gar zu zeitlich lacht, muß noch vor abends weinen.*
> Cr.: *Ein beyspiel wird noch heut an Stuards kopf erscheinen.*
> Ge.: *Wol spiegelt euch an dem, der so verfallen kan!*
> Cr.: *Wir thuns; drum sehen wir, was gott und recht wil, an.*
> Ge.: *O recht! verkehrtes recht! Wer hat hier recht gesprochen?*

Die formal durch den Reim verbundenen Alexandrinerpaare sind gehaltlich dadurch zur epigrammatischen Einheit verknüpft, daß jeder Redner in seiner Zeile das vom Partner genannte Exempel entgegengesetzt deutet. Die ausgesprochenen Sachverhalte dienen so als statische Medien konträrer Ansichten.

Gryphius' Sentenzenstil wurde von Lohenstein übertroffen, der stärker als sein Vorgänger die Sentenz mit der dramatischen Handlung verknüpfte[125]. Die in der Sentenz vollzogene Objektivierung des unmittelbaren Geschehens konnte auf das szenische Ereignis zurückwirken. Die Sentenz hatte eine unmittelbare dramatische Funktion, wenn sie zu einem Handlungsentschluß führte. Cleopatra will sich durch einen Schlangenbiß töten:

> Iras: *Mein Geist erschüttert sich! Ist dis die sanfte Bahn*
> *Zum Sterben durch den Wurm? durch solch ein Ungeheuer?*
> Cl.: *Der Schlange brennend Gift ist kein solch rasend Feuer*
> *Als Caesars Ehren-sucht. Man sucht bey Nattern Rath;*
> *Bey Drachen; wenn man nicht bey Menschen Zuflucht hat.*

Der entsetzte Widerspruch gegen den beabsichtigten Selbstmord veranlaßt Cleopatra zur nachdrücklichen Bekräftigung ihres Vorhabens mittels der Sentenz. Nur deren Form erlaubt eine so konzentrierte Motivation der Absicht, denn die Objektivität von Cleopatras Sprechen gibt nicht nur dem Leser oder Zuschauer eine allgemein verbindliche Begründung, sondern schließt auch für die Redende selbst jede andere Verhaltensmöglichkeit aus.

Waren bei Gryphius und Lohenstein die Sentenzen durch die Welthaltung der Figur oder durch das szenische Geschehen motiviert, so fehlte bei Hallmann oft die überzeugende Verknüpfung von Sentenz, Figur und Handlung. Das kunst-

volle Rededuell entartete zur rhetorischen Materialschlacht, bei der sich jeder
Sprecher beliebiger Bilder und Figuren bediente, um die des Dialogpartners zu
übertrumpfen. Mariamnes Verwandte diskutieren ihre Sorgen um die Königin
mit Herodes:

> *Herodes: Der Demand bleibet steiff/ ob tausend Hammer rasen.*
> *Joseph: Es kan ein schlechter Wind die Sonnen-Wend umblasen.*
> *H.:   Bey Keiser-Kronen kan auch Tulp' und Rose blühn/*
> *Hyrc.:   Ob Davids Liebe muß selbst Jonathan entfliehn.*
> *H.:   Der niemals euch verließ/ wird ferner euch nicht lassen.*
> *Jos.:   Ach daß die Sternen nicht mit ihrem Mond erblassen!*
> *H.:   Der Monden steht zu hoch/ die Sternen folgen nach.*
> *Hyrc.:   Haß/ Ehrsucht/ List und Neid raast bis ans Sternen-Dach.*
> *H.:   Der Unschuld reiner Glantz vertreibet die Cometen*[126].

Wenn in solchen Sentenzenhäufungen Motivationen und Bezugspunkte überhaupt eine Rolle spielen, dann als bloßes Aufgreifen von Begriffen oder Bildern,
die jedoch mit der anschließenden Sentenz in einem neuen Zusammenhang genannt werden. Der Bezug ist darum nur äußerlich-formaler Natur, ohne innere
Folgerichtigkeit und Überzeugungskraft und verrät damit einen Stil der Degene-
ration.

f) Komödie

Was war dem Jahrhundert des Dreißigjährigen Krieges an Normen- und Wert-
bewußtsein geblieben, das zum Maßstab komischer Unzulänglichkeiten werden
konnte? Im Vanitasbewußtsein und im Begriff der Verkehrten, also ordnungslosen
Welt, wie sie Grimmelshausen gestaltete, fand die Zeit zweifellos den deutlicheren
Ausdruck. Satirisches und Groteskes waren dem 17. Jahrhundert adäquater als das
nur Komische.

Diejenige Ordnung hingegen, die nicht nur die dreißigjährige Verheerung
überlebte, sondern gestärkt aus ihr hervorging, war mit dem Absolutismus die
soziale Hierarchie. Das gesellschaftliche System wurde als so gottgewollt angesehen, wie man hinsichtlich seiner Spitze vom Gottesgnadentum sprach. Komik
und Komödie lebten darum im 17. Jahrhundert vor allem aus dem Verstoß gegen
die gottgesetzten sozialen Normen und deren verschiedene, vor allem auch
sprachliche Ausdrucksformen.

Die von Opitz in seiner *Poeterey* gegebene und aus Scaliger übernommene Definition der Komödie schloß diese Möglichkeit ein: «Die Comedie bestehet in
schlechtem wesen unnd personen; redet von hochzeiten, gastgeboten, spielen, betrug und schalckheit der knechte, ruhmrätigen Landtsknechten, buhlersachen,
leichtfertigkeit der jugend, geitze des alters, kupplerey und solchen sachen, die

täglich unter gemeinen Leuten vorlauffen.» Betrug, Schalckheit oder «Ruhmrätig-keit» sah man im Versuch «gemeiner Leute», völlig inadäquate Rollen zu spielen. Die komischen Effekte gründeten so im Widerspruch zu den Normvorstellungen der führenden Stände. Nach diesen Vorstellungen war der kleine Mann auf der Bühne bereits komisch per se, und umso komischer, je mehr er versuchte, jenseits der vorgeschriebenen Rolle zu agieren.

Fragt man nach den Quellen, aus denen die deutsche Barockkomödie lebte, so sind Schwank, Humanistentheater, die italienische commedia dell'arte und die Komödie der Wanderbühne zu nennen. Den auf alle europäischen Komödien-schreiber wirkenden Einfluß der commedia dell'arte hat für den deutschen Bereich Walter Hinck in einer ausführlichen Studie untersucht[127]. Die Entfaltung der commedia begann um die Mitte des 16. Jahrhunderts. Liebesintrigen wurden mit feststehendem und darum allgemein bekanntem Personal improvisiert. Bis auf das Liebespaar selbst waren die Figuren maskiert: die tölpelhaften oder geschickten Diener (die Zanni), die närrischen Alten (Dottore, Pantalone) und der renommie-rende Nebenbuhler nach dem Vorbild des Plautinischen miles gloriosus (der Capi-tano). Das Mimische herrschte vor, innerhalb festgelegter Grenzen entwickelten die Schauspieler die große Kunst der Improvisation. Sie wurde zum Gegenge-wicht der Mechanik, mit der Dottore, Zanni oder Capitano reagierten. Diese hingen wie Puppen an den Fäden ihrer festgelegten Triebe und Intentionen, und ihr Spiel glitt darum leicht ins Groteske. Unmittelbar durch herumreisende ita-lienische Theatertruppen und Besuche Deutscher in Italien oder durch die Ver-mittlung insbesondere französischer Bühnen wirkte die commedia dell'arte auf deutsche Autoren.

Wandernde Theatertruppen waren schon seit längerer Zeit aus England nach Deutschland gekommen und hatten maßgeblich das Entstehen deutscher Wander-bühnen angeregt. Sie gastierten an Höfen und in Städten und kombinierten in ihren Aufführungen ein als «Hauptaktion» bezeichnetes, auf krude Spannungs-momente reduziertes Trauerspiel mit einem komischen Nachspiel. Ihre Populari-tät gründete vor allem auf der «Pickelhärings Lustigkeit», dem Analogon der Späße des englischen Clowns oder des romanischen Harlekin. Die Ungewißheit, ob der Name «Harlekin» italienischen oder französischen Ursprungs ist, enthüllt den gemeineuropäischen Charakter der komischen Figur. In Harlekin, Clown oder Pickelhäring lebte der Narr des Spätmittelalters und der Reformationszeit weiter.

Waren die Spieler der Humanisten- und Reformationsstücke Laien, so waren die Wanderkomödianten die ersten Berufsschauspieler, Leute, denen der Weg in einen seßhaften Beruf schwerfiel. Sie erschienen zunächst als Repräsentanten einer Subkultur, die der nobilitas literaria fernstand. Ein mühevoller Weg führte vom vagabundierenden Ensemble des 17. Jahrhunderts zur allmählichen gesellschaft-lichen Integration des Schauspielers im 18. Jahrhundert. Theater und Literatur liefen zum Schaden beider zunächst verschiedene Wege. Als Gottsched beides zu vereinen versuchte, geschah es auf Kosten des Mimus. Gottsched bekämpfte die englische und italienische Theatertradition, verbannte den Harlekin und sterilisierte damit die Bühne. Erst Lessing vereinte dann, wie besonders die Hamburgische Dramaturgie dokumentiert, beide Ströme, den mimischen und den literarisch-theoretischen.

Neben Jakob Ayrer war Herzog Heinrich Julius von Braunschweig (1564–1613) maßgeblich von den Engländern beeinflußt. Nachdem er sie 1592 an seinen Hof geholt hatte, schrieb er selbst zahlreiche Stücke, von denen uns elf überliefert sind. Rigoros um die sittlichen Normen der Landeskinder bemüht, machte der Herzog die Repräsentanten einzelner Laster gern zu Titelfiguren seiner Stücke: *Von einem Buler und Bulerin* (1593), *Von einem Wirthe* (1593), *Von einem ungeratenen Sohn* (1594), *Von einer Ehebrecherin* (1594), *Von Vincentio Ladislao* (1594). Das grausige Ende, das Heinrich Julius viele seiner Dramensünder nehmen ließ, entsprach den drakonischen Strafen, mit denen er besonders seine unzüchtigen Untertanen bedrohte. Jan Bouset, der englische Clown, wurde als närrischer Diener, an dem sich die Narrenhaftigkeit der Welt erweist, in viele Stücke aufgenommen.

Mit dem Titelhelden seiner populärsten Komödie *Von Vincentio Ladislao* gestaltete der Herzog einen Ritter, den man wegen seines affigen Verhaltens zur allgemeinen Belustigung an einen Hof holt. Der Ritter ist nach dem Modell des Capitano und miles gloriosus geformt, aber das, was er sagt, entstammt dem Umkreis der Verkehrten Welt. Die Renommierberichte, mit denen Vincentius die Hofgesellschaft unterhält, lauten wie die Tagereisen des Finkenritters. Es ist das schlicht Unwahre, was diesen hohlen Krieger in seinen Erzählungen und seinem Auftreten charakterisiert. Stück und Figur markieren damit deutlich den Übergang des 16. zum 17. Jahrhundert. Als einfacher Lügenritter, den man eine Zeitlang den Hofnarren spielen läßt, bis man ihn durch ein kaltes Bad auf den Boden der Tatsachen zurückbringt, gehört Vincentius noch in das Reformationsjahrhundert. Als einer, der sich anmaßt, eine falsche Rolle zu spielen, als eine sich auf falsch verstandene Äußerlichkeiten gründende Scheinexistenz gehört er in das 17. Jahrhundert.

Was sich in *Von Vincentio Ladislao* ankündigte, wurde dann zum Gehalt des Gryphschen Bramabasiererpaares Horribilicribrifax Donnerkeil und Daradiridatumtarides Windbrecher von Tausend Mord. Beide sind als Hauptleute «Helden» der *Horribilicribrifax* (nach 1648) genannten Komödie und gehören in die lange Reihe der miles gloriosi der europäischen Komödienliteratur. Der Untertitel «Wehlende Liebhaber», den Gryphius dem Schertz-Spiel gab, kennzeichnet die Handlung: ein Durcheinander von Liebeswerbung, -täuschung und -enttäuschung, das damit endet, daß die Guten die Tugendhaften heiraten können und die Schlechten mit den Minderwertigen vorlieb nehmen müssen. Die zentralen Figuren, die Hauptleute und der scheingelehrte Schulmeister Sempronius, sind Maulhelden. Mit ihrem Sprechen entlarvt Gryphius falsche Rhetorik, unsinnigen Fremdsprachengebrauch, groteskes Repräsentationsbedürfnis und leere Gelehrsamkeit, also die Kehrseiten charakteristischer Haltungen in der Barockepoche. Den Täuschungen und Selbsttäuschungen der Maulhelden entspricht deren falsche Eloquenz, denn die komischen Wirkungen entstehen vor allem aus dem Mißbrauch der Sprache, aus dem Versagen der Figuren vor der ersten der rhetorischen Tugenden: der perspicuitas (Verständlichkeit). Da das Ziel der perspicuitas die intellektuelle Deutlichkeit ist, verursacht ihr Fehlen jene grotesken Worthäufungen und Bilder, die meist zu dauerndem Mißverstehen führen. Hierin liegt weniger «Kritik des Eloquentiaideals» als dessen Bestätigung[128]. Denn der falsche Gebrauch der Beredsamkeit setzt die maßgebende Norm voraus und entlarvt die maßlose Figur. Das Fehlen der rhetorischen Tugend spiegelt somit den Tugendmangel der Großsprecher überhaupt. Im weltimmanenten Sieg des Guten über Hohlheit und betrügerischen Schein ist der Widerspruch, aus dem Gryphius' Trauerspiele lebten, der Widerspruch zwischen der als Vanitas begriffenen Welt einerseits und Tugend oder Wahrheit andererseits, aufgehoben.

Die Rolle, die die sprachlichen Normen in *Horribilicribrifax* innehaben, spielen in Gryphius' erstem Scherzspiel *Absurda-Comica oder Herr Peter Squentz* (1658) die allgemeinen literarischen Normen. Diese wurden zum Gehalt des Stückes, indem Gryphius Figuren gestaltete, deren ganzes Tun – wie in *Horribilicribrifax* – darin besteht, gegen die Normen zu verstoßen. Peter Squentz, ein dörflicher Schulmeister, versucht mit einigen Handwerksmännern die alte Liebestragödie von Pyramus und Thisbe an einem königlichen Hof aufzuführen. In jeder Hinsicht den Anforderungen eines solchen Spieles nicht gewachsen, gerät den Kleinbürgern das Ganze zur Rüpelposse, an der sich der Hof ergötzt. Mit den hohen Zuschauern sitzen zugleich die Repräsentanten des literarischen Grundgesetzes auf der Bühne, das Entsprechung von Thema und Darbietungsweise heißt. Durch die Zuschauer wird der komische Abstand zwischen diesem Grundgesetz und dem Spiel der Handwerker gemessen und verdeutlicht.

Der ständische Gegensatz, der als komische Anmaßung der Tölpelhaften in Gryphius' ersten Komödien wirkte, ist in seinem dritten Lustspiel *Verlibtes Gespenste, Die Gelibte Dornrose* (1660) zur Doppelkomödie der Bürger in *Verlibtes Gespenste* und der Bauern in *Die Gelibte Dornrose* aufgelöst. Eros versöhnt beide sozialen Schichten, die das gleiche Spiel um die Liebe, um richtige, die belohnt, und falsche, die bestraft oder gebessert wird, treiben. Auf einen Akt vom *Gespenste* folgt als Interludium ein Akt der *Dornrose*. Die Handlung des einen Stückes wird so zum Spiegel des anderen und beweist, daß «nichts, was hoch, ohn nidrige kan stehn» und «nidrig ohn die hohen doch vergehn».

Konnte der Dialektiker Gryphius in *Horribilicribrifax* den die Trauerspiele beherrschenden Gegensatz von Vanitaswelt und Wahrheit aufheben, so einte er im *Verlibten Gespenste* und in der *Gelibten Dornrose* die komischen Gegensätze der vorangegangenen Komödien und machte zugleich *Verliebtes Gespenste* zum deutlichen Gegenmodell von *Cardenio und Celinde*. Das entsprach dem Anlaß der Doppelkomödie. Sie wurde – wie schon die Freudenspiele *Majuma* (1653) und *Piastus* (1660) – zur feierlichen Fürstenehrung verfaßt. Der Anlaß, der Brautzug des regierenden Herzogs, forderte eine versöhnte Welt. Der Zweck des Ganzen formte somit den Gehalt des Mischspiels, das mit den programmatischen Worten von Eros beginnt:

> *Ich, der den kreiss der welt, der himmel bau verbinde,*
> *Ich, der der tollen see gesteckte grentzen setz,*
> *Der, was die zwitracht theilt, durch einigkeit ergetz,*
> *Ich, der der hertzen eiss durch reue hitz entzünde,*
> *Ihr sterblichen! ich komm, ich komm und überwinde.*

5. HEROISCHER ROMAN UND SCHÄFERROMAN

a) Voraussetzungen

Lebten Homers Epen aus der Einheit von Wesenhaftem und Wirklichem, so wurde die Diskrepanz von Sinn und Wirklichkeit zum Charakteristikum des literarischen Realismus, der damit satirisch im weitesten Sinne war. Verkehrte Welt hieß darum die eine satirische Möglichkeit, Wirklichkeit zu beschreiben. Als «Verkehrte Welt» konstituierte sich in Deutschland von Brant bis Grimmelshausen der epische Realismus [129]. Die andere Möglichkeit, Welt zu schildern, lag nach dem Verlust der Einheit von Sinn und Wirklichkeit in deren retrospektiver oder allegorischer Fiktion. Blieb die realistische Form nah am Gegenwärtigen und lieferte sie die mächtigen Exempel der Gegenwartskritik, so suchten die nicht realistischen Formen ihre Welt außerhalb der Gegenwart, in einer heroisierten Vergangenheit, einer idyllischen Enklave oder exotischen Gegend. Repräsentierte der Narr die realistische oder Verkehrte Welt, so der Heros und der Hirt, beide zuweilen austauschbar oder identisch, die nicht-realistische Welt. Entsprechend waren der heroische oder höfisch-historische Roman und der Schäferroman die beiden epischen Typen, die neben dem satirischen Roman erschienen. Allen drei Formen lieferte die Rhetorik mit ihren drei Möglichkeiten des hohen, mittleren und niederen Stiles die entsprechende Ausdrucksform.

Verkehrte Welt und heroische Welt sind als die beiden gegensätzlichen Möglichkeiten epischer Gestaltung aufeinander bezogen worden. Cervantes' *Don Quijote* ist das bedeutendste Beispiel dieses negativen Bezugs. Der närrische Ritter demonstriert die Verkehrtheit einer Haltung, der ein ganzer Kanon von Werken, die sehr populären Ritterromane, huldigten. Ihre Lektüre veranlaßte Don Quijote zu seinem verkehrten Handeln. Der Kanon wird angeführt vom «Anstifter alles Unheils», wie Cervantes respektvoll zwischen Originalwerk und Nachahmungsflut unterscheidend sagt, vom *Amadis de Gaula*, einem auf Sagen der Artusrunde und spanisch-portugiesischen Historien basierenden Roman, den der Spanier García Ordonez de Montalvo 1508 erstmalig drucken ließ. Durch Fortsetzungen wuchs der Roman auf 24 Bände an. 1540 wurde er unter dem Titel *Amadis aus Frankreich* ins Deutsche übertragen. Das Werk schildert Ketten von Taten des Königssohnes Amadis, der vor der Heirat seiner Eltern geboren und als Säugling dem Meer ausgesetzt wird. Er durchzieht kämpfend und liebend die Länder, bestraft Unrecht, beschützt Jungfrauen und begegnet Zauberkundigen. Amadis repräsentiert als stetiger Held und Sieger eine heile, in die sagenhafte Vergangenheit projizierte Welt, die außer dem Gegensatz von Helden und Bösewichten keinen Zwiespalt kannte. Diese Thematik und seine stilistische Qualität machten das Werk ungemein populär und ließen es auch auf den deutschen Barockroman wirken.

Ähnlichen Einfluß auf die europäische Prosa seit der Renaissance gewannen die *Aethiopica* des um 400 n.Chr. lebenden Griechen Heliodor. Der Roman schildert die lange Reihe gefährlicher Abenteuer und Schicksalsprüfungen, die die Königstochter Chariklea und der Thessalier Theagenes bewältigen müssen, bevor sie als Lohn für ihren Mut, ihre Treue und Keuschheit ein Paar werden können. Das Motiv der durch immer neue Abenteuer getrennten standhaften Liebenden fand in den epischen Werken des 17. Jahrhunderts vielfältige Nachahmung. Auch in John Barclays (1582–1621) politisch-moralischem Roman *Argenis* (1621), den Opitz ins Deutsche übersetzte, kann das Paar Argenis–Poliarch nach vielen Wirren erst am Ende heiraten. Die Helden sind hier Fürsten und Prinzen aus dem Mittelmeerraum. Wenn auch die Ereignisse in der Vergangenheit spielen, so ist die Tatsache, daß der Kampf um Geliebte auch ein Kampf um Kronen ist, ein getreuer Reflex aktueller dynastischer Politik. Darum ist die von Günther Müller vorgeschlagene und von Herbert Singer übernommene Bezeichnung «höfisch-historisch» für den sonst auch «heroisch-galant» genannten Romantyp, den *Argenis* einleitete, gerechtfertigt[130].

b) Schäferroman

Hirtenpoesie gibt es seit der Antike. Ihr erster bedeutender Gestalter war Theokrit (ca. 300–260 v.Chr.), der in seinen *Idyllen* Szenen aus dem sizilianischen Hirtenleben beschrieb. Vergil (70–19 v.Chr.) verlagerte in seinen Eklogen der *Bucolina* die Hirtenwelt nach Arkadien (Peloponnes). Seit der Antike verband man mit Arkadien, dem Land der einfachen Hirten und der Kulissen des Locus amoenus, die Vorstellung vom «goldenen Zeitalter», in dem der Mensch naiv und einig mit

sich selbst keine Spaltung von Sein und Sollen kannte. Diese Vorstellung setzte
das Bewußtsein verlorener Naivität voraus: die Hirtenidylle war der Traum der
Zivilisationsmenschen. Er begriff und gestaltete die Idylle, entweder als echte Gegenwelt oder als eine Spielwirklichkeit, in die er sich als Schäfer maskiert zurück-
zog. Die Hirtenwelt konnte darum elegisch als verloren beschrieben werden oder
auf allegorische Weise, mittels der Maskerade, erobert werden.

Seit der Renaissance lebte auch die Hirtendichtung wieder auf und wurde bis
weit ins 18. Jahrhundert hinein zur beliebten Gattung. Zu Schäferpoesie und
Schäferszene kam der Schäferroman, der Gedicht und Szene so häufig enthielt,
daß man ihn auch als Mischform bezeichnete. Longus (3. Jh. n. Chr.) war mit seiner
Erzählung von *Daphnis und Chloe* der spätantike Pionier dieser Gattung, der dann
Jacopo Sannazaro (1455–1530) mit seinem Werk *Arcadia* (1504) zu europäischem
Erfolg verhalf. Die anderen Nationen folgten einander nachahmend dem Italiener: auf spanisch verfaßte der Portugiese Jorge de Montemayor (1520–1561) seine
Diana enamorada (1559, deutsch 1619); in Frankreich schrieb Honoré d'Urfé (1568
bis 1625) *Astrée* (1607, deutsch 1619) und in England Sir Philip Sidney (1554–1586)
seine *Arcadia* (1590, deutsch 1629). So wie die friedliche Idylle die normale oder
politische Welt voraussetzte, so wurden bei d'Urfé und Sidney zeitgeschichtliche Figuren, Repräsentanten des hohen Adels, zu Schäfern. Als Schlüsselroman
konnte die Schäfererzählung an den höfisch-historischen Roman grenzen.

Wesentliche Motive der europäischen Schäferromane, die Opitz übersetzt hatte,
vereinigte er dann zu dem Mosaik seiner *Schäfferey von der Nimfen Hercinie* (s.
S. 123 f). Das ursprüngliche epische Vermögen, mit der Schilderung von Wirklichkeit Sinnhaftes zu vermitteln, suchte man im 17. Jahrhundert noch einmal im
allegorisch-emblematischen Verweisungsspiel zu erreichen. Durch die starke Dominanz der Bedeutungshintergründe gab es jedoch keine echte Kongruenz von
Sinn und Wirklichkeit mehr, sondern, wie gerade *Hercinie* zeigt, eine Über-
frachtung mit Sinnbezügen, die für viele deutsche Barockromane charakteristisch ist.

Auch Zesens *Adriatische Rosemund* (1645) ist ein allegorisch-emblematischer Roman. Folgt man dem bloßen Handlungsablauf, so scheint es sich um einen weiblichen Werther zu handeln: die Geschichte des katholischen Mädchens Rosemund
wird erzählt, dessen Leben verkümmert, weil es den evangelischen Geliebten
Markhold nicht heiraten kann. Während Markhold, der sich auch Ritterhold von
Blauen nennt und mit dem Zesen sich selbst zeichnete, nach Paris fährt, zieht sich
die liebeskranke Rosemund in eine Schäferidylle zurück, in der die Farbe bleu-
mourant oder sterbeblau dominiert. In die knappe Handlung sind Gedichte, Beschreibungen und Abhandlungen eingefügt. Wie die konfessionellen Konventionen der Zeit das endgültige Glück der Liebenden verbieten, so verhindern die
sprachlich-gesellschaftlichen Konventionen, daß sich die Liebenden unmittelbar
äußern. Sie zeigen ihre Gefühle, indem sie mittelbar auf Gedichte oder rhetorische

Briefe reagieren. Rhetorische Formen werden nicht naiv gebraucht, sie sind nicht das Gehäuse eines in irgendwelchen Ursprünglichkeiten eingegrenzten Inhalts, sondern sie werden so gehandhabt, daß die Tatsache ihrer Verwendung das Geschehen charakterisiert und beeinflußt. Zesen gestaltete damit die Geschichte einer Spannung zwischen Liebe und beherrschenden Konventionen seiner Zeit. Darum kann Richard Newalds Vorwurf, daß der Autor sich von der Rhetorik noch nicht «freimachen» konnte, nicht treffen[131].

Zesens großes Interesse für alles Sinnbildliche ließ ihn die Emblemsammlung *Moralia Horatiana* (1656) anlegen und prägte die Struktur seiner *Adriatischen Rosemund*. Das zeigt bereits das Titelkupfer. Darauf sind zwei verkettete Herzen zu sehen, aus denen jeweils ein Rosenstrauch und ein Palmbaum wachsen. Diese sehr populären Emblemrequisiten bedeuten die Untrennbarkeit von Lust und Leid (dornige Rose) sowie gesteigerte Bewährung im Leid (Palme). Der Bezug vom zentralen Emblem der Rose zum Namen der Titelheldin ist offensichtlich. Rosemund ist als vielschichtige Figur konzipiert und diese Gestaltungsweise von Zesen selbst beschrieben worden: «Dan es ist zu wissen, daß unter meiner ahrt zu schreiben, sonderlich unter den verblühmten Nahmen allezeit was andres, als es sich äußerlich ansehen lässet, verborgen sei.» Am 1. Mai 1643 gründete Zesen die Vereinigung, die seine sprachlichen und literarischen Vorstellungen fördern sollte, die «Teutschgesinnte Genossenschaft». Sie trug den Beinamen Rosenzunft. In dieser Gruppe war Zesens Zunftzeichen der Palmbaum. Der Gründungstag war der Namenstag Zesens, den er selbst «den ehrsten tahg des Rosenmahndes» nannte. Dieser Tag ist auch als Geburtstag Rosemunds angegeben, was Jan Heendrik Scholte mit Hilfe reicherer Parallelen zu der interessanten Vermutung veranlaßte, daß Rosemund so Objekt von Markholds Zuneigung ist, wie der Rosenzunft die Liebe dessen gehört, der sich hinter dem Namen Markhold verbirgt[132]. Rosemund ist mehr als nur Figur, sie repräsentiert zugleich auf allegorische Weise die Rosenzunft. Weniger im linearen Handlungsablauf, weniger in der direkten Funktion der Romanteile als in ihrem indirekten oder verweisenden Charakter liegt darum die Bedeutung dieser Geschichte. Die Rolle alles Uneigentlichen, das Spiel der Bezüge und Verweisungen ist entscheidend. Rosemund ist unter anderem Allegorie und verhält sich allegorisch, wenn sie in ihre sterbeblaue Umwelt zieht. Es geht nicht um die Tragik eines individuellen Schicksals, sondern Rosemunds Schicksal ist sinnbildlich auf mehrerlei Ebenen zu deuten, wobei eine wesentliche Deutung oder Lehre die Unsinnigkeit konfessioneller Engstirnigkeit und Vorurteile ist. Den «Glaubensklüglern» rückte Zesen noch 1665 zu Leibe, als er ihnen als Lehrspiegel *Des Geistlichen ... und Des Weltlichen Standes Handlungen und Vorteile wider Gewissenszwang in Glaubenssachen* schrieb.

Die Schäferwirklichkeit als Maskenwelt konnte ebenso dem Ausdruck religiöser Inhalte wie erotischer Themen dienen. Als erotischer Schlüsselroman hatte der Schäferroman jedoch seine größten Erfolge[133]. Der wohl auflagenstärkste Roman des 17. Jahrhunderts gehört zu dieser Gruppe: *Jüngst-erbawete Schäfferey, Oder Keusche Liebes-Beschreibung, Von der Verliebten Nimfen Amoena, Und dem Lobwürdigen Schäffer Amandus* (1632, bis 1659 dreizehn Ausgaben, mit zum Teil variiertem Titel). Der nur mit den Initialen A.S.D.D. bekannte Autor schildert die Liebesgeschichte Amoenas, der Tochter eines Prinzen und Obristen aller Schäfer, und des adligen Kavaliers Amandus. Die Liebe äußert sich vor allem darin, daß sie zum Thema der Unterhaltungen des Paares wird. Diese Gespräche werden von Amandus vorher kalkuliert, der damit eine Distanz zeigt, die den Schluß des Romans erklärt: den leichten Verzicht des Liebhabers, der damit vernünftig zu handeln glaubt.

Endet der historisch-höfische Roman im allgemeinen mit der Verheiratung der Paare, die alle Schicksalsfügungen heroisch bestanden haben, so endet der erotische Schäferroman meist mit der Nichterfüllung der Liebe. Am krassesten, wie schon der Titel verrät, in *Die verwüstete und verödete Schäferey, Mit Beschreibung dess betrogenen Schäfers Leorianders Von seiner ungetrewen Schäferin Perelina* (1642). Der unbekannte Autor beschreibt die unerfüllte Liebe eines adligen Offiziers. Da das Schäferkostüm oft wirklich vorgekommene Liebesaffären bemäntelte, wollten viele Autoren dieses Genres anonym bleiben. Solche autobiographischen Hintergründe waren der Anlaß, in den erotischen Schäferromanen Anfänge moderner «Erlebnisdichtung» zu sehen. Wie Arnold Hirsch zeigte, verbieten es dichtungstheoretische Aspekte, diese These ohne Einschränkung zu akzeptieren[134]. Die Frage, ob ein Literaturwerk reale Ereignisse als Anlaß oder Modell hat, bleibt irrelevant gegenüber der Frage, ob und wie weit sich innerhalb der literarischen Wirklichkeit selbst Individualismus und Erlebnishaftigkeit auswirken. Die *Jüngsterbawete Schäfferey* zeigt da ein anderes Bild als *Damon und Lisillen Keuscher Liebes-Wandel* (1663, mit 2. Teil 1672) des Kanzlers am Altenburgischen Hof Johann Thomas (1624–1679). Diese Geschichte einer glücklichen Liebe und Ehe im Schäfergewand fällt aus dem Rahmen der übrigen Werke heraus. Den Grund nennt Thomas selbst, wenn er schreibt, daß «die Liebe der Lisillen und dann die Poeterey seyn von allen Regeln frey». Die Freiheit von Konventionszwängen machte die Beziehung Damon-Lisille so als glücklich beschreibbar, wie die gegenteilige Situation Zesens Rosemund unglücklich gemacht hatte.

Indem die Autoren das Höfisch-Konventionelle eine negative Rolle im Schäferroman spielen ließen oder ihn dagegen abgrenzten, erweist sich dieses Genre als erster Schritt zur modernen Prosagestaltung. Der erotische Schäferroman, seine Gestalten und Ereignisse, sind unhöfischer Natur. Nur solange die Schäferwelt als idyllischer Kontrapunkt im historisch-höfischen Romanrahmen funktionierte, wurden die diesem Romantypus zugrundeliegenden Normen und Wertvorstellungen bestätigt. Diese erübrigten sich, als die Schäferwelt zur ausschließlichen Wirklichkeit wurde und an die Stelle der höfischen Normen die allgemeinmenschlichen der Tugend treten konnten[135].

c) Zesen

Lernen von westlichen Vorbildern verband Philipp von Zesen (1619–1689) mit dem Willen, für die deutsche Sprache und Literatur Pionierleistungen zu vollbringen. Er empfahl als Stufenfolge literarischer Betätigung: Gedichte, Übersetzungen, eigene Prosa. Sieht man von der *Adriatischen Rosemund* (1645) ab, die der Gruppe der Schäferromane zuzuzählen ist, so verwirklichte Zesen in etwa dieses Programm. Er begann seine Prosaepoche mit der Übersetzung französischer Romane. Im Mittelpunkt der späteren Jahre standen die biblischen Romane *Assenat; das ist Derselben / und des Josefs Heilige Stahts- Lieb- und Lebens-Geschicht* (1670) sowie *Simson / eine Helden- und Liebes-Geschicht* (1679). Trotz alttestamentlicher Thematik sind beide Werke nicht religiöser als der übliche höfisch-historische Roman. Die biblische Zeit sicherte den historischen Abstand. Die Helden haben die Tugenden der klassischen Barockheroen, vor allem also constantia gegenüber den Wechselfällen, die Fortuna bietet. In der Vorrede zum *Assenat* leistete sich Zesen das Wortspiel, daß er seine Erzählung heilig nennt, weil er das biblische Vorbild «heil und unverrückt» gelassen. Zweite ebenso wichtige Quelle war die *Historia Assenat*, eine legendäre Erzählung von Josefs Frau. Auch andere frühchristliche Quellen und Grimmelshausens Josefsroman, das dem niederen Stil zugehörige Gegenmodell, lieferten Motive. Zesen hat aus dem tradierten Stoff einen historisch-höfischen Roman gemacht. Josef wurde zum Staatsmann.

Assenat ist Zesens geschlossenstes Werk, da Stil und Inhalt sich entsprechen. Handlungsinszenierendes Moment ist die Schönheit des zum Sklaven gemachten Josef, die mitsamt ihren folgenreichen Wirkungen für die deskriptive Sprache das bestgeeignete Objekt war. Das Lob der Schönheit galt in der rhetorischen Tradition als die Hauptfunktion der epideiktischen Rede[136]. Von Josefs inneren Qualitäten wurde gesagt, daß sie den äußeren in nichts nachstehen. Auch in der Schilderung des Lebens am Hofe Pharaos, der mit seinen sehr barocken Festen wie ein Hof der absolutistischen Zeit wirkt, erfüllte der deiktische Stil seinen Zweck. Die gehaltenen Reden haben wichtige Aufgaben für die Handlung. Die Kongruenz von Thema und Stil wurde verstärkt, soweit die nicht zum unmittelbaren Handlungsverlauf gehörigen Teile wie geographische oder mythologische Exkurse und lyrische Einlagen sich sinnvoll einfügten.

Auffälligstes Stilmerkmal ist die mehrfache, meist sich steigernde Wiederholung eines Sachverhalts, die den eindringlichen für Zesens ganze Dichtung typischen Sprachrhythmus begründet. Heißt es in der Genesis (41,54) bündig: «Und es ward eine Teuerung in allen Landen», so schreibt Zesen: «Die fruchtbarkeit blieb aus. Die wohlfeile zeit verschwand. Im einen jahre blieb der Niel zurük; im andern lief er so übermäßig hoch auf/ daß er alles verderbete/ alles verwüstete. Keine felder konten bestellet/ keine äkker besaet/ keine gärte bepflantzet werden.

Und also ward nichts eingeärntet. Der mangel entstund an allen orten. Die Teurung überfiel das gantze Egipten. Der hunger nahm zu. Die einwohner verschmachteten[137].» Intensiver als auf diese amplifizierende Weise ließ sich ein Sachverhalt nicht schildern, solange es epideiktisch geschah, solange also Distanz zum beschriebenen Objekt vorausgesetzt war.

Daß Zesen ein Freund der Schilderung war, zeigt seine *Beschreibung der Stadt Amsterdam* (1664), die neben allgemeiner Historie eine genaue Darstellung wichtiger städtischer Gebäude und ihrer Geschichte gibt. Zesen dankte Amsterdam mit diesem Werk für die Verleihung der Bürgerrechte.

Mit dem zweiten biblischen Roman *Simson* gelang es Zesen nicht, das Niveau des *Assenat* zu halten. Die Teile und Beschreibungen verselbständigten sich. Simson wurde zugleich als Figuration Christi gestaltet. Die Rolle, die die Schönheit für Josef spielte, hat bei Simson die Stärke übernommen, deren Gewalt und Wirkung jetzt Objekt der Beschreibung wurde. Daß diese physische Stärke die Größe Christi reflektieren sollte, gehört in den Rahmen figurativer Spiegelungen, mit denen man gern Gestalten oder Situationen des Alten und des Neuen Testaments aufeinander bezog. Die Simson-Christus-Beziehung bedeutete jedoch eine Veräußerlichung dieses Prinzips, die zwar dem epideiktischen Stil entgegenkam, zugleich aber den Sinn von Christi Existenz in das Gegenteil verkehrte und sich in falschen Vergleichen entlarvte. Bevor «die erschlagenen Leichen» Simsons selbsterschaffenes Grab zieren können, bringt er mit ausgestreckten Armen den Tempel zum Einsturz: «Und also schien es/ daß er/ als ein Erlöser des Volkes Gottes/ mit solchen seinen aus- und voneinander-gesträkten Armen dasselbe Kreutz vorbilden wolte/ daran der Erlöser der gantzen Welt hängen/ und das allerherlichste Siegsgepränge über die höllischen Filister/ in seinem Tode selbst halten solte.»

d) Buchholtz

War Zesens in Holland genährter Antidogmatismus eine wichtige Wurzel seines Schaffens, so ist das Prosawerk des Niedersachsen Buchholtz durch eine weltanschaulich enge Haltung gekennzeichnet. Andreas Buchholtz (1607–1671) aus Schöningen bei Helmstedt studierte Theologie und wirkte als Lehrer und Professor, bevor er 1647 braunschweigischer Pastor und seit 1662 Superintendent in Wolfenbüttel und Inspektor für Schul- und Kirchenwesen in Braunschweig wurde.

Buchholtz schrieb neben Übersetzungen lateinischer Autoren und geistlichen Liedern zwei Romane, die man als ein Fortsetzungswerk ansehen muß: *Des Christlichen Teutschen Groß-Fürsten Herkules Und der Böhmischen Königlichen Fräulein Valiska Wunder-Geschichte* (1659/60) und als Erlebnisse der folgenden Generation: *Der Christlichen Königlichen Fürsten Herkuliskus Und Herkuladiska Auch*

Ihrer Hochfürstlichen Gesellschaft anmuthige Wunder-Geschichte (1665). Den Inhalt der zwei sehr umfangreichen Bände beschreiben hieße, die fast endlose Reihung von besonders im zweiten Band untereinander kaum differenzierten Abenteuern wiederholen, in welche eine enorme Zahl von Personen – 464 im zweiten Band – verwickelt sind. Die räumliche Achse des in das dritte nachchristliche Jahrhundert verlegten Geschehens richtet sich südöstlich von Deutschland über Böhmen, den Balkan zum vorderen Orient. Diese Gegenden durchirren nach dem Heliodorschen Handlungsmuster edle Ritter, erdichtete Fürstenkinder, die fortlaufend Kraft und Mut gegen meist als Räuber und Menschenhändler auftretenden Schurken beweisen müssen, bis glückliche Heiraten den Wirren ein Ende setzen. Jedes einzelne Abenteuer wird knapp und abgeschlossen berichtet. Buchholtz beschränkt sich auf die notwendigen Handlungsmomente und vermeidet Exkurse und ausgedehnte Reden. Die dadurch bedingte Lesbarkeit hat der großen Popularität seiner Romane sicher genützt. Die ständige Wiederholung des gleichen Episodenschemas provoziert die Frage nach dem Sinn des Ganzen. Buchholtzens erklärte Absicht, ein Gegenmodell zum «schandsüchtigen Amadis» zu schaffen, war ein Topos der Zeit und durch die Tatsache relativiert, daß die Abenteuermotive seiner Helden denen des *Amadis* ähnlich sind. Der Unterschied lag im religiösen und nationalen Engagement von Buchholtz. Das ließ ihn alle für *Amadis* typischen erotischen Szenen vermeiden und durch reichlich verwandtes Gebet und religiöses Lehren das Heroische mit dem Religiösen verbinden. Bei Buchholtz ist der Schurke, an dem sich der rechtgläubige Held erproben muß, von nichtchristlicher Religion. Das Vorurteil wird bereits im Vorwort zum Programm: «Im übrigen schätzet mans unnöthig/ den Leser zu erinnern/ daß in solchen und dergleichen Büchern verständig anzumercken sey/ was von Gläubigen/ und was von Ungläubigen angeführt wird; Als deren Verhalten in sehr grosser Ungleichheit bestehet; daher man auch deren Reden und Wercke auf ungleiche Weise hat bilden und vorstellen müssen.» Herkules, der ebenso tapfer wie christlich-fromm und deutsch gezeichnet wurde, ist so sehr mit sich und seinem Handeln eins wie der Autor selbst in seiner Absicht, mit seinem Romanwerk «erbauliche Lehrunterrichtungen» zu geben.

e) Herzog Anton Ulrich

Die ungetrübte Naivität, mit der Buchholtz die Identität von Sinn und Handeln seiner Helden betont, fand in der Epik des Braunschweiger Herzogs Anton Ulrich keine Nachfolge. Des Herzogs Weltbild war differenzierter und dem Geist seiner Zeit adäquater als die dem 16. Jahrhundert gemäßeren Ansichten seines Landsmanns Buchholtz.

Anton Ulrich (1633–1714), Herzog von Braunschweig-Wolfenbüttel, war Sohn

Herzog Augusts des Jüngeren, der die später von Lessing verwaltete Wolfenbütteler Bibliothek aufbaute. Als Lehrer dienten ihm Justus Georg Schottelius und
Sigmund von Birken. Die Fruchtbringende Gesellschaft, der schon der Vater
unter dem Namen «Der Befreyende» angehörte, nahm Anton Ulrich als den
«Siegprangenden» auf. Nach dem Tod des Vaters (1666) wurde der Bruder Rudolf
August regierender Herzog, und Anton Ulrich, der seit 1685 Mitregent war, nach
dem Tod des Bruders (1704) Regierungschef. Anton Ulrichs intensive Verstrickung in die dynastische Politik wurde Hintergrund und Voraussetzung seines
Romanwerks. Mit Leibniz, den er 1690 als Bibliothekar in Wolfenbüttel angestellt
hatte, stand er in wichtigem, auch brieflich fixiertem Gedankenaustausch.

Anton Ulrich schrieb neben geistlicher Lyrik (*Christ Fürstliches / Davids- / Harp-
fen-Spiel*, 1667) und einer Reihe zu festlichen Anlässen verfaßter Singspiele
Deutschlands bedeutendste historisch-höfische Romane. In ihnen wurde nicht wie
bei Buchholtz Welt auf ein Schwarz-Weiß-Prinzip reduziert, sondern noch einmal
Welt überhaupt gegeben. Dazu diente dem Herzog die barocke Zentralmetapher
vom theatrum mundi. Anton Ulrichs Gestalten bewegen sich nach dem ver-
wirrenden Wechselgesetz von Schein und Sein über eine Romanbühne, die die
Welt bedeutet: «Die Welt/ ist eine Spielbüne/ da immer ein Traur- und Freud-ge-
mischtes Schauspiel vorgestellet wird: nur daß von zeit zu zeit/ andere Personen
auftretten.» Diese Worte aus der wichtigen, von Birken verfaßten programmatischen Vorrede zu Anton Ulrichs erstem Roman *Die Durchleuchtige Syrerin Aramena* (1669–73) kann man auch als Motto für das zweite Werk *Oktavia/Römische
Geschichte* (1685–1707) betrachten.

Mit der *Aramena* gestaltete Anton Ulrich ein äußerst verwirrendes Spiel um
mehr als 50 Hauptpersonen, die fortwährend andere sind als ihre Mitfiguren, der
Leser oder teilweise auch sie selbst glauben. In fünf Bänden werden die abenteuer-
und intrigenreichen Schicksale von Herrschern und vor allem deren Kindern berichtet, die endlose dramatische Verwicklungen auf sich nehmen müssen, bis sie
schließlich glücklich vereint sind. Fast 30 Paare, unter ihnen Aramena und Marsius,
empfangen so den Lohn für Treue, Keuschheit und Standhaftigkeit. Obgleich
Namen und Ort des Geschehens weitgehend der Bibel entlehnt wurden, spiegelt
Anton Ulrich mit der Verquickung von erotischen und politischen Interessen die
dynastische Politik seiner Zeit, für die Heiratspolitik ein wesentlicher Bestandteil
war. Deshalb kann die Vorrede mit Recht das Werk eine «rechte Hof- und Adels-
schule» nennen. Da der Entwicklungsgedanke dem 17. Jahrhundert fremd war
und, wie es in der Vorrede heißt, nichts Neues unter der Sonne geschieht, wurde
die Schilderung älterer Zeiten als getreuer Spiegel der Gegenwart, als stets gültiges
Weltmodell begriffen.

Gleiches gilt für den Roman *Oktavia*, in dem Rom als alter Weltmittelpunkt
die Welt mit seiner Macht umspannt. Oktavia, der schon ein Drama Senecas galt,
war die Tochter des Kaisers Claudius und wurde als Gattin Neros hingerichtet.

Dem historischen Vorbild ungetreu, machte Anton Ulrich Oktavias Liebe zu ihrem Vetter, dem armenischen König Tyridates, zum Kern des 6922 Seiten starken, sechsbändigen Romans, den die eingeschobenen Episoden zum Prosagiganten weiteten. Es ging Anton Ulrich nicht um einen historischen Beitrag zu einem wesentlichen Abschnitt römischer Geschichte, sondern wieder um den Modellfall, der zeitlos-allgemeingültige Wahrheiten vermittelt. Es ging um die allegorische Deutung der Geschichte, ihr dient das «Geschichtgedicht», das die oben erwähnte Vorrede von der bloßen Historienschreibung abgrenzte.

Oktavia ist mit ihrer Bereitschaft zum christlichen Dulden und ihrer Willensstärke, mit der sie alle Hindernisse erträgt oder überwindet, die das Schicksal zwischen sie und Tyridates stellt, das große positive Beispiel. Die anderen Figuren, welche die menschlichen Eigenschaften bis zur äußersten Bosheit repräsentieren, ergänzen es zum totalen Bild humaner Möglichkeiten. Die Religionszugehörigkeit ist nicht wie bei Buchholtz Maßstab der Wertung, sondern die natürlich aus dem rechten Glauben erwachsende Stärke gegenüber dem, was Fortuna bietet, qualifiziert die Figuren.

Vom Was des Geschehens ist das Wie seiner Mitteilung nicht trennbar. Die in der Aramena-Vorrede erwähnte Weltspielmetapher gilt nicht nur für den Sinn, sondern vor allem für den Aufbau der Romane. Wie in den verschlungenen Wegen eines französischen Barockparkes sieht sich der Leser zunächst in ein Gewirr von Handlungsfäden verstrickt, das erst gegen Ende der Bücher aufgelöst wird und einen klaren Blick über eine komplizierte Komposition erlaubt. Er entspricht dem Blick über die absichtliche Verschlungenheit und rationale Symmetrie des barocken Parkes von der Schloßterrasse. Die dauernden Verkleidungen und Verstellungen der Figuren, ihre wechselnden Scheinexistenzen, zu denen auch Scheintod und Scheinehe gehören, bewirken ebenso Verwirrung wie die Vielfalt der Handlungsstränge, die der Erzähler unabhängig voneinander mitteilt und zwischen denen er wechselt, oft ohne das einzelne zu einem zunächst sinnvollen Abschluß gebracht zu haben. Die Verwirrung ist beabsichtigt. In der Vorrede heißt es, daß es «das in diesem Ersten Theil eingewirrte Rätsel ihrer Geschichte/ in den folgenden Büchern wieder zu entwickeln» gilt[138].

Die Gestalten Anton Ulrichs wissen über den Gesamtzusammenhang so wenig wie der den Roman Lesende. Diese Horizontidentität von Leser und Gestalten gibt Anton Ulrichs Romanen dramatische Wirksamkeit und rechtfertigt die rhetorischen Stilelemente, die auf Affektwirkungen im Leser zielen, denn diese Wirkungen entsprechen teilweise den aristotelischen Forderungen an das Drama. Birken definierte in seiner Poetik Struktur und Wirkung dieser Epik: «Die Geschicht wird/ soviel möglich/ verwickelt/ also daß immer eine neue Begebnis aus der andern erwachse: und der völlige Ausgang muß auf die Letze versparet werden. Sonsten kan man allerhand Nebensachen und Umstände miteinschalten/ auch Lehr Sprüche/ erbauliche Unterredungen/ zierliche Person- Ort- und Zeitbeschreibungen/ und immer bedacht seyn/ wie man bei dem Leser Mitleiden/ Freude/ Furcht/ Hoffnung/ Verwunderung und dergleichen Regungen/ erwecken möge [139].» Wie das Drama sind die Romane des Herzogs auf ihren Ausgang hin gespannt. Nur der Verfasser überblickt alles und leitet das Spiel auf der Romanbühne wie Gott das der Menschen. Die wichtige Gleichung von Gott und Autor sowie von Roman und Wirklichkeit zog Leibniz in einem Brief an Anton Ulrich: «Ich hätte zwar wünschen mögen, daß der Roman dieser Zeiten eine beßere Entknötung gehabt; aber vielleicht ist er noch nicht zum ende. Und gleichwie E.D. mit ihrer OCTAVIA noch nicht fertig, so kan Unser Herr Gott auch noch ein paar tomos zu seinem Roman machen, welche zuletzt beßer lauten möchten. Es ist ohne dem eine von der Roman-Macher besten künsten, alles in verwirrung fallen zu laßen, und dann unverhofft herauß zu wickeln. Und niemand ahmet unsern Herrn beßer nach als ein Erfinder von einem schönen Roman [140].»

Den Anspruch, Weltspiegel zu sein, erhebt auch *Simplicissimus* als das Meisterwerk aus der Tradition der Verkehrten Welt. Dort wie bei Anton Ulrich regiert Unbeständigkeit die Welt. Schildert Grimmelshausen jedoch die Welt als verkehrt und scheinhaft, so zeigt der Herzog eine Welt, deren Verkehrtheit sich letztlich als Schein erweist. Ist bei dem einen Weltverneinung die einzig mögliche Konsequenz, so bleibt Weltbewältigung die Forderung des anderen.

f) Lohenstein

Welt in einer gewaltigen Versammlung aller ihrer Teile, zeitlich von fernster Vergangenheit bis zur Gegenwart und räumlich von entlegendsten Gebieten bis zur Mitte Deutschlands gibt auch Lohensteins enzyklopädischer Roman *Großmüthiger Feldherr Arminius oder Herrmann als ein tapfferer Beschirmer der deutschen Freyheit nebst seiner durchlauchtigen Thußnelda in einer sinnreichen Staats- Liebes- und Helden-Geschichte dem Vaterlande zu Liebe dem deutschen Adel aber zu Ehren und rühmlichen Nachfolge in zwey Theilen vorgestellet* (1689/90). Dieses Monstrewerk von 3076 doppelspaltigen Seiten, das 1731 noch einmal gedruckt wurde, beginnt mit der Schlacht im Teutoburger Wald, dem Höhepunkt im Ringen zwischen Römern und Germanen. Hätte der Roman eine reguläre Handlungsfolge, so müßte dieses Ereignis im Mittelpunkt des Werkes stehen. Statt dessen reihen sich Episoden um Episoden an den dramatischen Auftakt, während der dem römischen Krieg geltende Handlungsfaden erst später wieder aufgenommen wird. Der Roman bewegt sich weniger auf einer horizontalen Ebene als auf einer vertikalen Linie. Weniger das dynamische, durch kausale Verknüpfung der Ereignisse bedingte Streben vom Vergangenen zum Gegenwärtigen als der statische Querschnitt durch die Jahrhunderte ist wichtig, wobei auf allegorische Weise Vergangenes auf Gegenwärtiges bezogen wird. Obwohl der eigentliche Handlungsspielraum nur ein Jahrzehnt umfaßt, wird auf diese Weise mehr als die ganze deutsche und römische Geschichte einbezogen.

Die räumliche Achse Germanien-Rom ist zugleich die Wertachse des Romans. Hausen im Norden, in Deutschburg, die Repräsentanten des schlechthin Tugendhaften, Edlen, verkörpert durch Arminius und Thusnelda, so im Süden die ihren Affekten und bösen Trieben ausgelieferten Führer Roms. Zwischen ihnen stehen jene schwankenden, von falschem Ehrgeiz oder falscher Liebe getriebenen Germanen, die am Ende gerechter Strafe oder endgültiger Besserung zugeführt werden.

Da die ganze Weltgeschichte über den deutschen Meridian anvisiert wird, erfüllt sich der Sinn der Weltgeschichte in Deutschland. Das verdeutlicht auch Urvater Thuisko, dessen Mumie in einer wunderbaren Tropfsteinhöhle des Erzgebirges eingesargt wurde und dessen Urweisheiten der christlichen Botschaft nicht fernstanden. Auf allegorische Weise werden die verschiedenen religiösen Vorstellungskreise aufeinander bezogen. Gleiches gilt für alle historischen, naturkundlichen, geographischen oder mythologischen Fakten, mit denen Lohenstein immer wieder die Handlung enzyklopädisch ausweitet. Man hat den Verfasser darum «eine lebendige Bibliothek» und seinen Roman «den rechten Kern und Auszug derselben» genannt. Jedoch dienen die enzyklopädischen Elemente mehr als nur der Demonstration immenser Gelehrsamkeit. Die Fakten, die aus ihren ursprünglichen Zusammenhängen herausgelöst sind, gewinnen als parallelisierende Exempla für die Stellen, an denen sie genannt sind, allegorischen Interpretationsgehalt. Gleiches gilt für die auftretenden Personen, die oft zugleich andere historische Figuren bedeuten. Dieses Verweisungsspiel erlaubt es, den dargestellten historischen Abschnitt aufs Weltgeschichtliche zu projizieren.

Mit diesem noch unhistorischen, allegorischen Verhältnis zur Geschichte steht auch Lohenstein in der über das Mittelalter und die Patristik bis in die Spätantike zurückreichenden Überlieferung des allegorischen Welt- und Textverständnisses. Dieses Verständnis erlaubt die Interpretation aller Fakten auf eine bestimmte Deutung hin, ihre Unterordnung unter eine bestimmte Überzeugung. In der Tradition war es die christliche Auslegung, die mittels der Allegorie heidnische Äußerungen zu apokryphen Dokumenten Christi machte. Bei Lohenstein ist diese Überzeugung säkularisiert zum patriotisch-nationalen Dogma von der Welt- und Wesensmitte Deutschlands, auf die alles zu beziehen ist. Durch diesen weltimmanenten und zufälligen Bezugspunkt ist einem ausschließlichen Spielrelativismus stattgegeben.

Die Weltspielmetapher, die Anton Ulrich episch verwirklichte, indem er seine Gestalten verwirrend und verwirrt verschiedene Rollen spielen ließ, ist auch in Lohensteins Roman realisiert. Hier allerdings in totalerem Sinn. Es geht nicht nur um ein Spiel der Täuschungen von Menschen untereinander, sondern um die absolute Manipulierbarkeit aller Weltelemente, mit denen der Mensch, der Autor, zu spielen, analog dem Geschick, das mit dem Menschen spielt:

> *Für allen aber ist der Mensch ein Spiel der Zeit.*
> *Das Glücke spielt mit ihm/ und er mit allen Sachen*[141].

Damit ist das erreicht, was Lukács in seiner Romantheorie als «schlechte Unendlichkeit» der Totalität des alten Epos entgegensetzte. Konnte in Homers Werk
dank der Immanenz des Sinnes jedes Teil das Ganze repräsentieren, so suchte man
im 17. Jahrhundert Totalität durch manieristische Konstruktionen zu bewahren.
Der Anspruch des Epikers, Welt schlechthin zu geben, endete mit Anton Ulrich
und Lohenstein in riesigen Romangebilden.

g) Heinrich Anshelm von Zigler und Kliphausen

Ist das Alterswerk Lohensteins durch die Einheit von Polyhistorie und Roman-
handlung charakterisiert, so ist das schriftstellerische Werk des um eine Generation
jüngeren Heinrich Anshelm von Zigler und Kliphausen (1663–1696) durch das
Nebeneinander von Roman und polyhistorischen Kompendien bestimmt. Man
kann darin ein Symptom für das Ausklingen der Barockepoche sehen. Der bei
Görlitz geborene Gutsbesitzerssohn Zigler und Kliphausen lebte nach Studium
und Heirat auf verschiedenen Gütern. Er war von schwacher Gesundheit und
zuletzt lungenkrank. Mit zwei umfangreichen Folianten leistete er immense
Fakten- und Curiosahäufung. Im *Täglichen Schau-Platz der Zeit* (1695) mußten
die 365 Tage des Jahres als Schubfächer dienen, in die der Verfasser alles packte,
was er für wissenswert hielt. Mit dem *Historischen Labyrinth der Zeit* (1701) versuchte er, alle Regenten oder Fürsten und deren Vorfahren, die an den europäischen und teils auch asiatischen Höfen geherrscht haben, vorzustellen. Zigler und
Kliphausens Erfolgsroman hingegen, *Die Asiatische Banise, Oder Das blutig=doch
muthige Pegu* (1689), blieb von polyhistorischem Faktenwerk frei. Die Roman-
handlung spielt vor dem Hintergrund blutrünstiger politischer Ereignisse Hinter-
indiens, die zunächst in einer portugiesischen, mehr abenteuerlichen als zuverlässigen Quelle des 16. Jahrhunderts aufgezeichnet waren und dann in die Schriften des Nürnbergers Erasmus Francisci (1627–1694) eingingen[142]. Zigler, der sich
vor allem auf Francisci stützte, ließ Balacin, den edlen Prinzen und Herrscher von
Ava, nach langen abenteuerlichen und kriegerischen Verwicklungen seine geliebte Banise, Prinzessin und Erbin des Reiches von Pegu, mit ihrem Land befreien und die Prinzessin heiraten. Gegenspieler Balacins ist Chaumigrem, der
scheusälige Tyrann und Usurpator Pegus, der Banise gefangenhielt.

In der Vorrede nahm Zigler zur Stillage und zum Verhältnis seines Romans
gegenüber der Gattung der Heldengedichte Stellung: «Zudem auch der Inhalt
sich mehr einer historischen Beschreibung, als Heldengedichte gleichet: Dahero
ich durch vergebene Bemühung die Armut meiner Zunge nicht verraten, sondern

mich durchgehends einer leichten und gewöhnlichen Redensart bedienen wollen. Sollte aber dem geehrten Leser die Vollkommenheit deutscher Sprache zu sehen belieben, so wird ehestens der unvergleichliche *Arminius ... sein Verlangen sattsam stillen.*» Daß Zigler sich weniger des erhabenen Stiles bediente, half den Erfolg des Romans begründen und entsprach der Betonung der «historischen Beschreibung». Denn damit war dem Ereignishaften der Vorrang gegeben. Nicht mehr das Spiel der Verweise und Querbezüge, sondern der lineare Handlungsablauf war das Entscheidende und bewirkte die Spannung des Lesers. Von der Forschung ist die Nähe der *Asiatischen Banise* zum Dramatischen erkannt und diskutiert worden[143]. Chaumigrem ist in seiner Maßlosigkeit so Spielball seiner Leidenschaften, wie es in den Tyrannen der schlesischen Dramen vorgestaltet war. Dem Affektsklaven stehen die tugendhaft Liebenden gegenüber, die zu stoischer Haltung fähig sind und sich im Rahmen höfischer Konvention bewegen. Der heidnisch-exotische Bereich, den schon Gryphius und Lohenstein zum dunklen Hintergrund christlich-stoischer Bewährung machten, ist hier zur ausschließlichen Kulisse geworden und erlaubte die Schilderung bombastisch-grausiger Ereignisse. Auch die Gebärden-sprache der Romanfiguren erinnert an das Drama und viele der theatralisch ausge-malten Situationen an die Oper. «Die Handlung ist geradezu in Szenen – (Auf-tritte) – eingeteilt, das ‹Abtreten› einer Person und der Wechsel des Ortes fallen meist zusammen. Massenszenen, intimere Szenen und Monologe wechseln ab. Die Stimmung einer Szene kristallisiert sich oft in dem Gesang der wichtigsten Personen heraus, der förmlich als ‹Arie› bezeichnet wird[144].» Es war darum konsequent, daß die Handlung nach dem Sieg der Tugendhaften über Chaumi-grem in die Aufführung des musikalischen Festspiels *Die listige Rache, oder Der Tapffere Heraclius* mündete, mit der der Roman schließt. Zigler dankte die Kennt-nis des aus Italien stammenden Librettos Hallmanns Schriften. Die dramatischen oder opernhaften Elemente und Tendenzen in Ziglers Roman provozierten zu-gleich dessen spätere Dramatisierungen oder Umarbeitungen in Libretti. Ziglers enges Verhältnis zur Oper wurde erst kürzlich durch den Hinweis Elisabeth Frenzels bestätigt, daß Zigler das Textbuch zur Oper *Die lybische Talestris* (1696) schrieb[145]. Die letzten Jahre seines kurzen Lebens waren von emsiger Produktion erfüllt. Nach dem Vorbild von Hoffmannswaldaus *Heldenbriefen* verfaßte Zigler einen Liebesbriefwechsel biblischer Personen, der unter dem Titel *Helden-Liebe Der Schrifft Alten Testament in 16 anmuthigen Liebes-begebenheiten* (1691) heraus-kam. Daß hier die Bibel zur bloßen Stoffquelle gemacht und der religiöse Gehalt ausgeklammert wurde, entspricht der Tatsache, daß Chaumigrem, Ziglers populärste Figur, als Verkörperung des Bösen nicht mehr religiös oder politisch motiviert ist. Zigler markiert damit das Ende der Epoche. Seine Gestalten sind noch nach dem Muster barocker Helden und Tyrannen, aber ohne deren geistige Basis geformt. Sie agieren nicht mehr auf einem Welttheater, sondern verhalten sich theatralisch.

VIERTES KAPITEL

Mystik und Dichtung

a) Mystik

Mystik (von μύειν = sich schließen, die Augen schließen) ist extremer Subjektivismus und zugleich dessen Aufhebung. Der Mystiker kapselt sich von der Wirklichkeit ab, um im «Selbst» die eigentlichen Realitäten zu finden. Er will die unmittelbare Erfahrung überpersönlicher, «göttlicher» Macht, wobei Subjekt und erfahrene Macht in der «unio mystica» verschmelzen. Die totale Hingabe des Subjekts an ein Absolutes bedeutet gleichzeitig die Verabsolutierung des Subjekts. Der darin liegende Widerspruch wiederholt sich im Versuch des Mystikers, vom Absoluten zu künden, denn dessen Erfahrung schließt seine Vergegenständlichung oder Logifizierbarkeit aus. Den Mystiker kennzeichnet darum das Paradoxon, das Unsagbare sagbar machen zu wollen und über der Sprachnot zum Wortschöpfer zu werden. Meister Eckhart (1260–1327) gab als größter deutscher Mystiker das bedeutendste Beispiel für die aus Sprachnot erwachsende Sprachproduktivität. Vorbildlich für jede mystische Haltung forderte er, daß der Mensch sich von allem Eigenwillen befreit und in einen total absichtslosen Zustand versetzt, in dem die Seele rein und bloß genug ist, um mit dem Sein Gottes einzuwerden. Auf ihren Kern reduziert, den Eckhart «scintilla» (Fünklein) nannte, ist die Seele fähig, Gott zu erfassen, die «Gottesgeburt» zu vollziehen. Damit ist der Dualismus von Gott und Welt aufgehoben und Gott im Sein der Geschöpfe gesehen. Er ist nicht mehr ein «gedachter» und damit objektivierter, sondern ein «wesentlicher», im Subjekt anwesender Gott: «Wer Gott so in seinem Sein hat, der nimmt Gott göttlich, und dem leuchtet er in allen Dingen, denn alle Dinge sind seinem Empfinden göttlich, und Gott erbildet sich ihm aus allen Dingen[146].» Das «Erbilden aus allen Dingen» weist auf die Möglichkeit bildlichen Sprechens von Gott. Da der Begriff versagt, bleiben dem Mystiker nur das Symbol oder das Paradoxon, um sich auszudrücken. Hier liegt der Kern mystischer Sprache, Dichtung und auch Naturspekulation.

Mystische Denker und Bewegungen traten besonders in Zeiten des Übergangs hervor. Nicht nur das Spätmittelalter, sondern ebenso die Spätantike waren Blütezeiten der Mystik, und auch zu Beginn dieses Jahrhunderts war die Nähe vieler Schriftsteller zu mystischen Positionen Ausdruck der Krise und des Wandels[147]. Stets zeigte die hervordrängende Erfahrung des «Unaussprechlichen» die Erschütterung gültiger Begriffswelten und herrschender Obervorstellungen. Mystik und Religion standen darum im Laufe ihrer Geschichte in einem spannungsvollen Wechselverhältnis. Die religiösen Erneuerungsbewegungen wurzelten meist auf mystischem Grunde. In dem Augenblick jedoch, in dem das mystisch-religiöse Erlebnis zum Begriff gewandelt wurde, war es Dogma und in seinem Verbindlichkeitsanspruch antimystisch. Die christliche Orthodoxie verketzerte darum den Mystiker, sie sah in ihm die Gefährdung ihres Herrschaftsanspruchs. Meister Eckhart wurde seiner Sätze wegen vor ein kirchliches Gericht gestellt. In Zeiten festgefügter Rechtgläubigkeit war der Mystiker in die Außenseiterrolle gedrängt und häufig das Opfer von Repression und Verfolgung. Auch der Protestantismus bietet ein deutliches Beispiel dieser Entwicklung. Der Weg führte von der Erfahrung zum Dogma, von Luthers mystischen Voraussetzungen zur Herrschaft der protestantischen Orthodoxie, die den Mystikern feindlich gegenüberstand.

Das mußte schon Sebastian Franck (1499–1542) erfahren, der in der Überzeugung, daß man Gott nicht im Begriff fassen könne, da er das schlechthin Unbegreifliche sei, ein Gegner jeglicher Theologie blieb. Francks Hauptwerk *Paradoxa ducenta octoginta* (1534) formulierte die Widersprüche, die zwischen religiöser Haltung und Dogmatik existierten und verdeckt wurden. Theologie und Dogmatik waren Franck Hindernisse auf dem wirklichen Wege zu Gott, da sie Christus und den Glauben zum Objekt machten. Es ging ihm nicht um den Glauben «an Christus», sondern um den Glauben «in Christus». Konsequent bediente sich Franck darum mystischer Vorstellungen, denn nur in der Einheit mit Gottes Willen, nur im persönlichen Handeln war ihm Gott erfahrbar und zu verwirklichen. Francks antidogmatische, mystische Position implizierte jene Toleranz, die ihm selbst nicht zuteil wurde. Man verbot ihm nicht nur zu publizieren, sondern nahm ihm stets aufs neue das Wohnrecht, so daß Franck erst nach einem gehetzten Wanderleben in Basel wie Erasmus, dessen *Lob der Torheit* er übersetzte, Ruhe und einen Platz zum Sterben fand.

b) Pansophie und Alchimie

Das «Erbilden Gottes aus allen Dingen», von dem Meister Eckhart gesprochen hatte, war auch die Absicht derer, die sich mit der Naturspekulation befaßten. Der Versuch, Gott aus der Wirklichkeit zu begreifen, setzte die Überzeugung von der Weltimmanenz Gottes voraus und wurde als Lesen im «Buch der Natur» begriffen, das Gott geschrieben hatte. Die Sprache dieses Textes war bildlich und nur dem Eingeweihten verständlich. Die Lektüre des Buches der Natur, die sich neben dem Bibelstudium als zweiter Weg der Gotteserkenntnis eröffnete, war Beschäftigung mit Magie, Pansophie oder Alchimie.

Der Schweizer Theophrastus Bombastus von Hohenheim, genannt Paracelsus (1493–1541), kannte das Buch der Natur wie kein zweiter zu seiner Zeit. Er erfuhr als Arzt, daß der Mensch nicht mit den Lehrsätzen alter Autoritäten zu heilen ist, sondern mit dem, was die Natur lehrt. Das Wissen war ihm Selbstoffenbarung der

Natur und menschliches Tun nichts als Wirken der Natur. Aus eigenen Erfahrungen sowie aus den der alchimistischen und neuplatonisch-florentinischen Tradition entstammenden Gedanken bildete Paracelsus seine Theorie des dreifachen Seins, der göttlichen (dealischen), geistigen (astralischen) und körperlichen (elementarischen) Welt. Die im menschlichen Mikrokosmos wirkenden Kräfte entsprechen den Kräften und Gesetzen des Makrokosmos und göttlichen Kosmos. Da auf diese Weise der Mensch in den Zusammenhang der großen Natur eingebettet ist, sind in den Konstellationen der Gestirne die Tendenzen lesbar, die auf den Menschen wirken. Die Astrologie war ein wichtiger Bereich im magischen System des Paracelsus, von dem die Pansophen und Mystiker vom Barock bis zur Gegenwart beeinflußt wurden.

Der Sinn von Paracelsus' Schriften bleibt dem verschlossen, dem die alchimistische Terminologie nicht vertraut ist. Als einer symbolischen Wissenschaft waren der Alchimie die Dinge, mit denen sie umging, vieldeutig. Auf die Suche nach Gold machte sich der bessere Alchimist nach der Maxime: «aurum nostrum non est aurum vulgi»; und der lapis philosophorum, nach dem geforscht wurde, meinte in seiner letzten Bedeutung Christus selbst. Die Kontemplation, die sich mit religiösen und kosmogonischen Zusammenhängen beschäftigte, stand über dem Experiment, und das, womit sich experimentieren ließ, war nur Spiegel für Höheres. So waren die drei alchimistischen Grundsubstanzen des Paracelsus Salz, Schwefel und Quecksilber zugleich Synonyme für Leib, Seele und Geist. Eine Sache konnte mit mehreren Namen benannt werden und ein Name wiederum verschiedenes bedeuten. Die enge Verflechtung, in der Mensch, Erde und Kosmos gesehen wurden, machte die Bezeichnungen austauschbar und bestimmte die Bildersprache der Alchimisten und Pansophen. Intuitiv und gleichnishaft suchte man zu bewältigen, was exakter Forschung und logischer Analyse noch nicht zugänglich war. Carl Gustav Jung wies darauf hin, daß sich die Bildersprache der Alchimisten mit der des Traumes und des Unterbewußten überschneidet[148]. Was der Mystiker als Zustand der Intentionslosigkeit und Gelassenheit beschreibt oder fordert und der Alchimist in bildlichen Vorgängen zu fixieren sucht, sieht der Psychologe als Triebverzicht und völlige Sublimation.

c) Andreae

Um die Alchimie bemühten sich nicht nur einzelne wie Paracelsus, sondern auch Gruppen oder hermetische Bruderschaften[149] wie die Rosenkreuzer. Der aus Tübingen stammende Theologe Johann Valentin Andreae (1586–1654) schrieb mit *Fama Fraternitatis* (1615) die Gründungsgeschichte der Rosenkreuzer, indem er den Lebensweg von Christian Rosenkreutz, des Vaters der Bruderschaft, aufzeichnete. Christian macht eine Reise zu Weisen des vorderen Orients, um von ihnen zu lernen. Der wissend Gewordene nimmt seinen Rückweg in die deutsche Heimat über Spanien. Da dieser Weg dem gleicht, auf dem wesentliche alchimistische Kenntnisse und Impulse nach Deutschland kamen, ist Christian Rosenkreutz, wie auch der Name sagt, als Personifikation zu sehen. Die traditionsreichen Symbole Rose und Kreuz hatte schon die alte Zahlensymbolik vereinigt. Unter den zu Beginn des 17. Jahrhunderts veröffentlichten Hauptschriften der Rosenkreuzer kommt Andreaes *Chymischer Hochzeit: Christiani Rosenkreutz Anno 1459* (1616) besondere Bedeutung zu, da das Werk ein Sammelbecken mystisch-pansophischer Motive der verschiedenen Epochen und Traditionen ist. An sieben in der Osterzeit liegenden Tagen geschehen Ankunft und Aufenthalt Christians in einem geheimnisvollen Königsschloß, einer Art Gralsburg. Christian nimmt dabei an Ereignissen teil, deren vielschichtige Symbolik nicht ganz deutbar ist. Im Mittelpunkt steht das mystische Hauptmotiv des «Stirb und Werde», also der durch Entselbstung gewonnenen Wesentlichkeit: Königspaare werden enthauptet und in einem komplizierten Prozeß, bei dem der Vogel Phönix eine entscheidende Rolle spielt, zum Leben wiedererweckt.

Die mehr als 60 meist in lateinischer Sprache verfaßten Schriften Andreaes waren vorwiegend Essays und Aufsätze. Die wichtigen literarischen Arbeiten blieben wie die Rosenkreuzerschriften Leistungen der frühen Mannesjahre: das in lateinischer Prosa verfaßte Stück *Turbo* (1616), die zeitkritischen Dialoge *Menippus* (1618) und die Staatsutopie *Reipublicae Christianopolitanae Descriptio* (1619). Turbo ist ein unstetes, junges Genie, das sich nacheinander mit den einzelnen Wissenschaften plagt, dann versucht, Hof- und Weltmensch zu werden und auch als Liebender nicht glücklich wird. Er läßt sich dann mit einem alchimistischen Scharlatan ein und kommt schließlich im sicheren Hafen christlich-mystischer Weisheit an. Allegorische Figuren nach der Weise des Moralitätenspieles beginnen und beenden das zeitkritische Stück. Parallelen zum Faustthema sind offensichtlich, wenn auch der Kern, das Teufelsbundmotiv, fehlt. Noch konnte der «Rückzug zu sich selbst» als Weg zu Gott gegen das weltliche Schwanken gestellt werden. Die Weisheit, die Turbo findet, ist in Christianopolis institutionalisiert. In dem idealen Inselstaat wird nach christlichen Prinzipien totalitär regiert. Die Einordnung des Einzelnen geschieht protestantisch-freiwillig, die innere Bereitschaft wird vorausgesetzt. Hier sprach Andreae als Pädagoge und Anwalt vernünftiger Gemeinschaftsformen, dem die zum Teil desolaten Nachkriegszustände Anlaß zu positivem Wirken in seiner unmittelbaren Umwelt waren. Zu den fortschrittlichen Pädagogen Ratichius oder Wolfgang Ratke (1571–1635) und Comenius alias Johann Amos Komenský (1592–1670) hatte Andreae Kontakt. Beide bemühten sich wie Andreae um entscheidende Schulreformen. Sie setzten Einsicht statt enzyklopädisches Wissen als Ziel pädagogischer Arbeit. Dabei kamen Comenius wie Andreae ihre pansophischen Studien zustatten, die es erlaubten, die Dinge nicht äußerlich-isoliert, sondern in ihren inneren Zusammenhängen zu sehen.

d) Böhme

Auf dem Grund, den die Mystiker und Alchimisten bereitet hatten, wurzelt das Werk Jakob Böhmes, dem man als einzigem seiner Epoche den erst später relevanten Titel Originalgenie zubilligen möchte. Hegel, der ihn eingehend würdigte und dessen Denken von Böhme beeinflußt wurde, sagte über ihn: «er gebraucht die Wirklichkeit als Begriff, – statt Begriffsbestimmungen gewaltsam natürliche Dinge und sinnliche Eigenschaften, um seine Ideen darzustellen[150].» Nicht nur von dieser, für jeden Pansophen zutreffenden Voraussetzung, sondern mehr noch von der Dialektik, die in Böhmes sinnlichem Denken waltete, war Hegel angesprochen. In seinem Erstlingswerk *Aurora oder Morgenröthe im Aufgang* (1612) gab Böhme dem Sein sieben Qualitäten, die jeweils wieder aus zwei Eigenschaften, aus dem guten und bösen Prinzip, bestehen. Kein Phänomen existiert ohne seinen Gegensatz. Böse ist der Trieb jeder Qualität, sich zu verabsolutieren und damit außerhalb und gegen die göttliche Ordnung zu stellen, wie es vor allen Luzifer getan hat.

Daß die Vertreter des offiziellen Glaubens ihre dogmatische Basis durch mystisch-pansophische Schriften gefährdet sahen, erfuhr Böhme, als ihm nach dem Erscheinen der *Aurora* das Schreiben verboten wurde. Autodidaktische Studien waren vorausgegangen. Jakob Böhme (1575–1624) war schlesischer Bauerssohn protestantischer Konfession und erlernte das Schusterhandwerk. 1599 siedelte er sich als Meister in Görlitz an, gab aber 1613 seine Werkstatt auf, um ganz seinen Spekulationen leben zu können. Sie waren so fruchtbar, daß Böhme ab 1618 gegen das Verbot seine Gedanken wieder schriftlich formulierte. Abschriften der Texte kursierten unter seinen Anhängern, von denen er bald eine große Zahl auch in den Niederlanden hatte. Die Werke entstanden nun in dichter Folge: *Beschreibung der drei Prinzipien göttlichen Wesens* (1619), *Vom dreifachen Leben des Menschen* (1620), *Vierzig Fragen von der Seelen* (1620), *Christosophia* (1622/23) und *Mysterium Magnum* (1623). Schon in *Aurora* verwandte Böhme alchimistische Begriffe wie «Salnitter» und «Marcurius». Es ist umstritten, ob hier schon der Einfluß von Paracelsus' Schriften wirkte, der in den Werken nach 1618 deutlich spürbar ist[151].

Im paracelsischen Signaturbegriff fand Böhme das Mittel, die eigenen Gedanken klarer zu vergegenwärtigen. Paracelsus hatte vor allem im *Liber de natura rerum* (1525) und in der *Astronomia Magna oder Die ganze Philosophia Sagax* (1571) über die Bedeutung der Bezeichnungen gesprochen, die er «signata» nannte und mit denen er an mittelalterliche Vorstellungen von der Signatur der Dinge anknüpfte. Wie der Mensch in der Lage ist, mittels der Signata seine Umwelt zu ordnen, so gab es für Paracelsus auch eingeborene Signaturen, äußere Merkmale an Dingen, in denen ihr Wesen und ihre Funktion offenbar werden. Für Paracelsus hatte das in erster Linie einen medizinischen Aspekt. Er bezog die äußere Struktur und den

Namen der Pflanzen auf ihre inneren, heilenden Kräfte und schloß aus den äußeren Signaturen der Menschen auf deren geistig-seelische Bedingungen.

Diesen Vorstellungskreis weitete Böhme zum Weltprinzip aus. Er begann das 9. Kapitel seines bedeutsamen Werkes *De signatura rerum* (1622) mit dem Grundsatz: «Die gantze äussere sichtbare Welt mit all ihrem Wesen, ist eine Bezeichnung oder Figur der inneren geistlichen Welt; alles was im inneren ist, und wie es in der Wirckung ist, also hats auch seinen Charakter äusserlich.» Dieser Signaturbegriff wurde für Böhme zum Schlüssel aller Phänomene. Mit ihm deutete er die Sprache, denn aus der lautlichen Gestalt des Wortes ist das Wesen dessen zu lesen, was das Wort meint. Mit ihm konnte Böhme, wie er es im *Mysterium Magnum* versuchte, aus dem realen Geschehen der Genesisgeschichte einen anderen, eigentlichen Sinn lesen, nämlich die Annahme, daß Christus sich in Adam spiegelt. Mittels der Signaturvorstellung wurde Böhme schließlich die ganze sichtbare Welt zum Gleichnis der unsichtbaren Welt und der Mensch zum Gleichnis Gottes, wenn er sich seiner äußeren Signatur entledigt und auf seine innere Signatur zurückzieht, also auf seine Selbstheit verzichtet und damit den Weg des Mystikers geht.

Das Sprechen über Gott war so auch für Böhme nur gleichnishaft möglich: man muß von natürlichen Dingen reden, um Gott zu meinen. Böhme nannte diesen Signaturcharakter der Dinge «allegorisch». Man möchte ihn heute eher symbolisch nennen, denn weniger das «Anderssagen» (allegorein) als das «Zusammenwerfen» (symbolein), die Identität von Ding und Wesen, war für Böhme entscheidend. Die Allegorie ist vorwiegend die Ausdrucksform eines dualistischen Weltbildes und darum beliebte Figur des klassisch-christlichen, auf der Spannung Transzendenz–Immanenz basierenden Weltverständnisses. Das Symbol hingegen war die Sprach- und Denkform mythischer oder mystisch-pansophischer und damit monistischer Anschauung. Da in der Allegorie das Verhältnis von Gesagtem oder Gestaltetem und Gemeintem rational fixiert ist, bleibt es auch durch die Vernunft erschließbar. Erscheint die Allegorie darum als überpersönliche oder objektive Figur, so ist das Symbol der Willkür des Subjekts überantwortet, für das Zeichen und Bezeichnetes, Gesagtes und Gemeintes verschmelzen. Der Streit Luthers und Zwinglis um die Frage, ob Brot und Wein Leib und Blut Christi «sind» oder «bedeuten», war ein Streit um die symbolische oder allegorische Interpretation des Abendmahls. Für die von mystischen Positionen ausgehenden Religiösen wie Luther oder Pansophen wie Böhme war das Symbol die ihnen eigene Ausdrucksform.

e) Sprachauffassung

Zur Tradition der Mystik gehört ihre besondere Sprachauffassung. Die Sprachnot des Mystikers begründete nicht nur seine Sprachproduktivität, der ein wichtiger Teil des deutschen Wortschatzes zu danken ist, sondern ließ zugleich die mystische

Spekulation zu einem guten Teil Sprachspekulation sein. Wie das mystische Wortfeld durch metaphorische oder bildliche Ausdrücke auszusagen suchte, was begrifflich nicht zu fassen war [152], so galt die mystische Sprachspekulation dem Gehalt dieser metaphorischen oder bildlichen Wendungen. Man nahm an, daß «der Seinsgrund der Seele» wie auch «der göttliche Urgrund» [153] oder einfach das Sein überhaupt sich in den Bildern ausdrücke. Mit dieser Vorstellung konnte an antike, jüdische und patristische Sprachspekulationen angeknüpft werden. Platon hatte in seinem Dialog *Kratylos* zwei Sprachauffassungen konfrontiert, nach denen das Wort entweder willkürliches Zeichen (θέσει) oder Ausdruck der bezeichnenden Sache selbst (ρύσει) ist. Für die Kabbala hatte die Sprache ontische Qualität, denn die 22 Buchstaben des hebräischen Alphabets galten als die Prinzipien, mit und aus denen Gott die Welt formte. Die Kirchenväter hingegen konnten in Kenntnis der antik-jüdischen Tradition und ausgehend vom Beginn des Johannesevangeliums («Am Anfang war das Wort») ihre Theorie der lingua adamica entwickeln. Danach hatte Adam noch das Wissen vom göttlichen Wort, das das Wesen aller Dinge war, da es die Dinge erschaffen hatte. Adam konnte deshalb die Welt entsprechend diesem Wissen benennen.

Paracelsus bezog die Idee der lingua adamica auf seinen Signaturbegriff [154]. Adam konnte die Dinge ihrem Wesen entsprechend benennen, da er die Signatur der Dinge kannte. Paracelsus hob damit alte magische Vorstellungen vom Wesenszusammenhang von Wort und Ding auf die naturphilosophische Ebene. Zugleich griff er kabbalistisches Gedankengut auf, das Johannes Reuchlin (1455–1522) in Deutschland bekannt gemacht hatte. Durch seine hebräischen Studien hatte Reuchlin tiefe Einsicht in die jüdische Mystik und Sprachphilosophie gewonnen. In seinen Schriften *De verbo mirifico* (1494) und *De arte cabbalistica libri tres* (1517) wurde mittels der Buchstabenmagie und Zahlenmystik der in Gott gegründeten Einheit von Ding und Bezeichnung oder Welt und Sprache nachgespürt.

Die verschiedenen Traditionen mystischer Sprachspekulation mündeten im 17. Jahrhundert in die Werke von Justus Georg Schottelius (s. S. 138) und Jakob Böhme. Stand im Mittelpunkt von Schottelius' Überlegungen die Theorie der «Stammwörter», deren «Schall» ihre Bedeutung reflektiere, so sprach Böhme besonders vom «inneren Wort», das den Menschen erleuchten könne. Böhme knüpfte damit an die Logoslehre an, die Augustin für das Christentum fruchtbar gemacht hatte. Danach trat das «innere Wort» Gottes zum nur äußerlich verkündeten, um in die menschliche Seele einzudringen. Wie Wolfgang Kayser zeigte, sah Böhme im Besitz des inneren Wortes die Fähigkeit, die seit der babylonischen Sprachverwirrung nicht mehr verständliche adamitische Ursprache zu verstehen [155]. Der Erleuchtete spreche die lingua adamica, er erkenne das Wesen der Dinge und die in Wort und Buchstaben enthaltenen Geheimnisse, meinte Böhme.

Das Gemeinsame der in den verschiedenen Traditionsströmen überlieferten mystischen Sprachvorstellungen lag in ihrem Gegensatz zum rhetorischen Sprachbegriff. Die res-verba-Trennung, die Auffassung von Sprache als bloßer Weise von Bezeichnung, war genau das, was mystischem Sprachverständnis, das auf die Einheit von Ding und Wesen, Welt und Wort zielte, widersprach. Damit wiederholt sich im Gegensatz von rhetorischem und mystischem Wortverständnis, was als Unterschied von allegorischer und symbolischer Ausdrucksweise festgestellt worden ist. Der rational fixierten und damit objektiven Polarität von Gesagtem und Gemeintem in der Allegorie entspricht die rhetorische Haltung. Das Symbol hingegen, dessen Einheit von Ding und Wesen subjektiv verankert ist, gehört in den Rahmen mystischer Sprachvorstellung, nach der die Erleuchtung des Subjekts durch das «innere Wort» Voraussetzung des Sprechens und Verstehens ist.

f) Mystik und Dichtung

Das Paradoxon, das das Verhältnis von Mystik und Sprache bestimmt, gilt stärker noch für die Beziehung von Mystik und Dichtung. Der Widerspruch ist nur scheinbar in der Inspirationstheorie aufgehoben, nach der der Dichter unter dem Einfluß «höherer Eingebung» spricht. Die Inspirationstheorie geht auf Platon zurück und wurde von den Florentiner Platonikern neu belebt. In ihr waltet dieselbe Dialektik, die die Mystik als Ganzes charakterisiert. Der Poet, der sich als göttlich inspirierter Künder begreift und ausgibt, rechtfertigt damit zugleich seine Subjektivität. Er spiegelt die Situation des Mystikers, der mit der Hingabe des Ich an das Absolute zugleich das Ich verabsolutiert. Prophetengeste und Vorliebe für «Gesänge» oder hymnisch-pathetisches Sprechen kennzeichnet die lange, bis in die Gegenwart reichende Reihe der Dichter, deren Selbstverständnis in der platonisch-mystischen Tradition wurzelt.

Nicht nur als Inspirationstheorie, sondern auch als Thema oder Stoff wurden mystische Gedanken für die Literatur relevant. Da in diesem Falle dem Dichter zum Gegenstand wurde, was sonst Problem war, kann man in ihm weniger den Mystiker selbst als den Aufnehmenden mystischer Erfahrungen anderer sehen. Die literarische Fixierung mystischer Gedanken mußte Formen bevorzugen, die dem paradoxen Verhältnis von Mystik und Sprache nicht nur gerecht wurden, sondern es auszudrücken vermochten. Die antithetische Struktur der zweizeiligen Alexandriner-Epigramme eignete sich ebenso zur Wiedergabe mystischer Sätze wie das Sonett. Seine stärkste Wirkung erreichte dabei das mystische Distichon oder Epigramm, wenn Gegensätzliches nicht nur innerhalb oder zwischen den Zeilen waltete, sondern ein Wechselspiel (Chiasmus) zwischen allen vier Zeilenhälften aufgebaut wurde. Unter den Figuren half besonders das Oxymoron, paradoxe Sachverhalte auszudrücken.

g) Czepko

Daß der schlesische Adlige Daniel von Czepko und Reigersfeld (1605–1660) vielseitiger Weltmann und zugleich Verfasser mystischer Epigramme sein konnte, weist auf den grundlegenden Unterschied von Mystik und mystischer Dichtung. Czepko war in politischen und administrativen Diensten tätig, polyglott und im Kontakt mit den Vertretern vieler Wissensgebiete. Er wirkte in seiner Lebensführung wie die Gegenfigur zu dem weltabgewandten, ebenfalls aus schlesischem Adel stammenden Abraham von Franckenberg (1593–1652), war diesem jedoch gleich in seiner eklektischen Haltung, der das eigene Erlebnis der unio mystica fehlte. Franckenberg war Mittelpunkt eines Kreises, dessen Anhänger vor allem das Erbe Böhmes pflegten. Er verfaßte einen mystischen Katechismus von 27 *Conclusiones* (1625), gab Böhmes Werke heraus und schrieb dessen Biographie. Franckenberg sicherte Czepkos Hauptwerk, den *Sexcenta Monodisticha Sapientium* (1647), eine bedeutende Wirkung, da er sie Angelus Silesius bekannt machte. In den 600 Epigrammen Czepkos wurden die mystisch-pansophischen Hauptgedanken laut und dabei das bedeutungsträchtige, dunkle Gold der Mystiker in helles Silbergeld verwandelt, das geeignet war, von Hand zu Hand zu gehen.

> *Wo der Mensch Gottes sol, des Menschen Gott genüssen,*
> *Muß in sich der Mensch Gott, und Gott den Menschen schliessen.*

Wenn auf diese Weise der Gegensatz Mensch-Gott ausgesprochen und aufgehoben wurde, herrschte anstelle der unio mystica die treffende Formulierung. Das mystische Paradoxon war als dialektisches Wortspiel darstellbar geworden.

Czepkos mystische Neigungen prägten auch seine weiteren Dichtungen. So sind die sprichwortartigen Überschriften der *Drey Rollen verliebter Gedancken* (o.J.) oftmals auf die Erotik übertragene Konzentrate mystischer Einsicht: «Dein und Mein verhindert Ein», «Ergib dich, so hast du mich». Auch in *Corydon und Phyllis* (o.J.) spielen mystisch-pansophische Gedanken eine wichtige Rolle. Das Schäferepos in Versen besteht aus drei Büchern, von denen das letzte einen glücklich in den Naturkosmos eingefügten landwirtschaftlichen Betrieb schildert und vom Landmann verlangt, «daß er des Himmels Lauff erkundige, die Grösse der Sternen erkenne und ausrechne ... daß er die Reiche der Natur wisse und verstehe, der Dinge eingepflanzte Eigenschaften erlerne». In dieser so gestalteten Idylle sind Gott und Welt versöhnt, können «Erd und Himmel Hochzeit halten».

h) Scheffler (Angelus Silesius)

Czepkos *Monodisticha* waren Anregung und Vorbild für das Hauptwerk mystischer Epigrammatik *Geistreiche Sinn- und Schlußrime* (1657). Die in fünf Bücher aufgeteilte Sammlung erschien 1674 um ein sechstes Buch vermehrt unter dem populären Titel *Cherubinischer Wandersmann*. Der Verfasser Johannes Scheffler (1624–1677) stammte aus Breslau und war Mediziner. Er konvertierte 1653 zum Katholizismus und nannte sich seitdem Angelus Silesius. Er wurde zum eifrigen Verfechter der schlesischen Gegenreformation und 1661 zum Priester geweiht.

Auch Schefflers Epigramme sind nicht Ausdruck mystischer Spekulation, sondern sprachliche Objektivierung dessen, was Scheffler an mystisch-pansophischem Gedankengut aufnahm. Mündeten die Bemühungen des Mystikers in ein bildhaftes Sprechen, da ihm die unmittelbare Äußerungsweise versagt blieb, so wurden dem Dichter die Bilder zum Material, aus dem er seine Sinnsprüche formen konnte. Gleiches galt für die Ambivalenz der Begriffe und Bilder, sie waren nicht mehr Mittel mystischen Sich-Äußerns, sondern Mittel, die mystische Denk- und Äußerungsweise epigrammatisch darzustellen.

> Stirb, ehe du noch stirbst, damit du nicht darfst sterben,
> Wenn du nun sterben sollst, sonst möchtest du verderben.

Der widersprüchliche Gehalt dieser Sätze klärt sich, wenn man weiß, daß mit dem Wort «sterben» abwechselnd der mystisch-freiwillige und der leiblich-endgültige Tod gemeint ist. Das Paradoxe, das die Äußerung des Mystikers beherrscht, ist zum Wortspiel objektiviert und damit überwunden. Wie der Autor mit Worten, so spielt Gott mit der Welt:

> Dies alles ist ein Spiel, das sich die Gottheit macht;
> Sie hat die Kreatur um ihretwilln erdacht.

Die vom Mystiker gesuchte Einheit mit Gott wird dem Epigrammatiker nicht nur zum Thema, sondern über den Spielbegriff auch zur Analogie Gott–Autor.

Da Scheffler die Technik des Pointenstils meisterhaft beherrscht, könnte die Frage gestellt werden, ob seine Sinnsprüche nicht unter die Bedingungen des Manierismus fallen. Dem widerspricht die Tatsache, daß das manieristische Epigramm sich selbst genügt und sein Zweck in der Pointe und nicht in der Vermittlung einer Erkenntnis, Erfahrung oder Meinung liegt. Schefflers Epigramme haben jedoch eine ausgeprägte Intentionalität. Sie kommt in imperativischen Formulierungen und Wendungen an das «Du» oder ein das «Du» vertretendes Subjekt zum Ausdruck.

Zeit ist wie Ewigkeit und Ewigkeit wie Zeit,
So du nur selber nicht machst einen Unterscheid.

Die Gegensätzlichkeit der Begriffe Zeit und Ewigkeit wird als subjektiv begründet. Die mystische Überwindung des Subjekts, die Entselbstung, bedeutet darum die Aufhebung des Gegensätzlichen. Diese Überwindung bleibt jedoch Postulat: das Epigramm stellt nur die Voraussetzungen der unio mystica dar und ruft den Leser zur Verwirklichung auf. Epigramm heißt «Aufschrift», und der verweisende, belehrende Gestus ist dem Sinnspruch seit seinem antiken Ursprung immanent. Da Mystisches und Pansophisches für den Epigrammatiker nicht unmittelbare Erfahrung, sondern Gegenstand der Beschreibung ist, sind die Bilder, die er aufgreift, keine Symbole. Ding und Bedeutung verschmelzen nicht zur Einheit, sondern bleiben in deutlicher Gegenüberstellung.

Das Herz ist unser Rohr, die Liebe Kraut und Lot,
Der Zunder guter Will; zieh los, so triffst Du Gott.

Geraten dem Pansophen die Dinge, mit denen er umgeht, zu Symbolen, da er ihnen andere, höhere Bedeutungen gibt, so sind dem Epigrammatiker die Dinge Mittel der Beschreibung oder Weisen der Bezeichnung und darum Allegorien. Der Hang zur Verbildlichung nimmt im zweiten Teil des *Cherubinischen Wandersmannes*[155] zu und läßt in manchen Epigrammen die Verbindung von Ding und Bedeutung als zu gewollt und konstruiert erscheinen.

Nicht nur die mystische, auch die übrige religiöse Dichtung bedient sich gern, wie Hegel es für Böhme feststellte, der «natürlichen Dinge und sinnlichen Eigenschaften», um ihre Ideen darzustellen. Silesius übertrug ganze Lieder weltlichen und erotischen Inhalts in die religiöse Sphäre. Sein an der Epigrammatik geschärfter Sinn für Antithetisches ließ ihn die Dokumente weltlicher Sinnenlust zu Beispielen der *Heiligen Seelen-Lust, Oder Geistlichen Hirten-Lieder Der in ihren Jesum verliebten Psyche* (1657) wandeln. Damit wurde zugleich an das Hohelied Salomons und seine Paraphrasierungen angeknüpft, in denen die Kirche oder die Seele als Braut und Christus als Bräutigam figurierten. Scheffler verstand es, die sinnliche Thematik nicht nur zu spiritualisieren, sondern ihr mit der klanglich-rhythmischen Gestalt vieler Lieder so wirkungsvoll zu entsprechen, daß viele seiner Schöpfungen in die kirchlichen Gesangbücher eingingen.

i) Catharina Regina von Greiffenberg

Konnte der Darsteller mystischer Gedanken gesellschaftlich integriert sein, wie es Czepko war, so stand derjenige, dem die mystische Dichtung zum Religionsersatz oder Mittel religiöser Prophetie wurde, eher außerhalb der Gesellschaft wie die ursprünglichen Mystiker. Das galt ebenso für Quirinus Kuhlmann wie für

Catharina Regina von Greiffenberg (1633–1694), deren Lebenswege in vieler Hinsicht ungewöhnlich waren. Catharina heiratete ihren Vormund und Stiefonkel. Sie suchte die Absicht zu verwirklichen, den Wiener Kaiser zum Luthertum zu bekehren. Da sie als niederösterreichische Protestantin in ihrer Heimat keine Möglichkeit hatte, am Abendmahlsgottesdienst teilzunehmen, mußte sie deswegen weite Reisen unternehmen oder Ersatz in ihrer Dichtung suchen. Catharina schrieb ihre Gedichte, die als *Geistliche Sonnette, Lieder und Gedichte* (1662) erschienen, zum Preise Gottes. Das Verhältnis Mensch–Gott wurde mystisch begriffen:

> *Mit voller übergab/ mit ganzer Herz-entwehnung/*
> *mit Erzgelassenheit es dir geopfert sey!*
> *bin/ so unendlich ich verstricket war/ jetzt frey/*
> *ohn' alle heuchel list und falsche Farb-Entlehnung.*
> *Will willig/ vor die Ehr'/ erdulden die Verhöhnung.*
> *Ohn deinen willen/ ist auch meiner nicht dabey.*

Die mystischen Schlüsselvorstellungen und die ihnen immanente Dialektik von Übergabe und Gewinn, von Verstrickung und Freiheit fanden in der antithetischen Struktur des Sonetts die adäquate Ausdrucksform. Zugleich wurde das Allgemeine der Form und der mystischen Thematik von der Verfasserin auf ihre persönliche Situation bezogen und gewann dadurch seinen besonderen Gehalt. Die Ferne zur eigenen Kirche, in der der Glaube zu Handlungen objektiviert war, ließ sie an den mystischen Kern des Protestantismus anknüpfen und in ihren Gedichten über die Unmittelbarkeit der Seele zu Gott sprechen. Catharina war damit Protestantin im ursprünglichen Sinn, und auch der Protest, der im gezeigten Beispiel als Widerspruch gegen «die Verhönung» zu Worte kommt, ist ein Bestandteil ihrer Gedichte. Das Hauptthema der ersten hundert Sonette ihrer Sammlung ist das Verhältnis von Ich, Mensch oder Seele zu Gott. Im zweiten Hundert, dem noch eine «Zugabe» von 50 Sonetten und 50 Liedern folgt, sind die wichtigsten Stationen des protestantischen Kirchenjahres der Anlaß für das Gotteslob oder «deoglori», wie Catharina es nannte.

Die Sonette zielen nicht auf Kommunikation, sondern auf geistliches Selbstverständnis[156]. Sie waren von Catharina nicht für den Druck bestimmt. Der Subjektivismus, der ihre Gedichte von der gleichzeitigen Lyrik unterscheidet, fand seine weltliche Parallele im Werk Günthers, bei dem ebenfalls die Außenseiterrolle, hier als mangelnde soziale Integration, zu subjektiver Äußerungsweise führte. Bei der Greiffenberg blieb der Subjektivismus in die protestantischmystische Tradition eingebettet, und durch den Inspirationsgedanken motiviert, der in ihrem Werk eine Schlüsselrolle übernahm. Er wurde besonders in den Pfingstgedichten als ekstatische Feier des «Heiligen Geistes-Eingeben» zum Thema. Der mystischen Tradition dankt Catharina auch die ungewöhnliche und vielfältige Bildersprache ihrer Gedichte.

k) Kuhlmann

Angelus Silesius konnte die Welt als Spiel Gottes bezeichnen. Auch mit dem Werk Catharinas von Greiffenberg brachte man den Spielgedanken in Verbindung[157], der dann für Quirinus Kuhlmann von elementarer Bedeutung wurde. Der Manierismus lebte ebenfalls aus dem Spielgedanken (s. S. 178) und entsprach in diesem Punkt der mystisch beeinflußten Dichtung. Das begründet den Kontakt, den sowohl die Greiffenbergerin als auch Kuhlmann zu den Nürnbergern und besonders zu Birken hatten. Die manieristische Überbetonung des ingenium war der Rolle der Subjektivität im mystischen Bereich analog. Der Unterschied lag in den religiösen oder metaphysischen Voraussetzungen, die dem Manieristen fehlten. Er spielte nach seiner Willkür, während das mystisch-religiös bestimmte Subjekt den Anspruch erhob, im Spiel der Worte und Sätze das Spiel Gottes zu reflektieren.

Man kann die Dichtungen des Breslauers Quirinus Kuhlmann (1651–1689) nicht dem Manierismus zuordnen, obwohl starke Neigungen des Verfassers dem Spiel der Worte und Formen galten. Dieses Spiel wurde jedoch zunehmend mystisch-religiös motiviert. Beeinflußt von den Schriften Athanasius Kirchers (1601–1680) und Raimundus Lullus' (1234–1316) entwickelte Kuhlmann zunächst seine Gedanken zum «Weltwechsel», zur beständigen Unbeständigkeit, die er in seinen frühen Gedichten mit dem formalen Wechsel- und Antithesenspiel der Worte und Zeilen zu spiegeln suchte und in seinem wohl bekanntesten Gedicht *Der Wechsel menschlicher Sachen* zum Ausdruck brachte[158]. Es gehört zur ersten Veröffentlichung Kuhlmanns, *Himmlische Libes-Küsse* (1671), einer Sonettsammlung, in der vorwiegend biblische «oerter» rhetorisch-pathetisch paraphrasiert wurden. Gleich das erste Beispiel *Ursprung diser Arbeit* begründet Titel und Sammlung aus der Inspirationstheorie: «So wird di Weißheit mich erwünscht vom Himmel küssen».

Sie küßte ihn, als er Böhme las. Kuhlmann ging 1673 nach Leyden, um seine juristischen Studien abzuschließen. Die Begegnung mit Böhmes Schriften, über die er mit *Der Neu-begeisterte Böhme* (1674) Zeugnis ablegte, ließ ihn jedoch alle weltlich-wissenschaftlichen Pläne als Teufelswerk erkennen und den phantastischen Lebensweg eines Schwärmers und Propheten beginnen, der ihn durch viele Länder führte, um auf einem Moskauer Scheiterhaufen zu enden. Bis nach Konstantinopel trieb Kuhlmann die große Idee seines Lebens, im «Jesuelschen Reich» die verschiedenen Glauben zu vereinen und zu diesem Zweck auch den Sultan zum Christentum zu bekehren.

Auf der Reise nach Konstantinopel begann Kuhlmann sein Hauptwerk *Der Kühl-Psalter* (1684ff.), dessen formaler Aufbau durch die Zahlenkombinatorik bestimmt ist, wie sie der Verfasser durch Kircher und Lullus gelernt hatte. Stoff und Absicht war die Verkündigung des Kuhlmannstums. Das, was verkündet werden sollte, wurde jedoch in den Gesängen nicht objektiviert. Es konnte sich nur in bildträchtiger und oft dunkler Sprache äußern. Das Gesagte sollte nicht durch Lesen oder Betrachtung begriffen werden, da es nach Kuhlmanns eigenen Worten dem Leser nur in dem psychischen Zustand verständlich war, aus dem heraus es verfaßt wurde. Das bedeutete, daß weniger auf Einsicht in das Verkündete als auf Glauben an den Verkünder gezielt wurde. Wert und Grenze der völlig subjektiven Schreibweise Kuhlmanns, die sich stilistisch als Herrschaft der Häufungs- und Steigerungsformen sowie der antithetischen Figuren äußerte, hat Walter Dietze treffend beschrieben: «Gerade dort also, wo sich die lyrische Grundhaltung des Hauptwerkes am weitesten vom ursprünglichen Wortsinn eines ›Psalms‹ entfernt, liegen seine expressivsten Stellen. Hier kommen im wahrsten Sinne des Wortes ›unerhörte‹ Gedichte zustande, mit wirklichen›Zentnerworten‹ inmitten eines mächtig dahinfahrenden Sprachstroms». Andererseits bringen «viele Gedichte, gesättigt mit stärkster persönlicher Dynamik, nichts in Fluß, sondern verkümmern als isolierte Kuriosität. Anspruchsvollem Einzelgängertum passiert so mancher Umschlag aus dem Erhabenen ins Lächerliche, weil sein Denken und Sprechen nicht der gesellschaftlichen Wirklichkeit entspricht[159].» Das paradoxe Verhältnis von sozialer Entfremdung und Sendungsbewußtseins spiegelt sich im Spiel Kuhlmanns mit seinem Namen. Zielte der *Kühl-Psalter* auf Verbreitung des Kuhlmannstums, so wurde ebenso von der Kühlzeit, dem Kühlhelden oder Kühltriumph gesprochen. Die inventio ex nomine war als Mangel an echtem Sachbezug eine manieristische Erscheinung (s. S. 177f). Bei Kuhlmann verriet das Namenspiel ebenso seinen monomanen Anspruch, «Wesenschafft» ganz aus sich zu schöpfen, wie auch seinen Wirklichkeitsverlust.

Mit Kuhlmanns Feuertod endete, was mit dem Abbruch seiner juristischen Studien begann. Sein konsequenter Weg aus der Gesellschaft heraus war die Umkehr des Weges, den die übrigen Barockdichter, seien es Opitz, Gryphius, Lohenstein oder Harsdörffer, gingen. Ihnen erlaubte das juristische Studium, in politisch-administrativen Diensten der Städte oder Höfe tätig zu sein. Daß sie die Welt als Vanitas entlarvten, widersprach nicht ihrer erfolgreichen Berufsrolle. Anders die Mystiker: Sebastian Franck wurde von Ort zu Ort getrieben; Kaspar von Schwenckfeld (1489–1561) mußte wie später sein Landsmann Böhme sein Leben von den Spenden seiner Gönner fristen; Andreae wurde zwar ein einflußreicher Geistlicher, distanzierte sich aber von der Rolle, die er für die Rosenkreuzerbewegung gespielt hatte; Scheffler und der ebenfalls aus Schlesien stammende Andreas Scultetus (ca. 1622–1647) überwanden die Isolierung durch den Anschluß an die katholische Kirche. Erst dem in mystischer Tradition stehenden Pietismus des 18. Jahrhunderts gelang dank seines Gruppencharakters in bestimmten Gegenden die gesellschaftliche Integration.

FÜNFTER TEIL

Aufklärung

ERSTES KAPITEL

Die geistigen Strömungen und ihre Repräsentanten

1. VORAUSSETZUNGEN

Der Franzose Descartes, der Engländer Locke und der Deutsche Leibniz sind die noch dem 17. Jahrhundert angehörenden geistigen Väter der Aufklärung. Mit dem Rationalisten Descartes begann das Denken sich mit seiner eigenen Methode zu befassen. Denken und Wirklichkeit, Subjekt und Objekt, wurden geschieden und als letzte analytisch nicht weiter zerlegbare Grundprinzipien des denkenden Bewußtseins die transzendent vermittelten «idea innata» angesehen. Der Empirist Locke widersprach dem Gedanken der eingeborenen Ideen und begrenzte das Bewußtsein zu einem Spiegel der Erfahrung. Der Verstand reflektiert nur die Erfahrung. Diesen empiristischen Standpunkt korrigierte dann Leibniz. In seiner Monadenlehre beschrieb er die Monaden genannten Weltsubstanzen als autonome, durch nichts determinierbare Einheiten, die weder im Sinne Descartes Träger der von außen vermittelten «ideae innatae» sein können noch im Sinne Lockes abbildend sind. Die Monaden würden als aktiv bildend oder perzipierend aufgefaßt: sie stellen die Welt vor, die dadurch ist. Leibnizens System war so universal, daß es alle Wirklichkeitsbereiche und Wissenschaften einschloß. In seinem «Universum ist Alles auf's Genauste verknüpft, es ist aus Einem Stücke, wie ein Ocean: die geringste Bewegung pflanzt ihre Wirkung bis in jede Weite fort» [1]. Diesen metaphysisch begründeten Universalismus reduzierten Leibnizens Schüler, die deutschen Rationalisten, zu einem logisch begründeten Universalismus.

Der deutsche Rationalismus übernahm die Gottesauffassung der englischen und französischen Aufklärung: den Deismus oder die Vernunftreligion. Der Deismus widersprach sowohl der Offenbarungsreligion als auch dem Pantheismus und damit der Mystik. Für ihn war Gott zwar Urheber der Welt, aber seit dieser Tat von seiner Schöpfung geschieden, so daß er weder geoffenbart werden noch wundertätig in die Welt eingreifen konnte.

Den neuen geistigen Perspektiven entsprachen charakteristische Züge der politisch-sozialen Wirklichkeit Europas. England, die Heimat der empirischen Philosophie, entwickelte sich im 18. Jahrhundert zur bedeutendsten Industrienation und verdrängte als Kolonialmacht Frankreich auf den zweiten Platz. Auch auf literarischem Gebiet gewann es großen Einfluß auf Deutschland und stand seit Mitte des Jahrhunderts konkurrierend neben Frankreich. Dort war im 17. Jahrhundert der erste Akt moderner Staatsverwaltung und Volkswirtschaft inszeniert worden. Die privilegierten Stände hatten ihre Macht an ein funktional wirkendes Beamtentum verloren, und auf dem Sockel merkantilistischer Planwirtschaft war eine Staatsmaschinerie erstellt worden, deren Hebel der absolute Monarch als «Maschinendirekteur» bediente, wie August Ludwig Schlözer formulierte. Auch die französische Literatur hatte ihren festen Platz in der Gesamtordnung. Die glänzende Entwicklung der französischen Dramatik gehörte zur prachtvollen Entfaltung des französischen Hofes, der – im Zeichen der Allongeperücke – sich ständig selbst inszenierend, zugleich in den Inszenierungen der großen Tragödien bespiegelte. Regeltreue war der Rocher de bronze dieser Dramen, und besonders aus den poetischen Regelbüchern des Père Bouhours (1628–1702) und Nicolas Boileau (1636 bis 1711; *Art poétique*, 1674) sprach das Ordnungsbewußtsein der Epoche. Mit dem Ende des 17. Jahrhunderts begann in Frankreich die kritische Auseinandersetzung mit den traditionellen Positionen. Die Literatur wurde zum Medium der Kritik an politischen, sozialen oder kirchlichen Zuständen, sie wurde vom höfischen Spiegel zur Waffe des wirtschaftlich erstarkten, aber politisch noch ohnmächtigen Bürgers.

Entsprechend der politischen Zersplitterung war auch das geistige Bild der deutschen Landschaft uneinheitlicher und widersprüchlicher. Frankreichs höfischer Glanz strahlte weit nach Osten und gab zunächst Maßstab und Modell. Man suchte einerseits Versailles zu imitieren und nahm andererseits die kritischen Ideen der modernen Literatur auf. Beides beeinflußte den aufgeklärten Absolutismus Preußens und Österreichs. Friedrich der Große verglich die gesellschaftliche Ordnung mit einem philosophischen System und behandelte sie entsprechend. Mit dem Erstarken Preußens nach dem Siebenjährigen Krieg wurde Berlin ein kulturelles Zentrum. Es trat das Erbe Leipzigs an, das die kulturelle Metropole der frühen Aufklärung und Heimatstadt oder Wirkungsstätte der meisten und bekanntesten deutschen Aufklärer war. Einige weltoffene Handels- und Universitätsstädte kamen hinzu: Hamburg, Bremen und Zürich. War Schlesien die literarische Landschaft des 17. Jahrhunderts, so wurden es Sachsen und Preußen in der Aufklärungszeit.

Dem geographischen Schwerpunkt der Kultur entsprach die berufliche Konformität ihrer Vertreter. Die Dichter des 17. Jahrhunderts waren vorzugsweise Juristen. Die Schriftsteller der nachfolgenden Epoche verdienten als Lehrer ihr Brot. Der deutsche Aufklärer war Professor, und didaktische Intentionen bestimmten Formen und Gehalte der Literatur in starkem Maße.

Die Lebensstationen bedeutender Köpfe der Zeit richteten sich oftmals nach der jeweiligen Liberalität der Herrschenden. Von Thron und Thronfolge hing ab, wer auf den Lehrstühlen saß. Nur in einem Teil der deutschen Länder regierte man mit aufgeklärter Einstellung. Das Produkt der nach rationalen Prinzipien arbeitenden Staatsmaschinerie konnte ebenso das allgemeine Staatswohl wie der besondere

Luxus des Potentaten sein. Was auch der Zweck sein mochte, allgemein wurde Kabinetts- und Dynastienpolitik nach dem Prinzip betrieben, daß der Zweck die Mittel heilige.

Mitbedingt durch den Rationalismus, der seit dem 17. Jahrhundert in alle Lebensgebiete eindrang und auch das Denken der protestantischen Orthodoxie beherrschte, entstand eine religiöse Bewegung, in der entgegengesetzte Tendenzen zum Ausdruck kamen: der Pietismus.

2. PIETISMUS UND EMPFINDSAMKEIT

Die protestantische Kirche vermochte nach dem Dreißigjährigen Krieg nicht, die religiösen Gefühlsbedürfnisse vieler Menschen zu stillen. Das trug zur Erneuerung der reformatorischen Bewegung bei, deren deutscher Begründer der protestantische Theologe Philipp Jakob Spener (1635–1705) wurde. Im Jahr 1675 veröffentlichte er die pietistische Programmschrift *Pia desideria, oder herzliches Verlangen nach gottgefälliger Besserung der wahren evangelischen Kirche.* Die antirationale Religiosität der pia desideria bedeutete nicht nur die Reaktion auf die protestantische Orthodoxie mit ihrem Primat der Lehre und später auf die Vernunftreligion. Als geforderte Herzensfrömmigkeit war sie zugleich ein Kind der Mystik. Der Pietismus konnte darum an das mystische Grunderlebnis Luthers von der Unmittelbarkeit der Seele zu Gott und die daraus folgende Rechtfertigung «allein durch den Glauben» anknüpfen. Was den Pietismus von der Mystik und Luthers Haltung unterscheidet, war nicht nur eine Akzentverlagerung, sondern ein wichtiger geistesgeschichtlicher Entwicklungsschritt. Ging es dem Mystiker oder Reformator um die Erfahrung Gottes, war er also transzendent orientiert, so ging es dem Pietisten um die religiöse Selbsterfahrung, er war folglich immanent orientiert. Der Pietist wollte sich selbst genießend oder leidend einig mit Gott fühlen. Seine Frömmigkeit hatte ausschließlichen Gefühlscharakter [2]. Das Sich-selbst-Fühlen verlangte nach einer Umwelt, die die Selbstbespiegelung ermöglichte. Der Pietist suchte darum die Gemeinde der Gleichgestimmten, – anders als der Mystiker, der oft nach asketischer Isolation strebte, anders auch als der prophetische Reformator, der die Gemeinde der zu Überzeugenden wollte.

Es gab Pietistengruppen von Erbauungszirkeln bis zu Lebensgemeinschaften. Die wichtigste Vereinigung, die Herrnhuter Brüdergemeine, wurde von Nikolaus Ludwig Graf von Zinzendorf (1700–1760) gegründet, in dessen Kirchenliedern das mystische Traditionsmotiv der Christusminne vorherrscht. Die Beziehungen zwischen Pietisten und Repräsentanten des offiziellen Protestantismus waren so gespannt, daß Zinzendorf zweimal aus Sachsen ausgewiesen wurde. Auch der Theologieprofessor August Hermann Francke (1663–1727), einer der bedeutendsten Pietisten und Pädagogen seiner Zeit, verließ Sachsen und die Leipziger Universität wegen weltanschaulicher Konflikte mit der orthodoxen Fakultät. Er ging an die Universität des preußischen Halle und machte als Theologe und Gründer der Franckeschen Stiftungen die Stadt Halle zu einem Zentrum seiner Glaubensbewegung.

Im Subjektivismus pietistischer Frömmigkeit lag die Gefahr selbstbezogener Unduldsamkeit, der viele verfielen. Damit wurden Haltungen realisiert, denen die Pietisten selbst ausgesetzt gewesen waren. Die Schicksale und Leiden von eigenen Vorläufern, Mystikern und religiösen Außenseitern jeder Art beschrieb der Pietist Gottfried Arnold (1666–1714) mit seinem Werk *Unpartheyische Kirchen- und Ketzer-Historie* (1699/1700). Er wägte die Ketzer nach ihren eigenen Absichten und nicht nach dem Bild, das ihre Feinde von ihnen überlieferten. Arnold bewies am unseligen Verhalten von etablierten Geistlichen aller Richtungen, daß das wahre Christentum stets auf der Seite der Verfolgten ist. Mit seinem Werk hat sich Arnold zu einem würdigen Sachwalter jener geistigen Erbschaft gemacht, die von Erasmus oder Sebastian Franck auf Mendelssohn und Lessing kam.

Für die Kunst hat der Pietismus eine Doppelrolle gespielt. Sein unmittelbares Verhalten gegenüber Kunst und Wissenschaft war ablehnend. Albert Köster summierte: «Unter den Begriff der weltlichen Dinge fielen für die meisten Konventikler – Ausnahmen kamen natürlich vor – sogar alle künstlerischen Schöpfungen und alle Bemühungen um eine außerkirchliche Bildung und Forschung. Das führte zu den schlimmsten Folgen[3].» Mittelbar jedoch gab der Pietismus der Entwicklung der Literatur im 18. Jahrhundert entscheidende Impulse. Zur Empfindsamkeit säkularisiert wurden ursprünglich pietistische Gefühlshaltungen in Romanen, Stücken und Gedichten aktuell. Zugleich gingen viele pietistische Wortschöpfungen in die Literatursprache des 18. Jahrhunderts ein. Der Begriff «Empfindsamkeit» selbst wurde erst durch Lessing populär, als er 1768 das deutsche Adjektiv «empfindsam» für das englische Wort «sentimental» vorschlug.

Empfindsamkeit in der Literatur hieß vor allem Gestaltung von Figuren, denen ihre Gefühlswelt thematisch wurde. Man wollte damit den Leser oder Zuschauer rühren. Zugleich trat zu den objektiven Literaturnormen, die der Rationalismus noch einmal kompiliert und festgelegt hatte, jetzt die Beschäftigung mit den subjektiven Voraussetzungen und Wirkungen der Kunst. Das wurde in den ästhetischen Überlegungen von Jean-Baptiste Dubos (1670–1742) vorweggenommen, der in seinen *Réflexions critiques sur la poésie et la peinture* (1719) die Selbstbeobachtung als das eigentümliche Prinzip der Ästhetik behandelte[4]. Mit Dubos' Gedanken setzte sich in Deutschland auch Moses Mendelssohn (1729–1786) auseinander. In seiner Schrift *Briefe über die Empfindungen* (1755) diskutierte Mendelssohn die Empfindung des Vergnügens, die nur aus der Betrachtung der Vollkommenheit erwachsen kann. Diese Meinung korrigierte er unter dem Eindruck von Dubos' und Edmund Burkes (1729–1797) Gedanken in der Schrift *Rhapsodie oder Zusätze zu den Briefen über die Empfindungen* (1761). Die jetzt getroffene Feststellung, daß auch Unvollkommenes Lustgefühl hervorrufen könne, spielte als «Annehmlichkeit des Mißvergnügens» in der empfindsamen Literatur eine bedeutsame Rolle. Von der Empfindsamkeit wurde der Rationalismus komplementär ergänzt. Empfindsamkeit einerseits und Rationalismus andererseits waren die oft negativ aufeinander bezogenen Pole in der Literatur des 18. Jahrhunderts, bis dieser Gegensatz in Lessings Schriften aufgehoben wurde.

3. THOMASIUS

Die Art, wie der Leipziger Professorensohn Christian Thomasius (1655–1728) zwischen empirisch-rationaler und pietistischer Haltung schwankte, weist auf die Rolle, die beide Möglichkeiten in der mit Thomasius beginnenden Epoche spielen werden. Nicht nur bestimmte philosophische oder literarische Programme, sondern durch sein allgemeines revolutionäres Wirken markiert Thomasius den Anfang der deutschen Aufklärung. Als Leipziger Juradozent las Thomasius über Naturrecht und folgte den Schritten von Hugo Grotius (1583–1645) und Samuel Pufendorf (1632–1694), die im Begriff des Naturrechts die Trennung von Theologie und Recht vollzogen hatten. Nach dem Naturrecht galt nicht mehr die Offenbarung, sondern die sittliche Natur des Menschen als alleinige Rechtsquelle und die natürliche Vernunft als ausreichend zu ihrer Erkenntnis. Das war der Bruch mit der neuscholastischen, immer noch «aristotelisch» genannten Denkweise des 17. Jahrhunderts, die gleichbedeutend war mit der allmächtigen Rolle der Theologie. Der wütende Protest der Orthodoxen, der schon Grotius und Pufendorf bedroht hatte, weitete sich zu üblen Intrigen aus, als der junge Leipziger Gelehrte mit weiteren Pioniertaten bislang Unangefochtenes änderte. So schränkte Thomasius die Rolle des Latein im Wissenschaftsbetrieb ein, indem er 1687 erstmalig in der Geschichte der deutschen Universität eine Vorlesung in Deutsch ankündigte. Er begann 1688 eine gelehrte Monatsschrift in deutscher Sprache herauszugeben, die er zum zeitweiligen Forum seines lebenslangen Kampfes gegen die Vorurteile, besonders gegen Hexenwahn und Ketzerverfolgung und auch Tortur machte. 1690 hatten die Gegner Erfolg: Lehren und Schreiben wurden Thomasius auf höchsten Befehl verboten. Er ging nach Halle und verknüpfte seinen Namen unauflöslich mit Beginn und Aufstieg der zu ihrer Zeit fortschrittlichsten Universität, der Friedrichs-Universität, deren juristischer Dekan und schließlicher Rektor er wurde.

Aus Leipzig war auch August Hermann Francke nach Halle geflohen. Der gemeinsame Kampf gegen die Orthodoxie verband beide, und für sein erstes Haller Jahrzehnt stand Thomasius dem Pietismus nahe. Er trieb pansophische Studien, die ihren Niederschlag in der Schrift *Versuch vom Wesen des Geistes* (1699) fanden. Die Lektüre von Lockes *Essay on Human Understanding* ließ ihn die pietistische Phase überwinden und wieder an die geistige Haltung seiner jungen Jahre anknüpfen.

4. LEIBNIZ UND WOLFF

Auch Gottfried Wilhelm Leibniz (1646–1716) war Leipziger Professorensohn und begann als Jurist. Hat man Thomasius den «Vater der deutschen Aufklärung» genannt, so gab Hermann Hettner Leibniz den Titel «Vater der deutschen Philosophie». Recht väterlich und im Bewußtsein des inneren Zusammenhanges aller eigenen Gedanken sprach Leibniz dann auch vom «wild wachsenden Philosophieren» des mehr empirischen denn spekulativen Thomasius. Dessen Versuche, die problematische Einheit von Geist und Natur noch einmal naturmystisch zu fassen, hatte Leibniz mit seiner Monadologie auf höherer Ebene gelöst. Danach war die gesamte Wirklichkeit aus Monaden aufgebaut, die als autonome, sich ständig weiter entfaltende Einheiten verstanden wurden. Weil die Monaden sich gegenseitig nicht beeinflussen können, funktioniert ihr Verhältnis innerhalb einer «prästabilisierten Harmonie», die der als Urmonade begriffene Gott bewirkt hat. Die so einmal von Gott in Gang gesetzte und seitdem wie ein Uhrwerk funktionierende Welt ist nach Leibniz die «beste aller möglichen Welten». Ihre Ordnung bedeutet Schönheit und deren Erkenntnis Glückseligkeit. Nichts dient mehr der Glückseligkeit und der Tugend, sagte Leibniz, «als die Erleuchtung des Verstandes und Übung des Willens, allezeit nach dem Verstande zu wirken».

Das galt besonders für den Gebrauch der deutschen Sprache. Zwar schrieb Leibniz seine Werke in Latein oder Französisch, doch leistete auch er seinen Beitrag gegen die seit dem großen Krieg unerträgliche Sprachmengerei und andere Mißstände mit der *Ermahnung an die Deutschen, ihren Verstand und ihre Sprache besser zu üben* (ca. 1683). Leibniz war von den traditionellen Sprachauffassungen, wie der des Schottelius, beeinflußt, und mit seiner Gleichsetzung von Verstand und Sprache der Begründer der aufklärerischen Sprachhaltung. In dem viel zitierten § 5 der ebenfalls linguistischen Abhandlung *Unvorgreifliche Gedanken betreffend die Ausübung und Verbesserung der deutschen Sprache* (ca. 1696) heißt es: «Es ist aber bei dem Gebrauch der Sprache auch dieses sonderlich zu betrachten, daß die Worte nicht nur der Gedanken, sondern auch der Dinge Zeichen sind, und daß wir Zeichen nötig haben, nicht nur unsere Meinung anderen anzudeuten, sondern auch unsern Gedanken selbst zu helfen.» In der Vorstellung von den Worten als Zeichen der Dinge *und* der Gedanken ist zwar noch die traditionelle Trennung von res und verba vorausgesetzt, aber zugleich das Verhältnis von Dingen und Worten den Geboten der Logik unterworfen. Die Rhetorik bleibt Grundlage dieses Sprachbegriffs, wird aber von der Logik diszipliniert. Die alogischen, paradoxen Wortkombinationen, die in der Literatur des 17. Jahrhunderts eine bedeutende Rolle spielten, sind mit der Entwicklung dieser Sprachauffassung unmöglich geworden.

Viele der in den verschiedenen Werken verstreuten Grundgedanken von Leibniz übernahm Christian Wolff (1679–1754), von dem man nicht ganz zutreffend sagte, er habe die Leibnizsche Philosophie auf ein System gebracht. Die deutsche Aufklärungsphilosophie unterscheidet sich dank Wolff von der der Engländer und Franzosen durch ihre systematische Geschlossenheit. Wolff war weniger Schöpfer eigener Gedanken als gründlicher Anwender, der seine eklektisch aufgebaute Metaphysik auf alle Wissensgebiete bezog. Seine Philosophie erhob den allgemeinen Anspruch, für alles Besondere gültig zu sein. In Wolffs System wurde das aus einem Allgemeinen deduzierte Besondere wieder zu einem Allgemeinen eines aufs neue abzuleitenden Besonderen, solange bis alles Empirische von der Politik bis zu den Künsten erfaßt und erklärt wurde. Auch in Wolffs Büchern baut mit logischer Konsequenz jedes Kapitel auf dem vorangegangenen auf, ebenso setzt jedes einzelne Werk das vorangegangene voraus. Im Mittelpunkt steht als Hauptwerk *Vernünftige Gedanken von Gott, der Welt und der Seele des Menschen* (1719). Wolff war ursprünglich Mathematiker, und die logische Deduktion blieb sein philosophisches Prinzip. Hegel sprach von «der leeren Form des Gedankens», die jedem Inhalt offenstand: «Wolff hat sie auf alles, das ganz Empirische ebenso gut angewendet.» Es ging Wolff um die praktische Nützlichkeit der Philosophie, die den Menschen, wie schon Leibniz gefordert hatte, glücklich machen sollte.

Der Schlüssel zum literarischen Verständnis der frühen Aufklärung ist die Seinslehre Wolffs. Sie basiert auf den schon von Leibniz fundamental verwandten Sätzen vom Widerspruch und vom zureichenden Grund. Jedes Ding im allgemeinen Sinn von Seiendem oder Möglichem hat seinen zureichenden Grund. Wenn für ein Seiendes kein zureichender Grund vorhanden wäre, würde es aus nichts entstehen können, und das widerspräche sich. Ein Ding ist, was es ist, und nichts anderes. Meist ist das Seiende ein «zusammengesetztes Ding», so wie ein Satz aus Wörtern oder ein Haus aus Steinen besteht. Wolff: «Ein zusammengesetztes Ding ist dadurch möglich, daß gewisse Theile auf eine gewisse Art können zusammengesetzt werden ... In der Art und Weise, wie etwas möglich ist, bestehet das Wesen eines Dinges ... Derowegen bestehet das Wesen eines zusammengesetztes Dinges in der Art der Zusammensetzung⁵.» Der zureichende Grund für die Zusammensetzung eines Seienden, sei dies ein Satz oder ein Haus, ist seine jeweilige Ordnung, die vom Wesen dieses Seienden nicht zu trennen ist. Die Ordnungen haben ihre bestimmten Regeln. Ist so eine Regel verletzt, dann ist die Ordnung oder das Wesen eines Seienden gestört, dann ist es weniger «vollkommen». Je regeltreuer etwas ist, desto mehr Vollkommenheit hat es.

Dieses von Wolff so interpretierte Seiende braucht nicht unbedingt ein empirisch Vorhandenes zu sein. Es kann ebenso gut ein nur Gedachtes oder Fiktives sein, also ein Produkt der «Einbildungskraft». Dabei wird jedoch eine wesentliche Unterscheidung getroffen: Wolff konfrontiert leere Einbildungen mit vernünftigen Einbildungen. «Leer» sind empirisch nicht mögliche Schöpfungen der Phantasie, wahr hingegen sind Einbildungen, die den Satz vom zureichenden Grund befolgen, die darum eine logische Ordnung haben und auf Regeln basieren[6]. Aus diesen Gedanken konnte der Literaturbegriff der frühen Aufklärung entwickelt werden.

Die auf der Seinslehre Wolffs basierende Literaturauffassung mußte der der vorangegangenen Zeit entgegengesetzt sein. Statt eine Welt zu zeigen, die verkehrt oder Vanitas ist, glaubte man jetzt an die beste der möglichen Welten. Es galt nicht mehr Distanz zur Wirklichkeit zu provozieren, sondern durch vernünftige Einsicht in die Wirklichkeit glücklich zu machen. Ordnungen und Sinnzusammenhänge wurden gesucht und nicht mehr, wie von den Autoren der Verkehrten Welt, in Frage gestellt. Die zugrunde gelegte Logik schloß Antithetisches und Paradoxes aus. Die Meinung, daß ein Ding ist, was es ist, ließ allegorisch-emblematischer Gestaltungsweise, die Reales zeigte, um dessen Irrealität zu demonstrieren, keinen Spielraum mehr. Dafür ging es jetzt um die Demonstration dessen, was ist und richtig ist. Didaktische Formen und Gehalte wurden bevorzugt. In Fabel und Lustspiel, den populärsten Gattungen, wurde derjenige, der sich nicht den Regeln der Welt fügte, belehrt oder als lächerlich gezeigt. Nach westlichem Vorbild (*The Tatler*, 1709; *The Spectator*, 1711) gründete man belehrende Wochenschriften. In ihrem didaktischen Engagement entspricht die Literatur der frühen Aufklärung der Reformationsliteratur. Auch im 16. Jahrhundert waren Fabel und Drama die Hauptgattungen.

ZWEITES KAPITEL

Gestalten

1. GOTTSCHED

Mit den Namen Leibniz, Wolff und Gottsched haben wir jene Stufen fortschreitender Explikation, welche von den Trägern dieser Namen zugleich gelehrt wurde. Auf Wolff, der Leibniz folgend die Philosophie der Logik unterwarf und auf alle Wissensgebiete bezog, folgte Gottsched, der Wolffs Schriften noch einmal kompilierte und das Prinzip schlußfolgernder Beweisführung auf die Literatur anwandte.

Der Pfarrerssohn Johann Christoph Gottsched (1700–1766) wurde in Judithenkirchen bei Königsberg geboren. Er begann in Königsberg mit dem Theologiestudium, widmete sich jedoch bald der Philosophie, besonders Wolffs Schriften, und der Literatur. 1724 verließ er als Magister der Philosophie die Stadt, da er wegen seiner Körpergröße die gewaltsame Rekrutierung in die Garde des Preußenkönigs fürchtete. Er ging nach Leipzig, wo er als schnell berühmter Professor für Poesie, Logik und Metaphysik in mehr als vier Jahrzehnten zu seinem eigenen Denkmal wurde. Noch der junge Goethe belächelte und bestaunte ihn. Gottsched leitete in Leipzig lange die «Deutsche Gesellschaft» und gab als moralische Zeitschriften *Die vernünftigen Tadlerinnen* (1725/26) und *Der Bidermann* (1727/28) heraus, die vernunftgemäßes Verhalten im Alltag fördern sollten. Literarisch-wissenschaftlich orientiert waren seine Zeitschriften *Beyträge zur Critischen Historie der Deutschen Sprache, Poesie und Beredsamkeit* (1732–44), *Neuer Büchersaal der schönen Wissenschaften und freien Künste* (1745–54) und *Das Neueste aus der Anmutigen Gelehrsamkeit* (1751–62). In den frühen dreißiger Jahren stand Gottsched im Zenit seines Ruhmes, der ein Jahrzehnt später durch den Streit mit den Schweizern Bodmer und Breitinger sehr beeinträchtigt wurde. 1735 heiratete er die Danzigerin Luise Adelgunde Victoria Kulmus (1713–62), die seine Arbeit unterstützte und selbst Verfasserin von Theaterstücken war (s. S. 289f). Mit Wolffscher Gründlichkeit hat Gottsched sein Leben allen Gebieten von Literatur und Sprache gewidmet: er war Herausgeber, Übersetzer, Rhetoriker, Grammatiker, Poetiker, Poet, Literaturhistoriker und -kritiker. In diesem vielfältigen Bemühen um die Literatur waltete die gleiche Folgerichtigkeit, die Gottsched auch zu seinem Thema machte. Er übersetzte die Theorien und Modelle, die seine Auffassung von einer regelhaften Literatur bestätigten, er beschrieb die literarischen Regeln in seiner Poetik und versuchte ihnen entsprechend Literatur zu machen und zu kritisieren.

Die philosophischen Voraussetzungen seines Schaffens summierte Gottsched in

Erste Gründe der gesammten Weltweisheit (1734), einer vereinfachenden Zusammenfassung der Gedanken Wolffs unter dem Leibnizschen Motto, daß die Weltweisheit oder Philosophie als Anschauung von Vollkommenheiten der menschlichen Glückseligkeit diene. In schrittweiser Ableitung wurden «alle philosophischen Wissenschaften in ihrer natürlichen Verknüpfung» geschildert, denn die Weltweisheit «hält erstlich die ersten Grundsätze aller übrigen Künste und Wissenschaften in sich»[7]. Der theoretische oder erste Teil beginnt mit der Beschreibung der logischen Arbeitsweise der Vernunft (Vernunftlehre), gibt dann Grundaspekte der Wolffschen Ontologie und wendet sich danach den Objekten vernünftiger Untersuchung, dem Weltgebäude und der Natur zu. Da noch nicht bloße Erkenntnis, sondern nur ihr gemäßes Handeln glückselig macht, folgt ein zweiter, praktischer Teil der Weltweisheit, der detailliert das dem Naturgesetz entsprechende und darum moralische Verhalten in allen Lebensgebieten beschreibt.

Der Glauben an die unveränderliche Natur des Menschen bedingte den Glauben an die absolute Gültigkeit der Regeln, die in der unveränderlichen, einmal von Gott geschaffenen Natur gründen. Das galt ebenso für die allgemeine Weltweisheit wie für Gottscheds Überlegungen zur Dichtung. Seine Poetik *Versuch einer Critischen Dichtkunst* (1730) ist der Versuch, die absoluten Regeln der Literatur festzustellen. Gottscheds Poetik ist von seiner Philosophie nicht trennbar. Wie Wolffs Überlegungen zu einem System aller Wissensgebiete führten, so vereinigte Gottsched erstmalig alle literarischen Aspekte zu einer Theorie. Die zureichenden Gründe wurden zu den Voraussetzungen der literarischen Phänomene. Sah Wolff den zureichenden Grund eines jeden «zusammengesetzten Dinges» in der Art der Zusammensetzung, also in seiner Ordnung, so fragte Gottsched jetzt nach der Ordnung des literarischen Werkes. Er ging davon aus, Aristoteles zitierend, daß «das Hauptwerk der Poesie in der geschickten Nachahmung bestehe». Mit der Nachahmung der Natur befaßt sich das wichtige vierte der zwölf Hauptstücke, die den ersten allgemeinen Literaturproblemen geltenden Teil der *Critischen Dichtkunst* ausmachen. Der zweite oder besondere Teil gilt den einzelnen Formen und Gattungen. Der Dichter, der Natur oder Wirklichkeit nachahmen will, muß Kenntnis vom Wesen der Natur besitzen. «Witz» und «Scharfsinnigkeit» sind die Voraussetzungen dieser Kenntnis. Sie ermöglichen dem Dichter, statt willkürliche Phantasieprodukte zu schaffen, im Rahmen des Wahrscheinlichen zu bleiben und nur das zu erfinden, was zureichende Gründe hat und nicht gegen den Satz vom Widerspruch verstößt, also den gleichen Prinzipien folgt, die auch für die allgemeine Wirklichkeit gelten. Denn in diesem Sinne ist die proklamierte Nachahmung der Natur zu verstehen: die Ordnung dessen, was wirklich oder möglich ist, soll in der Ordnung des Kunstwerks gespiegelt werden. Gottsched nannte diese Ordnung «die Zusammensetzung und Verbindung der Sachen» und zugleich unter Berufung auf Aristoteles die «Fabel». Die Fabel war für ihn gleichbedeutend mit dem Wesen der Dichtkunst. Dabei verwandte Gottsched das Wort in zweideutigem'Sinn, als Tierfabel mit dem Zusatz «äsopisch» und als Zusammensetzung von dramatischer oder epischer Handlung. Gottsched war sich dieser Zweideutigkeit wohl nicht bewußt, da nach seinen Anschauungen beides das Gleiche meinte und die Tierfabel wie jede andere literarische Form durch das Prinzip festgelegt war: «Zu allererst wähle man sich einen lehrreichen moralischen Satz, der in dem ganzen Gedichte zum Grunde liegen soll, nach Beschaffenheit der Absichten, die man sich zu erlangen, vorgenommen. Hierzu ersinne man sich eine ganz allgemeine Begebenheit, worinn eine Handlung vorkömmt, daran dieser erwählte Lehrsatz sehr augenscheinlich in die Sinne fällt[8].» Der moralische Satz und damit die didaktische Absicht waren für Gottsched der zureichende Grund jeder Dichtung. Alles, was mit dieser Absicht nichts zu tun hat, ist überflüssig. Insofern bestimmt das Grundprinzip vom moralischen Lehrsatz sowohl die Tierfabel, die die simple Veranschaulichung des moralischen Satzes ist, als auch die größeren Gattungen, bei denen sich die Ordnung, die «Verbindung der Sachen», durch den im moralischen Satz formulierten Zweck ergibt. Regel- und Lehrhaftigkeit der Dichtung sind damit untrennbar verknüpft.

Wie weit das von Gottsched bewirkte Systembewußtsein ging, zeigt die durch Johann Joachim Schwabe veranstaltete Ausgabe der *Gedichte* (1736) Gottscheds. In der Vorrede zu diesen durchweg durchschnittlichen Gelegenheitsgedichten, meist Oden, heißt es: «Die Eintheilung des ganzen Buchs ist, so viel sichs hat thun lassen, nach dem in dem andern Theile der critischen Dichtkunst befindlichen Capiteln gemacht.» Ebenso systematisch baute Gottsched seine *Grundlegung einer Deutschen Sprachkunst* (1748) auf, in der die regeltreuere Schriftsprache gegenüber den oft «fehlerhaften» Mundarten zur Norm proklamiert wird. Orthographie, Etymologie, Syntaxis und Prosodie sind die vier abgehandelten Hauptkomplexe.

Die *Deutsche Sprachkunst* ebenso wie die *Critische Dichtkunst* verraten die Herkunft von der Rhetorik. Die traditionellen, aus den Rhetoriken stammenden Komplexe wie Stiltrennungsregel oder Figurenlehre bestimmen die *Critische Dichtkunst*, die man darum als den großen Abschluß der seit dem Humanismus während Literaturepoche ansehen kann. Die gesamte Tradition wurde hier noch einmal eingefangen, aber zugleich so interpretiert, daß damit der Schlußpunkt gesetzt ist. Übernommen wurde rhetorisches Material und zugleich dank formallogischer Anwendung der dialektisch-uneigentliche Gehalt, der zur literarischen Rhetorik gehört, ausgeschlossen. Darin liegt ein für Gottsched typischer Widerspruch, der die Schwächen der eigenen literarischen Produktion erklärt und durch die rigorose Anwendung des Satzes vom Widerspruch bedingt ist. Daß Gottsched in *Ausführliche Redekunst* (1736) an Melanchthons Definition der Rhetorik anknüpfte und sich gegen die sophistische Tradition der Rhetorik wandte, ist bezeichnend. Bei aller sonstigen Sorgfalt gegenüber den traditionellen Charakteristiken der Rhetorik in Aufbau und Einteilung war für Gottsched rhetorisches Sprechen «ein Vortrag der Wahrheit durch wahrscheinliche Gründe». Den Sophisten wurde vorgeworfen, daß sie auf Unwahrheiten gezielt und nicht Gründe, sondern «Topik» genutzt hätten.

Rhetoriker und Philosophen hatten seit je ein schlechtes Verhältnis (s. S. 31). Mit Gottsched geriet die Rhetorik unter die Herrschaft formaler Logik. Das war ihr Ende. Naturgemäß mußte Gottsched zum heftigen Gegner Lohensteins und Hoffmannswaldaus werden. Die manieristische Verselbständigung der elocutio, die Tatsache, daß der Stil sich selbst zum Zweck werden konnte, war ihm ein oft beklagtes Greuel. «Galimathias» war der Schlachtruf gegen solch «falsche Rhetorik», und die Leichenrede Lohensteins für Hoffmannswaldau entlockte Gottsched den Stoßseufzer: «Wer hat aber jemals im Deutschen so geredt, daß er einer Wehmutter bey seinen Worten nöthig gehabt?»

Da die Dramatik die philosophische unter den Gattungen ist, war Gottscheds Vorliebe für Schauspiele konsequent. Er versuchte, der deutschen Bühne ein neues Repertoire zu geben. Stark angelehnt an die Vorlagen von Joseph Addison (1672 bis 1719) und François Deschamps (1683–1747) schrieb Gottsched als erste von drei Tragödien *Sterbender Cato* (1732). Thema sind die letzten Stunden des römischen Republikaners Cato, der in der Stadt Utica von den siegreichen Truppen Cäsars belagert wird. Im unerschütterlichen Bewußtsein, Recht und Tugend gegenüber dem rechtbrechenden Usurpator zu repräsentieren, gibt sich Cato selbst den Tod. Er ist im Bewußtsein seiner dem Naturgesetz entsprechenden und darum absoluten Tugend ein getreues Spiegelbild seines Autors und dessen Überzeugung von der Absolutheit der philosophischen und literarischen Regeln. Gottscheds Schweizer Widersacher Bodmer hat das treffend erkannt, als er die Travestie und Literaturpolemik *Gottsched oder der parodierte Cato* (1765) schrieb.

Wie in den Dramen der Tradition ist die Sprache im *Cato* völlig objektivierend und die Versform der Alexandriner. Doch fehlt eine wesentliche Voraussetzung für das objektive Sprechen: im barocken Drama entsprach dem deiktischen Redestil, der sich besonders des antithetisch angelegten Alexandriners bediente, die Distanz des Redners zur Vanitaswelt. Die Sprache Catos hingegen enthält nichts Antithetisches oder gar Paradoxes, sondern das Wissen von dem, was richtig und zu tun ist. Catos Distanz ist die des Lehrers, der vor der Tafel der rechten Werte steht. Cäsar, der Gegenspieler, ist der moralische Schüler, der seine Lektion nicht lernen will.

Schon die zeitgenössische Kritik monierte, daß die Szenenfolge oft nicht aus der Logik der Sache resultiere. Nicht die Handlung erfordert das Auftreten der Figuren, sondern das meist zufällig wirkende Auftreten ermöglicht das Weiterlaufen der Handlung. Darin verrät sich die Schwäche von Gottscheds poetischem Rezept, zuerst einen moralischen Satz zu nehmen und dann eine Handlung zu erfinden. Wie stärker noch die anderen Tragödien *Die parisische Bluthochzeit* und *Agis, König zu Sparta* (beide gedruckt 1745) zeigen, sind die Personen ganz Figuranten der hinter dem Stück stehenden Idee. Sie wirken besonders leblos, da Gottsched die

Einheiten von Ort, Zeit und Handlung so streng beachtet, um die Tragödie wahrscheinlich zu machen. Die nur äußerliche Erfüllung der Forderung nach Wahrscheinlichkeit bewirkte deren Gegenteil.

Weniger als Theaterautor denn als Theaterreformer ist Gottsched für die deutsche Literaturgeschichte bedeutsam. Er versuchte, die Kluft zwischen Theaterleben und Literatur zu überwinden, indem er der der Stegreiftechnik und wilden Szenenkompilation verfallenen und nur auf Effekte zielenden Theaterpraxis der herumziehenden Schauspielgruppen die Vorbilder der französischen Tragödiendichtung entgegenstellte. Gottsched veröffentlichte das, was seinem Regelbewußtsein entsprach, in der sechsbändigen Sammlung *Die deutsche Schaubühne* (1742ff). Dominieren im ersten Teil die Übersetzungen, so später die neue deutsche Dramatik. Neben dieser Schaffung eines Repertoires trat die praktische Zusammenarbeit mit der Theatertruppe Leipzigs, die von der auch schriftstellernden Friederike Caroline Neuber (1697–1760) geleitet wurde. Äußeres Zeichen der Theaterreform war das Spektakel der Verbrennung von Harlekin (1737), dem Repräsentanten des Stegreif- und Volkstheaters. Dieses Autodafé des Narren ist nicht nur von theatergeschichtlichem Interesse, denn hier beseitigte die an unerschütterliche Normen glaubende Gesellschaft der frühen Aufklärung diejenige Figur, die in den vorangegangenen 250 Jahren der Gesellschaft stets die Fragwürdigkeit oder Absenz ihrer Normen vorgehalten hatte.

2. DIE SCHWEIZER

Kritik stand am Anfang des berüchtigten Literaturstreites zwischen Gottsched und den Züricher Schriftstellern Johann Jacob Bodmer und Johann Jakob Breitinger. Dieser Streit bestimmte das literarische Klima des deutschen Sprachgebiets zwischen 1740 und 1760. Dem Heutigen scheinen die Auseinandersetzungen in ihrer Schärfe schwer verständlich, da sich die Positionen Gottscheds und der Schweizer nur in wenigem unterscheiden. Nicht anders als in Leipzig ging man in Zürich von Wolffs Gedanken aus, sah man die didaktische Wirkung als Hauptaufgabe und die Fabel als Inbegriff der Dichtung. Diese Entsprechungen verhinderten nicht den Streit, sondern waren seine Voraussetzung, denn stets verbietet das Bewußtsein absoluter Regelhaftigkeit, das Gottsched mit den Schweizern teilte, den Widerspruch im Detail, also die Häresie.

Der Pfarrerssohn Johann Jacob Bodmer (1698–1783) wurde in Greifensee bei Zürich geboren, studierte kurzfristig Theologie, war zeitweilig im kaufmännischen Beruf, um dann Züricher Gymnasialprofessor für Geschichte und Mitglied des großen Rates zu werden. Er schätzte besonders die englischen Schriftsteller, bemühte sich um die mittelhochdeutsche Literatur, wirkte als Mäzen jüngerer Dichter und schrieb religiöse Epen und politische Stücke. Bodmer war der agilere

Kopf, und Johann Jakob Breitinger (1701–1776), der lebenslange Freund und Mitarbeiter, war der gründlichere Arbeiter. Breitinger, der Sohn eines fürstlichen Geheimsekretärs, begann und endete sein Leben in Zürich, wo er als Gymnasialprofessor für Logik, Rhetorik, hebräische und griechische Sprache wirkte. Als Altphilologe, Historiker, germanistischer Pionier und Literaturtheoretiker war er vielseitig publizistisch tätig. Gemeinsam arbeiteten Bodmer und Breitinger als Herausgeber und beide gern als Vorredner der Werke des anderen.

Ähnlich Gottscheds Beginn war das erste Projekt, mit dem die Schweizer vor die literarische Öffentlichkeit traten, eine Zeitschrift: *Discourse der Mahlern* (1721 bis 1723). Bis 1740 waren die Beziehungen zu Gottsched freundschaftlich, wie der Briefwechsel von 1732 bis 1739 zeigt. 1736 hatte Bodmer einen Teil seiner vielen mit dem italienischen Grafen Pietro di Calepio (1693–1762) gewechselten Briefe über literarische Probleme unter dem Titel *Brief-Wechsel von der Natur des Poetischen Geschmackes* veröffentlicht. Bodmer vertrat gegenüber Calepio den rationalistischen Standpunkt, daß man in der Beurteilung der Poesie den objektiven Vernunftgesetzen vor den subjektiven Empfindungen (= poetischer Geschmack) den Vorrang geben müsse. Mit dieser Meinung sah Gottsched das dritte Hauptstück der *Critischen Dichtkunst* «Vom guten Geschmacke eines Poeten» bestätigt. Erst als die Schweizer ihre Hauptschriften veröffentlichten, änderte sich das Bild. 1740 erschienen Breitingers *Critische Dichtkunst* und *Critische Abhandlung von der Natur, den Absichten und dem Gebrauche der Gleichnisse* sowie Bodmers *Critische Abhandlungen von dem Wunderbaren in der Poesie und dessen Verbindung mit dem Wahrscheinlichen* und 1741 dessen *Critische Betrachtungen über die poetischen Gemälde der Dichter*. Breitinger formulierte in seiner *Critischen Dichtkunst* den Zweck der Poesie Gottsched entsprechend, wenn er sagt, daß es darum gehe, Weltweisheit, also allgemeine Sätze, mittels wirkkräftiger Handlung bekannt zu machen. Folgt Gottsched jedoch dem Prinzip, nur soviel Handlung oder dargestellte Wirklichkeit wie nötig zu geben, um den moralischen Satz plausibel zu machen, so denken die Züricher hier in entgegengesetzter Richtung. Sie meinen, daß die dargestellte Wirklichkeit so auffallend wie möglich sein sollte, denn nur «das Neue, Ungewohnte rührt das Gemüt» und «das Wunderbare ist der höchste Grad des Neuen». Im Gegensatz zu Gottscheds einseitiger Position sehen die Schweizer, rhetorischer Tradition entsprechend, als Zweck der Kunst, daß sie lehrreich *oder* herzbewegend ist. Akzentuiert Gottsched den moralischen Satz, also das Allgemeine, so die Schweizer dessen Verwirklichung, also das Besondere. Sie wollen nicht direkt über den Verstand, sondern über die Einbildungskraft (= Phantasie) wirken[9]. Schon 1727 hatte Bodmer seine Schrift *Von dem Einfluß und Gebrauche der Einbildungs-Krafft* veröffentlicht. Das vielerwähnte Wunderbare spielt eine Schlüsselrolle in der Auseinandersetzung. Versucht Gottsched seine Rolle mit dem Argument des Wahrscheinlichen einzugrenzen, so versuchen die Schweizer, das Wunderbare mit dem Wahrscheinlichen zu versöhnen, indem sie das Feld des Wahr-

scheinlichen ausdehnen. Dem «so viel Wunderbares wie möglich» der Schweizer
steht das «so wenig wie möglich» Gottscheds entgegen. Die Auseinandersetzung
um diesen Aspekt ist zugleich ein Streit um das damals aktuelle Beispiel wunder-
barer Poesie: John Miltons *Paradise Lost* (1667). Gottsched lehnte es als den Regeln
widersprechend ab, die Schweizer verteidigten und priesen das Epos. Bodmer
schuf die populären, stets wieder überarbeiteten Übersetzungen vom *Verlust des
Paradieses* (erstmalig 1732). Gottsched, der auch Homer, Vergil, Tasso kritisierte,
war das Epische in seiner schwerer auf bestimmte Regeln reduzierbaren Neigung
zur Totalität ferner als die regelrechtere, weil funktionalere Gattung des Dramatischen. Und so, wie Gottsched vor allem für das Drama wirkte, stand den Schweizern Episches nahe. Sie verteidigten Homer, und noch der alte Bodmer schrieb
eine Hexameterübersetzung von *Homers Werken* (1778). Bodmer befaßte sich auch
wiederholt mit dem gerade entdeckten Nibelungenlied und gab den zweiten Teil
als *Chriemhildens Rache und die Klage* (1757) heraus. Vorher hatte er mit Breitinger
mittelhochdeutsche Lyrik *Aus der Manessischen Sammlung* (1748) veröffentlicht.
Klopstocks *Messias* erschien Bodmer als Höhepunkt epischer Entwicklung, seine
eigenen Epen, die unter dem Titel *Patriarchaden* (1750/55) erschienen, blieben wenig erfolgreich.

Epischer Stil ist beschreibender Stil. Die Schweizer nannten die Beschreibung
«Malerei» und gaben mit diesem Terminus der rhetorisch-deiktischen Funktion des
Stiles auch unter Berufung auf Opitz noch einmal jene bedeutende Rolle, die
wenig später Lessing beendete. Das Horazische «ut pictura poesis erit» wurde noch
einmal wörtlich genommen. Bereits Titel und Themen der *Discourse der Mahlern*
enthielt in nuce, was zwei Jahrzehnte später kunsttheoretisch entwickelt wurde.
Breitinger schrieb in der *Critischen Dichtkunst*, daß die «poetische Mahler-Kunst»
alles nach dem Leben und der Natur abschildert, «was mit Worten und Figuren
der Rede auf eine sinnliche, fühlbare und nachdrückliche Weise kan nachgeahmet
und der Phantasie, als dem Auge der Seele, eingepräget werden». Abgemalt wird
die Natur mit den Bildern der Einbildungskraft, den Gleichnissen, um deren Funktion sich die Schweizer so sehr bemühten. «Ein jeder guter Scribent ist in gewissem
Sinn ein Mahler, weil er alle die Begriffe, und Bilder, die er in seinem Kopfe, als
so viele Gemählde der Dinge gesammelt, und nach einer gewissen Absicht zu-
sammengeordnet hat, mittelst der Worte in die Phantasie seiner Leser gleichsam
abschildert, und ihrer Betrachtung vorleget[10].» Die poetische Maler-Kunst basiert somit auf der rhetorischen Trennung von verba und res. Die Gleichnisse sind
die verba der Einbildungskraft, um die res abzubilden.

Verwirklicht sahen die Schweizer ihre «poetische Mahler-Kunst», die Gottsched
als den geringsten der drei möglichen Nachahmungswege bezeichnet hatte, in
bilderreichen älteren Epen und in zeitgenössischen Werken eines Brockes oder
Haller. Zugleich lieferten sie mit dem Begriff des Wunderbaren und der Betonung
des Gemütes den jüngeren und den moderneren Literaten den theoretischen Aus-

gangspunkt und entschieden damit den Literaturstreit zu ihren Gunsten. Durch die Bremer Beiträger, Jakob Immanuel Pyra und vor allem Klopstock wurden die Vorstellungen der Schweizer dichterische Wirklichkeit.

3. GELLERT

Die von Johann Joachim Schwabe (1714–1784) herausgegebenen *Belustigungen des Verstandes und Witzes* waren eine der publizistischen Plattformen Gottscheds und seiner Anhänger. 1744 wurden mehrere der jüngeren Mitarbeiter der Zeitschrift der Polemiken überdrüssig und gründeten die *Neuen Beyträge zum Vergnügen des Verstandes und Witzes*, die *Bremer Beiträge* genannt wurden, da sie ein Bremer Buchhändler herausgab. Die Zeitschrift sollte der literarischen Produktion auf Kosten von Theorie und Kritik dienen. Sie war jedoch weniger als Institution und mehr als Ausgangspunkt, weniger durch ihren Inhalt und mehr als Symptom bedeutsam. Denn das Abrücken einer ganzen Gruppe von Gottschedianern von ihrem Vorbild dokumentierte den Schritt, den die literarische Entwicklung über Gottsched hinaus gemacht hatte. Zu den Beiträgern gehörten oder mit ihnen sympathisierten große Namen der nachgottschedschen Ära: Gellert hatte sich angeschlossen, Hagedorn stand ihnen nahe, und die Bindungen zu den Schweizern wurden enger. Initiator der *Beyträge* war Karl Christian Gärtner (1714–1771), der wie mehrere Mitarbeiter später Professor am Collegium Carolinum zu Braunschweig war und das Schäferspiel *Die geprüfte Treue* verfaßte, mit dem die *Beyträge* eröffnet wurden. Der Theologe Johann Andreas Cramer (1723–1788) wurde später Gellerts bekannter Biograph. Zu den Beiträgern gehörten auch die an anderer Stelle genannten Rabener, Zachariae und Johann Adolf Schlegel.

Christian Fürchtegott Gellert war einer der wenigen wirklich populären Dichter der Deutschen. Als er starb, pilgerten so viele Leute zu seinem Grab, daß es die Leipziger Stadtbehörden verbieten mußten. Vom Bäuerlein, das ihm eine Fuhre Holz schenkte, bis zu Friedrich dem Großen, der ihm das Geschenk seiner Unterhaltung machte, kannten und schätzten alle Stände den dichtenden Leipziger Professor, der damit zum lebenden Beispiel vom Ende ständischer Verankerung der Literatur wurde. Gellert war im Gegensatz zu seinem Leipziger Kollegen Gottsched kein ausgesprochener poeta doctus mehr. Er wurde zum Volksschriftsteller. Entsprechend waren die literarischen Formen, deren sich Gellert hauptsächlich bediente, die populären und in den traditionellen Poetiken gar nicht oder als zweitrangig behandelten Gattungen der Fabel, des Romans und des Lustspiels.

Christian Fürchtegott Gellert (1715–1769) wurde in Hainichen im sächsischen Erzgebirge als Sohn eines armen Pfarrers geboren. Er besuchte die Fürstenschule in Meißen, wo er Gärtner und Rabener (s. S. 305 f) zu Freunden gewann. Seit 1734 studierte er mit einer längeren Unterbrechung in Leipzig Theologie, auch schöne

Wissenschaften und Philosophie. 1744 habilitierte sich Gellert mit einer Arbeit über die Fabel *De poesi apologorum eorumque scriptoribus* und begann über Moral, Poesie, Beredsamkeit und anderes zu lesen. 1751 wurde er außerordentlicher Professor, weitere Beförderungen lehnte er ab. Zu den Hörern der in den letzten Lebensjahren gehaltenen Vorlesungen gehörte auch der junge Goethe, der in *Dichtung und Wahrheit* Person und Wirkung Gellerts geschildert hat.

Dauernde Kränklichkeit, die Gellert plagte, erzwang starke Selbstreflexion und wurde durch ständige Bereitschaft, anderen in seelischen Nöten zu helfen, kompensiert. Dazu diente auch ein intensiver Austausch von Briefen, deren Anlage und Form in *Briefe, nebst einer praktischen Abhandlung von dem guten Geschmacke in Briefen* (1751) diskutiert wurde. Gellert widersprach zwar bisherigen Briefstellern in wesentlichen Punkten, doch bedeutete die Tatsache, daß er «Natürlichkeit» in Briefen forderte, keine Negierung rhetorischer Positionen. Gellert verstand unter Natürlichkeit nicht ichoffenbarende Unmittelbarkeit, sondern Deutlichkeit des Ausdrucks, also die rhetorische perspicuitas, und Angemessenheit von Thema und Worten, also das rhetorische aptum.

Wie so viele stand Gellert zeitweilig Gottsched näher und bezog dann die pietistisch beeinflußte Gegenposition. Er nahm nicht den auf Vernunftschlüsse gegründeten Weg vom Allgemeinen zum Besonderen, sondern ging vom Besonderen aus. Er wollte die Welt als Werk Gottes erfahren und «die wunderbare Art seiner Zusammensetzung, die Regelmäßigkeit, Schönheit und Mannigfaltigkeit seiner Theile bemerken, um davon gerührt zu werden». Rührung oder Bewegtheit des Herzens stand für Gellert anstelle der Überzeugung durch Vernunftschlüsse. Ging es Gottsched im praktischen zweiten Teil seiner *Weltweisheit*, der die Sittenlehre enthält, um «die deutlichen Begriffe vom Guten und Bösen», so geht es Gellert in seinem weltanschaulichen Hauptwerk, den *Moralischen Vorlesungen*, um die guten und bösen Triebe des Herzens. Die Rolle der Vernunft hingegen wird widersprüchlich beschrieben. Einerseits wird ihr die Kontrollfunktion über die unmittelbaren Gefühle oder Triebe zugesprochen, andererseits wird die Unmittelbarkeit der Empfindung jeglicher Vernunftableitung vorgeordnet. Diese Widersprüchlichkeit wird zugleich auf eine Formel gebracht, wenn von der «durch Offenbarung aufgeklärten Vernunft» gesprochen wird. Mit diesem Begriff ist die Gegenstellung zu Wolffs und Gottscheds Position am deutlichsten bezeichnet. Das Widersprüchliche in den *Moralischen Vorlesungen* ist durch Gellerts empfindsame Haltung innerhalb des rational-aufklärerischen Zeitrahmens zu erklären und durch die Tatsache, daß Gellert sich in philosophischen Randgebieten bewegte, ohne Philosoph zu sein. Er war weitaus mehr Empiriker. Besprechen die eklektisch aufgebauten *Moralischen Vorlesungen* in der Hauptsache die praktischen Mittel, zur Tugend zu gelangen, so wird auch sonst gern mit beispielhaften Exkursen argumentiert. Nach einem oft zitierten Vers Gellerts nahm man an, daß er dem, «der nicht viel Verstand besitzt, die Wahrheit durch ein Bild» sagen wolle. Das ist nicht ganz zutreffend, da Gellert selbst alles, was er zu sagen hat, durch nichts besser als durch ein Bild oder Beispiel mitzuteilen versteht. Er findet weniger zu einem allgemeinen Satz die besondere Handlung als vielmehr das Allgemeine im Besonderen. Wahrheit und Exemplum sind letztlich untrennbar, wenn die moralischen Haltungen nicht als Ideen, sondern als wirkliche Triebe aufgefaßt werden und die rührende Wirkung intendiert ist. Die konkrete Situation spricht dann die deutlichste Sprache.

Gellert bestätigt seinen empirischen Standpunkt in einer Rede über das Thema *Wie weit sich der Nutzen der Regeln in der Beredsamkeit und Poesie erstrecke*. Dort heißt es, daß das schöpferische Genie zugleich auch Regelbewußtsein habe, daß aber die schriftliche Fixierung der Regeln Folge und nicht Voraussetzung des literarischen Werkes sei: «die Regeln sind später als die Werke selbst». Die gleiche Haltung spricht aus Gellerts Text *Von der Natur und dem Wesen der Fabel*, dem 1772 von Lessing übersetzten ersten Teil der lateinischen Fabelabhandlung. Dort heißt es, daß «dies gute Fabeln seyn, welche die Moral aus sich selbst erzeugen». Die Verbindung von pädagogischer Intention und einer sich stets im Konkreten vergewissernden Denkweise machte Gellert zum Fabeldichter. Wenn er sagt, «es kann aus den Bildern ein jeder besser als durch alle philosophische Beweise einsehen, was wahr, was recht, was gerecht, was schön und was anständig ist», so impliziert das eine kritische Distanz zum «philosophischen Beweis», die Ausdruck grundsätzlicher Theorieskepsis ist und auch Gellerts Fabelabhandlung als ganze charakterisiert. Denn auf den kürzeren, in eklektischer Weise die Gedanken La Mottes, Breitingers und Gottscheds verwertenden theoretischen Teil folgt der umfangreichere, empirische «andere Theil», mit dem Gellert versucht, einen historischen Überblick über die älteren Fabeldichter zu geben.

Auch in seinen eigenen Schöpfungen, den 1746 erstmalig gesammelt veröffentlichten *Fabeln und Erzählungen*, folgt Gellert seiner Neigung zum Konkreten: er wirkt mehr darstellend, beschreibend, oft den Schluß offenlassend. Wohltuende Ironie verhindert pädagogische Peinlichkeiten und bestätigt die alte Erfahrung, daß sich ex negativo oft besser lehren läßt. Nicht zufällig gilt eines der Gedichte Till Eulenspiegel, dessen dialektisches Verhalten gepriesen wird. Etwa vier Fünftel der mehr aus fabulösen Verserzählungen denn aus reinen Fabeln bestehenden Sammlung sind nicht Bearbeitungen alter Stoffe oder Themen, sondern Neuschöpfungen. Als Gellert die für sein ganzes Schreiben wesentliche Philosophieskepsis zum Thema machte, schuf er eines der bekanntesten Gedichte der Sammlung: *Die Geschichte vom Hute*, in der die Philosophie mit einem seit Generationen vererbten und verbrauchten, aber stets neu aufgeputzten Hut verglichen wird.

Mit dieser Philosophieskepsis steht Gellert nicht allein. Sie findet sich ebenso in Hallers Gedichten wie in den Versen der Anakreontiker und bildet ein neues Kapitel im alten Antagonismus Philosophie–Literatur. Vernunftgläubigkeit und Religiosität werden auf unmittelbare oder reflektierte Weise als Spannung oder

Widerspruch erfahren, und dieser Widerspruch ist in der Literatur zum Thema gemacht.

Solange man diese Spannung bei Gellert nicht erfaßte und in ihm nur den naiven Fabeldichter sah, der «Wahrheiten durch Bilder» vermittelte und darum im Besitz der «Wahrheit» sein mußte, kam man in Gefahr, seine Schöpfungen und besonders seinen Roman *Die schwedische Gräfin von G.* (1747/48) mißzuverstehen. Gellert läßt seine Romangestalten mit ihren eigenen Intentionen wenig Glück erfahren. Ihre Absichten mögen noch so sorgsam kalkuliert sein, stets macht das Schicksal die Gegenrechnung auf. Das Werk zeigt Gellerts ironisches Bewußtsein[11]. Aus Liebe entstehen Mord und Mordversuch, Doppel- und Geschwisterehe. Alles wird in der Ichform, sei es als Erzählung der Gräfin oder als Briefe des Grafen vermittelt. Der aus objektiver Distanz berichtende Erzähler fehlt. Diese Form reflektiert den Inhalt und den metaphysischen Horizont des Werkes, denn durch das Fehlen des überschauenden Erzählers gibt es keine einordnende Sinndeutung der Ereignisse. Die Sinnfrage bleibt für den Leser ebenso aktuell wie für die Figur. Der Leser sieht nicht mehr als die Figur und bleibt wie diese zum Vertrauen auf die unerforschliche Vorsehung aufgerufen, da die Vernunft und ihre Entschlüsse sich als unzulänglich und die Gefühle sogar als zweideutig erweisen. Gerade das hat man Gellert im 19. Jahrhundert zum Vorwurf gemacht, indem man den Romanschreiber am einseitig verstandenen Fabelautor und Apologeten der Moral maß. Hettner spricht vom «empörenden Grundmotiv», das der «von allen gepriesene Sittenlehrer» in der *Schwedischen Gräfin* gestaltet, und Franz Muncker beschwört gar «Gellerts sittliche Schwäche», die «zu solcher Häufung scheußlicher Motive» führte[12]. Das Widersprüchliche, das Gellerts sittenfeste Kritiker feststellten, besteht nicht zwischen Morallehre und Roman Gellerts, sondern ist so Strukturgesetz des Romans, wie es Gellerts Gesamtanschauungen charakterisiert. Der Halt im Glauben ist von ihm selbst als spirituelles Gegenmittel zu seinem langen physischen Leiden interpretiert worden. In seinen *Geistlichen Oden und Liedern* (1757) preist er Religion und Gott als die Überwinder aller weltlichen Not. Wenn nach Gellerts eigenen Worten ihm die Religion zum Licht in seiner Finsternis wurde, dann ist das Licht ohne die Finsternis nicht denkbar. Entsprechend setzte die Sittenlehrerrolle das Wissen um die Sittenlosigkeit voraus. Der jeweils negative Hintergrund ist mitzudenken. In dem Aufsatz mit dem bezeichnenden Titel *Von den Annehmlichkeiten des Mißvergnügens* beschreibt Gellert die charakteristische Lust des Empfindsamen am eigenen Ärger oder Kummer und weist auf die dialektische Natur des Menschen, wenn er sagt, daß wir das Vergnügen nur durch den Gegensatz zum Mißvergnügen empfinden können. Daß das Widersprüchliche nicht nur Voraussetzung von Gellerts Schreiben, sondern auch dessen Thema war, zeigen somit nicht nur Gellerts paradoxe Äußerungen zur Vernunft. Auch seine Haltung zur sozialen Rolle, der eigenen wie der seiner Figuren, war paradox. Gegen Beförderung und höhere Einkünfte wehrte sich Gellert und sträubte sich damit gegen die Rolle, die er in der Gesellschaft einnahm. Die im Anhang an die *Moralischen Vorlesungen* unter dem Titel *Moralische Charaktere* beschriebenen Menschen, deren Schicksal und Verhalten das in den Vorlesungen Gesagte exemplarisch ergänzt, haben eine entscheidende Gemeinsamkeit: sie sind wohlhabend. Besitz und Vermögen, ohne die auch die Figuren aus Gellerts Roman nicht denkbar sind, werden damit zugleich zur conditio sine qua non und zum Maßstab moralischen Verhaltens. Derjenige, der den Besitz um des Besitzens willen hat und mehrt, ist so negativ geschildert wie derjenige positiv, der sein Gut zu Wohltaten nutzt. Die paradoxe Vorstellung, nach der das Besitzstreben so abgewertet erscheint, wie das Reichsein vorausgesetzt ist, diese Vorstellung offenbart den inneren Widerspruch der von Besitzverhältnissen abhängigen bürgerlichen Moral überhaupt. Gellert läßt darum gern den Tugendhaften durch Schicksalsfügung, durch Erbschaft oder Lotteriegewinn wohlhabend werden. Seine größeren Lustspiele zeigen, wie das geschieht und wie der mögliche Besitz zur Tugendprobe wird.

In Gellerts zweitem Lustspiel, *Das Loos in der Lotterie* (1746), wandert ein entwendetes Los von einer Figur zu anderen, enthüllt in den Motiven der Aneignung und Weitergabe die moralische Beschaffenheit eines jeden und gelangt schließlich in die Hände des rechten tugendhaften Mädchens. In seinem Erstling *Die Betschwester* (1745) karikierte Gellert die Scheinreligiosität einer Reichen, die mit Gottes Wort und Lied auf den Lippen Arme und Abhängige peinigt. Auch im dritten und letzten Lustspiel *Die zärtlichen Schwestern* (1747) geht es um Heirat und Besitz. Zwei Schwestern, Lottchen und Julchen, werden jeweils von einem mittellosen und wohlhabenden Mann umworben, als die Nachricht von der Erbschaft einer Muhme eintrifft. Zunächst wird Julchen als Erbin bezeichnet. Der arme Siegmund, der Lottchen Liebe und Treue geschworen hat, versucht nun die Schwester im Glück zu ergattern und verliert dadurch Lottchen, die sich am Ende als die wirkliche Erbin erweist. Siegmund hat die Tugendprobe nicht bestanden.

Die Stücke haben mehr Aspekte (s. S. 297f). So satirisiert Gellert auch die falsche Verwirklichung von weltanschaulich-geistigen Grundhaltungen seiner Zeit: im ersten Lustspiel die falsche Religiosität; im zweiten Stück in der Figur des Herrn Orgon die pervertierte Passivität, die die persönliche «Ruhe und Bequemlichkeit» mit der sonst geforderten Gelassenheit verwechselt. Im dritten Stück bezieht Gellert auf ironische Weise die empirische Position gegen die Wolffsche Denkmethode: er läßt einen Magister auftreten, der die eine der Schwestern vergeblich durch Vernunftableitungen zu beeinflussen sucht. Der Magister anschließend zum Vater: «Ich habe ihr die stärksten Beweise angeführt.» Der Vater: «O hättest Du ihr lieber ein paar Exempel ... angeführt.» Gellert selbst hat stets nach dieser Maxime gewirkt. Er war ein Meister des Exempels aus dem Wissen, daß nichts so überzeugt wie die konkrete Situation. Dieses Wissen war die Voraussetzung seiner Schriftstellerei und seiner großen Popularität.

DRITTES KAPITEL

Formen und Gattungen

1. LYRIK

a) Brockes

Zu Beginn des 18. Jahrhunderts lebte in der Lyrik eine wichtige Voraussetzung der Barockpoesie weiter: die rhetorische Tradition. Zugleich hatte sich Entscheidendes gewandelt, und mittels der alten Formen sprach ein neuer Geist. Die Wirklichkeit lieferte nicht mehr die Exempla ihrer eigenen Vergänglichkeit, sondern hatte sich etabliert und forderte zur Beschreibung heraus. Die deskriptive Poesie, die die Schweizer als «mahlende Dichtung» dargestellt hatten, wurde als Lehrgedicht zur typischen Gattung der frühen Aufklärung. Der Schwere dieser Form entstand in der Rokokolyrik die negative Ergänzung. Das Rokokogedicht genügte verspielt sich selbst und trat dadurch in den Gegensatz zum didaktischen Anspruch der übrigen Poesie.

Die Gedichte von Brockes werden mit Recht als der Beginn der Aufklärungslyrik und zu Unrecht als der Anfang späterer Naturdichtung angesehen. Barthold Hinrich Brockes (1680–1747) war Ratsherr in Hamburg, wo er geboren wurde und starb. Er lebte das ruhige, von politischen und musischen Aktivitäten bestimmte Leben eines Stadtpatriziers. Brockes lernte von Marino, indem er ihn übersetzte. Er wurde bekannt durch sein Oratorium *Der für die Sünden der Welt gemarterte und sterbende Jesu* (1712), das Händel vertonte. Brockes' Lebenswerk *Irdisches Vergnügen in Gott, bestehend in Physicalisch- und Moralischen Gedichten* erschien von 1721 bis 1747 in neun Bänden. In der Gedichtsammlung werden Makro- und vor allem Mikrokosmos als Beweis für Dasein und Größe Gottes beschrieben. Besonders in den kleinen und kleinsten Details der Natur, in Insekten, Blättern und Gräsern, wird der gestaltende Genius Gottes gepriesen. Damit wurde im alten liber naturae eine neue Seite aufgeschlagen. Die pansophische Tradition mündete in genaue Naturbeobachtung, die die «Rührung» der Seele bewirkte. Das vierte der Bücher *Vom Wahren Christentum* des Pietisten Johann Arndt war eine wichtige Quelle für Brockes. Es trug den Titel: *Liber naturae, Wie das große Welt-Buch der Natur, nach Christlicher Auslegung, von Gott zu Gott führet* (1605). Hier war der Grundgedanke des *Irdischen Vergnügens* vorgebildet[13].

Wie weit Brockes' Naturgestaltung von späterer Naturdichtung entfernt ist, zeigt seine Empfehlung «die Natur beim Spaziergang wie ein Kunstkenner durch die zur Röhre gerundete Hand zu betrachten und sie dadurch in einzelne in sich

geschlossene und statische Gemälde zu zerlegen»[14]. In statische Momentaufnah-
men zerteilt, ist die Natur bewegungslos gemacht, also verdinglicht. Das entspricht der Bildlichkeit, mit der Brockes die Gottesnatur deutete. In barocker
Lyrik gab man alles Naturhafte metaphorisch verdinglicht wieder. Das Natürliche
spiegelte sich im Künstlichen: Augen wurden so zu Edelsteinen wie Sterne zu
goldenen Nägeln. In Brockes' Gedichten erfuhr dieses Prinzip seine letzte große
Verwirklichung, indem es thematisch gemacht wurde. Brockes bezog nicht nur
Naturhaftes auf Dingliches, sondern brachte diesen Prozeß zur Sprache, indem er
die Welt als Artefakt Gottes schilderte. Die Natur erscheint als Schmuckkasten, in
welchem die Kristalle, die Diamanten und Rubinen funkeln, die Gott selbst als
meisterhafter Goldschmied arrangiert hat. So feiert Brockes die Rose:

> *Tropfen, die aufs Weiße fallen,*
> *Gleichen glänzenden Kristallen,*
> *Die aufs Rötliche, Rubin,*
> *Und Smaragden, die auf Grün.*
> *Sieht man also mit Vergnügen*
> *Fast den Glanz von Edelsteinen*
> *Mit der Rose sich vereinen.*

Brockes ist als lyrischer Midas ein Mann der Wende, indem er mit traditionellen
literarischen Mustern neuen Gedanken Ausdruck gibt. Denn die Betrachtung der
Welt als Kunstwerk, das zu Ehren des Schöpfers glänzt und funkelt, entspricht der
Leibnizschen Vorstellung vom göttlichen Uhrmacher, der die Welt als eine Ma-
schine so konstruierte, daß sie seitdem als die beste aller möglichen funktioniert.
Mit der gleichen Sprache, der sich die barocke Klage um die Vergänglichkeit der
Welt bediente, wird diese Klage von Brockes als Undank gegen Gott verurteilt.
Auch die barocke Synästhesie verabschiedet sich mit dem Preis auf Gott und
Welt, indem sie thematisch gemacht wird:

> *O Herr … gieb, daß ich deine Macht,*
> *Da alles auf der Welt voll deiner Herrlichkeiten,*
> *In allem, was ich seh, riech, hör, schmeck und betracht.*

b) Haller

Brockes' Optimismus blieb Albrecht von Haller fremd. Als Naturwissenschaftler
hatte er zu genaue Einblicke in das problematische Verhältnis Mensch–Natur, um
die Welt mit deskriptiven Hymnen feiern zu können. Hallers Name hat einen
ebenso guten Klang in der Geschichte der Medizin und Botanik wie der Literatur.
Im philosophischen Gedicht fanden seine geistigen Spannungen, die aus der

ebenso weitreichenden wie intensiven wissenschaftlichen Tätigkeit resultierten, ihren literarischen Ausdruck.

Albrecht von Haller (1708–1777) wurde in Bern geboren und starb dort. Nach dem Studium in Tübingen und Leyden, das er 1727 als Doktor der Medizin abschloß, reiste er über England und Frankreich in die Schweiz zurück. Haller praktizierte in Bern als Arzt, ohne daß man ihm Möglichkeiten einer höheren Laufbahn bot. Darum nahm er 1736 den Ruf auf den Göttinger Lehrstuhl für Anatomie, Botanik und Chriurgie an. Durch seine wissenschaftliche Arbeit gewann Haller und mit ihm die Göttinger Universität internationales Ansehen. Haller gründete in Göttingen die «Gesellschaft der Wissenschaften» und übernahm 1747 die Leitung der *Göttingischen Zeitungen von Gelehrten Sachen* (der späteren *Göttingischen Gelehrten Anzeigen*). 1753 kehrte er in die Schweiz zurück, um dort bis zu seinem Tode politisch und administrativ tätig zu sein. Während Haller den großen Gedichten seiner jungen Jahre mit wachsendem Alter zwiespältig gegenüberstand, formulierte er seine konservativen Altersansichten in den drei politischen Romanen *Usong* (1771), *Alfred, König der Angel-Sachsen* (1773) sowie *Fabius und Cato* (1774).

Hallers auflagenreicher *Versuch Schweizerischer Gedichte* (1732), in dem die Jugendwerke versammelt sind, wurde besonders von Kant sehr geschätzt. Der Philosoph, der die Grenzen des menschlichen Verstandes reflektierte, fand im philosophischen Gedicht, das die Unzulänglichkeit unseres Denkens ausmalte, eigene Überlegungen antizipiert. Haller stand damit bereits jenseits Wolffscher Positionen. Heinrich von Kleists berühmter Brief vom 22. März 1801, in dem er die Kantische Philosophie im Bild der gefärbten Gläser begriff, wiederholt, was Haller sieben Jahrzehnte früher in seinen *Gedanken über Vernunft, Aberglauben und Unglauben* (1729) formuliert hatte:

> *Unseliges Geschlecht, das nichts aus Gründen thut!*
> *Dein Wissen ist Betrug und Tand dein höchstes Gut.*
> *Du fehlst, sobald du glaubst, und fällst, sobald du wanderst,*
> *Wir irren allesamt, nur jeder irret anderst.*
> *Sowie, wann das Gesicht gefärbtem Glase traut,*
> *Ein jeder, was er sieht, mit fremden Farben schaut;*
> *Nur sieht der eine falb und jener etwas gelber;*
> *Der eine wird verführt, und der verführt sich selber.*

Was Kant später in seiner Erkenntniskritik durchdachte, hatte der Naturwissenschaftler Haller als Begrenztheit der Erkenntnismittel unmittelbar erfahren. Haller sah den Hauptzweck seiner Verse in der Darstellung philosophisch-religiöser Probleme, die sein Denkvermögen aufwarf, aber nicht beantworten konnte. Wie Karl S. Guthke in seiner Studie *Haller und die Literatur* (1962) zeigte, entfiel die Notwendigkeit literarischer Objektivierung ungelöster Widersprüche, als

Hallers weltanschauliche Position religiös festgelegter wurde. Nach seinem dreißig-
sten Lebensjahr schrieb er kaum noch Gedichte.

   Der Schöpfer philosophischer Dichtung sah den Unterschied zwischen dem
Philosophen und dem Dichter darin, daß der Denker «erweist», wo der Poet «malt
und rührt». Haller nahm für seine Hauptgedichte den Alexandriner, denn gleich-
lange, gereimte Verse sollen die Voraussetzung dafür sein, daß in jedem Vers ein
Begriff dargestellt werden kann. Die rhetorische Struktur der Verse ist in dieser
Absicht vorausgesetzt. Indem verba genutzt werden, um res zu beschreiben,
bleibt das Gedicht auf eine vorgegebene Wirklichkeit bezogen und kann zum
bloßen Vehikel philosophischer Ideen werden. Hier setzten Lessing und Schiller
mit ihrer Kritik an, indem letzterer Haller das Vorherrschen des Begrifflichen vor
dem Dargestellten vorwarf und Lessing im *Laokoon* meinte, daß dem Lehrgedicht
wegen des Abschilderns von Realität der eigene Realitätsgehalt mangele. Haller,
der noch fest in den literarischen Traditionen seiner Zeit stand, begriff den trans-
rhetorischen Ausgangspunkt von Lessings Kritik nicht und wehrte sich mit dem
Argument, Lessing habe zu «optisch» gedacht, denn der abmalende Dichter ver-
möge anderes zu schildern als der richtige Maler. Lessing hatte sich allerdings in
seiner Kritik auf die wenigen nur Natur beschreibenden Stellen aus Hallers be-
kanntestem Werk *Die Alpen* (1729) gestützt. In dem Gedicht geht es jedoch nicht
nur um die Beschreibung äußerlicher Naturszenerie, sondern die Lebensumstände
der Schweizer Alpenbevölkerung werden geschildert, um zu zeigen, wie die
harten und einfachen äußeren Verhältnisse das seelische Gleichgewicht, die «fried-
lichen Gemüther» der Älpler zur Folge haben. Damit war ein Thema gestaltet,
das für die deutsche Literatur des 18. Jahrhunderts charakteristisch wurde: das
Thema der einfachen, heilen Welt, die als Gegenwirklichkeit zur zivilisierten
Welt und ihrer Laster fungiert. Ob Schilderungen vom glücklichen Inselleben
oder amoener Landschaften, literaturhistorisch gehören die Beschreibungen
besserer oder vollkommener Gegenwirklichkeiten in die Traditionen der Utopie
und der Idylle. Im Ursprungsland der Bukolik, im antiken Arkadien, war beides
vereinigt, und Vergil, den Haller vor allen schätzte, hatte in seinen *Georgica* das
einfältige Leben der Bauern inmitten amoener Landschaft gegen den verderbli-
chen Luxus der Großstädter gestellt. Voraussetzung jeglicher Idyllenschilderung
ist die Gegenposition des Schilderers. Die Idylle kann nur von außen beschrieben
werden. Rhetorische Struktur und Idyllenthema sind darum verknüpft. Diesen
Aspekt hatte Lessing in seiner Kritik nicht berücksichtigt.

   Daß das in den *Alpen* entworfene Gegenbild zur Zivilisation nur hypothetischen
Charakter hat und nicht das spätere «Zurück zur Natur» Rousseaus vorbereitet,
zeigt Hallers weit pessimistischeres Gedicht *Vom Ursprung des Übels* (1734), in dem
auch die noch Unzivilisierten als lasterhaft bezeichnet werden. Das Gedicht war
nicht, wie oft angenommen, die dichterische Paraphrase von Leibnizens Theo-
dizee, sondern die Welt insgesamt wird als «der Übels Eigentum» gesehen. Damit

war ebenso Brechtsche Skepsis vorweggenommen wie an die traditionelle Gleichung von Welt und Narrenhaus angeknüpft:

> *Ein Thor rennt nach dem Glück, kein Ziel schließt seine Bahn,*
> *Wo er zu enden meint, fängt er von neuem an.*

Als Konsequenz blieb die Distanz zur Welt, die nur das erfahrbare Teilchen vom unerklärbaren All Gottes ist. Zugleich kündigte sich damit das stärker werdende religiöse Engagement Hallers an, das seinen poetischen Beschreibungen dieser Welt ein Ende setzte. Noch in seiner Todesstunde verriet Haller seine lebenslange Sisyphushaltung. Er behielt die konstatierende Distanz bis zur letzten Minute und zählte laut seinen sterbenden Puls: «il bat, il bat, il bat.» Haller beobachtete so noch das vergehende Ich, wie sein ganzes Leben von jener wissenschaftlichen Neugier geprägt war, die er zugleich als unzulänglich disqualifiziert hatte.

c) Anakreontik als literarisches Rokoko und Idyllik

«Et ego in Arcadia, ich habe auch geliebt, mit aller Lebhaftigkeit die Süße der Liebe gefühlt und mir, in sehr jungen Jahren zwar, einige Ausdrücke dieser Empfindungen erlaubt. Da war aber keine Belustigung für mich, es war das ernsthafteste Geschäft meines Herzens.» Diese Sätze, mit denen Haller eigene lyrische Positionen rechtfertigte, sind Teil des bekannten an den Freiherrn von Gemmingen gerichteten Briefes (1772), in dem Haller sich mit Friedrich von Hagedorn als dem Repräsentanten eines neuen lyrischen Stiles verglich. Vom gleichen Geburtsjahr über das fast gleichzeitige Bekanntwerden mit England und seinen Denker-Dichtern bis zur Abfassung von Lehrgedichten zählt Haller Entsprechungen auf, um dann das zu nennen, was beide Positionen trennt: «Unser Hr. v. Hagedorn war von einem fröhlichen Gemüte, er trank ein Glas Wein und genoß die freundschaftlichen Freuden des Lebens ... Hieraus entstand ein großer Unterschied im ganzen Tone unsrer Poesie. Der Hr. v. Hagedorn dichtete Lieder, darin er die Liebe in dem Wein besang und die die ersten waren, die man in Deutschland den Liedern der Franzosen an die Seite setzen durfte.» Der von Haller festgestellte besondere Unterschied zwischen ihm und Hagedorn ist zugleich der allgemeine Gegensatz zwischen der Lyrik vor 1730, für der das philosophische Lehrgedicht repräsentiv war, und der nach diesem Zeitpunkt aufblühenden anakreontischen Lyrik, die der Rokokodichtung zuzurechnen ist.

Der Grieche Anakreon (gestorben nach 495 v. Chr.) hat, wie die nach ihm benannten, aber meist erst aus späterer Zeit stammenden Liedchen, die *Anakreontea*, zeigen, Wein, Liebe und Geselligkeit zum Inhalt seines Lebens und Dichtens gemacht. In der Renaissance entdeckte man die *Anakreontea* neu, die bis zum 18. Jahrhundert zu Unrecht für Schöpfungen von Anakreon selbst gehalten wurden. In Frankreich begann eine Anakreonmode, man übersetzte und imitierte zahllos und regte schließlich auch die Deutschen an, Wein und Liebe lyrisch zu preisen. Aber erst mit der Rokokoatmosphäre des 18. Jahrhunderts war der geistige Hintergrund vorhanden, vor dem in Deutschland die Anakreontik zu einem stil- und themenbeherrschenden Ereignis werden konnte.

Die Rolle des literarischen Rokoko ist lange gar nicht und dann verschieden beschrieben und bewertet worden. Den Grund dafür hat Hans Heckel genannt, als er unter der Voraussetzung, daß das Rokoko sich als bestimmter Stil äußere, schrieb, «daß der Geltungsbereich eines Stils sich nicht ohne weiteres deckt mit einem in bestimmten Grenzen eingeschlossenen entwicklungsgeschichtlichen Zeitabschnitt»[15]. Da jede Literaturgeschichte, die größere Zeiträume erfaßt, periodisch vorgehen muß, blieb der Rokokostil, den zwar viele Dichter aufgriffen, dem sich aber kaum einer ganz widmete, dem man außerdem keine unter den literarischen Gattungen ganz zuordnen kann, ein Stiefkind der Betrachtung. In den letzten Jahren hat sich Alfred Anger um die Klärung des Rokokobegriffs und um die Publikation der dieser Stilrichtung zugehörigen Texte bemüht. Neben rein thematischen Aspekten wie Frivolität oder irdisches Glücksstreben wurden Kriterien genannt, die ebenso thematisch wie formal wirksam waren: Scherz und Spiel, Tändelei oder Ironie. Das diese Aspekte umgreifende entscheidende Prinzip der Rokokodichtung ist jedoch die von Anger eingehend beschriebene «Bewegtheit, die spielerisch ihren Zweck in sich selbst trägt» und sich ebenso im Stil wie in der Figurenzeichnung äußert[16].

In der Architektur zeigten sich entsprechende Charakteristika. Hier war die schwere Spannung der barocken Räume, in denen sich Wände und Decken als ihre eigene Negation präsentierten, ins Verspielte aufgelöst worden. Wie alle Bewegungslinien der Rocaille, die dem Stil den Namen gab, in die Muschel zurückmündeten und nicht über sie hinauswiesen, so diente alles Ornamentale der Rokokobauten nicht mehr pathetischer Demonstration, sondern barg seinen Sinn in sich. In Spiegelsälen spiegelten sich Spiegel. Zwischen ihnen bewegte sich eine Gesellschaft, besonders eine zunehmend entfunktionalisierte Aristokratie, die sich tändelnd, scherzend selbst genügte. Der galante Roman, das komische Epos, Komödie und Schäferspiel sowie die lyrische Kleinkunst waren der literarische Spiegel dieser vor allem für das vorrevolutionäre Frankreich symptomatischen Rokokowelt.

Unter diesen literarischen Formen wurde in Deutschland die anakreontische Lyrik zum deutlichsten Ausdruck der Rokokohaltung. Der spielerischen Einstellung des Rokokomenschen entsprach die zweckentbundene Lyrik, die nicht mehr objektiv belehrend und noch nicht subjektiv vermittelt war, und deren Thema, der Lebensgenuß, zugleich ihr Zweck war. Damit ist der Platz bestimmt, den die anakreontischen Gedichte in der Entwicklung der deutschen Lyrik einnehmen. Nach der langen Periode deiktischer Lyrik, die im philosophischen Lehrgedicht ihre vorläufig letzte Verwirklichung fand, und vor einer Lyrik, in der Subjektives Sprache gewinnen sollte, herrschte das anakreontische Gedicht, in dem Liebes- und Weinseligkeit um ihrer selbst willen besungen wurden.

Ist das französische Rokoko aus der Geschichte der französischen Aristokratie zu erklären, so stellt die deutsche Anakreontik ein bürgerliches Phänomen dar, allerdings in vieler Hinsicht ex negativo. Denn was in Frankreich das Verhalten der abtretenden Klasse spiegelte, wurde in Deutschland zur Kritik der aufstrebenden Gesellschaftsschicht. Die Verfasser anakreontischer Gedichte kritisierten gern die Grundhaltung des bürgerlichen Standes, die Sorge um Erwerb, Geld und Zukunft. Besonders pietistische Bürgerkreise mußten die Anakreontik als Affront empfinden. Halle, die Hochburg des Pietismus, war zugleich der Ort, von dem wesentlichste anakreontische Aktivität ausging. Diese Aktivität bedeutete nicht nur die Gegenhaltung zum Pietismus, sondern zugleich dessen säkularisierten Ausdruck[17]; denn die Empfindsamkeit, die pietistisches Erbe war, konnte sich mit anakreontischer Thematik durchaus verbinden. Von ihrer religiösen Voraussetzung befreit, war seelische Selbstspiegelung konsequent in der Rokokohaltung integrierbar. Das vermag auch zu erklären, warum Christoph Martin Wieland vom pietistisch Empfindsamen zum bedeutendsten Vertreter des deutschen Literaturrokokos wurde.

Das negative Verhältnis der Anakreontik zur Bürgerwelt kommt in ihrem vielfältigen Bezug zur Idyllik zum Ausdruck. Der Bereich des anakreontischen Spieles war eine Sonderwelt, die mit der Wirklichkeit bürgerlicher Intentionen nur die Grenze gemein hatte. Dieser Spielcharakter hat der Anakreontik wie der gesamten Rokokodichtung lange das Urteil eingetragen, «unwahr» oder «wurzellos» zu sein[18]. Da die Anakreontiker stets die Grenze zwischen Poesie und Existenz betont haben, basierten solche Urteile auf der falschen Voraussetzung, daß Literatur und Bekenntnis eins sein müssen[19]. Die Idyllenwelt des 18. Jahrhunderts ist Teil der auf die Antike zurückgehenden bukolischen Tradition, zu der auch die barocke Schäferpoesie gehörte. War diese jedoch «bloßer Rahmen einer Tendenz- oder Gelegenheitsdichtung, zu deren Anlaß man sich als Schäfer verkleidete», so erlangte das Idyllische im 18. Jahrhundert «einen selbständigen Stimmungswert, weil es als Nachahmung und Wiederholung eines verlorenen Naturzustandes empfunden werden» konnte[20]. Nicht nur als Hirtenleben, sondern in allen ihren Möglichkeiten bedeutete die idyllische Existenz die aufgehobene Entfremdung, die Restitution des goldenen Zeitalters, also die sentimentalisch gesuchte Naivität. Diese erschien ebenso in den Robinsonaden und Utopien der Romane im 18. Jahrhundert oder in den Prosaidyllen Geßners, wie sie das unterschiedlich gestaltete Motiv der einzelnen Lyriker war. Hagedorns Weiser, Gleims und Pyras ungleiche Freundschaftskulte, Ewald von Kleists Melancholie fanden jeweils ihr besonderes Verhältnis zum allgemeinen Idyllenthema. Dabei war der Rahmen des Idyllischen viel weiter gesteckt als der der Anakreontik. Auch die Empfindsamen fanden in der Idylle den Bezirk, in dem sie sich selbst fühlen und begegnen konnten. Rokoko-haltung, Anakreontik, Idyllik und Empfindsamkeit waren die sich wechselseitig ergänzenden und überlagernden Bereiche, deren thematische und stilistische Ausdrucksformen von den verschiedenen Autoren verschieden genutzt und kombiniert werden konnten.

d) Hagedorn

Friedrich von Hagedorn (1708–1754) war der erste deutsche Anakreontiker. Er begann und beschloß sein Leben in Hamburg, wo er als Sekretär einer englischen Handelsgesellschaft wirkte. Schon 1729 hatte Hagedorn sein erstes Buch *Versuch einiger Gedichte, oder erlesenen Proben poetischer Nebenstunden* veröffentlicht. Danach hatte er zwei Jahre in London gelebt. Bekannt wurde er, als sein *Versuch in poetischen Fabeln und Erzählungen* (1738) erschien.

Hagedorn war durch Englandkenntnis, Wohnort und Tätigkeit stets dicht am Lebenspuls des kapitalistischen Handelsgeistes. Zugleich gaben ihm Beruf und aristokratische Abkunft Muße und Distanz zur kritischen Reflexion bürgerlicher Emsigkeit. Der Mann, den Karriere oder Geschäft unfrei macht, ist darum ebenso wichtiges Thema in Hagedorns Gedichten wie die Gegenfigur des Glücklichen, der frei sich selbst zu leben vermag. Als der große Meister dieses Motivs wurde Horaz zum Vorbild. Die Selbstentfremdung des Geschäftigen und darum sich Sorgenden machte Hagedorn zur dunklen Folie, vor der die innere Harmonie des Unbesorgten umso heller wirkte. Sei es *Johann der Seifensieder*, der, um wieder singend in den Tag hineinleben zu können, einen Goldklumpen von sich weist, oder *Der Weise*, der frei ist von «Eitelkeit und Würden», stets preist Hagedorn den Zustand dessen, «der sein darf, was er ist». War der Zustand glücklicher Naivität bei Hallers Alpenbewohnern geographisch bedingt, so wird jetzt die Distanz zur Betriebsamkeit der Welt eine Frage der inneren Haltung und Entscheidung. Indem Hagedorn das, was Haller als idyllische Gegenwelt beschrieb, zur eigenen Möglichkeit machte, wurde er zum Anakreontiker.

Der Hang zum Naiven ist ein wesentliches Kriterium der Anakreontik[21]. Das scheint dem Rokokogeist in seiner Verspieltheit zu widersprechen. Der Widerspruch löst sich, wenn man das Naive nicht auf vage inhaltliche Weise als Hang zum Volkstümlichen oder Natürlichen ansieht. Nach der allgemeinen und auch hier zutreffenden Definition erschöpft sich naives Denken und Handeln im unmittelbaren Tun und weist nicht darüber hinaus. Der Naive kennt nicht die Sorge um etwas, jedes teleologische Verhalten ist ihm fremd. Er lebt einig mit sich und der unmittelbaren Situation, da jede seiner Handlungen ihren Sinn in sich birgt. Bedenkt man, daß der Sinn des Rokokoornaments das Ornamentale selbst ist, dann wird deutlich, warum auch das Naive Ausdruck des Rokokogeistes sein

konnte. Entscheidend jedoch ist, daß das Rokokoornament so durch Entfunktionalisierung baulicher Elemente entstand wie das Naive jetzt eine ausgegrenzte
Wirklichkeit meinte, die die nicht naive, allgemeine Welt voraussetzte. Darum
zeigt Hagedorn den Weisen, der die Welt der Ruhm- und Besitzsüchtigen ver-
achtet, als den absichtlich Naiven. Dieser Weise schafft sich den Gegenbereich, in
den er sich zurückziehen kann, wo er «Freund seiner selbst» ist und der ihm zugleich zum Maßstab der übrigen Welt wird. In diesem ausgezirkelten Bereich
sollen die Ideen Anakreons, also das herrschen, was sinnliche Freude schafft:
Lieben und Trinken. Beides garantiert unmittelbare Erfüllung und damit Genuß.
Der Liebende und Trinkende ist einig mit sich und der Welt, denn unglückliche
Liebe oder Leidenschaft bleiben ausgeklammert.

Mit seinen anakreontischen *Oden und Liedern* (1742), in denen Liebe und Wein
zentrales Thema ist, verwirklichte Hagedorn, was er in seinen *Moralischen Gedichten* (Lehrdichtungen, Fabeln und Erzählungen, 1750) expressis verbis forderte. In den Lehrgedichten war in deiktisch-traditioneller Weise, die auch den
Alexandrinervers umschloß, das abgehandelt worden, was Hagedorn zugleich
zum ästhetischen Gebilde des anakreontischen Gedichts zu objektivieren vermochte. Wurde in einem moralischen Gedicht die Idylle gefordert und beschrieben, so wurde im anakreontischen Gedicht idyllisch gestaltet. Im Zugleich und im
Unterschied beider Gestaltungsweisen zeigt sich der entscheidende Schritt, den
Hagedorn unternahm und mit dem er wegweisend auf die zukünftige lyrische
Entwicklung wies. So beschreibt er Landschaft in einem moralischen Gedicht:

> *Die Einfalt kann nicht sehen*
> *Ihr Lachen nicht die Täler und die Höhen.*
> *Sie hört auch grob, und in der Melodie*
> *Der Nachtigall erschallt kein Ton für sie.*
> *Wie schmeichelhaft und mit verjüngten Flügeln*
> *Der Zephyr kühlt, wie auf begrasten Hügeln*
> *Die Anmut grünt, wie Pflanze, Staud und Baum*
> *Sich edler färbt: das alles merkt sie kaum ...*

Hier wird ein unzulänglicher Beobachter zum Mittel gemacht, eine Naturlandschaft zu schildern, in der weniger die Pflanze als auf allegorische Weise die
Anmut grünt. Sorgfältig werden Worte gewählt, um Dinge zu bezeichnen. Der
rhetorisch-deiktische Stil äußert sich in den wiederholten «wie-Sätzen», die auf die
conclusio am Ende zusteuern. Anders erscheint das gleiche Thema in einem *Die
Landlust* betitelten anakreontischen Lied Hagedorns:

> *Es webet wallt und spielet*
> *Das Laub um jeden Strauch,*
> *Und jede Staude fühlet*
> *Des lauen Zephyrs Hauch.*

Was mir vor Augen schwebet
Gefällt und hüpft und singt,
Und alles, alles lebet
Und alles scheint verjüngt.

Auch hier ist Natur von einem Beobachter erfaßt, aber zugleich scheint dieser Beobachter einbezogen in das, was er beschreibt. Die starre Distanz des Schilderers ist einer Bewegtheit gewichen, die seinen Worten eine ganz andere und neue Qualität gibt. Diese Worte sind nicht mehr gesetzt, um etwas zu bezeichnen, sondern in ihnen selbst wirkt das, was sie beschreiben. Im Spiel der Vokale und Diphthonge wiederholt sich, wie die Funktion des «au» zeigt, das Spiel der Natur. Hagedorn hat mit größter Sorgfalt am Klang seiner Worte und Rhythmus seiner Sätze gearbeitet. Er erreichte damit eine Schmiegsamkeit der Verse, die die bisherige rhetorisch-deiktische Lyrik nicht kannte, und kündigte sprachliche Möglichkeiten an, die sich von Klopstock bis Brentano entwickelten. Hagedorn wollte noch nicht «Erlebnislyrik», sondern, wie andere schon vor ihm, das Spiel mit den traditionellen anakreontischen Mustern. Indem er aber jetzt dem Spiel den adäquaten sprachlichen Ausdruck zu schaffen vermochte, wurde er zum Meister des anakreontischen Zwischenspiels, das deiktische Lyrik und subjektive Lyrik trennt.

e) Gleim

Entspricht Hagedorn dem souveränen Weisen, der sich bewußt in die anakreontische Idylle zurückzieht, dann ist Gleim, der neben Hagedorn bedeutendste deutsche Anakreontiker, mit dem munteren Seifensieder vergleichbar. So wie dieser ständig sang, machte Gleim sein Leben lang Verse. Als Wilhelm Körte ab 1811 Gleims Werke in sieben Bänden edierte, war das nicht ein Drittel der vorhandenen Texte. Gleim hat die anakreontische Epoche und damit sich selbst um viele Jahrzehnte überlebt. Die Kritik schonte «Vater Gleim», da man in ihm auf die Dauer weniger die dichterische Potenz als die literarische Existenz sah, die sich in einer Vielfalt von Literaturfreundschaften verwirklichte. Gleim kannte fast alle deutschen Schriftsteller seiner Zeit und wechselte mit vielen unzählige Briefe. Er umgab sich in seinem Haus, dem «Freundschaftstempel», mit den Portraits aller Freunde und lebte so in einer als Musenfest empfundenen Welt, die er in einem charakteristischen Gedicht «die beste» nannte.

Johann Wilhelm Ludwig Gleim (1719–1803) wurde als Sohn eines Obersteuereinnehmers in Ermsleben bei Aschersleben geboren. Seit 1738 studierte er in Halle Jurisprudenz und musische Fächer und bildete dort mit den Kommilitonen Uz und Götz die sogenannte Hallenser Dichtergruppe. Schon 1747 kam Gleim in Halberstadt als Domsekretär und Kanonikus in wirtschaftlich sichere Verhältnisse. Am 26. 6. 1745 mahnte Gleim brieflich seinen jüngeren Freund Ramler: «In der

That mein Wehrtester, sie sind unartig. Fält es ihnen denn so schwer, wöchentlich
ein paar mahl [!] mit mir zu sprechen? Ich verlange keine witzige, tiefsinnige,
schwere Briefe von ihnen. Können sie denn nicht plaudern?» Aus Plaudereien
bestehen Gleims Briefe. Sie haben kaum wesentlichen Informationsgehalt und
ihren Zweck in sich selbst. Gleim schrieb gern über das Schreiben. Die Briefe
spiegeln damit die Kommunikation, der sie dienen. Die Beziehungen, die Gleim
pflegte, finden ihren Sinn vor allem darin, Beziehung zu sein. Darum Gleims
Sorge und Nervosität bei zögernder Dokumentation freundschaftlicher Gefühle:
diese existieren vor allem in Form ihrer Bekundung.

Gleims Briefgestaltung entsprach seinem literarischen Schaffen und ist zugleich
als solches zu verstehen[22]. Dieses Schaffen wurde zur konsequenten Erfüllung des
Rokokogesetzes, das Identität von Bewegung und Zweck heißt. Wie der Sinn des
Rokokoornaments in diesem selbst liegt, wie die Beziehungen Gleims um der
Beziehungen willen gepflegt wurden, so konnte Gleim in seinen Gedichten jedes
intentionale Verhalten ablehnen und das tändelnde, also intentionslose Reimen
dagegensetzen:

> *Herr Haller sucht Gras, Kraut und Bäume*
> *Auf mancher rauhen Bahn;*
> *Ich Klügerer, ich suche Reime,*
> *So wie er sonsten auch gethan.*
>
> ...
>
> *Es mögen ihn die Enkel preisen*
> *Und sagen: So ein Mann*
> *Ist doch jetzund nicht aufzuweisen;*
> *Was gehen mir die Enkel an?*

Die Intentionslosigkeit zur Voraussetzung der anakreontischen Idylle machen
hieß, die naive Einheit mit sich selbst mittels regressiver Haltung erreichen, einer
Haltung, die von der des Weisen Hagedorns sehr verschieden war.

Gleim versammelte seine Gedichte erstmals in dem *Versuch in Scherzhaften
Liedern* (1744ff.). Mit dieser Ausgabe hatte er sein Bestes geleistet. Sind es thematisch immer wieder Wein und Mädchen, sowie das, was man mit ihnen machen
kann, so bevorzugt Gleim auch stilistisch die Möglichkeiten, die die Rhetorik als
Hauptgruppe unter den «figurae elocutiones» registriert: die Wiederholungen.
Spielendes Wiederaufgreifen von Worten und Wortgruppen bestimmt die Gestalt von Gleims Gedichten und erübrigt oft das formale Mittel bindender Wiederholung, den Reim. Das Formprinzip spielerischer Repetition und das damit
bewirkte Kreisen in sich selbst entsprach der häufig zum Thema gemachten
Intentionslosigkeit. Diese Entsprechung barg keine Möglichkeit der Weiterentwicklung und erklärt, warum Gleim früh sein Bestes gab und dann sein eigener
Imitator werden mußte. Er fiel seinem Wiederholungsprinzip zum Opfer. Das

schloß Experimente in anderen Formen, etwa des Schäferspiels oder der Romanze, nicht aus. Auch hier galten die gleichen Prinzipien. So veröffentlichte Gleim zwar Fabeln, wandte sich aber zugleich gegen deren didaktische Tendenz und definierte die Fabel als bloße «Zeitvertreiberin».

Der Sänger von Wein und Liebe war unbeweibt und hat den Gegensatz von Vita und Dichtung diskutiert. Am 28. 1. 1768 schrieb er an Johann Georg Jacobi über die Möglichkeit, einen schönen Busen zu besingen, und sagte: «Sie selbst, wenn sie ihn sähen, besängen ihn nicht», und weiter: «Was auch die Philosophen dawider sagen mögen, so ist es doch gewiß: die wahren Empfindungen nicht, sondern die angenommenen machen den Dichter!» Diese poetologisch wichtige Aussage, die jeglichen Versuch verbietet, anakreontische Gedichte an sogenannter Erlebnisdichtung zu messen und dann als «unwahr» zu werten, begründet zugleich den inneren Zusammenhang zwischen Gleims Anakreontik und seinem zweiten literarischen Erfolg, der Sammlung *Preußische Kriegslieder in den Feldzügen 1756 und 1757 von einem Grenadier* (1758). Vergangene Interpreten zogen zwischen den Liebes- und den Kriegsliedern Gleims einen scharfen Trennungsstrich, indem sie die einen als «weibisch-weichlich» disqualifizierten und in den anderen den Ausdruck lyrischer Virilität fanden. In beiden sprechen jedoch die «angenommenen Empfindungen». Gleims Kriegslieder verhalten sich zum Krieg wie seine Liebeslieder zur Liebe: sie haben mit der Wirklichkeit nichts gemein. Nicht aus der Perspektive eines Grenadiers wurde gesprochen, sondern von einem simplen parteiisch-patriotischen Standpunkt aus, von dem aus den Feind, ob Schwabe oder Mainzer, der Hohn traf und die eigene Seite uneingeschränkt glorifiziert wurde. In Liebes- wie in Kriegsliedern war von «Lust» die Rede. Entsprach diese Lust dem Liebesthema, so wurde sie, auf den Heldentod bezogen, zur gefährlichen Perversion:

> Und streit und sieg und stirb ein Held!
> Hier ist zu sterben Lust!

Gleim war kein Denker und hat seine unphilosophische Position mehrmals betont. Wirkte das im anakreontischen Rahmen legitim, so war die unfreiwillige Komik unausbleiblich, als sich Gleim in *Halladat Oder das rothe Buch* (1774) dennoch um Weltanschauliches bemühte. Die früher thematisch gewesene Intentionslosigkeit und das Wiederholungsprinzip gerannen jetzt zu Tautologien wie: «Gott ist Gott und Welt ist Welt», oder: «was es ist, das in mir denkt? – ist der Gedank!» Es entstand so ein hymnischer Nonsense, dessen Wirkung der der Gedichte von Friederike Kempner oft gleichkommt:

> Aus meiner Seele den Gedanken, der
> In einer dunklen Tiefe drinnen liegt,
> Herauszuwinden, wer, ihr Menschen! leiht
> Mir eine Winde?

f) Uz

Das Zusammentreffen der Hallenser Studenten Gleim, Uz und Götz um das Jahr 1740 gilt als der Anfang deutscher Anakreontik. Man wird jedoch im Hallenser Treffen nur den äußerlichen Anlaß sehen dürfen. Auch Gleim und seine Freunde gehorchten den allgemeinen Tendenzen der Zeit, wie unabhängig von ihnen an ganz anderem Ort Hagedorn. Der zu besingende, nicht der wirkliche Sinnengenuß verband die Freunde. Wie Gleim so blieb auch Johann Peter Uz (1720–1796) unverheiratet. Wegen einiger Freizügigkeiten in seinen Gedichten attackiert, nannte er sich verteidigend den keuschesten aller Dichter. Uz wurde als Sohn eines Goldschmieds in Ansbach geboren und starb daselbst als Geheimer Justizrat und Landrichter. Seine literarische Entwicklung markieren zwei Übersetzungs-arbeiten: 1746 erschienen die zusammen mit Götz übertragenen *Oden Anakreons* und 1773 bis 1775 publizierte er in drei Bänden die gemeinsam mit Ansbacher Freunden angefertigte *Prosaübersetzung der Oden, Satiren und Episteln des Horaz.* Von Anakreon zur philosophischen Ode und zu Kirchenliedern ging Uzens Weg. Gleim besorgte die erste anonyme Ausgabe des Freundes: *Lyrische Gedichte* (1749). Längere Oden und kürzere anakreontische Lieder wechseln sich ab. Da die Ausgabe erfolgreich war, folgten regelmäßig erweiterte und verbesserte Editionen.

Geßner charakterisierte die Gedichte Uzens: «Sie haben oft den stürmisch fortreissenden Schwung, den poetischen Taumel; oft fließen sie sanfter, wie kleine Quellen durch Blumen ... Kurz, die meisten sind Meisterstücke, und ich wünschte nur, daß seine Sittenlehre zuweilen weniger frei wäre.» Damit ist, bei zunächst gleicher Thematik, der Unterschied zu Gleims Gedichten angedeutet. Nicht mehr das Wiederholungsprinzip, das Spiel mit gleichen Versteilen, sondern eine über die einzelne Zeile hinausgreifende Bewegung kennzeichnet die Gedichte. In dieser Struktur der ersten anakreontischen Lieder und Oden Uzens ist die weitere Entwicklung angekündigt. Weniger statische Situationen als Geschehnisse werden berichtet oder pathetisch ein Gegenüber angesprochen. Statt der Intentionslosigkeit der Gleimschen Verse zeigt Uz eine Dynamik, die ihn über Anakreontisches hinausführte und zum bevorzugten Dichter des jungen Schiller machte. Die Tatsache, daß Uz seine *Lyrischen Gedichte* mit einer Ode über die Ode *(Die Lyrische Muse)* eröffnete, zeigt seine reflektierende Position, die ihn auch versuchen ließ, Leibnizens Gedanken in Verse zu bringen *(Theodicee).* In dem Lehrgedicht *Versuch über die Kunst stets fröhlich zu seyn* (1760) unternahm er es, die Voraussetzungen und Möglichkeiten des Glückes weniger glücklich abzuhandeln. Uz schrieb nicht naiv, sondern über die Naivität, und ein ironisch-satirischer Grundton kennzeichnet viele seiner Gedichte. So machte er die naive Tändelei der Deutschen, deren halbgekonnte Imitation englischer und französischer Sitten, im komischen Epos *Sieg des Liebesgottes* zum Objekt seines Spottes.

g) Götz

Der dritte im Bunde, Johann Nikolaus Götz (1721–1781), stammte aus Worms und brachte es bis zum Superintendenten. Der theologische Beruf spiegelt sich in der Weise, wie Götz den Anakreon sittlich zähmte. Nicht die Gaukelei des Schmetterlings, sondern die Strebsamkeit der Biene wurde gepriesen. Damit verließ auch Götz den engeren Bereich der Anakreontik und blieb ihr mehr thematisch als gehaltlich verbunden. Anakreaontische Motive wurden genutzt, um Lebensweisheiten mitzuteilen. Frivoles wagte sich nur selten hervor. Nicht mehr der Busen, sondern die sittsamen Gebärden der Chloris wurden besungen, denn «das Vergnügen folget nur sanften Trieben der Natur». Die anakreontische Idylle ist damit zum fröhlichen Pfarrgarten geworden. Dessen Existenz wurde darüberhinaus von Götz ängstlich verborgen, denn er veröffentlichte seine Gedichte anonym (*Versuch eines Wormsers in Gedichten*, 1745) und vertraute sie Ramler an, der sie überarbeitete und ohne Nennung des Verfassers in seinen Anthologien und in der postumen Ausgabe *Vermischte Gedichte* (1785) herausgab.

h) Pyra und Lange

Die Spielwelt von Wein und Liebe fand ihre Gegenmöglichkeit in der esoterischen Idylle, die sich die Freunde Pyra und Lange schufen, indem sie religiöse Formen und Empfindungen auf die Literatur übertrugen. Das blieb in der deutschen Literaturgeschichte kein Sonderfall. Über Klopstock, Hölderlin bis in unser Jahrhundert erstreckt sich die in platonisch-mystischen Vorstellungen wurzelnde Tradition, die Dichtung mit Feier und den Dichter mit dem Seher oder Priester identifiziert.

Jacob Immanuel Pyra (1715–1744) aus Kottbus wurde als Student in Halle von dem Theologicprofessor Joachim Lange für den Pietismus gewonnen und schloß mit dessen Sohn Samuel Gotthold Lange (1711–1781) eine enge Freundschaft. Durch Armut und Krankheit in Halle zunächst sehr isoliert, fand er in Lange Halt und Hilfe, wurde aber der geistig Führende im Freundesgespann. In die Literaturgeschichte gingen beide als Thirsis (Pyra) und Damon (Lange) oder erster Hallenser Dichterkreis ein.

Der Pietismus prägte ebenso die Freundschaft beider wie deren Ausdruck in der Dichtung. Empfindsame Intimität ließ im gleichgestimmten Freund den Spiegel des eigenen Ich finden und damit die Begegnung zum gefeierten oder schmerzlich vermißten Augenblick des «heiligen Taumels» machen. Die zuerst von Bodmer unter dem Titel *Thirsis und Damons freundschaftliche Lieder* (1745) herausgegebenen Gedichte beider Freunde haben die Begegnung und Beziehung zum Thema. Dieses Thematischwerden bedeutete zugleich die Verabsolutierung der Beziehung, ihre Überführung in einen Weihebezirk außerhalb der Realität, des «eitlen Zeitlichen», des «Pöbels» und der «pöbelhaften Begierden». Was Gott im Himmel ist, das ist der Freund auf Erden, der darum zum Priester wird und die Poesie in ihrer «hohen Reinigkeit» zelebriert. Das war zugleich Weihe und Feier des eigenen Ich, da sich der Freund im Freunde «selbst fühlt».

Eine Idylle der Reinheit, die alles Lasterhafte ausklammert, aber damit zugleich voraussetzt, ist auch Pyras *Der Tempel der Wahren Dichtkunst* (1737). In dem Kurzepos von fünf Gesängen wird der allegorische Weg des Dichters zur wahren Poesie gezeigt. Vorbei an solchen Gefährdungen wie der personifizierten Laster und anderer Stationen führt der Weg in die Tempelgefilde, wo die bewährten Dichter leben. Lange, der sich der Reise angeschlossen hat, wird dort zum Priester der reinen Poesie geweiht. Pyra nannte in der Vorrede zur Ode *Das Wort des Höchsten* die Allegorie den «Grund aller Erdichtung». Mittels der Allegorie ließ sich das «Hohe» oder Außerordentliche vergegenwärtigen, um das es Pyra, hier Longin folgend, ging[23]. Das Hohe soll die ekstatische Annahme von Sittenlehre oder religiöser Wahrheit bewirken, deren Vermittlung für Pyra die ausschließliche Aufgabe des Kunstwerks ist. Diese quasi-religiöse Rolle der Literatur, die in Klopstocks *Messias* weiterwirkte, schloß das Erwecken von bloßem Vergnügen, besonders durch formale Vollkommenheiten des literarischen Kunstwerks, aus. Hier liegt die Wurzel von Pyras permanentem und mit Zeloteneifer geführtem Kampf gegen den Reim in der Lyrik. Die Meinung, daß Kunst ein Mittel des Vergnügens sei, nannte Pyra «die Mutter der schändlichsten Niederträchtigkeiten, sie machet, daß sich die Reimer, um zu gefallen, nicht schämen, die unehrbarsten Fratzen zu schmieren».

Langes und mehr noch Pyras Gedankenwelt war Bodmer weit näher als Gottsched, so daß nach ausgebrochenem Literaturstreit die Zürcher in Pyra ihren vehementesten Mitstreiter fanden. In seiner Polemik *Erweis, daß die G*ttsch*dianische Sekte den Geschmack verderbe* (1743) schleuderte der literarische Gralshüter seinen Bannstrahl gegen die «Ketzer in der Poesie», um ihnen zu zeigen, «daß sie elende und mit dem Stare behaftete Critici, in der wahren Dichtkunst schlechterdings unerfahren, auf ihr bißchen Deutsch, und ihre wenige Collectanea und vermeinte Entdeckungen sehr eingebildet, kurz Ertzg*ttsch*dianer seyn».

i) Ewald von Kleist

Unter den Lyrikern zwischen 1740 und 1760 hat keiner die Idylle mit so viel subjektivem Engagement besungen wie der aus altem Pommerschen Adel stammende Ewald Christian von Kleist (1715–1759). Er hatte Jura, Philosophie und Mathematik studiert und schlug die Offizierslaufbahn ein, da sich die Vermögensverhältnisse der Familie schlecht entwickelten. Kleist wurde in diesem Beruf nicht glücklich. Weder hatte er dadurch die Mittel, das Mädchen, das er liebte, zu heiraten, noch konnte das Soldatenleben seiner sensiblen und intelligenten Natur gerecht werden. Diese Umweltbedingungen sowie mütterliches Erbteil machten Kleist zum Melancholiker, dessen innere Spannung literarisch virulent wurde. Gleim wirkte auch hier als Freund und literarischer Lehrer. Horazens Oden, Thomsons *Jahreszeiten*, Hagedorns und Hallers Gedichte beeinflußten Kleist, für den die idyllische Landschaft nicht mehr spielerisch-imitierte, sondern echte Gegenwelt wurde. Er beschrieb die Heiterkeit der loci amoeni, vermittelte aber zugleich den schwermütigen Abstand zu dieser Heiterkeit.

Kriegswelt und schöne Natur wurden zu oft aufeinander bezogenen Gegenbereichen und reflektieren die Spannung, der Kleist ausgesetzt war. Dabei verlagerte sich der Schwerpunkt. Bedeutete für den jüngeren Kleist die Schilderung der Naturidylle die Verurteilung von Krieg und Verheerung, so wurde später der Krieg auch anders gesehen. Noch während der zweiten schlesischen Auseinandersetzung entlarvte der Offizier im Gedicht *Sehnsucht nach Ruhe* (1744) den Krieg als Greuel und Kampfgesinnung als elementare Torheit:

> *Vergießt das Blut aus falscher Tapferkeit*
> *Tobt kühn herum, wie wilde Hauer toben,*
> *Damit ihr seid, wenn ihr gleich nicht mehr seid,*
> *Damit euch einst die Totenlisten loben.*

Diese Distanz scheint im Dritten Schlesischen Krieg der allgemeinen preußisch-patriotischen Bewegtheit gewichen zu sein, wenn man Kleists *Ode an die preußische Armee* (1757) als unmittelbare Meinungsäußerung des Verfassers liest. Die Ode galt als bestes Kriegslied ihrer Zeit. Nach Franz Muncker spricht aus solch patriotischer Dichtung «der gereifte Mann und Dichter», der «der empfindsamen Zartheit seiner Jugendpoesie» entsagt hat[24]. Nach dieser Ideologie sind Gleim und Kleist «zum Manne gereift», weil sie den Kriegstod beschrieben. Daß dieser Tod jedoch im Falle Kleists die Möglichkeit negativer Versöhnung des Melancholikers mit der Welt bedeutete, wurde nicht gesehen. Kleists Zeile aus *Sehnsucht nach Ruhe*: «Damit ihr seid, wenn ihr gleich nicht mehr seid» wurde jetzt für ihn selbst relevant. Im heroischen Verzweiflungskampf konnte er eins mit sich und seiner Wirklichkeit werden. Charakteristisches Krisendokument dieser Zeit ist das kurze Kriegsepos *Cissides und Paches* (1759), in dem beschrieben wird, wie ein antikes Freundespaar in unerschütterlicher Verteidigung einer Festung den Heldentod stirbt. Aus Kleists gleichzeitigen Briefen sprach Todessehnsucht, und das Epos antizipierte Kleists eigenes Ende: er wurde in der Schlacht von Kunersdorf schwer verwundet und starb zwölf Tage später. Sogar seine Todesursache hatte er im Epos vorweggenommen. Dort wird das qualvolle Ende eines Soldaten gezeigt, dem die Beine zerschmettert wurden; Kleist traf das gleiche Schicksal.

Die Idylle war Kleist verschlossen geblieben. Wie sehr er schöne Natur und Krieg als Gegenmöglichkeiten begriff, zeigen die Naturexempla, die er in seinem Kriegsepos verwandte. Dort verdeutlicht die Gegenszenerie zum locus amoenus, also «Ungewitter, der Klüfte Schlund und wildes Tier», die mörderische Schlacht unter den Menschen. Die wüste Unwetterlandschaft als Spiegel menschlichen Wahnwitzes begründet zugleich die Intensität, mit der Kleist in seinem bedeutendsten Gedicht *Der Frühling* (1749) die Natur in ihrer optimistischen und schönsten Phase beschrieb. Besonders Thomsons *The Seasons* (1726ff) waren das Vorbild für Kleists Fragment, mit dem die von Brockes und Haller begonnene Tradition der Naturgedichte fortgesetzt wurde. Im Gegensatz zu seinen Vorläufern beschrieb Kleist die Natur nicht mehr als Beweis für die Größe Gottes oder als allgemeinen Gegenbezirk zur demoralisierten Zivilisation, sondern als Wunschlandschaft, in der die subjektive Gefährdung aufgehoben ist:

> *Ach, wär' auch mir es vergönnt, in euch, ihr holden Gefilde,*
> *Gestreckt in wankende Schatten am Ufer schwatzhafter Bäche,*
> *Hinfort mir selber zu leben und Leid und niedrige Sorgen*
> *Vorüberrauschender Luft einst zuzustreuen!*

k) Die Karschin

Daß man um 1760 in der Ehefrau des Schneiders und Trinkers Karsch die deutsche Sappho zu entdecken meinte, hat unter den Nachlebenden widerstreitende Kommentare hervorgerufen und wird verständlich, wenn man die Rolle des Naiven in der Literatur dieser Zeit bedenkt. Die Tatsache, daß eine Frau, die Vieh hatte hüten müssen, Gedichte schrieb, wurde zum Ereignis für eine Gesellschaft, die die beabsichtigte Naivität der Anakreontik gewohnt war.

Anna Luise Karsch (1722–1791), auf einer Meierei nahe der schlesisch-brandenburgischen Grenze geboren, lebte unter schwierigsten Bedingungen, bis sie durch ihre Verse auffiel, Gönner fand und damit eine unerwartete Karriere machte. Man brachte sie nach Berlin. Sie wurde von der königlichen Familie empfangen und von den großen Literaten ihrer Zeit freundschaftlich betreut. Gleim veranstaltete eine Subskriptionsausgabe ihrer Werke (*Auserlesene Gedichte*, 1764), um der Autorin finanziell zu helfen. Zwar stellten sich die Sorgen wieder ein, doch 1787 erfüllte sich die langgehegte Hoffnung auf ein vom König geschenktes Haus in Berlin.

Die Begabung der Karschin lag in ihrer großen sprachlichen Gewandtheit, mit der sie ebenso eigene Empfindungen wie auch beliebige Anlässe vergegenwärtigen konnte. Sie war eine Meisterin der Improvisation und machte lieber mit flinker Behendigkeit neue Gedichte, als daß sie die alten überarbeitete. Durch ihre besondere Situation und die sprachliche Begabung war die Karschin in der Lage, Oden zu verfassen, die vieles, was die großen Literaten ihrer Zeit schrieben, übertrafen. Die Odenhaltung, die Wolfgang Kayser als «spezielle Ausprägung des lyrischen Ansingens» definierte und von der Hymne als der Form des Ansingens höherer, göttlicher Mächte abgeleitet hat[25], diese Odenhaltung war zugleich die Lebenshaltung der Karschin, die ebenso überzeugt Gottvater mit ihren Liedern pries wie ihre weltlichen Vaterfiguren, die – von den Hohenzollern bis zu Ramler – ihr Schicksal bestimmt hatten. Die ungebrochene Empfindungsweise, die sie Theaterstücke «gewaltig hingerissen» erleben ließ, entsprach ihrem meist unpretentiösen Stil und bildete zugleich den Gegensatz zur spielerisch-uneigentlichen Haltung der Anakreontiker. So geriet Gleim, der die Dichterin für längere Zeit zu sich eingeladen hatte, in die peinliche Lage, daß sie die Freundschaft, die er ihr entgegenbrachte, zu ernst nahm und mit offenkundiger Zuneigung beantwortete. Der Direktheit der Gefühle entsprach nicht immer die Weise, diese mit Hilfe von Bildern aus der niederen Realität zu äußern, so daß komische Blüten möglich waren: in einem der Gedichte *An Herrn Gleim* warb sie um den alternden Junggesellen mit dem Hinweis auf sich paarende Hühner. Daß die Karschin statt anakreontischer Preislieder auf den Wein *Das Lob des Essens* schrieb und die Kirsche statt der Traube lobte, war darum konsequent. Ihr Bestes leistete sie jedoch, wenn sie nicht im Hinblick auf Alltägliches, sondern im Widerspruch dazu schrieb, denn dieser Widerspruch war Ursprung und Voraussetzung ihrer Leistung:

> *Ohne Regung, die ich oft beschreibe,*
> *Ohne Zärtlichkeit ward ich zum Weibe*
> ...
> *Sing ich Lieder für der Liebe Kenner:*
> *Dann denk ich den zärtlichsten der Männer,*
> *Den ich immer wünschte, nie erhielt.*

Mehr als bei anderen Autoren der Zeit darf man die Verse der Karschin mit ihrer subjektiven Überzeugung identifizieren.

l) Ramler

Karl Wilhelm Ramler (1725–1798) kann der Antipode zur Karschin genannt werden. So wenig es ihr um formale Feinheiten ging, so sehr war Ramler Formalist, und so sehr sie dazu neigte, die Dinge beim Namen zu nennen, so bildfreudig und indirekt war Ramler in seinen Äußerungen. Von den Zeitgenossen als unbedingte Autorität in allen Versmaßproblemen geschätzt, verurteilten ihn bald darauf jene, die das «Originalgenie» wollten. Ramler schloß eine lyrische Epoche ab, indem er ihr Korrektor und Herausgeber wurde. Zugleich fand die preußisch-patriotische Lyrik, die Gleim, Ewald von Kleist, die Karschin und andere begonnen hatten, in ihm ihren Hauptvertreter. Der Hof honorierte das mit einer Pension. Im übrigen verdiente Ramler sein Brot als Philosophielehrer an der Berliner Kadettenanstalt. Besonders mit Gleim verband ihn eine zunächst enge Freundschaft, der seit etwa 1760 ein nicht wieder beigelegtes Zerwürfnis folgte. Im Briefwechsel beider finden sich für Ramlers Literaturauffassung charakteristische Bemerkungen. So schrieb er am 20.5.1745: «Bin ich zu Hause und lese Miltons verlorenes Paradies, so will ich ein Heldengedicht anfangen; lese ich Alzieren, Cäsarn, Mariannen, Caton, so will ich Trauerspiele machen. Sie kamen noch zur rechten Zeit und wiesen mir Horatium.»

Ramler war ein nachvollziehendes Talent und schuf vorwiegend aus zweiter Hand[26]. Horaz wurde zum großen Vorbild, das er übersetzte, nachahmte und zum Maßstab der Kritik machte. Ramler erhob die Struktur der Horazode und die antiken Versmaße zu absoluten Normen und schloß damit die Epoche ab, die an poetologisch fixierbare, absolute Muster und Regeln glaubte. Wie sehr unhistorisches Normbewußtsein in seine letzte Phase getreten war, zeigt die Tatsache, daß es sich bei Ramler mit dem Mangel an eigener Produktivität und der starken Neigung zur nachahmenden Verbesserung anderer verband. Die Möglichkeit, die Texte fremder Autoren zur eigenen Arbeitsgrundlage zu machen, also als bloßen Stoff zu nutzen, galt noch als legitime literarische Praxis. Mit Ramler endete diese Tradition jedoch, indem sie zur anmaßenden Aneignung pervertierte. Sie konnte ebenso den Protest des gegen seinen Willen korrigierten Autors hervorrufen wie die Diskussion über Recht und Unrecht von Herausgeberkorrekturen, die Lessing und Mendelssohn im 233. Literaturbrief austrugen.

Ramlers Plan, eine Serie von Gattungsanthologien herauszugeben, verwirklichte er mit Epigrammsammlungen (besonders: Logau, Wernike), Fabelausgaben und Liedereditionen, deren erste, *Oden mit Melodien* (1753), 31 Gedichte von Anakreontikern und Bremer Beiträgern enthielt. 1766 folgten *Lieder der Deutschen* mit 240 Texten und 1774/78 erschien die noch weitaus stärkere Sammlung *Lyrische Bluhmenlese*. Die Editionen reflektierten nicht historische Entwicklungen, sondern enthielten die korrigierten Exempla für Ramlers Normanspruch. Da die Lyrik des 17. Jahrhunderts diesem Anspruch kaum genügte, sind nur sehr wenige Texte dieser Zeit aufgenommen.

In Ramlers eigenen formvollendeten Oden wurden rhetorischer Aufwand und mythologischer Apparat der römischen Ode auf Motive der Berliner Wirklichkeit bezogen. Hauptthema sind Friedrich, seine Taten, sein Könighaus, seine Stadt. Friedrich wird bedeutender als Alexander geschildert, ein Kolbergverteidiger zu Perseus und Berlin zur Tempelstadt Apolls gemacht. Das konnte zu einem Mißverhältnis von Stil und Thema führen, das schon in Gedichttiteln zum Ausdruck kommt: *An den Vulkan, bei Einweihung eines Kamines in einem Gartenhause* oder *Uraniens Lob Berlins; bei Gelegenheit eines Granatapfels, der daselbst zur Reife gekommen war*. Die rhetorischen Handbücher verzeichnen dieses Mißverhältnis als Verstoß gegen das aptum: «Wird das aptum zwischen res und verba oder zwischen der literarischen Gattung und den verba in der Weise durchbrochen, daß die verba höher hinauswollen, als es der ausgedrückten res oder der literarischen Gattung entspricht, so liegt der Fehler des ‹frigidum› vor» (Lausberg). Der Vorwurf der Kälte ist Ramler gegenüber oft ausgesprochen worden. Er selbst hat dem ihm eigenen problematischen Verhältnis von Thema und Stil mit seinen umfangreichen, den Gedichten zugefügten Anmerkungen Rechnung getragen. Alle Anspielungen, mythologischen Begriffe und ähnliches wurden hier auf pedantische Weise erklärt und damit unfreiwillig gezeigt, wie die lyrische Tradition, die auf diesen Anspielungen und Begriffen baute, am Ende war.

2. ROMAN

a) Voraussetzungen

«Der Roman ist die Epopoe der gottverlassenen Welt», diese Grundthese von Lukács sowie Hegels damit korrespondierender Satz von der «modernen bürgerlichen Epopoe» erfahren durch den deutschen Roman zwischen 1680 und 1770 ihre besondere Bestätigung. Der Roman der Aufklärung begann mit der Säkularisierung der Barockepik, mit dem Weiterleben ihrer Formen bei verändertem Gehalt. Er endete, als eine neue Form entwickelt worden war, mit der die gemeinhin als «bürgerlich» bezeichnete Innerlichkeit ihre subjektive Ausdrucksmöglichkeit gefunden hatte. Darum gehört alles, was man unter den Begriff Aufklärungsroman subsumiert, nach seinen formalen Voraussetzungen zugleich zu den angrenzenden Epochen. Ende und Neuansatz geschahen im 18. Jahrhundert innerhalb der epischen Gattung härter und deutlicher als in Dramatik und Lyrik, wo die Übergänge nuancierter waren. Die Weise, wie in den Poetiken die epische Wende registriert wurde, bestätigt dieses Bild. Es ist vorwiegend eine Registration ex negativo: der Roman wurde wenig beachtet oder als dominierendes Beispiel literarischer Subkultur verurteilt. Womit die Poetiken in der Hauptsache die ihnen eigentümliche Verspätung gegenüber der literarischen Praxis beweisen.

Man warf dem Roman vor, ausschließlich dem «delectare» zu dienen und das Gebot des «prodesse» zu vernachlässigen. Die schärfste Attacke ritt der Schweizer Theologe Gotthard Heidegger (1666–1711) mit seiner Polemik *Mythoscopia Romantica* (1698), in der er den Roman als unwahr und unmoralisch disqualifizierte. Nach Zedlers Universallexicon, der großen Enzyklopädie der Aufklärung, ist es Aufgabe des Romans, «rechtschaffene Müßiggänger» zu belustigen. Noch 1777 ist für Johann Christoph Adelung (1732–1806) der Roman nichts anderes als «eine wunderbare oder mit Verwirrungen durchwebte Liebesgeschichte», und im gleichen Jahr wünscht Johann Georg Sulzer (1720–1779) in seiner *Allgemeinen Theorie*

der schönen Künste und Wissenschaften das endliche Verschwinden dieser phantastischen, dem Natürlichen widersprechenden Gattung. Es war darum konsequent,
daß ein von der Kenntnis der traditionellen Poetiken unbelasteter Empiriker die
erste dem Objekt adäquate Theorie schrieb. Unter dem Eindruck von Wielands
Romanen verfaßte Christian Friedrich von Blankenburg (1744-1796) seinen *Versuch über den Roman* (1774)[27].

Soweit der Roman in den spätbarocken Poetiken bis zu Gottsched eine Rolle
spielt, dankt er es dem Franzosen Pierre Daniel Huet (1630-1721) und dessen
Traité de l'origine des romans (1670). Eberhard Werner Happel hatte die Abhandlung
übersetzt und in seine «Liebes- und Helden-Geschichte» *Der Insulanische Mandorell*
(1682) eingefügt. Daraus oder von Huet direkt übernahmen Morhof, Rotth, Omeis
und andere ihre Romanbeschreibungen. Noch Gottscheds der vierten Auflage
seiner *Critischen Dichtkunst* (1751) hinzugefügte Auseinandersetzung mit dieser Gattung basiert auf Huet. Hatte dieser den Unterschied zwischen «regulirten und
unregulirten» Romanen getroffen, so ist Gottscheds Ruf nach dem regelhaften
Roman paradox, da sich der Roman gerade dadurch definieren läßt, daß er sich
den Normen der Regelpoetik entzieht.

Zwischen einer Fülle unwesentlicher Details nannte Huet einige entscheidende
Aspekte der neuen Form, indem er sie mit dem heroischen Gedicht verglich. Sind
dort die «Kriegs- und Staatsverrichtungen» primär und die Liebesangelegenheiten
sekundär, so ist es im Roman umgekehrt. Sind im heroischen Gedicht die Helden
Prinzen, so sollten sie im Roman «mittelmäßigen Standes» sein. Damit ist dem
Roman nicht nur die Ebene des Privaten zugeordnet, sondern auch die Möglichkeit, freie, wenn auch wahrscheinliche Erfindung zu sein. Im Gegensatz dazu
waren die prinzlichen Helden in ihren Taten historisch festgelegt[28].

Besonders Liebesaffären zumal der nicht hohen Stände waren bislang das
Reservat von Komödien, Schwänken oder der Schäferpoesie. Die neue Rolle, die
der Liebe mit dem Roman zufiel, ließ die Nachfolger der beiden entgegengesetzten
epischen Formtypen des 17. Jahrhunderts, des höfisch-historischen und des realistischen Romans, einander annähern. Wurde aus dem höfisch-historischen der
galante Roman mit manchmal schwankhaften Episoden, so trat im realistischen
Roman die Schwankstruktur immer unmittelbarer hervor. Im Schritt von Grimmelshausen zu Beer hatte diese Entwicklung begonnen, die im Studenten- und
Reiseroman endete. Das Niveau, das sowohl Grimmelshausen als auch der höfisch-historische Roman hatte, war damit verloren. Ähnlich wie die Ritterepen am
Ende des Mittelalters ihren ursprünglichen Gehalt einbüßten, so verlor der Barockroman am Ende des 17. Jahrhunderts seine geistige Spannung und begann in seinen
Nachfolgern mit nur stofflichen Spannungsreizen zu wirken.

b) Happel

Happel sammelte in seinen Romanen, von denen Goedeke vierzehn nennt, nicht nur poetologische Äußerungen wie Huets Traktat, sondern europäisches Schwankgut, geographische Denkwürdigkeiten, besondere Kriegsereignisse und alles sonst, was sich unter dem Stichwort «lesenswerte Merkwürdigkeiten» fassen ließ. Eberhard Werner Happel (1647–1690) wurde in Kirchhain (Hessen) geboren und lebte in Hamburg als Schriftsteller. Die Notwendigkeit, auf Breitenwirkung zu zielen, bestimmte den Gehalt der Schriften. Sie waren populär, da Happel verstand, mit leichter Feder die Neugier seiner Zeitgenossen für Curiosa zu stillen. Beschreibende Werke wie *Gröste Denckwürdigkeiten der Welt* (1683), *Mundus Mirabilis Tripartitus, Oder Wunderbare Welt in einer kurtzen Cosmographia fürgestellet* (1687) oder *Historia Moderna Europae* (1692) sind symptomatisch. Happel war nicht mehr gelehrter, sondern unterhaltsamer Polyhistor, seine Romane sollte man polyfaktisch nennen. Denn stets geht Happel vom einzelnen aus, sei es ein empirisches oder ein fiktives Faktum (Abenteuer, Schwank). In den Romanen erfährt das einzelne weder in allegorisch-verweisender noch in funktionaler Hinsicht Sinn und Funktion vom Ganzen. Vielmehr reiht sich alles in die Kette der anderen Einzelheiten, die aus sich selbst wirken und darum möglichst «denckwürdig» sein müssen. Wie die sinnvolle Integration der Fakten, so fehlt auch eine durchgreifende Figurengestaltung. Happel zeigt am Anfang von *Der ungarische Kriegsroman Oder außführliche Beschreibung dess jüngsten Türcken-Krieges* (1685) den Kaiser der Osmanen als blutigen Tyrannen, dessen Jagdvergnügen viele seiner Untertanen Leib und Leben kostet. Wenig später verirrt sich der Sultan und bewährt sich als tapferer Schützer eines Mädchens aus dem Volke. Je nach Situation ist der Herrscher ein anderer: das Detail bestimmt den Kontext und nicht der Kontext das Detail.

Als bestes Werk Happels gilt *Der Academische Roman, Worinnen das Studentenleben fürgebildet wird; zusamt allem | Was auf den Universitäten passieret | wie diese bestellet werden ...* (1690). Der weitaus längere Titel ist in seinem Mißverhältnis zum Text symptomatisch, denn er erweckt den Anschein einer wertenden Beschreibung der akademischen Lehranstalten und ihrer Benutzer. In Wirklichkeit folgt der Leser jedoch dem abenteuerlichen Vagantenleben von vier jungen Deutschen, deren Namen ihre Funktion spiegeln: Klingenfeld rauft sich so durch die Landschaft südlich der Alpen wie Cerebachius sich durchfrißt und durchsäuft, Venerus sich von Dame zu Dame hurt und Troll, noch der Studierteste von allen, sich mit ihnen trollt. Alle sind in Begleitung eines Prinzen, der eine Studienreise durch Italien macht. Sie erleben Abenteuer und berichten Abenteuer, die meist Wiederholungen von Schwänken aus der deutschen und romanischen Schwanktradition sind. Vom eigentlich akademischen Leben erfährt man in einigen Kapiteln, die kaum in das Ganze integriert sind, summarische, lexikalische Fakten. Das schlicht

addierende Schreibprinzip Happels fand in der Schwankfolge des Studentenro-
mans das geeignetste Thema und machte das Werk darum zur bedeutendsten
Leistung des Autors.

Die Studenten waren für Happel weniger als Akademiker, wie der Titel vor-
täuscht, denn als Vaganten interessant. Seit Odysseus ist der Fahrende oder Um-
hergetriebene eine epische Hauptfigur: das Liebespaar der spätantiken *Aethiopica*,
der mittelalterliche Ritter, Amadis oder Picaro erleben und vermitteln Wirklichkeit, indem sie sich von Ort zu Ort bewegen. Sie begegnen der stets anderen
Umwelt als Fremde, leben also zu ihrer Welt in einem Spannungsverhältnis, das
zur Bewährung des Helden kämpferisch bewältigt werden muß oder nur die Voraussetzung schwankhafter Situationen bildet. Neben der äußeren Erfahrung der
Fremdheit durch den Fahrenden steht – besonders seit der Renaissance – die innere
Entfremdung des Melancholikers, des geistig Umherschweifenden, Losgelösten
(s. S. 36). Als beide Möglichkeiten sich vereinten, entstand der europäische Roman, dessen Held, das epische Individuum, nach Lukács aus der «Fremdheit zur
Außenwelt» geboren ist. Sternes *Sentimental Journey* (1768), die Reise des Melancholikers, ist das bedeutendste Beispiel für die Vereinigung beider Haltungen.
Sterne beeinflußte nicht nur die deutsche Romanentwicklung im Sturm und Drang
und der Romantik entscheidend, sondern wurde auch gleich nach seinem Erfolg
vielfach imitiert. Wie in anderen Ländern entstand in Deutschland eine große Zahl
empfindsamer Reisen, die jedoch meist nur Titel und Einzelaspekte wiederholten
und dem Bereich des Reise- und Abenteuerromans zuzurechnen sind [29].

c) Der galante Roman: Bohse und Hunold

Da der galante Roman das durch Entfremdung zu sich selbst kommende Individuum nicht kannte, wurde er für die Romanentwicklung zum toten Gleis [30]. Die
Figuren des galanten Romans leben ausschließlich gesellschaftsbezogen. An die
Stelle der christlich-transzendenten Werte des höfisch-historischen Romans sind in
seiner galanten Spätform die weltimmanenten Normen der Gesellschaft getreten.
Die Figuren bewähren sich in der Welt nicht mehr für ein besseres Jenseits, sondern
um im Diesseits Erfolg und Reputation zu finden.

August Bohse (1661–1730), der unter dem Pseudonym Talander schrieb, gilt
mit seinen zahlreichen galanten Romanen als der Begründer dieses Typs. Die Titel
seiner Werke wie *Liebes-Cabinet der Damen* (1685), *Amor am Hofe* (1689), *Der Liebe
Irregarten* (1696) oder *Die Verliebten Verwirrungen der sicilianischen Höfe* (1725) zeigen die neue Richtung: die Struktur des höfisch-historischen Romans, die Leibniz
in seinem Brief an Herzog Anton Ulrich mit Verwirrung–Entwirrung definierte
und metaphysisch begründete, ist im galanten Roman zur Liebesverwirrung, die
nichts als sich selbst bedeutet, eingeengt worden. War im höfisch-historischen Ro-

man die Liebe Medium christlich-tugendhafter Bewährung, so wird sie im galanten Roman Medium gesellschaftsadäquaten Verhaltens. Nicht mehr stoische Tugenden oder Gelehrsamkeit, sondern die «conduite» ist das Wesentliche. Nur «Conduite» hilft, so schreibt Bohse in seinem *Hoffmeister für adelige und bürgerliche Jugend* (1703), «in der Welt fortkommen und sich sowohl bei Hoffe als sonst über all beliebt machen». Darauf kam es ebenso dem Autor selbst an wie auch den Kavalieren und galanten Damen, die er gestaltete. Indem Bohse die gesellschaftliche Anpassung als Höflichkeit zur obersten der Tugenden machte, wurde das Gesellschaftliche sich selbst zum Zweck und Bohse zu einem Vertreter des Literaturrokokos. Alfred Anger hat gezeigt, daß das Labyrinthische ein wesentliches Stilprinzip des Rokoko ist[31]. Dieses Prinzip ist in der Gestaltung der Welt als Irrgarten der Liebe verwirklicht. In diesem Irrgarten kreiste die Gesellschaft um sich selbst. Sie wurde zum Spiegel, der sich selbst bespiegelte und auch Bohses Romane zu diesem Zweck nutzen konnte. Das begründet die außerordentliche zeitgenössische Popularität von Bohses Werk, aber auch das Absinken in die Vergessenheit, nachdem sich die gesellschaftlichen Verhältnisse geändert hatten.

Christian Friedrich Hunold (1681–1721) war unter dem Pseudonym Menantes der zweite sehr erfolgreiche Autor galanter Prosa. Er hat in Romanform Hofklatsch (*Der Europäischen Höfe Liebes- und Helden-Geschichte*, 1705) sowie Hamburger Patrizierskandälchen (*Satyrischer Roman*, 1706) publiziert. Er äußerte sich mehrmals über *Die Allerneueste Art höflich und galant zu schreiben* (1710) oder auch zu reden. Nach dem Erstling *Die Verliebte und Galante Welt* (1700) verfaßte Hunold als sein bedeutendstes Werk *Die Liebens-Würdige Adalie* (1702), die Geschichte einer Pariser Bankierstochter, die zur deutschen Fürstengemahlin avanciert. Vorbild war der Roman *L'illustre Parisienne* (1679) des Sieur Jean de Préchac, der die Geschichte nach einer wahren Begebenheit gestaltet hatte. Zur Form schrieb Herbert Singer: «Das traditionelle Schema ist gewahrt: Trennung der Liebenden durch Irrtum, Täuschung, Verwechslung, endliches Wiederfinden und glücklicher Ausgang ... die gewaltigen Massen von Personen und Vorgängen [der höfisch-historischen Romane] sind auf wenige, überschaubare, klar gegliederte Begebenheiten und das unerläßliche Minimum an Personal reduziert[32].» Hunold selbst bezeichnet in der Vorrede seines Romans die Welt als ein «geheimes Liebescabinett», in dem das «Liebes=Verhängnis», das an die Stelle der barocken Fortuna getreten ist, waltet und alles zum guten Ende führt. Wenn Singer darum diesen Formtypus «Komödienroman» nennt, dann hat er ihn im Sinne klassischer Poetik eingeordnet, die «Buhlersachen» der Komödie zuweist. Viele Situationen in den galanten Romanen sind rein schwankhafter Natur. Das gilt noch ausgeprägter für die Werke von Meletaon alias Johann Leonhard Rost (1688–1727), des nach Bohse und Hunold wichtigsten Autors von Liebes-Geschichten. Damit grenzt der galante Roman an jenen Realismus, zu dem sich sein Ursprung, der höfisch-historische Roman, stets im Gegensatz befunden hatte. Die gegensätzliche Welthaltung, die bei gleicher

Formensprache barocke und galante Dichtung haben, verdeutlichen treffend einige Zeilen aus Hunolds Sammlung *Galante, Verliebte, Sinn-, Schertz und Satyrische Gedichte* (1702):

> *Lieben ist das schönste Leben,*
> *Das uns solche Lust kann geben,*
> *Die man unvergleichlich hält.*
> *Ehre Pracht, und große Schätze,*
> *Sind versichert nur die Netze*
> *Die man eitlen Sinnen stellt.*

d) Schnabel

Obwohl man den galanten Roman als eigenen Formtypus begreifen muß, ist er zugleich nur der Ausläufer höfisch-historischer Epik. Hunold selbst betonte das, indem er Lohenstein als das große Vorbild pries. Mit dem galanten Roman starb eine literarische Tradition, um im Bereich der Subkultur als Trivialroman weiterzuleben. Da neue Impulse und Entwicklungen nur zögernd wirksam wurden, ist die Zahl bedeutender Prosawerke in der ersten Hälfte des 18. Jahrhunderts gering. Genau im Schnittpunkt auslaufender Tradition und neuer Ansätze steht als bedeutendster Prosaist der ersten Jahrhunderthälfte der Thüringer Schnabel. Er schrieb zwei sehr verschiedene, aber gleichermaßen populäre Romane: das unter dem von Tieck gefundenen Titel *Die Insel Felsenburg* bekannte Werk *Wunderliche Fata einiger See=Fahrer* (1731ff.) sowie *Der im Irr=Garten der Liebe herum taumelnde Cavalier* (1738).

Die Lebensdaten des Pfarrerssohnes Johann Gottfried Schnabel (1692–1751) sind teilweise vage. Er wurde in Sandersdorf bei Bitterfeld geboren und verwaiste mit zwei Jahren. Schnabel lernte das Barbierhandwerk und studierte möglicherweise das zu jener Zeit damit verbundene Fach der Chirurgie. Er hat dann vermutlich als Feldscher in den Niederlanden unter Prinz Eugen an den Kämpfen des Spanischen Erbfolgekrieges teilgenommen. Nach dem Tode des Prinzen veröffentlichte er die Schrift *Leben-, Helden- und Todesgeschichte des berühmtesten Feldherrn bisheriger Zeiten Eugenii Francisci* (1736). Im Jahre 1724 erhielt Schnabel als kleiner Hofangestellter der Grafen zu Stolberg das Bürgerrecht von Stolberg am Harz. Da ihm seine Tätigkeit als Hofbarbier und Stadtchirurgus zu wenig einbrachte, entwickelte er eine lebhafte publizistische Tätigkeit, unter anderem als gräflich beauftragter Herausgeber einer Stolberger Zeitschrift. Über das letzte Lebensjahrzehnt Schnabels liegen keine zuverlässigen Daten vor. Hans Mayer vermutet wohl zu Recht, daß Schnabel wegen seines *Cavalier* Stolberg verlassen mußte[33]. Weitere Romane, die Schnabel unter seinem Pseudonym Gisander veröffentlichte, sind verschollen.

Beide erhaltenen Werke haben in ihrer Anlage ähnliche Vorreden. Darin spielt der Autor die Rolle eines Herausgebers, der angibt, die autobiographischen Mitteilungen des Romans von einem Verstorbenen übernommen zu haben. Der Verstorbene war Freund und Vertrauensmann dessen, der die Aufzeichnungen verfaßt hat und damit deren Hauptfigur ist. Mit dieser romanhaften Erklärung der Herausgeberrolle ist ebenso der fiktive Charakter der Werke wie der Unterschied zum Barockroman betont, der in seiner polyhistorischen Dokumentation Anspruch auf Wahrheit erhob[34]. Schnabel nimmt mit seiner Herausgeberfiktion eine Mittelstellung zwischen dem Roman des 17. und der zweiten Hälfte des 18. Jahrhunderts, insbesondere dem Wielands ein, wo der Erzähler zu einer im Werk auftretenden, also fiktiven Figur wird.

Diese Mittelstellung hat Schnabel auch durch die Themen beider Romane, von denen der eine die negative Ergänzung des anderen ist. Taumelt der Kavalier im Irrgarten der Liebe auf so galante Weise von Bett zu Bett, daß der Roman zum berühmten Erotikon wurde, so ist *Die Insel Felsenburg* eine utopische Gemeinde der Frommen und Gerechten, die alles das ausgeschlossen haben, was die Welt galanter Kabalen ausmacht.

Der durch gutes Aussehen und immense Potenz auffallende Kavalier von Elbenstein erlebt in Italien und anderen Gegenden laufend erotische und auch verbrecherische Abenteuer oder hört Berichte solcher Abenteuer, die Novellensammlungen wie den *Cent Nouvelles Nouvelles* entnommen sind. Da in allen Geschichten die gleiche Atmosphäre herrscht, liest sich das Buch bruchlos. Es wirkt trotz ständiger Wiederholung fast gleicher Situationen kaum ermüdend, da dem Kavalier seine Geschichten mehr passieren, als daß er sie intendiert hat. Er «taumelt», wie der Titel sagt, durch eine Lasterlandschaft, in der Liebe und Verbrechen verschwistert sind. Elbenstein ist das Objekt seiner Libido und seiner oft höherstehenden Liebhaberinnen. Er lebt in einer Welt völlig verdinglichter Beziehungen, in der es eine nur graduelle Entscheidung ist, ob der Partner am Ende einer Amour ausbezahlt oder beseitigt wird.

Dieser Welt sind die Bewohner der *Insel Felsenburg* entronnen. Die Gründungsgeschichte der Inselgemeinschaft zeigt, wie sexuelle Willkür, die den Partner nur als Objekt eigener Lust- und Machtgier begreifen kann, eliminiert werden muß, damit die Gemeinschaft entstehen kann. Zwei Männer und ein Ehepaar sind die Überlebenden eines Schiffsunglücks, die sich auf eine paradiesische, von hohen Felsen umhegte Insel retten können. Einer der Männer, der französische Kapitän des Schiffes, erhebt den Führungsanspruch, stellt der Frau nach und mordet den Ehemann. In Verteidigung der Tugend verwundet Albert Julius, der Jüngste der Gestrandeten, den Lasterhaften, so daß er stirbt. Allein auf der Insel, vermählen sich die Übriggebliebenen nach langer Enthaltsamkeit und Prüfungszeit und werden damit zu den Stammeltern der Inselgemeinschaft, aus der alles Leichtfertige, Galante, Böse verbannt ist und in der Fleiß und Gebet den Tageslauf bestimmen.

Zu den Bewohnern stoßen weitere Schiffsbrüchige, die froh sind, der bösen Welt des «Krieges aller gegen alle» entfliehen zu können. Jeder erzählt seine Lebensgeschichte, in der die negativen Erfahrungen das positive Lebensmodell der Insel umso heller wirken lassen. Die Aneinanderreihung der Lebensläufe entspricht der stereotypen Addition der Amouren im *Cavalier*. Die spannende Geschichte von der Gründung der Inselgemeinschaft berichtet Albert Julius selbst, sie ist seine Lebensgeschichte und der Kern des Romans.

Seit Daniel Defoe (1660–1731) seinen *Robinson Crusoe* (1719) veröffentlicht hatte, ergoß sich auch über das deutsche Lesepublikum eine Flut von Robinsonaden, unter denen *Die Insel Felsenburg* das bedeutendste Werk ist. Defoe hatte mit seiner Inselgeschichte eine der Epik ureigene Möglichkeit wiederentdeckt: die Beschreibung des naiven Zustands, in dem der Mensch sich mit den Naturmächten unmittelbar auseinandersetzen muß. Robinson war auf den Anfang zurückgeworfen. Jede seiner praktischen Handlungen wurde ihm zum Schicksal. Auf der Insel herrschte darum jene «Immanenz des Sinnes», die in den Epen nach Homer nur noch als historische, allegorische oder idyllische Fiktion möglich war. Der zivilisierte Leser war durch Defoes Beschreibung mit einer Gegenwelt konfrontiert: die Lektüre des naiven Zustands faszinierte ihn auf sentimentalische Weise.

Gegenwelt ist auch die Insel Felsenburg, da innerhalb der Inselgesellschaft alle Gegensätze aufgehoben sind. Das Innere der Insel wird als Paradies bezeichnet. Die Bewohner passen sich mit ihrer naiven Rechtschaffenheit dem paradiesischen Zustand an. Dadurch wird die Insel zum kritischen Spiegel der übrigen Welt. Schnabels Roman enthält somit gleiche Tendenzen, wie sie auch in Hallers Beschreibung der Alpenbevölkerung oder in der Haltung von Hagedorns Weisem zum Ausdruck kommen. Auch dort setzt der naive Zustand oder das beabsichtigte Einssein mit sich selbst die Selbstentfremdung und die Widersprüche der Gesellschaft voraus.

e) Loën

Die beiden gegensätzlichen Welthaltungen, die Schnabel in seinen zwei Romanen gestaltete, konfrontierte der Frankfurter Loën in einem Werk. Er machte den Hof, das Zentrum von Galanterie und Kabale, in *Der Redliche Mann am Hofe; Oder die Begebenheiten des Grafen von Rivera* (1740) zum «Fegefeuer der Redlichkeit». Die Hauptfigur, der Graf von Rivera, ist ein Landadliger, der sich mit seinen Tugenden am intrigenreichen, von den Herrscherlaunen abhängigen Hofe von Aquitanien durchsetzt, die Geschicke des Landes segensreich beeinflußt und am Ende als regierender Herzog lenkt.

Der Frankfurter Johann Michael von Loën (1694–1776) wuchs als Sproß einer aus Holland stammenden, geadelten Kaufmannsfamilie in günstigen Verhältnissen auf und besaß die Mittel, sich durch Studien und viele Reisen zu bilden. Er wurde

Jurist, hatte bei Thomasius gehört und war gleich diesem ein Aufklärer der Praxis, der mit großem publizistischen Eifer in etwa 40 Schriften für Vernunft und Redlichkeit auf allen Lebensgebieten warb. Ein besonderes Anliegen Loëns war die interkonfessionelle Verständigung. Die Intention seiner religiösen Hauptschrift kommt bereits im Titel zum Ausdruck: *Die einzig wahre Religion, allgemein in ihren Grundsätzen, verwirrt durch die Zänkereyen der Schriftgelehrten, zertheilet in allerhand Secten, vereiniget in Christo* (1750). Der durch diese Schrift provozierte Haß konfessioneller Eiferer veranlaßte den Literatur-Privatier Loën, Frankfurt zu verlassen und preußischer Regierungspräsident in Lingen und Tecklenburg zu werden. Als solcher diente er, der sein Leben lang um Ausgleich bemüht war und Krieg verabscheute, während des Siebenjährigen Krieges den Franzosen für vier Jahre als Geisel. Loën war ein Großonkel Goethes, der ihn in *Dichtung und Wahrheit* würdigte.

Loën schätzte besonders François de Fénelon (1651–1715), der die Enkel Ludwigs XIV. erzogen und zu diesem Zweck den Roman *Les Aventures de Télémaque* geschrieben hatte (1699 gegen Fénelons Willen veröffentlicht). Loën übersetzte Fénelons geistlich-moralische Schriften und nannte den *Télémaque* «ein unvergleichliches Werk, das seit den Tagen der Griechen und Römer nichts seines Gleichen hat». Diese Begeisterung galt wohl weniger dem literarischen Rang als der Tendenz des Buches, den Lehren, die es für eine kluge und gerechte Regierungsweise vermittelte. Neben anderen Werken war *Télémaque* Vorbild für Loëns Roman. Dessen Hauptfigur, der Graf, verkörperte als Hofmann alle die Tugenden, die gemeinhin an Höfen fehlten: Ehrlichkeit, Altruismus, Demut. Zugleich ist der Graf als Politiker, Diplomat, Offizier, Arzt und Liebender unübertrefflich. Er ist so licht, daß er alle anderen ganz in den Schatten stellt, einschließlich des Königs, dem er dient. Da er eine Idealfigur ist, konnte Loën ihn zur Hauptgestalt eines Romans machen, der äußerlich noch dem Formtypus des höfisch-historischen Romans zuzurechnen ist. Die Staatsgeschichte ist fest mit der Liebesgeschichte des Grafen verbunden. Die für den Barockroman typischen eingeschobenen Lebensläufe sind hier auf fünf begrenzt. Der «Unwahrscheinlichkeit» des Grafen entspricht die Unzeitgemäßheit der Romanform, die als zeitgemäßen Gehalt einen politisch-moralischen Traktat birgt. Dieser Gehalt tritt am Ende des Buches unverhüllt hervor, indem der Abschnitt *Freye Gedancken Von der Verbesserung des Staats* angehängt wurde. Die Abhandlung faßt verallgemeinernd das zusammen, was der vorangegangene Text exemplifiziert hatte: Mißstände an Hof, in Ständen und Religion werden dargestellt und Verbesserungsvorschläge gemacht.

Das große psychologische Interesse, das Loën hatte, ließ ihn die politische Welt zur sittlichen vereinfachen, in der die guten oder bösen Zustände die unmittelbare Wirkung guter oder bösartiger Charaktere und Verhaltensweisen sind[35]. Loëns didaktische Staatsutopie basiert auf diesem Schwarz-Weiß-Bild. Weitaus differenzierter wirkt sich Loëns psychologische Kenntnis aus, wenn er das Affektverhalten seiner Figuren beschreibt. Der Romanheld selbst ist – hier den Verfasser spiegelnd – ein Meister der Psychologie und dankt dem viele seiner Erfolge.

Die Charakterologie war ein von der Empfindsamkeit gefördertes und getragenes Gebiet. Von dessen religiösem Ursprung, dem Pietismus, hat Loën sich zwar satirisch distanziert, ist aber zugleich in vielfacher Hinsicht davon beeinflußt. So trägt die vorbildliche, im Roman beschriebene Gemeinde der Stadt Christianopolis durchaus pietistische Züge. In Christianopolis herrschen die Tugenden, die auch das Zusammenleben der Felsenburgleute bestimmen: «die Unschuld, die Treue, die Redlichkeit». Sie sind säkularisierte Gebote lutherisch-pietistischer Frömmigkeit, die sich mehr im Alltäglichen und weniger als Lehrgerechtigkeit bewähren wollte. Zugleich setzen diese Gebote jene naive Wirklichkeit voraus, die auch Loëns Staatsroman in den traditionsreichen Zusammenhang von Epik und Naivität einordnen. Bei Loën sind die Tugendgebote nur in einem utopischen Staat realisierbar, so wie sie für Schnabel nur auf einer abgeschlossenen Insel verwirklicht waren.

f) Der Briefroman

Die allgemeinen Kriterien, die Lukács in seiner *Theorie des Romans* für das Entstehen dieser Gattung nennt, treffen auch die besondere Situation seit Beginn des 18. Jahrhunderts. Die von Lukács gezeigte Entwicklung vom Epos mit seiner Weltimmanenz des Sinnes zum Roman als dem subjektiven Weltausschnitt wiederholt sich in der Entwicklung von Anton Ulrich zu Gellert. Der Roman als «die Epopöe der gottverlassenen Welt» hat nach Lukács die Tendenz, die verlorene Sinnimmanenz auszugleichen durch «Transzendieren ins Lyrische oder Dramatische, oder als Verengerung der Totalität ins Idyllenhafte, oder endlich als Herabsinken auf das Niveau der bloßen Unterhaltungslektüre». Alle genannten Möglichkeiten ergeben die Spielarten des Romans im 18. Jahrhundert. Unterhaltungslektüre wurde aus dem höfisch-historischen und dem realistischen Roman, wie die Werke Happels zeigten. Die idyllische Variante verwirklichten Schnabel und Loën. Das «Transzendieren ins Lyrische oder Dramatische» wurde zum entscheidenden Charakteristikum seit der Jahrhundertmitte. Mit dieser Möglichkeit trifft Lukács die seitdem hervortretende subjektive Erzählform des Brief- und Gesprächsromans, wobei mit letzterem die Grenze zur dramatischen Gattung geöffnet wurde. 1779 veröffentlichte Friedrich Traugott Hase (1754–1823) *Gustav Aldermann. Ein dramatischer Roman*, in dem die Dialogform verwandt wird. Die epische Relevanz dieser Form hatte kurz vorher Johann Jakob Engel (1741–1802) in seiner Studie *Über Handlung, Gespräch und Erzählung* (1774) diskutiert.

Mittels der Brief- und Gesprächsform ist das den Roman konstituierende Prinzip der Subjektivität, des subjektiven Weltausschnitts, zunächst formal verwirklicht. In der weiteren Entwicklung wird das anfangs formale zum gehaltlichen Prinzip gesteigert. Die geistigen Voraussetzungen für das Entstehen des modernen Romans lagen wieder bei der Empfindsamkeit. Wenn Lukács schreibt, daß der Romaninhalt die Geschichte der Seele ist, «die da auszieht, um sich kennenzulernen», dann ist damit die Funktion der als Empfindsamkeit bezeichneten seelischen Selbstbegegnung getroffen.

Das genuine Ausdrucksmittel des Empfindsamen war neben dem Tagebuch vor allem der Brief. In ihm konnte sich der Schreibende zunächst bei Wahrung der objektiven, von rhetorischen Gesetzen bestimmten Normen subjektiv äußern, also die persönlichen Probleme oder die des Adressaten erörtern und damit sich selbst und den anderen kommentieren. Bezeichnenderweise erwuchs der erste, einen neuen Formtypus begründende «Briefroman» aus dem Auftrag, einen Briefsteller zu verfertigen[36]. Diesen Auftrag erhielt der Londoner Samuel Richardson (1689–1761), und das Resultat waren die drei Briefromane *Pamela, Or virtue rewarded* (1740/41), *The History of Clarissa Harlowe* (1747/48) und *Sir Charles Grandison* (1753/54). Die Werke wurden schnell berühmt und nachgeahmt. *Pamela* erschien schon 1742 in deutscher Sprache. Die Heldin des Romans, ein Hausmädchen, berichtet in Briefen an ihre Eltern von ihrem Schicksal, das sie zur Einheirat in die Familie bringt, der sie dienen mußte. Sie hatte den üblen Nachstellungen vom Sohn des Hauses so lange widerstanden, bis er ihr, durch ihre Haltung gewandelt, den Antrag machte. Die Briefform erlaubte es Pamela, die Situation und ihre Reflektion der Situation unmittelbar zu berichten. Damit waren die Figuren nicht mehr Objekt der Beschreibung, sondern Wirklichkeit wurde aus ihrer Perspektive vermittelt. In den eingeschobenen Lebensläufen der vorangegangenen Romane bis hin zu Loën war diese Entwicklung vorbereitet. Mit Richardson und auch Sterne begann, woran der deutsche Sturm und Drang und vor allem die Romantik anknüpfen konnten und was im inneren Monolog des Romans unserer Zeit seinen vorläufigen Abschluß fand.

Das erste größere, vom englischen Vorbild beeinflußte Werk war in Deutschland Gellerts *Schwedische Gräfin von G.* (s. S. 249). Die Gräfin berichtet von ihrem Leben, vom Schicksal der anderen Hauptfigur erfährt der Leser aus deren Briefen. Durch die Ich- und Briefform wird der Leser einbezogen in den Kreis der Figuren, deren Schilderungen ihn unmittelbar erfassen und dadurch «rühren» sollen. Zugleich vermag die Ich- und Briefform die Illusion der Authentizität zu erwecken und das bislang zum Roman gehörende Fluidum des «Curiosen» durch größere Wahrscheinlichkeitswirkung zu ersetzen[37].

Im Kapitel über Gellert wurde gesagt, daß die Gestalten des Romans mit ihren Intentionen keinen Erfolg haben und das Schicksal stets das Gegenteil von dem bewirkt, was die Gestalten zu erreichen oder vermeiden suchten. In dieser Begrenzung der Figuren gegenüber ihrem Schicksal äußerte sich das ironische Bewußtsein des Autors. Den Schritt darüber hinaus ging Wieland, der die Ironie nicht mehr als Begrenzung, sondern als innere Möglichkeit der Figur gestaltete. Indem es ihm nicht um Aufhebung, sondern um «Selbstaufhebung der Subjektivität» (Lukács) ging, machte der bedeutendste Romanverfasser der Aufklärungszeit die Ironie vom äußeren zum inneren Formprinzip seiner Werke.

Der Briefroman wurde seit der Jahrhundertmitte zur literarischen Mode, zahlreiche «Geschichten in Briefen» erscheinen in Deutschland bis etwa 1780. Mit Goethes *Werther* hatte die Entwicklung dieses Formtyps ihren Höhepunkt und Abschluß erreicht. Kurz vorher waren zwei kaum weniger populäre Briefromane erschienen: *Sophiens Reise von Memel nach Sachsen* (1777ff) von Johann Thimotheus Hermes (1738–1821) sowie *Die Geschichte des Fräuleins von Sternheim* (1771/72) von Sophie von La Roche (1731–1807).

In Hermes' Werk ist die Grundkonstellation mit einem Thema aus Gellerts Roman identisch: eine Frau steht zwischen zwei Männern. Sophie wird von einem rechtschaffenen Mann umworben und zugleich von einem andern Mann hoher Qualitäten geliebt, der in wichtigen Aufträgen meist abwesend ist. Ihr Herz gehört dem Abwesenden, ihre Freundschaft dem Werbenden, doch bleibt sie entscheidungslos, abwartend, sogar zweideutig, so daß sie schließlich keinen der Männer bekommt. In Sophie ist die den Pietisten und Empfindsamen eigentümliche Entscheidungslosigkeit, die sie bei Gellert noch nach den jeweils geänderten Verhältnissen den jeweils anderen Partner nehmen ließ, bis zur Konsequenz, bis zum Scheitern der Figur gestaltet. Wie beim *Werther* entspricht diese Konsequenz des zu subjektiven Verhaltens der subjektiven Form des Briefromans.

Die wichtige Rolle, die Familien- und Freundschaftsbande in der Empfindsamkeit spielen, und die weiblichen Hauptfiguren in Gellerts und Hermes' Romanen antizipierten die Möglichkeit der Frau als Schriftstellerin. Sophie von La Roches *Fräulein von Sternheim* gilt als der erste bedeutende deutsche Frauenroman. Die Heldin Sophie erduldet nicht nur ein widriges Schicksal, bis sie am Ende glücklich werden darf, sie ist nicht mehr nur passiv hinnehmend, sondern aktiv handelnd, denn, wie es am Romanende heißt: «alle ihre Gesinnungen müssen Handlungen werden». Damit ist die Empfindsamkeit, die Voraussetzung des Briefromans ist, vom Inhaltlichen her überwunden. Das entsprach der Absicht der Verfasserin, die die Geschichte schrieb, um dadurch handelnd einer persönlichen Melancholie zu begegnen. Sie schickte das Manuskript an Wieland, um ihre «Art zu empfinden», wie sie im Begleitbrief sagte, der Kritik des Jugendfreundes auszusetzen. Wieland fand das ihm Zugesandte so bedeutend, daß er es mit einer Vorrede veröffentlichte.

g) Nicolai

In dem Roman *Das Leben und die Meinungen des Herrn Magister Sebaldus Nothanker* (1773 ff) erscheint Subjektivität nicht als Formprinzip wie im Briefroman, sondern als Autorenperspektive. Der Verfasser Christoph Friedrich Nicolai (1733–1811) war als Berliner Buchhändler und Herausgeber der *Bibliothek der schönen Wissenschaften und der freyen Künste* (1757) sowie der auf 268 Bände anwachsenden *Allgemeinen Deutschen Bibliothek* (1765–1805) einer der rührigsten und beharrlichsten Aufklärer. Er regte mit seiner *Abhandlung vom Trauerspiele* (1757) den bedeutsamen Briefwechsel zum gleichen Thema mit Mendelssohn und Lessing an (s. S. 315f).

Nicolais wenig differenzierte Abneigung gegen Orthodoxie, Pietismus, Empfindsamkeit und später die Geniebewegung wurde Voraussetzung seines Romans, in dessen Stoff viele literarische Anregungen, unter anderem Sternes, Thümmels *(Wilhelmine)* und des Abenteuerromans, eingingen. Nicolai machte das Werk zum Medium seiner Weltanschauung und gab ihm damit satirisch-polemische Qualität. Das ließ *Sebaldus Nothanker* zu einem ebenso erfolgreichen wie umstrittenen Buch werden. Wenn der Verfasser in der Vorrede davon sprach, «daß, alles wohl berechnet, mehr Meinungen als Geschichte und Handlungen vorkämen», dann gilt das ebenso für Nicolai, dessen «Meinungen» stets sehr deutlich werden, wie für den Helden Sebaldus Nothanker. Dieser verliert als thüringischer Landpfarrer seine Stellung, da seine Ansichten und seine Haltung den orthodox-engstirnigen Vorgesetzten mißfallen. Weib und ein Kind sterben Sebaldus darüber, und er selbst muß ein Vagantenleben führen, in dem jeder Versuch, Ruhe und Sicherheit zu gewinnen, erneut durch religiös Unduldsame vereitelt wird. Erst am Ende findet Sebaldus im Kreis wiedergefundener Kinder Ruhe.

Weniger als Formkunstwerk denn als Tendenzroman ist *Sebaldus Nothanker* bedeutsam und nicht nur von zeitgeschichtlichem Interesse. Im Verhalten der geschilderten religiösen Dogmatiker spiegelt sich die Bösartigkeit der Orthodoxie jeder Richtung und Zeit. Wie sehr Nicolais Tendenz und damit sein Roman gerechtfertigt waren, bewies nicht zuletzt die preußische Kulturpolitik, die unter dem Nachfolger Friedrichs des Großen betrieben wurde. 1788 erließ man das preußische Zensuredikt gegen die Aufklärer, dessentwegen 1791 Nicolais *Allgemeine Deutsche Bibliothek* Berlin verlassen mußte.

3. LUSTSPIEL

Weniger das Trauerspiel als das Lustspiel spiegelt die vorwaltenden Tendenzen der frühen Aufklärung. Darum war neben der Fabel das Lustspiel die populärste Gattung dieser Zeit. Im gleichen Maße, in dem die von Wolff und Gottsched aufgebauten geistigen Positionen durch neue Entwicklungen überholt wurden, begannen im Schauspiel wieder Trauerspielgehalte vorzuherrschen. Kant wurde schließlich zum Lehrer der Tragiker Schiller und Kleist.

Warum war das Lustspiel repräsentativ für die Zeit vor Lessing? Das Komische fungiert schon in der Antike als Komplement des Tragischen. Zeigte die Tragödie die vernichtende Auseinandersetzung eines Helden mit einer normhaften Ordnung, so die Komödie die lächerliche Abweichung einer Figur von bestimmten Normen gültiger Ordnung. Erweist sich in der Tragödie letztlich die Fragwürdigkeit der Ordnung selbst, so bestätigt in der Komödie die Fragwürdigkeit der Figur erst die Normen, von denen sie abweicht. Ein allgemeines Bewußtsein verbindlicher Gesetzlichkeiten ist Voraussetzung und Resonanzboden komischer Wirkung. Wenn man, gestützt auf Wolffs System, die Welt als «die beste aller möglichen» ansah, so widersprach das einem tragischen Weltverständnis und begünstigte das Spiel, das das Versagen vor den besten aller möglichen Normen bloßlegte. Komisch galt in der Aufklärung der Abstand zum vorausgesetzten «vernünftigen» Verhalten. Damit war zugleich der zeitgemäße didaktische Anspruch garantiert. Die Komödie der Aufklärung diente «als Korrektiv in Richtung auf das aufklärerische Ideal vernünftiger und tugendhafter Lebensführung»[38].

Man hat seit Goethe die im Vergleich mit anderen «Nationalliteraturen» schwächere deutsche Komödienproduktion immer wieder mit der «ernsteren Natur des Deutschen» begründet. Mit Recht hat Karl S. Guthke das eine «pseudoethnologische Erklärung» genannt[39]. Der Grund für die spärlichere Komödienliteratur dürfte vor allem in der historischen Entwicklung Deutschlands liegen. Der feste soziale Resonanzboden, den die Komödie braucht, den die attische Komödie hatte und den Shakespeare so im elisabethanischen England wie Molière im Frankreich Ludwigs XIV. fanden, fehlte weitgehend im Deutschland der Kriegsverheerungen und Teilstaaten. Nur in Zeiten der Beruhigung kam es zu Einzelleistungen: nach dem Dreißigjährigen Krieg schrieb Gryphius seine Schertz-Spiele; nach dem Ende des Siebenjährigen Krieges erreichte Lessing mit *Minna von Barnhelm* den Höhepunkt und Abschluß jener sächsischen Komödientradition, die als Ausdruck kultureller Blüte im Lande des größten deutschen Barockpotentaten, August des Starken, entstanden war.

a) Der Übergang: Weise, Reuter, König und Henrici

Wie die Dramatik des Herzogs Heinrich Julius den Übergang des 16. zum 17. Jahrhundert markiert, so kennzeichnen die Stücke Christian Weises (1642–1708) die Wende vom 17. zum 18. Jahrhundert. Gleich anderen großen Schriftstellern der Aufklärung war Weise sächsischer Pädagoge. Als Rektor des Gymnasiums seiner Geburtsstadt Zittau schrieb er Schauspiele für seine Schulbühne. Die Sitte, alljährlich zur Fastnachtszeit an drei aufeinanderfolgenden Tagen ein biblisches, ein politisch-historisches und ein komisches Stück aufzuführen, bestimmte die Themenkreise Weises. Er hat fast sechzig Stücke verfaßt, von denen ein Teil erhalten und gedruckt ist. Die meisten und populärsten unter ihnen sind Komödien. Ludwig Fulda nennt dreizehn erhaltene biblische Stücke, die Dramatisierungen alttestamentlicher Geschichten sind, sowie acht historisch-politische Schauspiele, deren Prosastil eine wichtige Neuerung war. Diesem Stil entsprach der Handlungs- und Intrigencharakter der Stücke. Wie im ersten der Trauerspiele *Der gestürzte Markgraf von Ancre* (1679), so blieb auch in den weiteren das Schicksal und der Sturz politischer Abenteurer beherrschendes Thema.

Die Tatsache, daß Weise die politisch-soziale Rolle so häufig zum Problem seiner Stücke machte, gründet noch auf den ständischen Vorstellungen des 17. Jahrhunderts. Ganz allgemein ist darum gesagt worden, daß Weise mit «grundlegenden Voraussetzungen noch im 17. Jahrhundert steht»[40]. Vergleicht man jedoch, wie Weise und Gryphius die soziale Rolle zum Thema machten, so zeigt sich ein entscheidender Unterschied. In Gryphius' oder Heinrich Julius' Komödien diente der lächerliche Versuch Geringerer, inadäquate Rollen zu spielen, der Selbstbestätigung der gesellschaftlich Führenden. Weise hingegen gestaltete häufig Spiel und Kampf um die soziale Rolle: auf kleinbürgerlicher Ebene in seinen Komödien und auf hoher politischer Ebene in seinen Trauerspielen. Zugleich wurde die Konfrontation beider Ebenen im sozialen Rollentausch zwischen Hoch und Niedrig zum bevorzugten Thema. Die im Rollentausch gespielte Verkehrung der Ständeordnung diente didaktischen Zwecken und nahm der sozialen Ordnung ihren absoluten Charakter. Weise forderte die innere Angemessenheit der sozialen Rolle, indem er das Fehlen dieser Angemessenheit demonstrierte. Er zeigte, daß Machiavellus auf allen sozialen Ebenen herrschte, vor allem auch, wie nicht nur die Komödie *Der bäuerische Macchiavellus* (1679) offenbart, unter den Kleinbürgern. Indem Weise so die soziale Rolle nicht mehr als etwas objektiv Gegebenes begriff, sondern am subjektiven Verhalten maß, kennzeichnet er den Anfang der Epoche, als deren Ende und Ergebnis in Frankreich die Große Revolution stand.

Schon in seinem ersten Stück *Die Triumphierende Keuschheit* (1668), mit dem Weise – wie später nochmals in einem biblischen Stück – die Joseph-Potiphar-Geschichte neu gestaltete, lebt Floretto in pervertierter sozialer Rolle als Knecht eines Hofmannes am sizilianischen Hof. Floretto ist in Wirklichkeit ein kriegsgefangener deutscher Graf, der seine Herkunft verbirgt. Da er von der Frau «seines Herrn» aufs heftigste begehrt und schließlich verfolgt wird, entlarven sich an seiner falschen Knechtsrolle die bösen Affekte einer Repräsentantin des hohen Adels. Umgekehrt zeigt *Ein wunderliches Schauspiel vom Niederländischen Bauer* (1685), in dem man einen Landmann für einen Tag einen Fürsten spielen läßt, wie die plumpe Roheit des Bauern zugleich zu einem Füstenspiegel wird und die Erkenntnis der Hofleute bedingt: «Wir sind alle Bauern; Doch welcher den

Bauern im Hertzen verbergen kan, der wird ein qualificierter Hoffmann genennet.» Solche Erkenntnisse werden durch einen Rollenrelativismus ergänzt, der
aus einer neuen Einsicht in die alte Welt-Traum-Gleichung resultiert: auch der
Bauer kann träumen, dem Fürsten zu befehlen. Glück und Erfolg vermag die
inadäquate Rolle jedoch nicht zu vermitteln. Glück ist weniger vom gesellschaftlichen Rang als vom inneren Verhältnis zur sozialen Rolle abhängig. Mit sich
selbst eins zu sein und den Ansprüchen seiner Rolle zu genügen, ist die Voraussetzung innerer Zufriedenheit. Auch damit antizipiert Weise Aufklärungsgedan-
ken. In seinem Stück *Die unvergnügte Seele* (1688) gestaltete er mit Vertumnus
einen fast faustischen Helden, den – wie schon Andreaes Turbo (s. S. 217) – nichts
zufriedenstellen kann. Geselligkeit, Liebe, Amt, Reichtum und auch traditionelle
Philosophie helfen Vertumnus nicht, mit sich einig zu werden, denn «man wird
betrogen, wenn man eine Zufriedenheit ausser sich selber sucht». Das weist einerseits direkt auf die besondere Glücksauffassung der aufklärerischen Anakreontik
und betont andererseits, wie sehr Weise das Recht der jeweiligen sozialen Rolle in
ihrer inneren Angemessenheit sah. Je stärker diese fehlte, desto größer war die
komische Spannung. In der Komödie *Vom verfolgten Lateiner* (1696) sind neurei-
chen Kleinbürgern, die auf gräfliche Schwiegersöhne spekulieren, zwei besitzlose
Studierte als Bewerber nicht gut genug. Die Lateiner lassen darum zwei vagabun-
dierende Feuermauerkehrer die Rolle von Grafen spielen, um im Augenblick der
feierlichen Eheversprechen die Töchter aus den Händen der bestellten Hochstapler
zu retten. Man hat dieses Stück, dessen Kern auch wieder eine soziale Rollenver-
kehrung ist, das erste deutsche «technisch wohlgelungene Intrigenlustspiel»[41]
genannt und damit auf das Neue in Weises Dramatik gewiesen: sie besteht nicht
mehr aus rhetorischer Vergegenwärtigung von Situation und Handlung, sondern
aus Situation und Handlung selbst. Entsprechend versuchte Weise, seine Figuren
sprachlich zu nuancieren. Rhetorisch-formelhaftes Sprechen im Sinne der Kom-
plimentierbücher wird zum Charakteristikum fürstlicher Personen oder von
Leuten, die sie zu imitieren suchen. Sonst soll jeder «den Accent führen, wie er im
gemeinen Leben angetroffen wird». Diese Beschränkung der Beredsamkeit setzt
die Aufwertung der Handlungsdramatik voraus, mit der Weise einen entscheidenden Schritt zum modernen deutschen Drama machte. Weises Handlungsdramatik
läßt uns shakespearhafte Züge in seinen Stücken finden. Der Zittauer Rektor
kannte kein vollständiges Stück des großen Engländers, hat aber den durch die
Wanderbühnen vermittelten Stoff von *Der Widerspenstigen Zähmung* in seiner
Komödie *Die böse Catharina* (zwischen 1689 und 1702) neu gestaltet.

Solange der soziale Rollentausch freiwillig inszeniert war, also Spiel-im-Spiel-
Charakter hatte, blieb er Komödienstoff. Hingegen zwangsweise durchgeführt,
bedeutete er Revolution und war damit Trauerspielthema. Mit seinem *Trauerspiel
von dem Neapolitanischen Haupt-Rebellen Masaniello* (1682) hat Weise den von dem
Fischer Thomas Aniello geführten Aufstand der Neapolitanischen Bevölkerung

von 1647 zum Thema eines Dramas gemacht, das zu Unrecht sehr wenig diskutiert worden ist[42]. Grund mag die Form des Stückes sein, in der die an den Bauformen klassischer Tragödien orientierte Literaturkritik Mangel an «klarer Disposition» sah. Andere Einwände kamen hinzu. Noch 1907 empfand Robert Petsch die Tatsache, daß sich im Stück ein verfolgter Herzog in einem Hurenbett versteckt, «nach unserm pädagogischen Ermessen als ungeheuerlich»[43].

Der Hof des spanischen Vizekönigs, die Geistlichkeit, vor allem aber der Adel Neapels profitieren von auf Nahrungsmittel gelegten Zöllen, so daß das Volk hungert. Masaniello führt den Aufstand so erfolgreich, daß ihn der Vizekönig als gleichberechtigt empfangen und das Ende der sozialen Härten zugestehen muß. Dem Adel erscheint der Erfolg des Fischers «als ein umgekehrtes Fastnachtsspiel», und er bemüht sich, mit grausam-zynischen Mitteln, die «rechten Verhältnisse» wiederherzustellen. Masaniello, der nicht für eigene Vorteile kämpfte, wird ein Gift beigebracht, das seinen Geist so verwirrt, daß man seiner habhaft werden und ihn erschießen kann. Damit ist der Aufstand niedergeschlagen.

Masaniello wird so wenig heroisiert wie das Volk, dessen Beschränktheit eher Objekt der Satire ist. Die Aktionen des Adels grenzen ans Verbrecherische. Der Vizekönig ist moralisch wertfrei gezeichnet. Im Ganzen ist so viel Büchnersche Geisteshaltung vorweggenommen, daß man fragen muß, ob nicht gerade die Elemente, die bisher Kritik provozierten, zu den wertvollen des Stückes gehören. Danton beendete, was Masaniello begann. Wie *Dantons Tod* aus dem Kontrast der Szenen lebt, so auch Masaniello, indem hier Harlekin- und Pöbelszenen gegen das Auftreten von Adel und Geistlichkeit gesetzt sind. Die Meinung, durch Herauslösen der Harlekinszenen «eine in sich geschlossene Tragödie hohen Stiles»[44] schaffen zu können, widerspricht dem Gehalt des Stückes, das wie Büchners Werk dem Stilbereich des Realismus zuzuordnen ist (s. S. 80). Wie bewußt Weise mit der Kontrasttechnik gearbeitet hat, zeigt eine Äußerung aus der Vorrede zu *Lust und Nutz der spielenden Jugend*, in der es heißt, daß viele «Inexpectata herauskommen, daß aus allen Szenen ein penetranter Affekt hervorspiele, und daß allemal die Affekten contrar aufeinander folgen, damit die Zuschauer in immerwährender Veränderung erhalten werden». Realistische Literatur ist Widerspruch provozierende Literatur. Daß *Masaniello* diesem Prinzip folgt, verdeutlicht noch der Schlußsatz des Stückes, mit dem die siegreichen Adligen an die Tafel gebeten werden: «Der Koch hat angericht, ihr Herren kommt zum Essen.» Büchner hätte nicht sarkastischer schließen können.

Wie Christian Weise gehört auch Christian Reuter (1665–ca.1712) mit seiner Prosa noch in den Umkreis der Verkehrten Welt und mit seinen Stücken in die Anfänge des Schauspiels der Aufklärung. Mit Weise und Reuter münden dadurch wesentliche Stilelemente des Realismus in die Dramenentwicklung. Die Ständeklausel, die Trauerspiele «hohen Personen» vorbehielt, war mit Weises *Masaniello* nicht nur formal vernachlässigt, sondern mit der gezeigten sozial-moralischen

Fragwürdigkeit der Nobilität auch gehaltlich überwunden. Schuf Weise damit das erste realistische Trauerspiel, so setzte Reuter in der realistischen Gattung der Komödie neue Akzente. Reuter entlarvte nicht als Anwalt gültiger Prinzipien die komischen Abweichungen von diesen Prinzipien, er wurde nicht aus objektiven Gründen zum Komödienschreiber, sondern aus subjektiv-zufälligem Anlaß. Mit seinen Lustspielen *L'Honnete Femme Oder dieEhrliche Frau zu Plißine* (1695) und der Fortsetzung *Der ehrlichen Frau Schlampampe Krankheit und Tod* (1696) trug Reuter die persönliche Fehde mit der Leipziger Gastwirtin des «Roten Löwen», Witwe Anna Rosina Müller, aus, in deren familiäre und geschäftliche Angelegenheiten er als studentischer Dauermieter gute Einblicke hatte. Als ihm die Wirtin das Zimmer kündigte, verewigte Reuter die stramme Kleinbürgerin mit den großen Ambitionen zur Schlampampe, der Hauptfigur seiner Komödien. Diese rächte sich mit Klagen bei Magistrat und Universitätsgericht, was Reuter zunächst befristete, dann endgültige Relegation eintrug. Der so Betroffene war in der Wahl seiner literarischen Waffen nicht gerade zimperlich gewesen. Bevor die Wirtin 1697 starb, schrieb Reuter die boshafte Parodie *Letztes Denck- und Ehren-Mal, Der weyland gewesenen Ehrlichen Frau Schlampampe.* Hier wurde das traditionelle Muster der Leichenrede blasphemisch verkehrt und so nicht nur Schlampampe verhöhnt, sondern unter die ganze, im Barock so wichtigen Gattung der Leichenrede der ironische Schlußstrich gezogen. Damit markiert auch dieses Schriftchen den Wendepunkt. Statt rhetorischer Überhöhung der Toten finden wir deren realistische Erniedrigung, indem die Allegorien als Spottbezeichnungen wirken. Schlampampe wird detailliert mit einer Ente verglichen, die ihren Steiß in die Höhe reckt, wenn sie am Ende ist. Das erlaubte das Spiel mit dem Worte anus, das zugleich After und altes Weib bedeutet.

Auch in den Komödien bestimmte die polemische Absicht die Form. Es ging Reuter nicht, wie seinen barocken Vorläufern und aufklärerischen Nachfolgern, darum, etwas Fragwürdiges vor dem Hintergrund des Richtigen zu zeigen, sondern etwas Fragwürdiges um seiner selbst willen anzuprangern. Das bedingte den gerühmten Realismus von Reuters Komödien, aber auch deren künstlerische Begrenzung. Denn da Schlampampes Fragwürdigkeit nicht an bestimmten Normen gemessen wird, fehlt dem Ganzen ein ordnender Sinnzusammenhang. Das Stück zerfällt in unverbundene Szenenteile. Da die Teile nicht einfunktionalisiert sind, haben sie einen umso wirklichkeitsgetreueren Charakter. Auch Reuters Komödien sind Beispiele für das dialektische Grundgesetz des Realismus, das Widerspruch von Wirklichkeitstreue und Formgebundenheit heißt. Nur wenn dieser Widerspruch so bewußt wie von Brant, Büchner oder Brecht genutzt wird, die in der additiven Form den Gehalt des Werkes reflektieren, ist dessen Qualität garantiert[45]. Auch in Reuters letztem Lustspiel *Graf Ehrenfried* (1700) stehen die Szenen unverbunden nebeneinander. Die Voraussetzungen für das Entstehen dieser Komödie waren andere, da Reuter inzwischen Gönner und Beschäftigung in Dresdener

Hofkreisen gefunden hatte. In der Person des Grafen Ehrenfried gestaltete er – wieder nach lebendem Vorbild – einen armen, aber verschwenderischen und zu finanzieller Verantwortung unfähigen Adligen. Der abgewirtschaftete Graf und die ambitiöse Kleinbürgerin Schlampampe entsprechen sich in der völligen Unangemessenheit ihres Verhaltens. Daß jedoch die Gegenwelt, die Maß und Norm verkörpert, nicht mehr oder kaum noch in Erscheinung tritt, zeigt den entscheidenden Schritt, den Reuter über die barocke Komödie hinausgegangen ist.

Wie zu Beginn des 18. Jahrhunderts die Tradition der Verkehrten Welt in die Komödie einmündete, verdeutlichen nicht nur Weise und Reuter, sondern auch Johann Ulrich König (1688–1744) mit seinem Lustspiel *Die verkehrte Welt* (1725). König, der Reuters Nachfolger am Dresdener Hof war, zeigte als verkehrte Verhältnisse eine vernünftige und harmonische Wirklichkeit, durch die der wahre, aber unvernünftige Zustand der Welt ironisch gespiegelt wird. Man hat den Reihungs- oder Revuecharakter des Stückes festgestellt[46]. In den klassischen Dokumenten der Verkehrten Welt offenbarte das Additionsprinzip den Verlust eines verbindenden Sinngesetzes und entlarvte die Wirklichkeit als närrisch. Diese Voraussetzung fehlte, als die Verkehrte Welt von der Komödie adaptiert wurde und eine positive Wirklichkeit bedeuten sollte. Als Komödienstoff blieb der bloße Revuecharakter ohne dessen eigentliche Funktion und offenbarte damit das Ende der Tradition der Verkehrten Welt.

Königs zweites Lustspiel, der Einakter *Der Dreßdner Frauen Schlendrian* (1725), ist Sittensatire wie auch die unter dem Titel *Picanders Teutsche Schau-Spiele* (1726) herausgegebenen drei Komödien des Leipzigers Christian Friedrich Henrici (1700 bis 1764): *Akademischer Schlendrian; Der Säufer; Die Weiber-Probe oder die Untreue der Ehe-Frauen*. Gegen diese stark von der Commedia dell'arte beeinflußten, possenhaften Spiele trat dann Gottsched auf.

b) Gottsched und die Gottschedin

Im 11. Hauptstück des 2. Teiles seiner *Critischen Dichtkunst* entwickelt Gottsched seine Komödienauffassung. Er beschreibt zu Anfang die Geschichte der Gattung und meint, daß in Deutschland seit 1600 «nichts rechtes aufzuweisen, was unserer Nation Ehre machen könnte». Nur Gryphius und Weise werden genannt, letzterer sei jedoch «bey seinem selbstgewachsenen Witze geblieben, und hat lauter unrichtige Stücke gemacht», sei also den Regeln nicht gefolgt, wie es der von Gottsched vor allen anderen gepriesene Destouches (1680–1754) getan habe.

Gottscheds Kritik und Begriff der Komödie basiert auf seiner Nachahmungstheorie, die auf die geschlossene fiktive Wirklichkeit des Spieles zielte und darum alle den Wirklichkeitscharakter des Spieles relativierenden Momente wie Harlekinaden, Beiseitesprechen der Figuren oder mangelnde drei Einheiten ausschloß.

Auch die Komödie ist eine Handlung, die einen moralischen Lehrsatz zu verdeutlichen hat, auch hier ist der Satz der zureichende und ausschließliche Grund der Handlung: «Die Komödie ist nichts anders, als eine Nachahmung einer lasterhaften Handlung, die durch ihr lächerliches Wesen den Zuschauer belustigen, aber auch zugleich erbauen kann.» An diesem Kernsatz in Gottscheds Komödientheorie ist nur neu, daß die lächerliche Wirkung aus dem Lasterhaften motiviert wird und damit die stets komische Wirkungen implizierende «Abweichung von der Norm» zur unvernünftigen Abweichung von der Tugendnorm begrenzt wird. Auf diese Weise sind so elementare Quellen des Komischen wie unfreiwillige Komik oder Sprachkomik verschüttet. Zugleich wird durch die Verbindung des Lächerlichen mit dem Lasterhaften und Unvernünftigen das Komische denunziert. Die alte Gleichung «comoedia est vitae humanae speculum», nach der noch Weise schrieb, ist von Gottsched ins Gegenteil verkehrt worden, indem er das Lächerliche als korrekturheischende Haltung zum Spiegel falschen menschlichen Lebens machte.

Gottsched hat die in seiner Sammlung *Die Deutsche Schaubühne* (1742ff) herausgegebenen Stücke als die Exempel seiner Theorie verstanden. Von den deutschen Lustspielautoren sind vor allem Johann Elias Schlegel, Johann Theodor Quistorp und Luise Adelgunde Viktoria Gottsched vertreten. Der Herausgeber selbst hat keine Komödie vollendet, aber in den Werken seiner Frau darf man die unmittelbare Verwirklichung seiner theoretischen Forderungen sehen.

Außer dem Lustspiel *Die Pietisterey im Fischbein-Rocke: Oder die Doctormäßige Frau*, das dem Stück des Jesuiten Bougeant *La femme docteur ou la théologie janséniste tombée en quenouille* (1732) nachgebildet war, enthielt die *Schaubühne* das Trauerspiel der Gottschedin *Panthea* und ihre Komödien *Die ungleiche Heirath; Die Hausfranzösinn, oder die Mammsell; Das Testament* und *Der Witzling*. Hier fand Gottscheds Forderung, daß hinter der komischen Handlung nicht «ein ganzer Charakter» stehen sollte, sondern «eine einzige, recht wichtige That», ihre unbedingte Verwirklichung. In jeder der Komödien sind die lasterhaften Figuren so sehr auf ihr Fehlverhalten reduziert, daß man sie als «Funktionen eines objektiven Tugendund Lastersystems»[47] bezeichnet hat. Die Figuren sind Funktionen, da sich ihr Zweck in der Verdeutlichung des moralischen Satzes erschöpft. Damit werden sie jedoch dem Wahrscheinlichkeitspostulat nicht gerecht, das Gottsched ebenfalls in seiner Komödientheorie vertrat und nach dem solche «Neigungen und Gemüthsarten» vorherrschen sollten, wie wir sie «gewohnt sind». Gewohnt sind wir Charaktere in ihrer Vollständigkeit, also «ganze Charaktere», die Gottsched ausgeschlossen hatte. Der Widerspruch zwischen der Wahrscheinlichkeitsforderung und dem moralischen Satz als zureichendem Grund einer dramatischen Handlung hatte schon *Cato* zu einem steifen Monument werden lassen und wirkte sich auch in der Komödiengestaltung aus.

Indem die Figuren als bloße Funktionen eines moralischen Satzes erscheinen, sind sie von einem Punkt außerhalb ihrer selbst her konzipiert. Es liegt an der Beliebigkeit dieses Punktes, daß die Figuren alles verdeutlichen können. Die Komödien der Gottschedin haben darum eine stark polemische Tendenz, und von «Objektivität» des Tugend- und Lastersystems, das exemplifiziert werden soll, kann kaum gesprochen werden. Richtet sich die erste Komödie gegen die Pietisten, indem sie einen ihrer Vertreter als Betrüger zeigt, so werden in *Die ungleiche Heirath* der Adel disqualifiziert, in *Die Hausfranzösinn* mehr als nur Frankophilie attackiert und in *Der Witzling* literarische Gegner Gottscheds in ebenso dummen wie moralisch fragwürdigen Personen gespiegelt.

c) Der Typ als Hauptfigur

Die Stücke der Gottschedin überlebten ihre Autorin kaum. Für die dramatische Tradition wurde eine andere Figurenauffassung wichtig. An die Stelle der Person, die als Exemplifikation eines allgemeinen Satzes auf etwas hin konzipiert ist, trat der Typ, dessen Sosein alles Geschehende motiviert, dessen Handeln also nicht final, sondern kausal begründet ist.

Der Typ erscheint als Personifikation einer bestimmten Eigenschaft oder Haltung. Er versagt in seiner Einseitigkeit vor der Gesellschaft mit ihren komplexeren Ansprüchen. Die Gesellschaft versucht darum mittels der Intrige das Fehlverhalten des Typs zu korrigieren, ihn zu resozialisieren[48]. Als Typen treten oft Vertreter einzelner Stände auf, die die mehr oder weniger charakteristischen Schwächen oder Laster ihres Standes darstellen. So gab Johann Christian Krüger (1722–1750), der sein Theologiestudium abgebrochen hatte, ein böses Doppelgemälde vom Theologen mit der Gestaltung von Muffel und Tempelstolz in *Die Geistlichen auf dem Lande* (1743). Christoph Mylius (1722–1754) war Mediziner und ließ in seinem Stück *Die Ärzte* (1745) eine gesunde Patientin zum Opfer von Dr. Recept und Dr. Pillifex werden. Eine Satire auf das Gerichtswesen schrieb der Jurist Johann Theodor Quistorp (1722–1776) mit seiner Komödie *Der Bock im Prozesse* (1744). Hier kann der pensionierte Richter Zankmann das Richten nicht lassen und macht sogar seinen Haustieren den Prozeß.

Zur Gruppe der Ständevertreter kamen Typen, in denen eine besondere psychische oder charakterliche Haltung auf negative Weise verabsolutiert ist. In Molières Figuren war dieser Typ vorgebildet. So wirkte das Modell des Geizigen auf Heinrich Bockensteins (1705–1777) *Der Bockesbeutel auf dem Land, oder: Der Adeliche Knicker* (1746). Der Autor machte sich damit den Titel seiner ersten populären Komödie, der Hamburger Lokalposse *Bookesbeutel* (1742), noch einmal zunutze. Auch Adam Gottfried Uhlrich (1720–1756) übernahm Titel und Idee für *Der Schlendrian, oder des berühmten Bookesbeutel Tod und Testament* (1746). Die Personifizierung einer psychischen Anlage oder Haltung zum Komödienhelden wird deutlicher in Lustspieltiteln wie Uhlrichs *Der Unempfindliche* (1745) oder *Die Kläg-*

liche (1747), mit der Gottlieb Fuchs (1720–1799) sinnlose Wehleidigkeit anprangerte.

Als Schlüsselstück unter den sächsischen Typenkomödien ist Quistorps *Der Hypochondrist* (1745) anzusehen, denn hier wurde zum Hauptthema, was in vielen anderen Stücken modifiziert oder teilhaft eine Rolle spielte. Der Hypochondrist ist eingebildeter Kranker, Kläglicher, auch Geiziger in einem. Er heißt Ernst Gotthart, ist Sohn eines reichen Lederhändlers und wird von zwei Ärzten um die Wette krank kuriert, bis es der Jungfer Fröhlichin mit viel Mühe gelingt, den Hypochonder, der eigentlich ein krankhafter Hysteriker ist, auf andere, auf erotische Gedanken zu bringen.

Die Hypochondrie galt als typische Krankheit der Zeit und war eine besondere Ausdrucksform der Empfindsamkeit. Die Grundhaltung des Empfindsamen, sein Fühlen zu fühlen, findet als Leiden ohne wirkliches Leid, also in der eingebildeten Krankheit, ihren wirklichen und auf satirische Weise auch ihren literarischen Ausdruck. Da in der Empfindsamkeit die Anfänge des literarischen Subjektivismus liegen, ist das malum hypochondriacum dessen Geburtswehe.

Der Hypochonder ist der Nachkomme des Melancholikers. Die Geschichte des Melancholikers ist die Kranken- oder Krisengeschichte des sich entwickelnden Individuums. In der mittelalterlichen Temperamentenlehre gab man dem Melancholiker Eigenschaften, deren gemeinsamer Nenner Asozialität oder Egoismus ist: Neid, Habgier, Geiz, Treulosigkeit und Furcht. Mittelalterliches Verbandsdenken konnte den Isolierten nur mit negativen Begriffen erfassen. Wie besonders Dürers Stich *Melencolia I* zeigt, wurde die Melancholie in der Renaissance zur Stimmung des Intellektuellen, der sich einer durch ihn meßbar und planbar gewordenen Welt entfremdet sah, oder zum Synonym für den geistig schöpferischen Zustand überhaupt (s. S. 36). Im 18. Jahrhundert wurde der den Normen der bürgerlichen Gesellschaft Entfremdete zum Hypochonder. Die Geschichte von Melancholie und Hypochondrie ist die Krisengeschichte des Individuums, da dessen Entwicklungsschritte jeweils ein Heraustreten aus gewohnten Zusammenhängen und damit eine kritische Selbstkonfrontation des Subjekts ohne die Möglichkeit eines objektiven Ausgleichs bedeutete.

Im 18. Jahrhundert wurde der Hypochonder zum Antityp des gleichzeitigen Anakreontikers. War der Anakreontiker bei imaginiertem physischen Genuß, bei Wein und Mädchen, eins mit sich selbst, so fühlte der Hypochonder sich selbst bei eingebildeten physischen Leiden. Entgegengesetzt waren beide auch in ihrer gemeinsamen unbürgerlichen Position. Verspottete der Anakreontiker die bürgerlichen Tugenden, so konnte der Hypochonder zum Spottobjekt des Bürgers werden. Quistorps Hypochondrist war eine Quelle des Komischen aus der Sichtweise kleinbürgerlicher Normalität. Auch dieses Stück zeigt, wie die Konkurrenz der beiden geistigen Kräfte Rationalismus und Empfindsamkeit Voraussetzung und Gehalt von Literatur war.

d) Johann Elias Schlegel

Das aus dem Rahmen der sächsischen Komödiantentradition herausragende Talent
war Johann Elias Schlegel. Ihm kommt größere Bedeutung zu, da er nicht nur das
Primat des dramatischen Charakters über den moralischen Lehrsatz sah, sondern
auch das «Vergnügen» als Endzweck der Komödie neu durchdachte und entsprechend gestaltete. In Molières Charakteren fand Schlegel seine Vorbilder. Auch
für Shakespeare gewann er von dieser Position aus Verständnis. Als 1741 die erste
vollständige Alexandrinerübersetzung von *Julius Caesar* erschien, die der preußische Gesandte in London, Kaspar Wilhelm von Borck, hergestellt hatte, verurteilte
Gottsched das seinen Regeln widersprechende Stück als unordentlich und darum
unwahrscheinlich. Schlegel verteidigte daraufhin den Engländer mit dem Aufsatz
Vergleichung Shakespeares und Andreas Gryphs (1741) und setzte seine Apologie des
«unregelmäßigen» Dramas in den *Gedanken zur Aufnahme des dänischen Theaters*
(1747) fort. Damit war die für das spätere 18. Jahrhundert so wesentliche Wirkungsgeschichte Shakespeares eingeleitet. Den nächsten Schritt in dieser Richtung
ging Lessing in seinem berühmten 17. Literaturbrief.

Johann Elias Schlegel (1718–1749) war der Bruder des Fabeldichters Johann
Adolf Schlegel (s. S. 300f) und Onkel der romantischen Schlegels. Der in Meißen
Geborene studierte Jura und Philosophie in Leipzig, begleitete 1743 als Privatsekretär einen Geheimen Kriegsrat nach Dänemark, wo er 1748 als Professor an
die Ritterakademie von Soröe berufen wurde. Auch Johann Elias Schlegel gehört
in die Reihe der genialen, in jungen Jahren gestorbenen Dichter Deutschlands.

Wie alle zunächst dem Kreis der Bremer Beiträger Zugehörigen, stand auch
Johann Elias Schlegel anfangs Gottsched nahe, um sich dann von ihm zu entfernen.
Der Abstand zu Gottsched wird in Schlegels Nachahmungstheorie am deutlichsten. Gottscheds wie Schlegels Nachahmungsbegriffe basieren auf Wolffs Gedanken. Sah Gottsched jedoch in der Nachahmung die Exemplifizierung eines Sittengesetzes, so durchdachte Schlegel das Wort in seinem eigentlichen Sinn, nämlich
als Beziehung zwischen abzubildender Wirklichkeit und abbildendem Kunstwerk.
Der in Schlegels *Abhandlung von der Nachahmung* (1742) verwandte Hauptbegriff
ist der der «Ähnlichkeit» zwischen Vorbild und Abbild. Ähnlichkeit besteht, wenn
– entsprechend Wolffschen Ideen – in Vorbild und Abbild das gleiche «Verhältnis
aller Teile» herrscht. Der Endzweck der Nachahmung ist das Vergnügen. Der
Zuschauer oder Leser, der die Ähnlichkeit feststellt, gewinnt Vergnügen, das zwar
belehrend sein mag, aber die Rolle von Gottscheds moralischer Lehre als Hauptzweck verdrängt hat.

Die Weise, wie Schlegel die Ähnlichkeit interpretiert, widerlegt auch den in
Breitingers *Critischer Dichtkunst* entwickelten Nachahmungsbegriff, nach dem «die
Uebereinstimmung zwischen dem Urbild und der Schilderey» als «das Haupt-

Wesen der Nachahmung» gilt. Breitingers bis heute in der Realismusdiskussion wiederholte Forderung nach Gleichheit zwischen Vorbild und Abbild ist falsch, da sie auf undialektische Weise Kunstwirklichkeit als Kopie der empirischen Wirklichkeit mißversteht. In Schlegels Begriff der Ähnlichkeit ist dieses Mißverständnis vermieden, denn der Unterschied von Vorbild und Abbild wird nicht verwischt, sondern bleibt im Begriff vorausgesetzt. Darum kann Schlegel einerseits die Ähnlichkeitsforderung erheben und andererseits von den gleichzeitigen Unähnlichkeiten (besser wäre «Ungleichheiten») sprechen. So verteidigt er in seinem *Schreiben über die Komödie in Versen* (1740) den Gebrauch der Reime trotz ihrer «Unwahrscheinlichkeit». In der *Abhandlung, daß die Nachahmung der Sache, der man nachahmet, zuweilen unähnlich werden müsse* (1741) diskutiert Schlegel die Momente, die in Vorbild und Abbild verschieden sein müssen, damit die Ähnlichkeit zwischen Vorbild und Abbild umso deutlicher wird. Auf den dramatischen Charakter bezogen heißt das, daß er übertrieben werden muß, um überzeugend und wahrscheinlich zu wirken: «Warum will man aber, daß andre Leute die Ähnlichkeit unsrer Nachahmung bemerken sollen? Ich glaube darum, damit sie sich daran vergnügen sollen. Je mehr Vergnügen unsre Nachahmung erweckt, desto schöner ist sie. Also ist es nicht ein Fehler, sondern ein Kunststück, Unähnlichkeit in die Nachahmung zu bringen, wenn mehreres Vergnügen dadurch erhalten wird ... So oft wir einen Geizigen, einen Heuchler, eine Widersprecherinn abschildern: So oft pflegen wir gleichsam einen Herkules zu bilden, in welchen wir, wie die Griechen diesem die Thaten aller Helden beylegten, die Thaten aller Geizigen, aller Heuchler, aller Widersprecherinnen zusammenbringen, und auf den wir alles, was nur jemals lächerliches auf solche Personen gefallen ist, zusammenhäufen.»

Damit ist die Gegenposition auch zu Gottsched bezogen, der um der Wahrscheinlichkeit willen vom Charakter solche «Neigungen und Gemüthsarten» gefordert hatte, wie wir sie «gewohnt sind». Wie diese Forderung den unter Gottscheds Einfluß entstandenen Komödien widersprach, wurde an anderer Stelle gezeigt (s. S. 289). Schlegel hat den Widerspruch, der zwischen Gottscheds Begriff der Wahrscheinlichkeit und seiner Anwendung liegt, in seiner Definition berücksichtigt und in seiner Gestaltung fruchtbar gemacht. Darum sind Schlegels Lustspielfiguren nicht unwahrscheinliche Figuranten eines moralischen Satzes, sondern haben in ihrer Widersprüchlichkeit einen weitaus wahrscheinlicheren Charakter.

In seiner ersten Komödie *Der geschäfftige Müßiggänger* (1741) ist schon im Titel der Widerspruch fixiert, der auch die Figurenkonstellation kennzeichnet[49]. Ein zu pflichtvergessener und ein zu pflichteifriger Bewerber bemühen sich um ein zu ordentliches, wohlhabendes Mädchen. Niemand vertritt mehr eindeutig Vernunft und Tugend einerseits oder Unvernunft und Laster andererseits. Vielmehr hat der eine zu viel, was der andere zu wenig hat, so daß dem Zuschauer die vergnügliche Schlußfolgerung über das, was richtig ist, selbst überlassen bleibt. Auch *Der Ge-*

heimnisvolle (1747) namens Abgrund möchte heiraten. Da er von Mißtrauen ge-
plagt ist, tritt er dauernd in anderen Verkleidungen auf, um sich eben dadurch
vielerlei Nachforschung auszusetzen. Der Geheimnisvolle bewirkt mit seinem
Versteckspiel das Gegenteil seiner Absicht. Gegensätzlich sind auch die Figuren
und Situationen in *Der Triumph der guten Frauen* (1748) konzipiert. Der Haustyrann
Agenor mißtraut seiner vertrauenswürdigen Frau Juliane und traut einem Freunde
Nikander, der indes Juliane verführen möchte und die eigene Frau Hilaria verlassen hat. Diese taucht als Mann verkleidet auf und versöhnt Agenor und Nikander mit dem Eheschicksal. Die Dialektik von Sein und Schein beweist hier im
Wechselspiel von Trauen und Mißtrauen erneut ihre dramatische Wirksamkeit.
Gegenfiguren sind auch Charlotte oder *Die stumme Schönheit* (1747), die dumm ist,
und ihre ebenso kluge Nennschwester Leonore. Letztere war als Pflegetochter der
Mutter Charlottes, Frau Praatgern (= Redeviel), anvertraut und von ihr mit Charlotte vertauscht worden, um dadurch der eigenen Tochter die Erbschaft von Leo-
nores Vater zu sichern. Als der Vater mit einem Bräutigam für die Tochter kommt,
erweisen die stumme Schönheit durch ihre dressierte Dummheit und Leonore
durch ihre natürliche Klugheit ihre wahre Existenz. Daß beide Mädchen am Ende
den geeigneten Mann bekommen, zeigt, wie weit Schlegel von der simplen Tu-
gend-Lohn und Laster-Strafe-Gleichung entfernt ist. Der analytischen Form entspricht das Thema der Intrigenentlarvung auf so glückliche Weise, daß Lessing den
Einakter «unser bestes Original, das in Versen geschrieben ist», nennen konnte.

e) Exkurs: Trauerspiel vor Lessing

Während das Lustspiel im Zeichen des allgemeinen Vernunftsystems florierte,
fand das Trauerspiel in der frühen Aufklärung nicht den geistigen Nährboden, auf
dem es sich zu überzeugenden Leistungen entfalten konnte. Gottscheds *Sterbender
Cato* ist in seinen charakteristischen Schwächen das klassische Dokument für die
Unzeitgemäßheit des Tragischen. Catos stoischer Heroismus, sein totaler Verzicht
auf Subjektivität, der ihn nicht um den toten Sohn, sondern um Rom weinen läßt,
macht ihn zu einem starren Monument politischer Moral. Dieses Verhältnis von
Moral und Held war zugleich umkehrbar, wie die völlig amoralischen Hauptfiguren vieler Trauerspiele vor Lessing zeigen. Das Bewußtsein absoluter Normen-
haftigkeit kannte keinen tragischen Wertekonflikt, sondern nur die zwei Möglichkeiten unbedingter Verwirklichung der Normen im Sinne Catos oder unbedingte
Auflehnung dagegen. Die «Helden» bedeutender Trauerspiele vor Lessing waren
darum Übeltäter, die das herrschende Sittengesetz ex negativo bestätigten. War
Cato Held durch den totalen Verzicht auf alles Persönliche, so bestand das Böse
der negativen Helden im ungehemmten Verwirklichen subjektiver Leidenschaften.
Der Subjektivismus, der zum dramatischen Hauptproblem des späten 18. Jahr-

hunderts wird, fällt in den Trauerspielen der ersten Jahrzehnte noch unter die Kategorie des Verbrecherischen.

Johann Elias Schlegel, der zunächst nach Gottscheds Theorie Griechendramen und das Stück *Hermann* geschrieben hatte, gelang mit dem Trauerspiel *Canut* (1747) und dessen Hauptfigur Ulfo der Gegenentwurf zu Gottscheds Gestalt Cato. Canut, König skandinavischer Länder, ist der Repräsentant von Tugend und Ordnung. Er ist in seiner Großzügigkeit gegenüber dem aufrührerischen Vasallen Ulfo keinesfalls ein Vertreter stoischer Strenge. Diese charakterisiert vielmehr den Rebellen Ulfo, dessen bösartige Unbeugsamkeit ihn zum Repräsentanten des Lasters macht. Daß stoische Unbeugsamkeit nicht mehr einem objektiven Sittengesetz gilt, sondern ein sich dagegen auflehnendes Subjekt kennzeichnet, zeigt den Abstand zu Gottscheds Position und weist auf die «großen Kerle» des Sturm und Drang.

Personifikationen des Lasterhaften schlechthin sind die Hauptfiguren der Tragödien von Christian Felix Weiße (1726–1804), der ab 1761 als Kreissteuereinnehmer in Leipzig wirkte. Bereits Lessing sprach von «unbegreiflichen Missetaten», als er Weißes populärstes Drama *Richard der Dritte* (1759) kritisierte. Auch in *Krispus* (1760), *Rosemunde* (1761), *Atreus und Thyest* (1767) oder anderen der zehn Tragödien Weißes erscheint das Lasterhafte unbegreiflich, da es kaum rational motiviert ist. Es herrscht Rache um der Rache oder Mordgier um der Gier willen, also ein l'art pour l'art des Bösen, mit dem die Vertreter des ebenso unbedingten Guten konfrontiert werden. Daß Weiße auch Verfasser von sehr beliebter Kinderdichtung war, scheint ein Widerspruch zu sein, der sich erst vor dem Hintergrund der übrigen Dichtung klärt. Weißes Singspiele und seine anakreontische Lyrik (*Scherzhafte Lieder*, 1758) waren populäre Beiträge zur Rokokodichtung. Deren Prinzip, daß «jede Bewegung ihren Zweck in sich selbst trägt» (s. S. 256), ließ sich ebenso in Kinderreimen verwirklichen, wie es auf negative Weise auch in Weißes Tragödien galt, wo das Böse sich selbst zum Zweck wurde. Diese Entfunktionalisierung des Bösen spiegelt sich in der Dramenstruktur. So vermag Richard, der im Unterschied zu Shakespeares Figur nicht nur um bestimmter Ziele willen lasterhaft ist, sich weniger handelnd darzustellen als daß er seine Bösartigkeit rhetorisch demonstrieren muß. Er ist nicht nur schlecht, sondern schwelgt im Schlechten. Mit der Entfunktionalisierung des Bösen steht Weiße am Ende der römischbarocken Theatertradition, deren Mittel er mit epigonaler Behendigkeit beherrschte, deren geistige Voraussetzungen jedoch nicht mehr gegeben waren.

Mit *Richard der Dritte* wetteiferte die Tragödie *Codrus* (1756) von Johann Friedrich von Cronegk (1731–1758) um Erfolg und Publikumsgunst. Können Weißes Werke mit Hilfe des Rokokobegriffes interpretiert werden, so stehen Cronegks Schriften im Zeichen der Empfindsamkeit. Typisch empfindsame Motive, wie sie vor allem Gellert gestaltet hat, finden sich in der Lyrik (*Einsamkeiten, An sich selbst*), in der Komödie *Der Mißtrauische* und in den Tragödien *Codrus* und *Olint und Sophronia.* So spielt die uneigennützige Verzichthaltung eine wesentliche Rolle, sie ist Kern der Handlung von *Codrus.* Der Titelheld ist König von Athen und ebenso bereit, auf seine Liebe zu verzichten, wie sein Leben für die Stadt zu opfern, als diese von Feinden erobert worden ist. Die Figuren um Codrus kennzeichnet die gleiche Haltung, mit der die Handlungsweise des heimtückisch-brutalen Eroberers von Athen kontrastiert. Da die Athener sich in wechselseitiger Opferbereitschaft überbieten, muß Hilfe unmotiviert von außen kommen, um die Dinge zum guten Ende zu lenken. Der deus ex machina ist nicht nur die Konsequenz der heldischen Ohnmacht, sondern, wie Codrus' Verhältnis zu Delphi zeigt, in das Kalkül des Helden einbezogen. Der Orakelglaube des Codrus wiederholt den Fatalismus Gellertscher Figuren und ist wie dieser pietistisches Erbe. Cronegk selbst nahm zur Unwahrscheinlichkeit der dramatischen Lösung im Codrus Stellung: «Daß ich die Götter zuletzt mit einem Donnerwetter und durch die geschwinde Ankunft der Thebaner, zu Hülfe kommen lasse, getraue ich mir noch am ersten zu vertheidigen ... da die ganze Handlung auf ein Orakel gründet[50].»

In der moralischen Schwarzweißmalerei, wie sie in *Richard der Dritte* oder *Codrus* wirksam war, enthüllte sich die Irrelevanz des aufklärerischen Tugend- und Lastersystems für die weitere Dramenentwicklung. Die neuen Impulse gingen von einem differenzierteren Tugend- und Lasterkonzept aus. Bereits 1731 war in der englischen Hauptstadt *Der Kaufmann von London* von George Lillo (1693–1739) aufgeführt worden, ein Stück, das auch in Deutschland das Publikum immer wieder in Tränen ausbrechen ließ. Nicht mehr die simple Konfrontation von Gut und Böse wurde gezeigt, sondern die Verführung eines bislang tugendhaften Kaufmannslehrlings durch eine lasterhafte Frau, die schließlich mit ihm auf dem Blutgerüst stirbt. Bürgerliches Milieu, psychologische Raffinesse der Verführerin und dadurch psychologische Wahrscheinlichkeit des Ganzen garantierten den Erfolg des Stückes, das zahlreiche Nachahmungsversuche hervorrief. So ließ Christian Lebrecht Martini (1728–1801) in *Rhynsolt und Sapphira* (1755) einen bürgerlichen Kaufmann zum Opfer eines Hofmannes werden, der die Frau des Kaufmanns begehrt. Trotz motivischer Anleihen bei Lillo glitt das Stück in die traditionelle Schwarzweißmalerei zurück und machte aus dem Kaufmann einen Märtyrer, dessen Unzeitgemäßheit darin zum Ausdruck kommt, daß ihm statt ewiger Seligkeit ein irdisches Denkmal zum Lohn wird. Gleichzeitig mit *Rhynsolt und Sapphira* erschien *Miß Sara Sampson.* Auch Lessing war von Lillo angeregt, und mit ihm begann für das deutsche Drama eine neue Epoche.

f) Das rührende Lustspiel

Weniger vom Trauerspiel der Jahrhundertmitte als von der Sonderform des «rührenden Lustspiels» gingen wichtige Impulse für die weitere Dramenentwicklung aus. Die Rührkomödie basiert so auf der Empfindsamkeit wie die sächsische

Typenkomödie auf dem Rationalismus. Durch die Gefühlshaltung der Empfindsamkeit mündete ein Moment in die Dramenentwicklung, das Stücke und Aufführungen bis in unser Jahrhundert bestimmt hat: die Einfühlung oder Identifizierung des Zuschauers mit der dramatischen Figur. Diese Einfühlung setzte eine neue Form und einen neuen Begriff des Dramas voraus.

Bisher hatte bei Tragödien und Komödien nicht Identifikation, sondern Distanz das Verhältnis von Dramenfigur und Zuschauer bestimmt. Die Tragödienhelden erregten Bewunderung und Schrecken. Sie repräsentierten als Fürsten sozial oder als Schurken moralisch eine andere Welt als die des Zuschauers. In der Komödie garantierte das Lachen über die Narrheiten und Fehler des kleineren Mannes die unabdingbare Distanz, die auch noch Gottscheds komödien-theoretischen Forderungen immanent war. Erst als die Ständeklausel und das ebenfalls Distanz bedingende rhetorische Sprechen der Figuren eingeschränkt und schließlich aufgehoben wurden, war die Voraussetzung für die Identifikation Zuschauer-Figur geschaffen. Das empfindsame Lustspiel bedeutete den ersten wichtigen Schritt in dieser Richtung, da hier Figuren auftraten, deren Stand dem der Zuschauer entsprach und die nicht mehr als Repräsentanten eines Lasters verlachenswürdig waren, sondern als tugendhaft erschienen. Damit fiel der komische Abstand. Die Möglichkeit empfindsamer Einfühlung war gegeben, denn der Empfindsame sah im Gleichgestimmten oder nahe Verwandten das eigene Ich gespiegelt[51].

Als erste deutsche Rührkomödie gilt Gellerts Stück *Die Betschwester*. Wenn auch die Titelfigur in ihrer bösen Bigotterie noch ganz ins Arsenal der Typenkomödie gehört, so agieren und reagieren die übrigen Personen schon ganz im Zeichen der Empfindsamkeit[52]. Sie überbieten sich mit gegenseitiger Bereitschaft zu Verzeihung, Verzicht auf Lebenspartner und materiellen Opfern, so daß sich die egoistische Beschränktheit der Betschwester umso grotesker abhebt. In *Die zärtlichen Schwestern* ist die Haltung empfindsamer Opferbereitschaft noch ausschließlicher Grund und Maßstab alles Geschehens. Weniger die äußeren Handlungen als die inneren Haltungen sind in der Rührkomödie wichtig. Die Figuren sind durch enge familiäre oder freundschaftliche Bande verbunden und schließen die äußere Welt aus. Das für Gellerts Romanfiguren typische Verhalten, einmal den einen, dann wieder den anderen Lebenspartner zu akzeptieren, findet man auch in seinen Komödien. Das hat zwei Gründe. Der von der Empfindsamkeit geprägte Charakter ist noch zu selbstbezogen, um sich in echten zwischenmenschlichen Beziehungen verwirklichen zu können. Auch die altruistischen Haltungen der Gellertschen Figuren dienen ihrem sublimen Selbstgenuß. Ein weiteres pietistisches Erbteil kommt hinzu: die Entscheidungslosigkeit, das Schwanken der Figur, die sich stets nach den geänderten Verhältnissen richtet. In vielen pietistischen Autobiographien ist die Schicksalsergebenheit des willenlosen Ichs beschrieben worden[53].

g) Gellerts Theorie

Daß Gellert erst seine Stücke verfaßte und dann unter dem Titel *Pro comoedia commovente* (1751) einen Traktat über die Rührkomödie schrieb, entsprach seinem empirischen Verhältnis zu Theorie und Regel und wurde im Text selbst begründet: «Die Regeln hat man aus denjenigen dramatischen Stücken gezogen, welche ehedem auf der Bühne Beifall gefunden haben.» Gellert konnte mit seinen theoretischen Überlegungen nicht nur an die eigene Komödienproduktion, sondern auch an andere Abhandlungen wie die *Oratio de comoedia* (1716) des Basler Theologen Samuel W. Werenfels (1657–1740) anknüpfen. Auch der Annaberger Rektor Adam Daniel Richter (1709–1782) hatte bereits in seinen *Regeln und Anmerkungen der lustigen Schaubühne* den tugendhaften Komödienhelden gefordert. Beide Abhandlungen hatte Gottsched in seinen *Beyträgen Zur Critischen Historie* (1732–1744) abgedruckt.

Gellerts Arbeit wurde zum grundlegenden Manifest des neuen, gegen die traditionelle Komödie und das Trauerspiel abgegrenzten Lustspieltyps der Rührkomödie. Die Lasterfigur der sächsischen Typenkomödie behielt ihr Daseinsrecht, nur wurden ihr jetzt die Repräsentanten des Guten gegenübergestellt, um dadurch eine Kontrastwirkung zu erzielen, die gute wie böse Sitten umso schärfer hervortreten ließ. Der Zweck des dargestellten Guten war darüber hinaus, dem Zuschauer «in dem Gemüte eine süße Empfindung des Stolzes und der Selbstliebe» zu erwecken und in der geschauten Tugend die «eigne Vortrefflichkeit» zu spüren. Damit war das, was als Selbstbezogenheit die Beziehungen der Stückfiguren untereinander bestimmte, zum Verhältnis Figur–Zuschauer objektiviert. Die Identifizierung des Zuschauers mit der Dramenfigur begann als Selbstbestätigung des Zuschauers und spiegelte das erwachende Selbstbewußtsein des Bürgertums, das im Parkett saß. Am Ende der bürgerlichen Epoche bemühte sich dann Brecht in seinem Kampf gegen die einst von Gellert begründete Einfühlung, dem Theaterbürger die Chance der Selbstbestätigung zu nehmen und ihn zur Selbstverfraglichung zu zwingen.

4. KLEINFORMEN

Man kann den Unterschied zwischen den großen und den weniger bedeutenden Schriftstellern einer Epoche aus ihrem Verhältnis zu den einzelnen Gattungen ablesen. Nutzt der bedeutende Autor ein Spektrum von Formen, um durch den Gehalt, den er ihnen verleiht, den Geist der Epoche mitzuprägen, so werden die Gattungen durch diese Aktualisierung in ihrem Weiterleben gesichert. Der Zweitrangige oder Epigone hingegen bevorzugt eine der aktuellen Gattungen und kann es in ihr durchaus zur Meisterschaft bringen. Die Fabel oder das Epigramm, das Idyllische oder das Satirische waren oder verlangten Formen, die dank Gottsched, den Schweizern, Gellert oder Hagedorn in der Literatur der Aufklärung eine dominierende Rolle spielten und mittels derer auch die geringeren Geister ihr Publikum fanden. Auf den «Zug zum Kleinen» aus dem Geist des Rokoko hat Alfred Anger[54] hingewiesen. Hier liegt eine Voraussetzung für die Popularität der Miniaturgattungen im 18. Jahrhundert. Aber auch der Rationalismus hat mit seiner Neigung zu Fabel und Epigramm die Blüte der kleinen Formen gefördert.

Eine satirisch-didaktische Grundtendenz kennzeichnet die meisten Beispiele der Kleinformen. Diese Tendenz ist mittelbar in der Idylle und unmittelbar in Fabel, Epigramm, komischem Epos und natürlich der satirischen Prosa gegenwärtig. Von der Satire des 17. Jahrhunderts ist diese Tendenz grundsätzlich unterschieden. Nicht mehr die normenlose, lasterhafte und darum verkehrte Welt wird demonstriert, sondern die kleinen Laster werden dargestellt oder angegriffen und damit das Bewußtsein unumstößlicher Gesetze und Verhältnisse vorausgesetzt. Das Satirische war jetzt Teil der Sittenlehre.

a) Fabel

Nach der bedeutenden Rolle, die die Fabel in der Reformationszeit gespielt hatte, trat sie im Barockjahrhundert ganz in den Hintergrund. Nach Form und Gehalt widersprach sie dem Geist dieser Epoche. Die Fabel war nur sehr beschränkt eine rhetorisierbare Form und wurde schon von der antiken Rhetorik auf Beispielrede und Schmuckelement reduziert. In dieser Rolle diente sie in den Predigten Abrahams a Sancta Clara (s. S. 103 f). Darüberhinaus widersprach das undialektische Prinzip der Fabel, das auf die direkte Vermittlung von Lebensweisheiten oder allgemeinen Sätzen zielt, dem Stil der Zeit, der alles Antithetische bevorzugte. Welche Funktion sollte das Fabelgetier innerhalb der ständischen Klassifizierung der Literatur übernehmen, wenn dem kleinen Bürger gerade erlaubt war, in Gattungen wie der Komödie als «schlechte wesen und personen» aufzutreten? Die Barockpoetiken degradierten die Fabel darum zur Lektüre des «pövels».

Mit Aufklärungsbeginn wurde die Wolffsche Philosophie der denkbar günstigste Nährboden für die Fabel. Das Bewußtsein deduzierbarer Wahrheiten fand in der Fabel die adäquate literarische Ausdrucksform. Gottsched übertrug das Fabelprinzip der «Verdeutlichung eines moralischen Satzes mittels einer Handlung» auf die gesamte Dichtung. Auch die Schweizer befaßten sich mit dieser Gattung, und Bodmer stellte der abstrakten, vom moralischen Satz ausgehenden Fabelproduktion die konkrete Weise entgegen, die die Tiere beobachtet und das dabei Auffallende zur Fabel verarbeitet. Bodmer sah diese Vorstellungen, die in sein Konzept von beschreibender «Mahler-Kunst» paßten, in der Fabeldichtung von Johann

Ludwig Meyer von Knonau (1705–1785) bestätigt, dessen *Ein Halbes Hundert Neuer Fabeln* (1744) er mit einer Vorrede herausgab. Bei Knonau, der nahe Zürich auf dem Lande lebte, führte der von Bodmer gepriesene empirisch-beobachtende Ausgangspunkt zu einer Vielfalt neuer Fabeln und zur Vermeidung zu starker Allegorisierung der Tierwelt. Diese erscheint nicht nur als Spiegel menschlicher Verhältnisse, sondern zuweilen auch als Gegenbereich und grenzt damit an die Idylle.

Knonaus Fabelstil war eine unter den vielen möglichen Formen, die im 18. Jahrhundert von den zahlreichen Verfassern variiert wurden. Von Daniel Stoppes (1697–1747) *Neue Fabeln oder moralische Gedichte* (1738/40) oder Daniel Wilhelm Trillers (1695–1782) *Neue Aesopische Fabeln* (1740) über die Sammlungen Hagedorns, Gleims und vor allem Gellerts bis zum Beginn des Sturm und Drang währte die intensive Fabelproduktion. Lag der Höhepunkt bei Gellert, so muß man Lessings Fabeltheorie als Wendepunkt ansehen. Indem Lessing die Fabel mit seinem Handlungsbegriff zu begründen suchte, demonstrierte er zugleich die Begrenztheit der Fabel, deren Handlung nicht auf «innere Endschaft» zielt.

Als bedeutender Fabelautor galt der in Wurzen bei Meißen geborene Magnus Gottfried Lichtwer (1719–1783), der *Vier Bücher Aesopischer Fabeln* (1748) verfaßte; später widmete er sich dem preußischen Verwaltungsdienst. Lichtwer war so sehr Wolffianer, daß er dessen Interpretation des Naturrechts und der Moral in dem Lehrgedicht *Das Recht der Vernunft* (1758) darzustellen versuchte. Um eine von Ramler verbesserte Ausgabe von Lichtwers Fabeln war jener Streit um Herausgeberrechte entstanden, zu dem sich auch Lessing und Mendelssohn äußerten (s. S. 269). Ramler hatte veredelt, und auch Mendelssohn hatte manche derbe Passage als «niedrig» getadelt. Dem Heutigen erscheinen gerade diese Passagen überzeugender als Ramlers Verbesserungen, die der Lebendigkeit der Lichtwerverse kaum gerecht wurden. Diese Lebendigkeit war Folge treffender Wortwahl und der Tatsache, daß die eher langweilige Einheit von Zeile und Satz vermieden wurde. Da Lichtwer über den engeren Bereich der Tierfabel (= äsopische Fabel) weit hinausging und auf bunte Weise ebenso Allegorien wie mythologische Figuren oder Menschen zu Figuranten interessanter Vorfälle machte, mußte die Lehre, die aus dem Vorfall gezogen werden kann, meist explizit am Ende gegeben werden.

Die sehr offene Fabelstruktur erlaubte jedem Autor seinen individuellen Stil. Verrät sich in Knonaus Werk der naturfreudige Landedelmann, so spricht aus den Fabelversuchen Johann Adolf Schlegels (1721–1793) ganz und gar der Prediger. Der Vater der Romantiker und Bruder von Johann Elias Schlegel war mit der Veröffentlichung von Gedichten und kirchlichen Gesängen und mit der Übersetzung und Kritik von Charles Batteux' Schrift *Einschränkung der schönen Künste auf Einen einzigen Grundsatz* (1751) hervorgetreten. In seine *Fabeln und Erzählungen* (1769) nahm der Theologe, der zu angesehenen Positionen aufgestiegen war, die

leichteren Stücke seiner Jugendzeit nicht auf. Die Übergänge zwischen seinen
Fabeln und Erzählungen sind unscharf, da in beiden Gruppen der Predigtstil mit
rhetorischen Fragen, Interjektionen und Abschweifungen die Form bestimmt. Die
eigentliche Fabelhandlung ist somit eingebettet in eine längere moralisierende
Rede, die, den Lehrsatz vorwegnehmend, die Fabel als bloßes Exemplum nutzt.

Aus der Fabeldichtung Gottlieb Konrad Pfeffels (1736–1809) sprach hingegen
nicht mehr protestantische Glaubensgewißheit oder rationalistischer Optimismus,
sondern meist die Überzeugung von einer brutalen, schlecht eingerichteten Welt.
Die Tiere der Fabel dienten Pfeffel zum Beweis, daß auch unter den Menschen der
eine den andern frißt. Das in der Naturwelt geltende Recht des Stärkeren wurde
zum satirischen Spiegel der menschlichen Verhältnisse, in denen als Könige und
Fürsten auftretende Despoten ihre Untertanen ausbeuten und vernichten können.
Pfeffel war Elsässer und begrüßte anfangs die Französische Revolution. Seine seit
1759 publizierten Fabeln gewannen durch die Zeitereignisse gesteigerte Aktualität
und Resonanz. 1789 veröffentlichte Pfeffel seine *Poetischen Versuche*, die so erfolgreich waren, daß sie ab 1802 in einer Ausgabe, die auf zehn Bände anwuchs, neu
ediert wurden. Mit Pfeffel sind die Voraussetzungen, die zur Fabelblüte im 18. Jahrhundert führten, ins Gegenteil umgeschlagen, da die Tiere statt einer Moral für
den Menschen nur noch menschliche Unmoral verdeutlichen. Das zeigte das Ende
der Fabelepoche.

b) Epigramm

Im Gegensatz zu den anderen Kleinformen war das Epigramm im 17. und im
18. Jahrhundert gleichermaßen aktuell. Mittels seiner dialektischen Struktur ließen
sich ebenso mystische Paradoxa vermitteln wie alles Widersprüchliche im menschlichen Verhalten fixieren. Diente das Epigramm im 17. Jahrhundert mehr der
grundsätzlichen Infragestellung der Welt, so wog es im 18. Jahrhundert leichter
und attackierte mehr die kleinen Fehler oder diente als Waffe im literarischen
Tageskampf.

Als Epigrammatiker war Christian Wernike (auch Wernicke, Warnek, Wernigk;
1661–1725) die bedeutsame Übergangserscheinung zwischen Barock und Aufklärung. Den Lebensjahren nach mehr ins 17. Jahrhundert gehörend, wandte sich
Wernike gegen charakteristische Haltungen, die in der zweiten Jahrhunderthälfte
wesentliche Lebensgebiete bestimmten, und wurde so zum Pionier der neuen Zeit.
Der im ostpreußischen Elbing Geborene kannte Europa durch Reisen, hatte sich
länger am englischen Hof aufgehalten, lebte die meiste Zeit in Hamburg und war
während seines letzten Lebensjahrzehnts dänischer Gesandter in Paris. Wernike
begann, von seinem Lehrer Morhof angeregt, mit Übersetzungen lateinischer
Epigramme und gab erstmals 1697 seine eigenen *Überschrifte und Epigrammata* her-

aus. Wernikes Position läßt sich am besten als die Gegenstellung zu Baltasar Gracián (1601–1658) und seinem *Handorakel* (1647) verdeutlichen. Beschrieb Gracián die «Kunst der Weltklugheit» für den politischen Menschen, so war dieser Spottobjekt Wernikes, insofern er sich in seiner Moral, Sprache oder Literatur als unwahr oder unnatürlich gab. Hatte der spanische Jesuit zum Thema «Natur und Kunst» geschrieben: «Keine Schönheit besteht ohne Nachhilfe, und jede Vollkommenheit artet in Barbarei aus, wenn sie nicht von der Kunst erhöht wird»[55], so meinte der preußische Protestant:

> *Man muß auf meinem Blatt nach keinem Amber suchen,*
> *Und meine Mus' im Zorn bäckt keine Bisemkuchen;*
> *Ich folge der Natur und schreib' auf ihre Weis':*
> *Vor Kinder ist die Milch, vor Männer starke Speis'.*

Wernike «folgte der Natur», indem er die Unnatur im Politisch-Gesellschaftlichen, im Moralischen und im Literarisch-Sprachlichen epigrammatisch fixierte. Logau und der Schweizer Johannes Grob (1643–1697) waren ihm darin vorangegangen. In hohem Junkertum, Selbstbetrug und sinnloser Redezier sah Wernike die verschiedenen Ausdrucksformen gleicher Unwahrhaftigkeit. Dieser prinzipielle Standpunkt machte seine Sinnsprüche zu einem so geschlossenen und überzeugenden Ganzen, daß einzelne stilistische Holprigkeiten dadurch ausgeglichen wurden. Die Sprachmengerei sowie die Amber- und Bisammetaphorik der späten Schlesier dienten Wernike als Material, aus dem er seine schärfsten Epigramme formen konnte. Das brachte ihm die Feindschaft des Hamburgers Christian Heinrich Postel (1658–1705), der als Opernlibrettist in der Tradition der Schlesier stand. Wernike verhöhnte Postel mit seinem *Heldengedicht Hans Sachs genannt*. Hunold, der ebenfalls in Lohenstein das große Vorbild sah, schloß sich Postel an. Beiden gereichte der Streit mit Wernike nicht zum Ruhm, denn die Entwicklung hat dem kritischen Epigrammatiker recht gegeben.

Wernike sah als Kennzeichen des Sinnspruchs seine Kürze und daß sein «Witz gemeiniglich in widerwärtigen Dingen» besteht. Wernikes Definition setzte die widerwärtigen Dinge voraus. Das Epigramm war ihm nicht Wortspiel um des Spieles willen, sondern stets wirklichkeitsbezogen, also eine engagierte Form. Die meist antithetische Struktur des Epigramms reflektierte typische Widersprüche in der Gesellschaft und widersprach ihnen damit. In dieser dialektischen Funktion lag die Notwendigkeit und Bedeutung von Wernickes Epigrammatik für die spätbarocke Gesellschaft.

Fünfzehn Jahre nach Wernikes Tod waren die Bedingungen für den Sinnspruch andere geworden. Gottsched sah im Epigramm den «poetischen kurzgefaßten Ausdruck eines guten scharfsinnigen Einfalles, der entweder jemanden zum Lobe, oder zum Tadel gereichet»[56]. In der ausschließlichen Zielrichtung auf «jemanden» blieb das Allgemeine ausgeklammert. Damit verkehrte sich die Funktion des Epigramms im 18. Jahrhundert. Nicht mehr die Welt schlechthin, sondern das Detail, nicht mehr die Gesellschaft, sondern das Private wurden bewitzelt und dadurch Welt wie Gesellschaft bestätigt. Der in Leipzig geborene und in Göttingen lehrende Mathematiker Abraham Gotthelf Kästner (1719–1800) wurde zum Epigrammatiker in Gottscheds Sinn. Zu Scharfsinnigkeit und formelhafter Kürze durch seinen Beruf trainiert, nahm Kästner Alltägliches aus seiner Umwelt oder aus der Literatur aufs Korn. An die Stelle der objektiven Voraussetzungen, die Wernike zum Schreiben brachten, ist mit Kästner das Subjekt getreten, dessen Witz die Objekte, die es sich vornimmt, motivieren muß. Galt für Wernicke: je treffender das «Widerwärtige» entlarvt ist, desto besser das Epigramm, so galt für Kästner: je besser die Pointe, desto qualifizierter der Sinnspruch. Dem von seiner witzigen Subjektivität und nicht vom Objektiven ausgehenden Epigrammatiker droht die Möglichkeit, daß er den Objekten, die er bewitzelt, nicht gerecht wird. Dann fällt der Spott auf ihn selbst zurück. So geschah es Kästner, der seine Sinnspruchproduktion überdehnte und sich auf unangemessene Weise auch über neuere Leistungen der Philosophie lustig machte. Das bewog 1797 August Wilhelm Schlegel festzustellen, daß Kästner der Epigrammatik zwar treu bliebe, diese aber nicht ihm.

Kästners Sinnsprüche wurden besonders von Lessing geschätzt, der in der Pointe das wahre, allgemeine Kennzeichen des Sinngedichts sah. Lessing bezog damit eine Gegenposition zu Wernike. Dieser hatte sich gegen Sinnsprüche geäußert, die nur durch das «klingende Ende» gerechtfertigt sind. Wenn Wernike solche Epigramme bevorzugte, «wo der Leser fast in jeder Zeile etwas nachzudenken findet», dann geht er von der kritischen Funktion des Sinnspruchs aus. Wenn Lessing in der Pointe das Wesentliche sieht, dann ist ihm die Form des Sinnspruchs, seine Autonomie oder Wahrscheinlichkeit die Hauptsache. Darum forderte er, daß das Sinngedicht anschaulich und durch Beispiele wirken solle, anstatt direkt zu moralisieren. Deshalb betonte er auch die traditionelle Zweigliedrigkeit des Epigramms, dessen erster Teil jene Spannung erzeugen soll, die dann im zweiten Teil, in der Pointe, gelöst wird. Damit hat Lessing für das Epigramm denselben Schritt vollzogen, den er auch für Fabel und Drama machte, als er deren Handlungscharakter betonte. Nicht mehr nur kritische Stellungnahme zur Wirklichkeit sollte das Epigramm sein, sondern eine Eigenwirklichkeit, die aus autonomer Spannung wirkt und überzeugt [57].

c) Das komische Epos

Wenn auch das komische Epos nicht unbedingt eine Kleinform ist, so gehört es doch wegen seiner diminuitiven Tendenzen in diese Gruppe. Das entscheidende Wesensmerkmal jedes auch «scherzhaftes Heldengedicht» genannten komischen

Epos ist der Gegensatz von episch-heroischem Stil und inadäquatem Thema. Dieser satirisch, parodistisch oder allgemein ironisch nutzbare Gegensatz setzt die verbindliche Stil-Thema-Entsprechung, die bislang in literarischer Theorie und Praxis herrschte, voraus. Das erklärt, warum mit Ende des aus der Rhetorik begründeten literarischen Normensystems um 1770 auch das komische Epos erlischt. Nachdem Stil und Thema aus ihrer festen Zuordnung entlassen waren, konnten sie nicht mehr in einem komischen Mißverhältnis gezeigt werden.

Wie die Homerparodie *Batrachomyomachia* (s. S. 81) das Ende der griechischen Epenzeit demonstrierte, so ist die plötzliche Blüte des komischen Epos seit Beginn des 18. Jahrhunderts das Endsignal für das Epos als Gattung überhaupt. Zur gleichen Zeit konstituierte sich der Roman. Der komische Gegensatz von erhabenem Stil und inadäquatem Thema setzt somit nicht nur die Entsprechung beider im Epos voraus, sondern dokumentierte zugleich dessen ausgespielte Rolle. Im 17. Jahrhundert hatte der höfisch-historische Roman die Epengesetzlichkeit noch einmal zu erfüllen versucht. Dazu waren im Zeitalter von Empfindsamkeit und Galanterie die Voraussetzungen nicht mehr gegeben. Jetzt wurden Heroen zu Renommisten, Schicksalskämpfe zum Streit um Lappalien, Götter zu Allegorien der Mode und der Rauferei – nur Amor blieb der alte. Kann man in den epischen Werken des 17. Jahrhunderts die Summe von all dem sehen, was man unter den Begriff «Barock» subsumiert, so trägt das komische Epos wesentliche Merkmale des Rokoko.

Boileaus *Le Lutrin* (*Das Chorpult*, 1674ff) und Popes *The rape of the lock* (*Der Lockenraub*, 1712) standen am Beginn und waren oft Vorbild deutscher komischer Epen. In beiden Stücken beherrscht der Streit um eine Nichtigkeit das Geschehen. Bei Boileau geht es um die Position eines Kirchenpultes, bei Pope um eine während einer Kahnpartie abgeschnittene Locke. Der Leipziger Johann Christoph Rost (1717–1765) verfaßte sein Prosagedicht *Die Tänzerin* (1741) nach Popes Vorbild und schrieb dann *Das Vorspiel* (1742), das in seinem Unterschied zu Popes Werk die Spannweite zeigt, die das komische Epos hatte, und seine Definition erschwert[58]. Rost, der zunächst Gottschedschüler gewesen war, gestaltete im *Vorspiel* nicht einen fiktiven und darum allgemeinen Vorfall, sondern eine Attacke auf Gottsched, indem er dessen unrühmlichen Streit mit der Neuberin zum Kampf der Musen und Pasquille episierte. Das Werk, das Gottsched als hohlen Helden decouvrierte, bleibt durch diese Anlaßgebundenheit Zeitdokument. Zu literarischem Rang fehlt ihm Allgemeinheit. Rosts sehr populär gewesene *Schäfererzählungen* (1742) dürfen darum als sein bedeutenderer Beitrag gelten.

Unter den etwa vierzig in Deutschland gedruckten komischen Epen, zu denen ebenso Uzens *Sieg des Liebesgottes* (1753) wie Johann Jakob Duschs (1725–1787) *Das Toppé* (1751) oder *Der Schooßhund* (1756) gehören, nehmen Zachariäs *Der Renommist* (1744) und Thümmels *Wilhelmine* die bedeutendsten Plätze ein. Der Thüringer Just Friedrich Wilhelm Zachariä (1726–1777) hatte den *Renommisten* noch in Schwabes *Belustigungen* abdrucken lassen, bevor er die *Bremer Beiträge* begründen half. *Der Renommist* wurde zum Beispiel guter Kongruenz von Thema und Gattung, denn hier widerspricht erhabener Stil den kleinen Begebenheiten, da die Hauptfigur als studentischer Rauf- und Trunkenbold das lächerliche Vexierbild des epischen Heros ist. Der Renommist, ein Jenenser Student, kommt nach Leipzig, um sich dort mit den von der Göttin Mode beherrschten Studenten auseinanderzusetzen und am Ende schmählich zu unterliegen. Die sich des erhabenen Stiles sowie der Götter- und Allegorienmaschinerie bedienende Ironie trifft ebenso die Jenenser Bramabarsierer wie die modischen Galanten Leipzigs. Das auf diese Weise räumlich und zeitlich festgelegte Geschehen weist jedoch über sich hinaus und spiegelt allgemeine Verhaltenweisen. *Der Renommist* ist deshalb mehr als nur Zeitdokument und das gelungenste unter den sechs komischen Heldengedichten, die Zachariä verfaßte. Mit den *Verwandlungen* (1745) leistete er seinen Beitrag zur Typensatire, wie zugleich Rabener oder die sächsische Komödie. Die Sammlung *Scherzhafte epische und lyrische Gedichte* (1754) enthält zwei weitere komische Epen: *Phaeton* und *Das Schnupftuch*, dessen Handlung Popes *Lockenraub* am nächsten kommt. 1757 folgten die immer schwächer werdenden Werke *Murner in der Hölle; Lagosiade oder die Jagd ohne Jagd* und 1763 *Hercynia*.

Wie die beiden letzten Werke Zachariäs war auch Moritz August von Thümmels (1738–1817) *Wilhelmine oder der vermählte Pedant* (1764) in Prosa verfaßt. Die Ironie der erhabenen Sprache rückte wieder alles Geschilderte in die Distanz des Lächerlichen: «Einen seltenen Sieg der Liebe sing ich, den ein armer Dorfprediger über einen vornehmen Hofmarschall erhielt, der ihm seine Geliebte vier lange Jahre entfernte, doch endlich durch das Schicksal gezwungen ward, sie ihm geputzt und artig wieder zurückzubringen.» Dieser Anfang der sechs Gesänge nennt das Geschehen in ironischer Verkehrung, denn gezeigt wird, wie der biedere Landpastor Sebaldus seine zur Mätresse avancierte Liebe zwecks ehelicher Versorgung zurückerhält. Im Widerspruch zwischen dieser simplen Tatsache und der Weise, wie sie mit allem epischen Aufwand beschrieben und zugleich vom vermählten Pedanten empfunden wird, liegen der Reiz und die Qualität des Werkes. Da es nicht räumlich oder personal festgelegte Verhältnisse trifft, sondern in seiner Ironie ganz allgemein bleibt, zählt *Wilhelmine* zu den bedeutendsten unter den deutschen komischen Epen.

d) Satirische Prosa

Dem sächsischen Satiriker Gottlieb Wilhelm Rabener (1714–1771) ging es in seinen zunächst in Zeitschriften veröffentlichten Prosaaufsätzen nicht um die Bloßstellung des Lasterhaften, sondern um die Entlarvung des Lasters[59]. Er sah in der Satire «ein nöthiges Stück der Sittenlehre» und sagte in seinem *Sendschreiben von der Zulässigkeit der Satire* (1742): «So lange sehe ich nicht, warum sie tadelhafter seyn soll, als die tiefsinnigste Abhandlung eines moralischen Satzes, welchen man durch eine Kette von Beweisen bündig, und durch Zeugnisse berühmter Männer, oder gar der Göttlichen Schrift ansehnlich machen will. Ich getraue mir so gar, zu behaupten, daß sie bey unterschiednen Fällen, und bey einer gewissen Art von Lastern beynahe nützlicher sey, als die ernsthafteste Strafpredigt.» Rabener verstand unter dem Laster nicht nur die Hauptsünden, sondern auch die vielen kleinen und großen Dummheiten des Alltags. Er schilderte mittels ironischer Verkehrung vor allem das Törichte und blieb im Bereich jener mittleren und kleinen Stände, die kaum Spielraum für große Laster hatten. Geiz, Dummheit, Anmaßung, Zanksucht oder Pedanterie waren als Charakterhaltungen typische Themen Rabeners. Gern entlarvte er fragwürdige Verhaltensweisen aus dem Mißbrauch der Sprache. So sehr Rabener die Vernachlässigung von Vernunft und Ordnung anprangerte, so bewußt hütete er sich, die Träger und Repräsentanten dieser Ordnung anzugreifen. Regierung und Kirche blieben expressis verbis von allem Satirischen ausgeklammert. Als sächsischer Steuerbeamter wußte Rabener, welche satirischen Freiheiten sich ein deutscher Untertan erlauben konnte.

Christian Ludwig Liscow (1701–1760) hingegen setzte sich weniger enge Schranken. Er führte ein unruhiges Leben und scheiterte infolge Repressionen, denen er ausgesetzt war, in seiner spät erworbenen Rolle eines sächsischen Beamten. Liscow schulte sein bedeutendes stilistisches Talent vor allem an den französischen Essayisten. Seine populärste Satire *Die Vortrefflichkeit und Nothwendigkeit der elenden Scribenten* (1734) preist die Autoren, die «ihre gelehrte Nothdurft auf Papier» verrichten und mit Recht vernunftlos schreiben, da sie in einer ohnehin vernunftlosen Welt leben. Das Mittel ironischer Verkehrung, aus der schon Erasmus' *Lob der Torheit* lebte, nutzte Liscow auch in seinen wenigen weiteren Schriften, die stets eine persönliche Zielrichtung haben. Goethe tadelte darum, daß Liscow nur das Alberne albern fände, und sein Urteil hat das Bild Liscows lange verdunkelt. Auch die Schrift über die elenden Scribenten geißelt mediokre Gestalten, ist aber darüber hinaus ein scharfsinniger Essay über die Schriftstellerei als solche und weitet sich teilweise zur allgemeinen Weltsatire.

e) Idylle: Geßner

Salomon Geßner (1730–1788) war zeit seines Lebens berühmter, als es seiner Bedeutung entsprach, da er zum Hauptvertreter der im 18. Jahrhundert populären Thementradition der Idylle wurde. Seinen Anlagen und seiner Entwicklung nach war Geßner der Antipode zu seinem Landsmann Haller. Nahm der Naturwissenschaftler aus Bern von Kindheit an die Mühen des Lernens und Forschens auf sich, so beendete der Zürcher Maler und Poet weder seine Schul- noch seine Berufsaus-

bildung. War für Haller die Idylle der Gegenbereich zur allgemeinen und damit
auch eigenen Wirklichkeit, so verstand es Geßner, sein Leben einig mit sich selbst
unter gleichsam idyllischen Bedingungen zuzubringen.

Nachdem Geßner mit *Daphnis und Chloe* (1754) die Geschichte des Longus, die
er aus einer französischen Vorlage kannte, modifiziert hatte, veröffentlichte er
1756 als kurze Prosaszenen seine *Idyllen*. Damit wurde das, was als Tendenz oder
Teilthema in den Werken von Brockes bis Kleist präsent war, als ausschließliche
Wirklichkeit zum Abschluß gebracht. In der Vorrede spricht Geßner von seiner
Überzeugung, daß das goldene Zeitalter wirklich existiert habe und mittels der
Einbildungskraft reproduzierbar sei: «Oft reiß ich mich aus der Stadt los und
fliehe in einsame Gegenden, dann entreißt die Schönheit der Natur mein Gemüt
allem dem Ekel und allen den widrigen Eindrücken, die mich aus der Stadt ver-
folgt haben; ganz entzückt, ganz Empfindung über ihre Schönheit bin ich dann
glücklich wie ein Hirt im goldnen Weltalter und reicher als ein König.» Der
Rückzug in die Idylle war für Geßner ein Rückzug in eine Welt der schönen
Empfindungen. Idyllenthema und Empfindsamkeit vereinten sich. Den Hirten
ist alles Rauhe genommen, sie haben das feine Sensorium des Kulturmenschen. Da
sie in einer Welt der aufgehobenen Widersprüche leben, zählt auch die paradoxe
Tatsache nicht, daß sie als Naturmenschen die Natur reflektieren. Die empfindsame Reproduktion des goldenen Zeitalters bedeutete zugleich die Verneinung
des Entwicklungsgedankens. Die Zeit und ihre Konsequenzen sind in der Idylle
aufgehoben[60]. Dem entsprach das Minimum an Handlung, das Geßner in seinen
Szenen gestaltete. Die Situation ist meist statisch, tendiert zum schönen Tableau,
an dem sich Verfasser, Hirt und Leser erbauten. Wie Geßner zugleich schrieb und
malte, so galt das «ut pictura poesis» insbesondere für seine *Idyllen*. Da aber jetzt die
poetisch gemalte Wirklichkeit zugleich zur malerischen wurde, war das Prinzip
des «ut pictura poesis» in seine letzte Phase getreten. Ein Jahrzehnt später zog
Lessing im *Laokoon* den scharfen Trennungsstrich zwischen der Raumkunst
Malerei und der Zeitkunst Dichtung.

Geßner selbst hat das angekündigt, indem er versuchte, über die Idyllendichtung
hinauszukommen. Mit *Der Tod Abels* (1758) wollte er einen «höheren Gegenstand»
in fünf Gesängen und im Stil des Erhabenen gestalten. Der Absicht Geßners war
das Thema adäquat, denn der Tod Abels ist der Tod des glücklichen Hirten und
damit das Ende der Idylle. Kain, der unter seiner Arbeitslast seufzende Bauer,
neidet dem Empfindsamen sein Glück. Der Gegensatz von Wirklichkeit und
Idylle ist in der Konstellation der Brüder vergegenwärtigt und im Brudermord
ausgetragen worden.

VIERTES KAPITEL

Die Wende: Lessing

Gottsched und Lessing markieren in ihren Gegensätzen und Entsprechungen Beginn und Ende der Literatur der Aufklärung. Reflektierte ersterer aus rationalem Blickwinkel alle literarischen Aspekte, die aus den vergangenen Jahrhunderten auf ihn kamen, so wiesen des letzteren Gedanken in die Zukunft. Wollte Gottsched «die Wahrheit durch ein Beispiel sagen», so blieb Lessing stets auf der Suche nach Wahrheit. Vertrat der eine den dogmatischen, so der andere den antidogmatischen oder kritischen Rationalismus. Fand Gottsched seine Maßstäbe in der Theorie und Dramatik der Franzosen, so focht Lessing gegen die französische Tragödie.

Gemeinsam war Gottsched und Lessing die Überzeugung vom moralischen Endzweck der Literatur. Beide waren vorwiegend am Drama interessiert, an der Gattung also, die am stärksten philosophisch orientiert ist. Bei beiden war ein bestimmtes philosophisches Weltbild die Basis ihrer ästhetischen Ansichten, denn für beide galt Hegels Satz: «An den dramatischen Dichter als produzierendes Subjekt ergeht deshalb vor allem die Forderung, daß er die volle Einsicht habe in dasjenige, was menschlichen Zwecken, Kämpfen und Schicksalen Inneres und Allgemeines zugrunde liegt[61].» Die Forderung nach voller Einsicht in das Allgemeine gilt in gleicher Weise für den Interpreten, der nach dem Weltbild seines Autors fragen muß, um das, was in den Dramen oder dramatischen Theorien verwirklicht wird, darstellen zu können.

a) Leben

Gotthold Ephraim Lessing (1729–1781) wurde als drittes von zwölf Kindern in Kamenz (Oberlausitz) geboren. Der Vater Johann Gottfried Lessing war dort Pastor und mußte seine große Familie mit mäßigen Mitteln durchbringen. Lessing besuchte zunächst die Kamenzer Stadtschule und kam 1741 als Stipendiat auf die Meißener Fürstenschule St. Afra. 1746 ging er mit der Absicht, Theologie zu studieren, nach Leipzig. Dort faszinierten Philosophie, Kunst, Literatur und vor allem das Theater den jungen Kopf weitaus stärker. Er fand seine Freunde in den an der Peripherie jeder interessanten Universität existierenden literarischen Zirkeln und begann, unter dem Eindruck der galanten Umwelt und ihrer Theaterfreudigkeit, Anakreontisches zu schreiben und seine ersten Komödien zu verfassen. Väterlicher Protest gegen dieses Leben endete mit der Erlaubnis, statt Theologie

Medizin zu studieren. Jedoch ließen Verschuldungen und Bürgschaften Lessing 1748 nach Berlin fliehen, das damals Leipzig den Rang als Literatenzentrum streitig zu machen begann. Lessings Weg nach Berlin war der Weg in die Zukunft des freien Schriftstellers, denn familiärer Rückhalt und Aussicht auf ein bürgerliches Amt waren damit zunächst abgeschnitten. Lessing begann als Literaturkritiker zu arbeiten und gab die erste deutsche Theaterzeitschrift (*Beiträge zur Historie und Aufnahme des Theaters*, 1749/50) sowie die literarische Monatsbeilage zu Vossens *Berlinischer privilegierter Zeitung* heraus, die unter dem Titel *Das Neueste aus dem Reiche des Witzes* (1751) erschien. Die als Fortsetzung der *Beiträge* geplante *Theatralische Bibliothek* (1754–58) enthielt Chassirons und Gellerts Äußerungen zur Rührkomödie sowie Lessings Stellungnahme.

1752 hatte sich Lessing den Magistertitel aus Wittenberg geholt, 1755 ließ er sich wieder in Leipzig nieder. Hatte er in Berlin Moses Mendelssohn und Friedrich Nicolai zu Vertrauten und wichtigen Gedankenpartnern gewonnen, so befreundete er sich jetzt in Leipzig mit Ewald von Kleist. Nach der Rückkehr nach Berlin machte er von 1759 bis 1760 mit der Unterstützung Nicolais und Mendelssohns die *Briefe, die neueste Literatur betreffend* zu seinem kritischen Forum. Lessings analytische und schöpferische Leistungen begannen berühmt und anerkannt zu werden, als er 1759 die Berliner Existenz erneut aufgab, um bis zum Ende des Siebenjährigen Krieges Sekretär des preußischen Kommandanten und Generals von Tauentzien in Breslau zu werden. Nach Kriegsende lebte Lessing in wirtschaftlicher Unsicherheit, bis er als Dramaturg des soeben gegründeten Deutschen Nationaltheaters in Hamburg angestellt wurde. Seine kritischen Analysen der aufgeführten Stücke gab Lessing als *Hamburgische Dramaturgie* (1767–69) im Eigenverlag heraus, den er zu diesem Zweck mit einem Kompagnon gegründet hatte. Das Unternehmen endete durch Raubdrucker schnell als Verlustgeschäft.

Neben seinen dramatisch-dramaturgischen Arbeiten interessierte sich Lessing vor allem für die Kunst der alten Welt. In der Leipziger Studienzeit hatte er bei dem Archäologen Johann Friedrich Christ gehört. Mit *Laokoon* (1766), *Briefe antiquarischen Inhalts* (1768/69) und *Wie die Alten den Tod gebildet* (1769) lieferte er seine wesentlichen kunstwissenschaftlichen Diskussionsbeiträge.

1769 wurde Lessing zum Bibliothekar der bekannten, vom Braunschweiger Herzog August dem Jüngeren aufgebauten Wolfenbütteler Bibliothek berufen, an der auch Leibniz gewirkt hatte. Lessing verwaltete die kostbaren, zumeist im 17. Jahrhundert gesammelten Bücherschätze nicht als pedantischer Ordner, sondern mit dem Interesse des entdeckungsfreudigen Kenners und Publizisten. In diese Zeit fiel Lessings späte, ebenso glückliche wie tragisch kurze Ehe. Er hatte 1776 nach langjährigem Warten die verwitwete Hamburger Freundin Eva König heiraten können, sie allerdings Anfang 1778 nach der Geburt eines Kindes bereits verloren. Nur um drei Jahre überlebte Lessing seine Frau. Seine letzte Schaffensperiode war durch die Auseinandersetzung mit orthodoxen Gegnern und durch die Veröffentlichung der philosophischen Spätschriften bestimmt: *Gespräche für Freimaurer. Ernst und Falk* (1778–80), *Die Erziehung des Menschengeschlechts* (1780).

b) Weltbild und Ästhetik

Um Lessings Weltanschauung ist viel gestritten worden, am erbittertsten gleich nach seinem Tod. Die Tatsache, daß Friedrich Heinrich Jacobi und Moses Mendelssohn in einem schriftlichen und veröffentlichten Disput (1783–86) Lessings Weltbild entgegengesetzt interpretierten, zeigt, daß dieses Bild zunächst nicht eindeutig zu fixieren war. Mendelssohn sah in Lessing den Verteidiger des Theismus und der Vernunftreligion. Jacobi berief sich auf Gespräche mit Lessing aus dem Jahre 1780, die sich an Goethes Prometheusgedicht entzündet hatten und in deren Verlauf Jacobi in Lessing einen Spinozisten zu finden meinte. Mendelssohn verteidigte Lessing heftig gegen diesen Vorwurf der «Gotteslästerung» und des «Atheismus».

Mit Alternativen wie Spinoza oder Atheismus ist Lessing indes nicht zu fassen[62]. Lange bevor er Spinoza studierte, hatte Lessing ein Gedankengebäude entwickelt, dessen Grundriß er durch diesen Philosophen bestätigt fand, dessen Aufbau diesem jedoch widersprach. Bereits in dem vor 1753 entstandenen Fragment *Das Christentum der Vernunft* schilderte Lessing die Welt als Selbstverwirklichung Gottes. Gott, der selbst Seele ist, schafft, indem er sich selbst denkt, Seelen. Gott als unendliches Wesen kann alle seine Vollkommenheiten auf einmal denken, der endlichen Seele dagegen begrenzen die fünf Sinne die Vorstellungen (*Daß mehr als fünf Sinne für den Menschen sein können*, ca. 1767). So gibt es Wirklichkeiten, die der Mensch nicht erfassen kann, aber keine «Wirklichkeit der Dinge außer Gott». Die endlichen Seelen sind «eingeschränkte Götter» und «moralische Wesen», wenn sie mit ihrem durch die fünf Sinne begrenzten Bewußtsein ihre Bedingtheit wissen und dementsprechend handeln.

Lessing stimmte mit Spinoza darin überein, daß ein Dualismus von Wesen und Welt, wie ihn zuletzt der Deismus der Aufklärung formulierte, nicht existiert. Wesen und Welt waren für beide identisch. Für Spinoza jedoch, und hier folgte ihm Lessing nicht, war die Welt im Sinne des Pantheismus ein in sich geschlossenes, ruhendes Sein. Spinozas «Substanz» bleibt immer dieselbe: deus sive natura – die Wirklichkeit selbst ist Gott – und je mehr wir die Wirklichkeit erfassen, desto mehr erkennen wir Gott. Lessing dagegen war kein Pantheist, er ging die entgegengesetzte Richtung, denn er erfaßte nicht Gott aus dem Sein, sondern das Sein aus Gott. Dieser Unterschied war entscheidend und der archimedische Punkt in Lessings weltanschaulichem und poetischem System. Das Vollkommene (Gott) muß sich in das Unvollkommene (Welt) zerteilen, um zur Einheit zu kommen. Lessings Weltbild ist so, im Gegensatz zu dem Spinozas, dynamisch. Gott, der sich selbst denkende Verstand, ist zugleich die fortwährende Entwicklung der Welt zu sich selbst.

Lessing, der sich mit allen geistigen Positionen auseinandersetzte, hat Spinoza gegen Leibniz abgewogen und von letzterem Wesentliches übernommen. Leibniz' *Theodicee* lieferte ihm die Begründung für die Unvollkommenheit der Welt. So wie Leibniz die moralischen Übel aus den unklaren Vorstellungen der Monaden erklärte, begründete Lessing sie aus der Unfähigkeit des Menschen, die Wahrheit zu wissen. Damit war an die Stelle des Leibnizschen Optimismus eine pessimistischere Grundhaltung getreten, denn das Mißverhältnis von vermeintlichem Wahrheitsbesitz und tatsächlicher Ignoranz war ein Hauptproblem, das den Jüngling ebenso beschäftigt hat wie den Fünfzigjährigen. Es wurde sowohl in den unter dem Titel *Fragmente* (1753) veröffentlichten Lehrgedichten (*Aus einem Gedichte über die menschliche Glückseligkeit* und *Die Religion*) als auch später in *Nathan der Weise* zum Thema. Anders als für Leibniz war für Lessing diese Welt nicht die beste unter den möglichen, sondern die einzig mögliche. Für Lessing kann Gott nicht mögliche Welten denken, um dann die beste auszuwählen, sondern Gott sowie sein Denken und Schaffen der Welt sind eins.

In der *Erziehung des Menschengeschlechts* (1780) zeigte Lessing die Entwicklung Gottes als Selbstentfaltung der Menschheit. Lessing sah «Erziehung» nicht als «Offenbarung» vom Menschen unabhängiger Gegebenheiten, sondern nur als die vorzeitige Mitteilung dessen, was ohnehin im Menschen liegt. Damit scheinen wesentliche Gedanken ausgesprochen zu sein, die Herder fast zur gleichen Zeit gedacht hatte. Für Herder hatte jedoch jedes Stadium der menschlichen Entwicklung Selbstwert, war zugleich «Mittel und Zweck». Herder stand also Spinoza näher als der teleologisch denkende Lessing, für den jedes menschliche Stadium als Stufe zur Vollkommenheit noch unvollkommen bleibt und für den die Einzelreligionen nur die verschiedenen Formen sind, mit denen die Menschen die eigentliche, die «natürliche Religion» begreifen können (*Über die Entstehung der geoffenbarten Religion*, postum 1784). Das, was jede einzelne oder positive Religion von der natürlichen Religion enthält, ist das Wahre, alles übrige ist Fiktion und notwendiger Irrtum.

Den einzelnen Religionen kommt damit nur relative Wahrheit zu. Dem absoluten Wahrheitsanspruch, dem Dogma, galt Lessings lebenslanger Kampf. Sein relativer Wahrheitsbegriff verbot nicht nur den Anschluß an eine der theologischen Gruppen, seien es Orthodoxe, Neologen oder Pietisten, sondern ließ ihn deren wechselseitige kritische Argumente nutzen und die permanente Kritik zum eigenen Programm werden. Er gab darum die *Fragmente des Wolfenbüttler Ungenannten* (1774 und 1777), in denen der anonyme Verfasser Hermann Samuel Reimarus (1694-1768) rationalistische Bibelkritik trieb, heraus, nicht ohne zugleich in den angehängten *Gegensätzen des Herausgebers* eine Kritik der Kritik mitzuteilen. Der orthodoxe Hamburger Hauptpastor Johann Melchior Goeze

(1717–1786) griff den theologischen Fehdehandschuh auf, den Lessing mit Herausgabe der *Fragmente* hingeworfen hatte. Goeze stellte die Frage nach dem Glaubensbekenntnis Lessings, – nicht ganz zu Unrecht, da Lessings Haltung Erasmischer Uneigentlichkeit näher als lutherischer Unmittelbarkeit war. In seinem *Anti-Goeze* (1778) disqualifizierte Lessing die theologische Frage des Hauptpastors und spielte den Reformator gegen seine päpstlichen Epigonen aus. Ein intellektuelles Feuerwerk prasselte auf Goeze, dem – «schwach im Beweis, stark im Bekenntnis» (Erich Schmidt) – jede Voraussetzung zum Verständnis von Lessings Denken fehlte, und der die Rolle, die Lessing der Offenbarung zuwies, nicht begriff.

In seiner Abhandlung *Über den Beweis des Geistes und der Kraft* (1777) bediente sich Lessing eines sehr aufschlußreichen Bildes, um den axiomatischen Charakter der einzelnen Stufen, die das menschliche Selbstverständnis beschreitet, zu beleuchten: «Gesetzt, es gebe eine große nützliche mathematische Wahrheit, auf die der Erfinder durch einen offenbaren Trugschluß gekommen wäre, leugnete ich darum diese Wahrheit?» Der Trugschluß, die Fiktion, ist gerechtfertigt und notwendig, um der Wirkung willen. Dieser Satz ist die zentrale Formel für Lessings Theorien und verdeutlicht, wie seine Metaphysik nicht nur seine Ethik enthält, sondern auch seine Ästhetik begründet. Alle grundlegenden ästhetischen Gedanken Lessings gelten dem Wahrscheinlichkeitscharakter der Dichtung. Die Formel von der Fiktion, die um der Wirkung willen innere Notwendigkeit hat, herrscht ebenso in Lessings metaphysischen wie in seinen literarischen Theorien.

Die Vorstellung von der besten aller Welten reduzierte die Literatur zur Demonstration oder Nachahmung dieser Welt. Baumgarten definierte die Ästhetik in ihrem ursprünglichen Wortsinn als αἴσθησις Wahrnehmung. Lessing dagegen fand seine Gedanken über die unvollkommene und durch notwendige Irrtümer determinierte Wirklichkeit in einer Ästhetik bestätigt, die auf dem Wahrscheinlichkeitscharakter der Fiktion basiert. Es herrschte nicht mehr die Formel Sein gleich Ratio, sondern es wurde mit der Ratio ein neues Sein begründet: das autonome Kunstgebilde. Da die Wahrheit nicht mehr «durch ein Bild» sagbar war, wurde jetzt der Wahrheit des Bildes das theoretische Fundament gesetzt.

c) Fabeltheorie

Schon als Student beschäftigte sich Lessing mit der Theorie und der Geschichte der Fabel. Damit widmete er sich der für die frühe Aufklärung repräsentativen Gattung, die üppig wucherte und deren verschiedene Triebe und schillernde Blüten die gemeinsame Wurzel Äsop oft kaum noch ahnen ließen. Lessing beschnitt das Vielfältige, reduzierte es auf seine Begriffe und trieb letztlich die Fabel aus dem Garten der Poesie, indem er die lehrende gegen die wahrscheinliche Dichtung abgrenzte.

Aus der Auseinandersetzung mit den Theorien von de La Motte, Richer, Breitinger und Batteux bildeten sich Lessings eigene Vorstellungen, die er 1759 in den *Fabeln. Drey Bücher. Nebst Abhandlungen mit dieser Dichtungsart verwandten Inhalts* darlegte: der moralische Satz wird nicht mehr wie bisher nur verkleidet, sondern auf einen «besonderen Fall» zurückgeführt, der Wirklichkeitscharakter hat. Dieser Charakter ist garantiert, wenn sich die Fabel als Handlung darstellt, als «Folge von Veränderungen, die ein Ganzes ausmachen». In dieser Handlung, in diesem besonderen Fall, kann dann die Lehre «anschauend» erkannt werden. Entscheidend ist, daß Lessing die Wirkung der Fabel aus dem Wirklichkeitscharakter der Handlung ableitet. Die Fiktion wird real als Handlung lebender Wesen, dementsprechend sind die Tiere der Fabeln nicht Ausdruck des Wunderbaren, sondern verkörpern allgemein bekannte Charaktere. Wenn der Zweck der Fabel erreicht ist, bricht sie ab, ohne eine «innere Endschaft» erlangt zu haben. Sie unterscheidet sich so von der epischen und dramatischen Dichtung, die neben der äußeren auch eine «innere, nur ihr selbst zukommende Absicht» hat, um Leidenschaften und nicht nur Erkenntnis zu wecken. Damit ist die Herrschaft der Fabel in der Poesie des 18. Jahrhunderts gebrochen.

d) Laokoon oder Über die Grenzen der Mahlerey und Poesie

Lessing intensivierte seine Thesen über den Realitätscharakter der Dichtung, indem er sie gegen die Malerei abgrenzte. Winckelmann hatte in seiner Schrift *Gedanken über die Nachahmung der griechischen Werke in der Malerei und Bildhauerkunst* (1755) das Geschrei, das Vergil seinen Laokoon ausstoßen läßt, zur negativen Folie gemacht, vor der ihm das «beklemmte Seufzen» der Statue als Ausdruck edler Seelengröße erschien. Lessing griff diesen Vergleich auf und leitete aus ihm in der Abhandlung *Laokoon oder Über die Grenzen der Mahlerey und Poesie* (1766) die Gesetze ab, durch die sich Dichtung von bildender Kunst unterscheidet. Letztere ist «räumliche Kunst» und steht unter dem Gesetz der Simultaneität. Zeitlich kann sie nur einen einzigen Augenblick vergegenwärtigen, sie «muß daher den prägnantesten wählen, aus welchem das Vorhergehende und Folgende am begreiflichsten wird». Das aber verbietet dem bildenden Künstler nicht nur das Schreien Laokoons, sondern das Häßliche überhaupt darzustellen, denn im Bild gerinnt der gestaltete Moment zur Dauer, wird das Häßliche somit verabsolutiert. Anders in der Poesie, sie ist Zeitkunst: es gilt das Gesetz der Sukzession, und der häßliche Augenblick wird durch das Folgende relativiert. Vergils schreiender Laokoon ist darum so legitim wie Homers schreiende Götter.

Indem Lessing die Poesie auf «Vorgänge» reduzierte, macht er einen Schritt, der zugleich notwendig und einseitig war, weil damit eine bisher nicht erfaßte literarische Kategorie auf Kosten bisher herrschender Prinzipien verabsolutiert wurde.

Lessing wandte sich gegen jede Art deskriptiver Poesie, wie sie Haller, Pope oder Ewald von Kleist geschaffen hatten. Ihr mangelt nach Lessing das Täuschende, «worauf Poesie vornehmlich gehet», ihr fehlt der «Begriff des Ganzen», da hier das Koexistierende der geschilderten Körper dem Konsekutiven der Rede widerspricht. Lessing nannte als Gegenbeispiel Homers Darstellung vom Schild des Achill. Homer male den Schild nicht als fertigen Gegenstand, sondern zeige ihn unter den Händen des Hephaistos als werdend: «wir sehen nicht das Schild, sondern den göttlichen Meister, wie er das Schild verfertiget.» Hier, und das ist symptomatisch, irrt Lessing[63]. Die Bilder des Schildes behalten bei Homer Eigengewicht, sie werden nicht in handwerkliche Handlungen aufgelöst. Lessings Handlungsbegriff wurde epischer Anschaulichkeit nicht gerecht. Sein «Begriff des Ganzen», der durch die Beschränkung auf Handlung ermöglicht wird, konnte eben darum das Ganze der Poesie nicht repräsentieren.

e) Hamburgische Dramaturgie

Da der Handlungsbegriff, das dramatische Prinzip, seine hintergründige oder vorherrschende Rolle in Lessings gesamten theoretischen Äußerungen spielt, mußten diese zwangsläufig in eine Poetik des Dramas münden. Die *Hamburgische Dramaturgie* (1767–1769) entstand im unmittelbaren Zusammenhang mit der Aufführungspraxis des Hamburger Nationaltheaters, an dem Lessing seit 1767 als Dramaturg wirkte. Die Zeitschrift enthält als Programm oder Kritik Lessings Dramentheorie.

Im Mittelpunkt steht die Zeichnung des Dichters als «Genie», – um diesen Begriff sammeln sich alle Aspekte, denen Lessing das Drama unterwarf. Die ebenso entscheidende wie bekannte These im 30. Stück lautet: «Das Genie können nur Begebenheiten interessieren, die ineinander gegründet sind, nur Ketten von Ursachen und Wirkungen». Damit ist mehr als die bloße Kausalität der Handlung gemeint. Lessing grenzte das Genie gegen den «witzigen Kopf» ab, der nicht auf das ineinander Gegründete, sondern auf die Ähnlichkeit mit der Wirklichkeit, also auf deren Nachahmung zielt. Das Genie dagegen sondert aus der «unendlichen Mannigfaltigkeit», die nur einem «unendlichen Geist», lies Gott, begreiflich ist, eine ihm faßbare Ordnung ab, in der «innere Notwendigkeit» herrscht (70. Stück). Der begrenzte Weltaspekt des Menschen motiviert so die Welt des Dramas.

Lessings Geniebegriff entpuppt sich damit als die für das Drama umdefinierte Vorstellung von den «endlichen Seelen», den «eingeschränkten Göttern» *(Das Christentum der Vernunft)*, deren Horizont nur einen Teil dessen begreift, was Gott als Ganzes sieht und bewirkt. Das Genie als gleichsam eingeschränkter Gott verhält sich zur Welt des Dramas wie Gott zur Welt insgesamt. Damit ist die Vorstellung vom Dichter als Nachahmer und Beschreiber aufgegeben. Der Poet wird wieder ποιητής: Urheber, Schöpfer einer Welt, der der «Begriff des Ganzen, worauf Poesie vornehmlich gehet», zukommt.

Entspricht die Rolle des Dramenautors für das Drama der Gottes für die Welt, so die Rolle der dramatischen Figur der des Menschen in der Welt. Die Figur ist der dramatischen Wirklichkeit gegenüber so beschränkt wie der Mensch gegenüber der Welt als solcher, denn «das Ganze dieses sterblichen Schöpfers sollte ein Schattenriß von dem Ganzen des ewigen Schöpfers seyn» (79. Stück). Die schon von Leibniz aufgestellte Autor-Gott-Gleichung hatte dieser in den Romanen des Braunschweiger Herzogs verwirklicht gesehen. In der dramengleichen Wirkung dieser Romane (s. S. 209) war jedoch die fruchtbarere Anwendung der Analogie auf das Drama schon impliziert.

Der Mensch in seiner subjektiven Beschränktheit schloß als Dramenfigur die übermenschlichen Gestalten aus, die ebenso das Drama der französischen Klassik wie des deutschen Barock bis in die Zeit vor Lessing beherrschten. Ihnen, den Heroen, galt Lessings Kritik. Der Mensch auf der Bühne sollte dem Zuschauer gleichen. Diese auf Lessings Philosophie bauende Forderung hatte wichtige dramentheoretische Konsequenzen, sie führte zur entscheidenden Umdeutung des aristotelischen Katharsisbegriffes. Dabei konnte sich Lessing auf wesentliche Positionen, die die Empfindsamkeit erobert hatte, stützen. Die aristotelischen Begriffe ρόβος und ἔλεος, die das Verhältnis von Zuschauer und Tragödie bestimmen und im Zentrum der aristotelischen Wirkungsfrage stehen, wurden von Lessing im 74.–78. Stück der Dramaturgie neu definiert. ρόβος wurde von der Aristotelesrezeption vor Lessing allgemein mit «Schrecken» übersetzt. Die Leidenschaften des dramatischen Helden erweckten Schauder, Schrecken, Bewunderung, also Affekte, die den Zuschauer von den Affekten befreien sollten, denen der Held selbst unterworfen war. Der Affekt «Schrecken» hatte damit in der Dramenauffassung vor Lessing distanzierende Qualität. Er schloß die Identifikation des Zuschauers mit dem Helden aus. Lessing hingegen wollte diese Identifikation, er behauptete darum, daß es Aristoteles nicht um die Leidenschaften des Helden selbst, sondern des Zuschauers ginge. Die Tragödie solle die Affekte Mitleid und Furcht erregen. «ρόβος» übersetzte Lessing mit «Furcht», dessen Bedeutung zugleich stark reduziert wurde, indem das Mitleid mit dem Helden an die erste Stelle gesetzt und «Furcht» als das auf uns selbst bezogene Mitleid definiert wurde. Das bedeutete die Umkehr der bisherigen Beziehung von Zuschauer und Held, die Wende vom barocken zum neuzeitlichen Theater.

Die unmittelbare Spiegelung des Zuschauers in der Dramenfigur hatte die Rührkomödie als Selbstbestätigung des Publikums im tugendhaften Helden vorbereitet. Auch Lessings Dramenbegriff war wesentlich von Gedanken geprägt, die im Rahmen der Empfindsamkeit entwickelt worden waren. In *Lessings Briefwechsel mit Mendelssohn und Nicolai über das Trauerspiel* (1756/57) stand schon zur Debatte, was später in der Hamburgischen Dramaturgie feste Argumentationsbasis war.

Nicolais und insbesondere Mendelssohns Spekulationen über die Empfindungen gaben die Voraussetzung für den Mitleidsbegriff, der damit ins Zentrum von Lessings theoretischen Erwägungen geriet[64].

f) Die Dichtung

Obwohl die literarischen Anfangsexperimente Lessings sich thematisch oder formal im Zeitüblichen bewegten, tragen sie schon die besonderen Kennzeichen seines Stiles. Die anakreontischen Gedichte, die Lessing in Leipzig verfaßte und unter dem Titel *Kleinigkeiten* (1751) herausgab, fallen durch ihre oft dialogische Form und ihre Neigung zu Pointen auf. Sie wurden mit Odenversuchen, philosophischen Lehrgedichten und anderem in *G. E. Leßings Schrifften* (1753) wiederabgedruckt. In der Pointe sah Lessing auch den Sinn des Epigramms, mit dem er sich als Herausgeber, Theoretiker (*Zerstreute Anmerkungen über das Epigramm und einige der vornehmsten Epigrammatisten*, 1771) und Autor beschäftigte. Bevorzugte Kleinform war neben dem Epigramm die Fabel, von der 1759 *Drey Bücher. Nebst Abhandlungen mit dieser Dichtungsart verwandten Inhalts* veröffentlicht wurden. Die Weise, wie Lessing bei den Formen, die er bevorzugte, also Epigramm, Fabel und Drama, Gattungsanalyse mit schöpferischer Produktion verband oder letztere auch als Exemplifizierung der Analyse verstand, zeigt die Dominanz der Theorie für Lessing.

Was für die Gedichte zutrifft, gilt auch für die frühen Komödien. Hier bewegte er sich zunächst im Rahmen der Gottschedschen Typenkomödie. Mit deren Hauptquelle, dem *Théâtre italien* (1700), wie auch mit Plautus hat sich Lessing als Übersetzer beschäftigt. Nach dem Vorbild des italienischen Theaters spielen die Bedienten eine wesentliche Rolle. Ob *Der junge Gelehrte* (1748), *Die alte Jungfer* (1749) oder *Der Misogyn* (1748), angetrieben wird die stark betonte Handlung vor allem durch Lisette, die als witzige Intrigantin die Lächerlichkeit der mehr reagierenden als agierenden Titelhelden bloßlegt. Zugleich überwand Lessing mit *Die Juden* (1749) und *Der Freygeist* (1749) die anfängliche Position, indem er nicht mehr verlachenswerte Typen, sondern korrigierbare Fehlhaltungen zeigte. Die Motivation von Handlung und Haltung der Figuren ist in den beiden letztgenannten Stücken noch schwach, doch verweist das Thema von *Die Juden* schon auf den späteren Lessing. Teilweise in *Der Freygeist* und hauptsächlich in *Damon oder Die wahre Freundschaft* (1747) steht das im Rahmen der Empfindsamkeit bedeutsame Freundschaftsthema im Mittelpunkt der Handlung.

Der nach dem Vorbild von Plautus' Stück *Trinummus* verfaßte Einakter *Der Schatz* (1750) beschloß Lessings frühe Komödienproduktion. Erst nach dem Siebenjährigen Krieg entstand seine Meisterleistung auf diesem Gebiet: *Minna von Barnhelm* (1765). Das Verhältnis des sächsischen Fräuleins Minna zum preußischen

Major Tellheim, auf das sich die Handlung gründet, setzt die preußisch-sächsischen Auseinandersetzungen voraus. Tellheim ist seine Großzügigkeit gegenüber den sächsischen Ständen als Bestechlichkeit ausgelegt worden, er ist aus seinem Amt geschieden und weigert sich, Minna zu heiraten, da er ihr keine standesgemäße Existenz bieten zu können glaubt. Mit dieser Grundsituation ist das Modell der sächsischen Typenkomödie höchst bewußt in das Gegenteil verkehrt worden. Nicht mehr der verlachenswerte Außenseiter erscheint, der gegenüber der Gesellschaft und ihren Normen versagt, sondern ein Mensch, vor dem die Gesellschaft unrecht hat und der ihr gegenüber den moralischen Anspruch vertritt. Diese Zurücknahme des Sittengesetzes in das Subjekt hat entscheidende Folgerungen[65]. Damit ist anstelle des Typs der Charakter erforderlich, dessen innere Haltung und Entscheidung das Geschehen motiviert. Damit ist außerdem die Möglichkeit des Scheiterns gegeben, also der tragische Ausgang, falls Charakter und Welt nicht zum Ausgleich kommen. Die nur subjektive Repräsentanz des sittlichen Prinzips begründet darüberhinaus die Unbedingtheit von Tellheims Verhalten. Während er die objektiven Voraussetzungen für die Ehe mit Minna geschwunden sieht, vertritt sie das subjektive Recht der Liebe, die die Welt Welt sein läßt. Beide haben aus ihrer Perspektive recht. Mit der Motivation der Haltung beider erfüllte Lessing seinen dann in der *Hamburgischen Dramaturgie* entwickelten Komödienbegriff, der das Verlachen der Figur ausschloß, und das Lachen über die Situationen, in denen die Figuren stehen, proklamierte. Indem die Haltung der Figuren begründet wird, bleibt der Zuschauer zur Sympathie aufgefordert, zu einer Einstellung also, die die Lächerlichkeit der Situation überwunden sehen möchte und im glücklichen Ausgang des Ganzen bestätigt wird.

Die Struktur von Lessings Komödien fand ihre komplementäre Ergänzung in seinen Tragödien. Hans Rempel zeigte, wie Lessing seine ersten Trauerspielversuche mittels der kausalen Handlungstechnik der frühen Lustspiele machte und daran scheiterte[66]. Am Anfang stehen Fragmente (*Giangir*, 1748; *Samuel Henzi*, 1749). Erst durch die Empfindsamkeit gewann Lessing die Mittel, ein Trauerspiel zu vollenden: *Miß Sara Sampson* (1755). Personal, Ort und Ablauf der Handlung verraten den Einfluß des englischen empfindsamen Romans und Dramas. Die «Tränen des Mitleids und der fühlenden Menschlichkeit», auf die es dem jungen Lessing ankam, provozierte er hier mehr durch die äußere Handlung als durch den Gehalt des Stückes, mehr durch demonstrierte Sentimentalität als durch wirkliche Einfühlung.

Auf das erste Trauerspiel mit seiner thematischen Sentimentalität folgten die theoretischen Überlegungen zur Tragödie, in denen Aspekte der Empfindsamkeit zu jenem Mitleidsbegriff durchdacht wurden, der dann für *Emilia Galotti* (1772) strukturbestimmend werden sollte. Unter den Trauerspielen nimmt *Emilia Galotti* die Stellung ein, die *Minna von Barnhelm* unter den Komödien hat. Die totale Motivierung aller Handlungen und Haltungen beginnt mit dem ersten Auftritt, der, alles weitere begründend, nichts voraussetzt. Handlung und Horizont des Stückes sind völlig identisch. Motor des Geschehens ist Marinelli, der Kammerherr des Prinzen, der die fürstliche Libido nutzt, um seinen Feind, den Grafen Appiani, zu beseitigen und dessen Braut Emilia dem Prinzen zuzuführen. Marinelli, der als Intrigant das böse Pendant zur Lisette der Komödien ist, findet seinen Gegenspieler in Emilias Vater Odoardo, dem Anwalt unbedingter Tugend. Zwischen dem handelnden Bösen und dem unbedingt Tugendhaften, dem bis auf die Tötung der Tochter nichts zu tun bleibt, ist die moralische Qualität der übrigen Figuren nicht so eindeutig fixiert und ihr Verhalten mehr Folge der Situation als Folge eigenen Wollens. Wenn Orsina, die ehemalige Geliebte des Prinzen, ihr unerwartetes Auftreten mit dem Satz motiviert: «Das Wort Zufall ist Gotteslästerung. Nichts unter der Sonne ist Zufall», dann ist damit das Prinzip der Tragödie überhaupt ausgesprochen. Form, Gehalt und Wirkung des Stückes entsprechen einander. Die Notwendigkeit, mit der alles geschieht und dem tragischen Ende zueilt, die Notwendigkeit also, die die Durchfunktionalisierung aller Szenenteile voraussetzte und in der *Dramaturgie* als «Ketten von Ursachen und Wirkungen» beschrieben wurde, sie spiegelt einerseits Lessings Weltbild von der im Ablauf der Geschichte wirksamen Vorsehung und verursacht andererseits das «Mitleid» des Zuschauers, der die Kausalverkettung der Figuren begreift. Keiner der in *Emilia Galotti* auftretenden Gestalten gelingt die Verwirklichung ihrer Absichten. In der Tatsache, daß diese Absichten zu Ursachen von Geschehen werden, deren Wirkungen den Figuren fürchterlich sind, liegt der tragische Widerspruch des Stückes.

Die Folge von *Miß Sara Sampson*, Dramentheorie und *Emilia Galotti* sind Schritte ständiger Objektivierung, die im Schauspiel *Nathan der Weise* (1779) ihre letzte Stufe erreicht. Die im ersten Trauerspiel thematische Empfindsamkeit war Voraussetzung der dramentheoretischen Begriffe, die dann im zweiten Trauerspiel verwirklicht wurden. Das letzte Stück zeigt die Überwindung des Tragischen. Nathan ist weise, da er an seinem Schicksal, das ihm die Familie zugrunde richtete, nicht zerbrach. Er unterlag nicht der Kette von Ursache und Wirkung, sondern gewann Einsicht in sie und rang ihr damit einen Sinn ab. Diesen Sinn vermittelt er in der im Zentrum des Stückes stehenden Ringparabel, die zu Recht als das bündige Exemplum für Lessings Weltbild gilt. Das Wissen um die wahre Religion ist dem Menschen verschlossen, es bleibt ihm nur das strebende Bemühen.

Das Stück verhält sich zur Parabel wie das Exemplum zur Lehre. Damit ist Gottscheds Vorstellung vom Primat des mittels der Dramenhandlung zu beweisenden Satzes verwirklicht und *Nathan der Weise* in den Rahmen des Aufklärungsdramas eingeordnet. Zugleich markiert das Stück das Ende dieses Abschnitts der Dramengeschichte, indem als moralischer Satz dessen Aufhebung proklamiert wird. Denn so wie die statischen Wahrheiten in Lessings philosophischen Schriften zugunsten einer permanenten Entwicklung zur Wahrheit relativiert werden, so

bleibt in Parabel und Stück der Mensch zu positivem Handeln aufgerufen, weil der
bloße Besitz positiver Religion nicht gilt.

g) Die Wende

Lessings theoretische und schöpferische Arbeit setzte für Deutschland den Schlußpunkt unter die europäische Theatertradition, die mit Seneca begann und sich auf
den Römer berief. Darüber hinaus beendete Lessing die Rolle der rhetorisch-deiktischen Literatur überhaupt, indem er sich gegen die deskriptive Poesie wandte.
Wenn Lessing Dramenfiguren ablehnte, die keine Mitleidserregung oder Identifikation erlaubten, dann nicht nur, weil solche Figuren dem Zuschauer unähnlich
sind, sondern auch, weil sie rhetorisch zur Wirklichkeit Stellung nehmen anstatt
handelnd Wirklichkeit zu sein. Darum ist *Laokoon* mit seiner unbedingten Forderung handelnder Charaktere und der Ablehnung malender oder beschreibender
Poesie das wichtigste Dokument zur Wende von rhetorisch-deiktischer zu wahrscheinlicher Dichtung, die nicht Wirklichkeit darstellt, sondern ist. In diesen
Zusammenhang gehört auch Lessings in *Laokoon* gegebene Stellungnahme zur
Allegorie. Auch hier geschah der Abbruch alter Positionen. Die Allegorie wie
auch ihre Sonderform, das Emblem, haben wegen ihrer dualistischen Struktur,
wegen ihres verweisenden Charakters, in Lessings Literaturkonzept keinen Platz.
Lessing wies die Allegorie als «statisches» Phänomen dem bildenden Künstler zu.
Er schob damit einen Grundstein der ganzen bisherigen Literatur beiseite und
bereitete zugleich dem Symbolbegriff der Klassik den Weg.

    Lessings Werk ist von großer Geschlossenheit. Kern des Ganzen ist sein Hand-
lungsbegriff: das dynamische Prinzip. Es liegt seinen philosophisch-theologischen
Ansichten zugrunde, steht im Mittelpunkt seiner ästhetischen Überlegungen und
wurde in der eigenen literarischen Produktion realisiert. Der Entwicklungsgedanke, das Streben nach Wahrheit statt Wahrheitsbesitz sowie die Forderung nach
und die Gestaltung von handelnden Charakteren, alles das sind die verschiedenen
Verwirklichungen des gleichen Grundgedankens. Indem Lessing die Welt als
Werden, als dramatisches Prinzip begriff, bedeutete ihm das dramatische Prinzip
Welt. Darin liegt Lessings Fortschritt und zugleich seine Begrenzung. Es blieb der
Klassik vorbehalten, diese Begrenzung zu überwinden und nicht nur den handelnden Charakter, sondern den Charakter schlechthin zu gestalten und damit für die
durch Lessings Begriffe benachteiligten Bereiche der Lyrik, Epik oder auch Bild-
lichkeit das zu bewirken, was Lessing für das Drama tat.

ANMERKUNGEN UND LITERATUR

ABKÜRZUNGEN

AfK	Archiv für Kulturgeschichte
CG	Colloquia Germanica
DLE	Deutsche Literatur. Sammlung literarischer Kunst- und Kulturdenkmäler in Entwicklungsreihen
DNL	Deutsche National-Litteratur
DU	Der Deutschunterricht
DVjs	Deutsche Vierteljahrsschrift für Literaturwissenschaft und Geistesgeschichte
Euph	Euphorion
GQu	German Quarterly
GRM	Germanisch-romanische Monatsschrift
JAAC	The Journal of Aesthetics and Art Criticism
JEGP	Journal of English and Germanic Philology
MLN	Modern Language Notes
MLR	Modern Language Review
Neoph	Neophilologus
PMLA	Publications of the Modern Language Association of America
RL	Reallexicon der deutschen Literaturgeschichte
StPhil	Studies in Philology
ZfdA	Zeitschrift für deutsches Altertum
ZfdPh	Zeitschrift für deutsche Philologie

ERSTER TEIL: HUMANISMUS

1 Dazu und allgemein zum 1. Kapitel Ernst Cassirer, *Individuum und Kosmos in der Philosophie der Renaissance*, 1927; Konrad Burdach, *Reformation und Renaissance*, 1925; Alfred von Martin, *Soziologie der Renaissance*, ²1949; August Buck, Die Rangstellung des Menschen in der Renaissance: dignitas et miseria hominis, *AfK* 42, 1960.

2 Dazu Hugo Friedrich, *Epochen der italienischen Lyrik*, 1964, S. 192ff.

3 Die Darstellung der bisherigen Ackermann-Diskussion hat Walter Blank mit einer überzeugenden Interpretation verbunden, *DU* 17, 1965.

4 Dazu Heinz Otto Burger, Der Weisskunig – Die Selbststilisierung des letzten Ritters, in: *Dasein heißt eine Rolle spielen*, 1963.

5 Dazu Karl Otto Conrady, Die Erforschung der neulateinischen Literatur, Probleme und Aufgaben, *Euph* 49, 1955.

6 Dazu Renate Hildebrandt-Günther, *Antike Rhetorik und deutsche literarische Theorie im 17. Jahrhundert*, 1966, S. 17; ferner allgemein Erich Trunz in seinem Aufsatz, Der deutsche Späthumanismus um 1600 als Standeskultur (1931), wiederabgedruckt in: *Deutsche Barockforschung*, hrsg. v. Richard Alewyn, 1965.

7 Dazu Ludwig Geiger, *Renaissance und Humanismus in Italien und Deutschland*, 1882, S. 334.

8 Dazu Quirinus Breen, Some espects of humanistic rhetoric and the Reformation, *Archief voor kerkgeschiedenis* 1959; ferner Paul Joachimsen, Loci communes, in: *Luther-Jahrbuch* 1926.

9 Dazu Michael Seidlmayer, *Wege und Wandlungen des Humanismus*, 1965, S. 187f.

10 Dazu Leonard Forster: «Let it be said at once that this grandiose plan failed. It was a characteristic attempt to combine all aspects of human knowledge, but Celtis was not big enough for the task, not sure enough of his material», in: *Selections from Conrad Celtis*, 1948, S. 8.

11 Hans Rupprich, *Der Briefwechsel des Konrad Celtis*, 1934, S. 617.

12 Zum Pagannaturalismus s. Michael Seidlmayer, a.a.O., S. 190.

13 Dazu Jesse Kelley Sowards, Erasmus and the Apologetic Textbook: A Study of the De duplici Copia Verborum ac Rerum, *StPhil* 55, 1958.

14 Eine ausführliche Darstellung des Streites und der Argumente gibt Karl August Meissinger, *Erasmus von Rotterdam*, ²1948.

15 Dazu die ausgezeichnete Interpretation von Johan Huizinga, *Europäischer Humanismus: Erasmus*, 1958.

16 Daß Erasmus «einen so schwachen Charakter besaß», behauptet noch Luigi Bussi, *Erasmus von Rotterdam*, 1967.

17 Auf die Abneigung vieler Deutscher gegen alles Rhetorische verweist Ernst Robert Curtius, *Europäische Literatur und lateinisches Mittelalter*, ²1954, S. 71f.

18 Dazu Berthold Emrich, Topik und Topoi, *DU* 18, 1966.

19 Dazu Joachim Dyck, *Ticht-Kunst, Deutsche Barockpoetik und rhetorische Tradition*, 1966, S. 43.

20 Dazu Renate Hildebrandt-Günther, a.a.O., S. 18f.

21 Dazu Joachim Dyck, a.a.O., S. 76.

22 Dazu Renate Hildebrandt-Günther, a.a.O., S. 61.

23 Dazu Joachim Dyck, a.a.O., S. 50f.

24 Dazu Karl Otto Conrady, *Lateinische Dichtungstradition und deutsche Lyrik des 17. Jahrhunderts*, 1962, S. 43.

25 Zu wichtigen Melencolia-Interpretationen s. Wilhelm Waetzold, *Albrecht Dürer und seine Zeit*, 1953.

26 Dazu Walter Benjamin: «Dies Blatt antizipiert in vielem das Barock», Ursprung des deutschen Trauerspiels, in: *Schriften*, Bd. 1, 1955.

27 Dazu Ernst Robert Curtius, a.a.O., S. 210ff.

28 Dazu Friedrich Ohly, Vom geistlichen Sinn des Wortes im Mittelalter, *ZfdA* 89, 1958/59.

29 Siehe Zweiter Teil Anm. 7; dazu Heinrich Lausberg, *Handbuch der literarischen Rhetorik*, 1960, §§ 895ff.

30 So Wolfgang Kayser, *Das sprachliche Kunstwerk*, ⁴1956, S. 75.

31 Siehe Neudruck 1967.

32 Dazu Albrecht Schöne, *Emblematik und Drama im Zeitalter des Barock*, 1964; Dietrich Walter Jöns, *Das Sinnenbild*, 1966.

33 Dietrich Walter Jöns, a.a.O., S. 28ff.

34 Albrecht Schöne, a.a.O., S. 43ff.

35 Dazu Henning Brinkmann, Anfänge des modernen Dramas in Deutschland, in: *Studien zur Geschichte der deutschen Sprache und Literatur*, 1966, Bd. 2, S. 251.

36 Dazu Gustav Roethe, Frischlin als Dramatiker, in: *Lateinische Litteraturdenkmäler des 15. und 16. Jahrhunderts* 19, 1912, S. XXXVIII.

37 Auf diesen Unterschied wies Hans Joachim Moser in seinem Aufsatz: Renaissancelyrik deutscher Musiker, *DVjs* 5, 1927.

38 Siehe Harold Jantz, German Renaissance literature, und Gerald Gillespie, Notes on the evolution of German Renaissance lyricism, beide in: *MLN* 81, 1966. Sowohl Jantz als auch Gillespie haben nachdrücklich auf Mosers unbeachtet gebliebenen Aufsatz hingewiesen.

39 Dazu Hans Joachim Moser, a.a.O.

40 Dazu Karl Otto Conrady, Die Erforschung der neulateinischen Literatur, a.a.O.
41 Dazu Karl Otto Conrady, *Lateinische Dichtungstradition und deutsche Lyrik des 17. Jahrhunderts*, 1962.
42 Karl Otto Conrady, a.a.O., S. 152.
43 Dazu Gerald Gillespie, a.a.O.

ZWEITER TEIL: REFORMATION

1 *Von der Freiheit eines Christenmenschen*, 5. u. 6. Abschnitt.
2 Zur Sprachauffassung Luthers s. Erich Vogelsang, Luther und die Mystik, in: *Luther-Jahrbuch* 1937; Peter Meinold, *Luthers Sprachphilosophie*, 1958; Erwin Arndt, *Luthers deutsches Sprachschaffen*, 1962; Fritz Tschirch, Die Sprache der Bibelübersetzung Luthers damals, in: *Spiegelungen*, 1966.
3 Dazu S. 37.
4 Dazu Heinrich Bornkamm, Luther als Schriftsteller, in: *Formenwandel*, Festschrift für Paul Böckmann, 1964.
5 Dazu Heinz Otto Burger, Luther als Ereignis der Literaturgeschichte, in: *Dasein heißt eine Rolle spielen*, 1963.
6 Dazu Goethes Definitionen, Nr. 750 und 749 der *Maximen und Reflexionen* (Hamburger Ausgabe, Bd. 12, hrsg. v. Erich Trunz): «Die Allegorie verwandelt die Erscheinung in einen Begriff, den Begriff in ein Bild, doch so, daß der Begriff im Bilde immer noch begrenzt und vollständig zu halten und zu haben und an demselben anzusprechen sei.« »Die Symbolik verwandelt die Erscheinung in Idee, die Idee in ein Bild, und so, daß die Idee im Bild immer unendlich wirksam und unerreichbar bleibt und, selbst in allen Sprachen ausgesprochen, doch unaussprechlich bliebe.»
7 Dazu Peter Meinold, a.a.O., S. 40; ferner Heinrich Bornkamm, a.a.O.
8 Paul Böckmann, *Formgeschichte der deutschen Dichtung*, S. 273.
9 Dazu Ernst Bloch, *Thomas Münzer als Theologe der Reformation*, 1922.
10 *An den Christlichen Adel deutscher Nation*.
11 Wilhelm Dilthey, *Weltanschauung und Analyse des Menschen seit Renaissance und Reformation*, [7]1964, S. 162.
12 Paul Joachimsen, Loci communes, in: *Luther-Jahrbuch* 1926, S. 63f.
13 Dazu Paul Joachimsen, a.a.O., S. 84.
14 Dazu Wilhelm Dilthey a.a.O., S. 166f.
15 Eine englische Übersetzung dieses Briefes gab Quirinus Breen in: *Journal of the History of Ideas* XIII, 1952, S. 413ff.
16 Dazu Paul Böckmann, Der gemeine Mann in den Flugschriften der Reformation, *DVjs* 22, 1944.
17 Siehe die Rolle der Allegorie, die G.J.Martin-ten Wolthuis untersucht in: Der Goldtfaden des Jörg Wickram in Colmar, *ZfdPh* 87, 1968.
18 Dazu Albrecht Schöne, Vom Bild zum Spiel, in: *Emblematik und Drama im Zeitalter des Barock*, 1964, S. 202ff.
19 Dazu Derek van Abbé, Change and Tradition in the Work of Niklaus Manuel of Berne, *MLR* 47, 1952.
20 Derek van Abbé, a.a.O.
21 Zu Ayrers Leben und Werk s. Gottfried Höfer, *Die Bildung Jakob Ayrers*, 1929.
22 Zum dialektischen Verhältnis von Formgebundenheit und Wirklichkeitstreue s. Einleitung zum Dritten Teil: Verkehrte Welt.

23 Dazu Eckehard Catholy, *Das Fastnachtsspiel des Mittelalters*, 1961, S. 252ff.

24 Clemens Lugowski spricht von der »Motivation von hinten«, s. *Die Form der Individualität im Roman*, 1932.

25 G.J.Martin-ten Wolthuis, a.a.O.

26 G.J.Martin-ten Wolthuis, a.a.O.

27 Martha Waller, Wickrams Romane in ihrer künstlerischen Entwicklung unter besonderer Berücksichtigung der Briefe, *ZfdPh* 64, 1939.

28 Joachim G. Boeckh u.a., *Geschichte der deutschen Literatur von 1480 bis 1600*, 1961, S. 463ff.

29 Siehe Georg Wickram, *Sämtliche Werke*, 12. Band, hrsg. von Hans-Gert Roloff, 1968.

DRITTER TEIL: VERKEHRTE WELT

1 Eine Sammlung von Realismusinterpretationen enthält das von Richard Brinkmann herausgegebene Werk *Begriffsbestimmung des literarischen Realismus*, 1969.

2 Schiller an Goethe, 21. April 1797.

3 Clemens Lugowski, *Die Form der Individualität im Roman*, 1932, S. 57.

4 Emil Staiger, *Grundbegriffe der Poetik*, ³1956, S. 136.

5 Clemens Lugowski, a.a.O., S. 20f.

6 Hermann Bausinger, Schildbürgergeschichten, Betrachtungen zum Schwank, *DU* 13, 1961.

7 Dazu u.a. Rainer Gruenter, Die «Narrheit» in Sebastian Brants Narrenschiff, *Neoph* 43, 1949; Hans-Joachim Mähl, Nachwort zu: *Das Narrenschiff*, 1964; Barbara Könecker, *Wesen und Wandlung der Narrenidee im Zeitalter des Humanismus*, 1966.

8 Friedrich Zarncke, Einleitung zu: *Sebastian Brants Narrenschiff*, 1854.

9 Vom Sinn der willkürlichen Kapitelfolge sprach zuletzt Barbara Könecker, *Sebastian Brant – Das Narrenschiff*, 1966, S. 19; dagegen sah Ulrich Gaier, *Studien zu Sebastian Brants Narrenschiff*, 1966, das Werk als rhetorisch strukturierte Einheit: «die beiden Teile [des Werkes] verhalten sich zueinander wie Bereitstellung des Materials und Argumentation darüber, wie narratio und probatio in einer Quintilianschen Rede. Dieser Zuordnung entspricht die Vorrede als prooemium ... Die Kapitel 100–112 ... würden die peroratio bilden. Wenn diese Zuordnungen richtig sind, so erscheint das «Narrenschiff» als eine große, bruchlose Einheit, als Einheit im großen Entwurfe geplant und mit Genauigkeit ausgeführt», S. 181.

10 Dazu Rainer Gruenter, Thomas Murners satirischer Wortschatz, *Euph* 53, 1959.

11 Rainer Gruenter, a.a.O.

12 Dazu die vorzügliche Studie Hugo Sommerhalders, *Johann Fischarts Werk*, 1960, S. 119.

13 Hugo Sommerhalder, a.a.O., S. 40ff.

14 Dazu Erich Auerbach, Die Welt in Pantagruels Mund, in: *Mimesis*, ³1964, S. 250ff.

15 Dazu Hugo Sommerhalder, a.a.O., S. 52ff.

16 Hugo Sommerhalder, a.a.O., S. 77.

17 Dazu Adolf Hauffen u. Carl Diesch, Grobianische Dichtung, in: *RL*, Bd. 1, 1958.

18 DNL 32, S. 45.

19 Dazu Curt von Faber du Faur, Johann Michael Moscherosch, der Geängstigte, *Euph* 51, 1957.

20 Georg Gottfried Gervinus, *Geschichte der poetischen National-Literatur*, 3. Bd., 1838, S. 408.

21 Günther Weydt, Zum Bildungsstand des Simplicissimusdichters, in: *Nachahmung und Schöpfung im Barock*, 1968; dazu auch Manfred Koschlig, Der Mythos vom Bauernpoeten Grimmelshausen, in: *Jahrbuch der deutschen Schillergesellschaft* 9, 1965.

22 Zur Kritik der beiden entgegengesetzten Simplicissimusdeutungen s. Gerhart Mayer, Die Personalität des Simplicius Simplicissimus, *ZfdPh* 88, 1969. Mayer wendet sich einerseits gegen die Auffassung einer Charakterentwicklung Simplicii und andererseits gegen die Interpretation, die in Simplicius eine bloße Erzählfunktion oder eine Typenaddition sieht. Er stellt die christlich-theologisch begründete Identität der Person dagegen, deren Wesenskern ihr Gewissen ist. Für Mayer gewinnt der Icherzähler Simplicius und dank der autobiographischen Struktur des Romans durch ihn der Autor selbst aus der Gotteserkenntnis seine Selbsterkenntnis. Diese These gibt der von Grimmelshausen wiederholt betonten Relativität aller Selbsterkenntnis zu wenig Gewicht.

23 Günther Weydt, Planetensymbolik im barocken Roman, in: *Nachahmung und Schöpfung im Barock*, 1968.

24 Dazu Paul Böckmann, *Formgeschichte der deutschen Dichtung*, 1949, S. 459ff.; ferner Clemens Heselhaus, Grimmelshausen – Der abenteuerliche Simplicissimus, in: *Der deutsche Roman*, hrsg. v. Benno v. Wiese, Bd. 1, 1965.

25 So Arnold Hirsch, *Bürgertum und Barock im deutschen Roman*, 1957, S. 25.

26 Vorrede zum zweiten Teil des *Vogelnestes*.

27 Dazu besonders Richard Alewyn, *Studien zum Roman des 17. Jahrhunderts*, 1932.

28 *Winternächte*, 5. Buch, 12. Kapitel.

29 Ich wurde durchs Fewer wie Phoenix geborn.
Ich flog durch die Lüffte! wurd doch nit verlorn,
Ich wandert durchs Wasser, Ich raißt über Landt,
in solchem Umbschwermen macht ich mir bekandt,
was mich offt betrüebet und selten ergetzt,
was war das? Ich habs in diß Buche gesetzt,
damit sich der Leser gleich wie ich itzt thue,
entferne der Thorheit und lebe in Ruhe.

30 Dazu Wolfgang Hecht, *Christian Reuter*, 1966, S. 35.

31 Dazu Arnold Hirsch, *Bürgertum und Barock im deutschen Roman*, 1957, S. 46.

32 Dazu Arnold Hirsch, a.a.O., S. 48: «Weise nimmt eine Übergangsstellung ein. In seiner Jugend von dem neuen politischen Bildungsideal erfaßt, vermag er diese Idee mit seinem Glauben zu vereinen, ohne den inneren Widerspruch zu erkennen. In seinen Spätwerken aber zeigt sich, daß er das Streben der politischen Bildung nach Autonomie und ihren Gegensatz zur religiösen Lebensdeutung erkannt hat». Dazu auch der innere Widerspruch von Gellerts Moralbegriff, s. S. 250.

33 Arnold Hirsch, a.a.O., S. 60ff.

VIERTER TEIL: BAROCK

1 Dazu Ernst Robert Curtius, *Europäische Literatur und lateinisches Mittelalter*, ²1954, S. 277ff.; René Wellek, The Concept of Baroque in literary Scholarship, *JAAC* 5, 1946/47; Harold Jantz, German Baroque Literature, *MLN* 77, 1962; Karl Otto Conrady, *Lateinische Dichtungstradition und deutsche Lyrik des 17. Jahrhunderts*, 1962, S. 9ff.; Albrecht Schöne, Vorbemerkung zu: *Das Zeitalter des Barock, Texte und Zeugnisse*, 1963; Angelo George de Capua, Baroque and Mannerism: Reassessment, 1965, sowie Blake Lee Spahr, Baroque and Mannerism: Epoch and Style, beides in: *CG* 1, 1967.

2 Karl Otto Conrady, a.a.O., S. 16.

3 Albrecht Schöne, *Emblematik und Drama im Zeitalter des Barock*, 1964; Dietrich Walter Jöns, *Das «Sinnen-Bild»*, 1966; Joachim Dyck, *Ticht-Kunst, Deutsche Barockpoetik und rhe-*

torische Tradition, 1966. Hans-Jürgen Schings, *Die patristische und stoische Tradition bei Andreas Gryphius*, 1966.

4 Mit großer Schärfe von Harold Jantz, German Baroque Literature, a.a.O.

5 So Ferdinand Jacob van Ingen, *Vanitas und memento mori in der deutschen Barocklyrik*, 1966.

6 Hans Heinrich Borcherdt, *Andreas Tscherning*, 1912, S. 27f.

7 Herbert Schöffler, *Deutsches Geistesleben zwischen Reformation und Aufklärung*, ²1956.

8 Dazu Wilhelm Dilthey, *Weltanschauung und Analyse des Menschen seit Renaissance und Reformation*, ⁷1964, S. 443f.

9 Justus Lipsius, *Von der Bestendigkeit*, mit einem instruktiven Nachwort hrsg. v. Leonard Forster, 1965.

10 Zum Beweis für die Problematik des Barockbegriffs konfrontierte Karl Otto Conrady als verschiedene Beispiele, die jeweils das «gemeinsame des Barocks» erfassen wollen, die Abhandlung von Fritz Strich, Der europäische Barock (in: *Der Dichter und die Zeit*, 1947), mit dem Aufsatz von Erich Trunz, Weltbild und Dichtung im deutschen Barock (in: *Aus der Welt des Barock*, 1957). Stellt Strich den Vanitasbegriff in den Mittelpunkt, so behandelt Trunz den Ordogedanken.

11 Erich Trunz, Weltbild und Dichtung im deutschen Barock, a.a.O.

12 Zur Figuration s. Erich Auerbach, Figura, *Archivum Romanicum* 22, 1938; ferner Albrecht Schöne, Figurale Gestaltung, in: *Säkularisation als sprachbildende Kraft*, 1958.

13 Karl Otto Conrady, a.a.O., S. 195.

14 Dazu Jörg-Ulrich Fechner, *Der Antipetrarkismus*, 1966.

15 Dazu Wilhelm Dilthey, a.a.O., S. 277.

16 Dazu George Schulz-Behrend, Opitz' Zlatna, *MLN* 77, 1962.

17 Dazu Kurt H. Wels, Opitz und die stoische Philosophie, *Euph* 21, 1914.

18 Richard Alewyn, *Vorbarocker Klassizismus und Griechische Tragödie*, 1962, S. 38.

19 Karl Otto Conrady, a.a.O., S. 204.

20 Karl Otto Conrady, a.a.O., S. 216f.

21 Richard Alewyn, a.a.O., S. 23.

22 Dazu Friedrich-Wilhelm Wentzlaff-Eggebert, *Dichtung und Sprache des jungen Gryphius*, 1936; ferner Eberhard Mannak, *Andreas Gryphius*, 1968, S. 25.

23 Zitiert nach Marian Szyrocki, *Der junge Gryphius*, 1959, S. 69.

24 Diesen Zusammenhang behandelt allgemein Ferdinand Jacob van Ingen, a.a.O.

25 Dazu Willi Flemming, *Andreas Gryphius*, 1965, S. 38.

26 Hans-Jürgen Schings, a.a.O.

27 So Dietrich Walter Jöns, a.a.O., S. 239 u. 250.

28 Dazu Erich Trunz, Andreas Gryphius: Über die Geburt Jesu, in: *Die deutsche Lyrik*, hrsg. v. Benno v. Wiese, 1957, Bd. 1, S. 133ff.

29 Dazu Karl Otto Conrady, a.a.O., S. 235ff.

30 Marian Szyrocki, *Der junge Gryphius*, 1959.

31 Dazu Marian Szyrocki, a.a.O., S. 84ff., sowie Joseph Leighton, On the Interpretation of Andreas Gryphius' Sonnet «Es ist alles Eitel», *MLR* 60, 1965. Leighton verweist auf die 6+1—6+1 Gliederung des Sonetts. Dazu auch Offenbarung 13,18: «Hier ist Weisheit! Wer Verstand hat, der überlege die Zahl des Tieres; denn es ist eines Menschen Zahl, und seine Zahl ist sechshundertsechsundsechzig.» Diese Bibelstelle ist auch der Schlüssel für die Halbzeile «Dreymal sind schon sechs Jahr» des Sonetts «Thränen des Vaterlandes / anno 1636».

32 Walter Benjamin, Ursprung des deutschen Trauerspiels, in: *Schriften*, Bd. 1, 1955 S. 261f.; dazu auch Elida Maria Szarota, *Künstler, Grübler und Rebellen*, 1967, S. 198.

33 Albrecht Schöne, *Figurale Gestaltung*, a.a.O.

34 Dazu Hans-Jürgen Schings, «Catharina von Georgien», in: *Die Dramen des Andreas Gryphius*, hrsg. v. Gerhard Kaiser, 1968.

35 Vorrede zu «Thränen über das Leiden Jesu Christi».

36 Hans-Jürgen Schings, «Catharina von Georgien», a.a.O.

37 Hugh Powell, Gryph's Weltanschauung, in: *Introduction to Carolus Stuardus*, 1963.

38 Vgl. S. 177f

39 Wolfgang Kayser, *Die Klangmalerei bei Harsdörffer*, 1932, S. 32.

40 Dazu Georg Adolf Narziss, *Studien zu den Frauenzimmergesprächspielen Georg Philipp Harsdörfers*, 1928, S. 28.

41 Georg Philipp Harsdoerffer, *Poetischer Trichter*, Erster Teil, Neudruck 1969, S. 10.

42 Dazu Ernst Robert Curtius, a.a.O., S. 288.

43 Heinrich Lausberg, *Handbuch der literarischen Rhetorik*, 1960, S. 548.

44 Dazu Paul Hankamer, *Die Sprache, ihr Begriff und ihre Deutung im 16. und 17. Jahrhundert*, 1927; Wolfgang Kayser, Böhmes Natursprachenlehre und ihre Grundlagen, *Euph* 31, 1930; Wolfgang Kayser, *Die Klangmalerei bei Harsdörffer*, 1932; Wolfgang Hecht, Nachwort zur «Ausfuehrlichen Arbeit von der Teutschen HaubtSprache», Neudruck 1967.

45 *Poetischer Trichter*, Erster Teil, a.a.O., Anhang § 2.

46 Dazu Volker Meid, Barocknovellen? Zu Harsdörffers moralischen Geschichten, *Euph* 62, 1968.

47 Conrad Wiedemann, *Johann Klaj und seine Redeoratorien*, 1966, S. 57ff.

48 Harsdörffer in seiner an Klaj gerichteten brieflichen Würdigung des «Herodes», in: Johann Klaj, *Redeoratorien*, Neudruck 1965, S. 197.

49 Dazu Conrad Wiedemann, a.a.O., S. 121ff.

50 Dazu Richard Alewyn, *Das große Welttheater*, 1959, S. 9–70.

51 Siehe Conrad Wiedemann, Nachwort zu Johann Klaj, *Friedensdichtungen*, Neudruck 1968.

52 Dazu Erich Trunz, Der deutsche Späthumanismus um 1600 als Standeskultur, in: *Deutsche Barockforschung*, hrsg. v. Richard Alewyn, 1965.

53 Dazu Joachim Dyck, a.a.O., S. 14; zur Erklärung der rhetorischen Begriffe, s. S. 32f.

54 Dazu August Buck, Einleitung zum Neudruck von J.C. Scaligers *Poetices libri septem*, 1967; dazu auch S. 11.

55 Siehe August Buchner, *Anleitung zur Deutschen Poeterey*, cap. I, sowie *POET*, 1. Diskurs, Neudruck 1966.

56 Dazu Ulrich Maché, Zesen als Poetiker, *DVjs* 41, 1967.

57 Ulrich Maché, a.a.O.

58 So Renate Hildebrandt-Günther, *Antike Rhetorik und deutsche literarische Theorie im 17. Jahrhundert*, 1962, S. 50.

59 Siehe S. 174 und S. 177f.

60 Daniel Georg Morhof, *Unterricht von der Teutschen Sprache und Poesie*, Neudruck 1969, S. 313f.

61 Dazu Nachwort von Henning Boetius zu Morhof, a.a.O., S. 401.

62 Dazu Bruno Markwardt, *Geschichte der deutschen Poetik*, Bd. 1, 1937, S. 307.

63 So Renate Hildebrandt-Günther, a.a.O., S. 61.

64 Dazu Albrecht Schöne, Vorbemerkung zu: *Das Zeitalter des Barock*, 1963.

65 Dazu Axel Lindquist, Die Motive und Tendenzen des deutschen Epigramms im 17. Jahrhundert, in: *Das Epigramm*, hrsg. v. Gerhard Pfohl, 1969, S. 298.

66 Dazu Walter Mönch, *Das Sonett. Gestalt und Geschichte*, 1955; Jörg-Ulrich Fechner, Einführung zu: *Das deutsche Sonett*, 1969.

67 Dazu Walter Mönch, a.a.O.

68 Dazu Leonard Forster, *Die Niederlande und die Anfänge der Barocklyrik in Deutschland*, 1967, S. 7.

69 Dazu Hans-Henrik Krummacher, Andreas Gryphius und Johann Arndt, in: *Formenwandel*, Festschrift für Paul Böckmann, 1964.

70 Dazu Karl Viëtor, *Geschichte der deutschen Ode*, 1923; Julius Wiegand u. Werner Kohlschmidt, Ode, in: *RL* ²1965.

71 So Leonhard Forster, *Georg Rudolf Weckherlin*, 1944, S. 39.

72 Leonard Forster, a.a.O., S. 117.

73 Aus der Ode «Ludus Palamedis sive latrunculorum, vulgo scacchus».

74 Zur Tradition dieser Gleichung s. Ernst Robert Curtius, a.a.O., S. 148ff.; auf die Bedeutung der Welt-Spiel-Gleichung hat Max Wehrli mehrmals hingewiesen, s. Nachwort zu: Jacob Balde, *Dichtungen*, 1963, und Jacob Bidermann, *Philemon Martyr*, 1960.

75 Diese Ambivalenz hat Martin Heinrich Müller in seiner Dissertation, *Parodia Christiana, Studien zu Jacob Baldes Odendichtung*, Zürich 1964, eingehend geschildert.

76 Vgl. Hans-Jürgen Schings, a.a.O.

77 Dazu Waldtraut-Ingeborg Geppert, Kirchenlied, in *RL*, ²1958.

78 Günther Müller, *Geschichte des deutschen Liedes*, 1925, S. 57.

79 Den «Niederschlag seines Seelenlebens» vermißte Hans Heinrich Borcherdt, in: *Andreas Tscherning*, 1912, S. 81; vom «Zusammenstückeln» spricht Jörg-Ulrich Fechner, *Der Antipetrarkismus*, 1966.

80 Neues zu Biographie und Texten Greflingers brachte Elger Bluhm, Neues über Greflinger, *Euph* 58, 1964.

81 Vom Sprengen der Konvention sprechen Joachim G. Boeckh u.a. ,*Geschichte der deutschen Literatur 1600–1700*, 1963, S. 166.

82 Günther Müller, a.a.O., S. 93.

83 Jörg-Ulrich Fechner, *Der Antipetrarkismus*, 1966.

84 Siehe Max Freiherr von Waldberg, Einleitung zu *Venus-Gärtlein*, Neudruck 1890.

85 Hans Pyritz, *Paul Flemings deutsche Liebeslyrik*, 1932; s. besonders das Kapitel «Persönlichkeitsausdruck», das nachgedruckt wurde in: *Deutsche Barockforschung*, hrsg. v. Richard Alewyn, 1965, S. 342ff.

86 So Joachim Boeckh u.a., *Geschichte der deutschen Literatur 1600–1700*, 1963, S. 163. Die repräsentative Literaturgeschichte der DDR schleppt damit das Mißverständnis der früheren «bürgerlichen» Literaturhistoriker weiter, die die Qualität eines Barockdichters nur damit begründen konnten, daß er «die Konventionen durchbrochen» habe.

87 Dazu Ernst Robert Curtius, a.a.O., S. 297ff.; Hugo Friedrich, *Epochen der italienischen Lyrik*, 1964, S. 545ff. und S. 593ff.

88 Ernst Robert Curtius, a.a.O., S. 299f.

89 Vorrede «An den geneigten Leser» zu: *Deutsche Übersetzungen und Gedichte*, 1679. Auf die poetologische Qualität der Vorrede weist Erwin Rotermund, *Christian Hofmann von Hofmannswaldau*, 1963, S. 56ff. Rotermund steht einerseits einer Zuordnung Hoffmannswaldaus zum Manierismus kritisch gegenüber, nennt aber andererseits in seinem Kapitel «Die Poetik» nur Kriterien, die für ein manieristisches Selbstverständnis Hoffmannswaldaus sprechen. Die von Rotermund konstatierte «ungewöhnlich starke Betonung der eigenen Originalität» hat mit dem Originalitätsbegriff späterer Zeiten nichts gemein. Sie ist manieristische Überbetonung des ingeniums und entspricht Hoffmannswaldaus starker Bewertung der inventio. Dazu Heinrich Lausberg, a.a.O., § 1152/1153: «Die Tätigkeit des ingenium ist die inventio ... Ein Überwiegen des ingenium bringt als Ergebnis den Manierismus.» Dazu auch eingehend Ernst Robert Curtius, a.a.O., S. 297ff.

90 Vorrede zu: *Poetische Grabschriften*.

91 Vom Rollencharakter des Barockgedichts spricht Paul Stöcklein in seiner Interpretation «Vergänglichkeit im Liebesgedicht», in: *Wege zum Gedicht*, hrsg. v. Rupert Hirschenauer und Albert Weber, 1956, S. 77ff.

92 Benjamin Neukirch, Anweisung zu Teutschen Briefen (1721), in: *Der galante Stil*, hrsg. v. Conrad Wiedemann, 1969.

93 Vgl. S. 118; der instruktive Aufsatz von Blake Lee Spahr, Baroque and Mannerism: Epoch and Style, a.a.O., mündet leider in das alte Mißverständnis einer «expressiven» Barockkunst, die «emotio» sei, während hinter dem Manierismus «ratio» stehe.

94 Ernst Robert Curtius, a.a.O., S. 286.

95 Philipp von Zesen, *Deutsches Helikons ehrster Teil*, 1649, S. 265f.

96 Neukirchs Vorrede zu seiner Edition Hoffmannswaldaus, 1697.

97 Dazu Hans Dahlke, *Johann Christian Günther*, 1960, S. 69.

98 Dazu Hans Dahlke, a.a.O., S. 137.

99 Dazu Eva Dürrenfeld, *Paul Fleming und Johann Christian Günther*, Diss. Tübingen, 1963.

100 Gerald Gillespie, Suffering in Günther's Poetry, GQu 41, 1968.

101 Dazu Johannes Müller, *Das Jesuitendrama*, 1930.

102 Johannes Müller, a.a.O., S. 65.

103 Willi Flemming, Einführung zu: *Das Ordensdrama*, DLE, 1930, S. 15.

104 Dazu Max Wehrli, Bidermanns Cenodoxus, in: *Das deutsche Drama*, hrsg. v. Benno v. Wiese, Bd. 1, 1958.

105 Ernst Robert Curtius, a.a.O., S. 148ff.

106 Siehe Anm. 12.

107 Georg Philipp Harsdoerffer, *Poetischer Trichter*, Die eilffte Stund; dazu Albrecht Schöne, *Emblematik und Drama im Zeitalter des Barock*, 1964, S. 165.

108 Albrecht Schöne, a.a.O., S. 163.

109 Georg Philipp Harsdoerffer, *Poetischer Trichter*, Die eilffte Stund.

110 Dazu Wilhelm Dilthey, Die Funktion der Anthropologie in der Kultur des 16. und 17. Jahrhunderts, in: *Weltanschauung und Analyse des Menschen seit Renaissance und Reformation*, ⁷1964, S. 416ff.; ferner die wichtige Arbeit von Erika Geisenhof, *Die Darstellung der Leidenschaften in den Trauerspielen des Andreas Gryphius*, Diss. Heidelberg, 1957.

111 Dazu Erika Geisenhof, a.a.O.

112 Dazu Hans-Jürgen Schings, *Die patristische und stoische Tradition bei Andreas Gryphius*, 1966, S. 234ff.

113 Dazu Walter Benjamin, Ursprung des deutschen Trauerspiels, a.a.O.

114 Dazu Klaus Günther Just, *Die Trauerspiele Lohensteins*, 1961.

115 Felix Bobertag, Einleitung zum Band 36 der DNL.

116 Siehe Kommentar und Ausgabe *Lohensteins Trauerspiele*, hrsg. v. Klaus Günther Just, 1952ff.

117 Dazu Klaus Günther Just, a.a.O.

118 Dazu Wolfgang Kayser, Lohensteins Sophonisbe als geschichtliche Tragödie, GRM 29, 1941; Rolf Tarot, Lohensteins Sophonisbe, Euph 59, 1965; Wilhelm Vosskamp, *Zeit- und Geschichtsauffassung im 17. Jahrhundert bei Gryphius und Lohenstein*, 1967, S. 207ff.

119 Klaus Günther Just, a.a.O., S. 134.

120 Vom Wertrelativismus spricht Edward Verhofstadt, *D.C. v. Lohenstein: Untergehende Wertwelt und ästhetischer Illusionismus*, 1964; die Gegenposition beziehen Rolf Tarot, a.a.O., und Wilhelm Vosskamp, a.a.O.

121 Dazu Elida Maria Szarota, *Künstler, Grübler und Rebellen*, 1967, S. 318f.

122 Dazu Paul Hankamer, *Deutsche Gegenreformation und deutsches Barock*, 1935, S. 314ff.

123 Schiller an Goethe, 15. Oktober 1799.

124 Dazu Paul Stachel, *Seneca und das deutsche Renaissancedrama*, 1907.

125 Dazu Klaus Günther Just, *Die Trauerspiele Lohensteins*, 1961. S. 66ff.

126 Mariamne, 1. Abhandlung, in: *Trauer- Freuden- und Schäffer-Spiele*, Breßlau o. J.

127 Walter Hinck, *Das deutsche Lustspiel des 17. und 18. Jahrhunderts und die italienische Komödie*, 1965.

128 Paul Böckmann, *Formgeschichte der deutschen Dichtung*, ²1965, S. 445ff., spricht von der «Kritik der Eloquentiaideals».

129 Vgl. Dritter Teil: Verkehrte Welt.

130 Herbert Singer, *Der galante Roman*, 1961, S. 9ff.

131 Richard Newald, *Die deutsche Literatur vom Späthumanismus zur Empfindsamkeit*, ²1957, S. 230.

132 Jan Heendrik Scholte, Zesens Adriatische Rosemund, DVjs 23, 1949.

133 Dazu Arnold Hirsch, *Bürgertum und Barock im deutschen Roman*, 1957, S. 89ff.

134 Dazu Arnold Hirsch, a.a.O., sowie Heinrich Meyer, *Der deutsche Schäferroman*, 1928. Mit der von Meyer geäußerten These der Erlebnisdichtung setzte sich Hirsch kritisch auseinander.

135 Dazu Arnold Hirsch, a.a.O.

136 Dazu Heinrich Lausberg, *Handbuch der literarischen Rhetorik*, 1960, S. 130.

137 *Assenat*, 1670, S. 265.

138 Dazu Wolfgang Bender, *Verwirrung und Entwirrung in der Octavia | Römische Geschichte*, Diss. Köln, 1964.

139 Sigmund von Birken, Teutsche Rede-bind-und-Dichtkunst, 1679, § 211; dazu Clemens Heselhaus, *Anton Ulrichs Aramena*, 1939, S. 22.

140 Brief vom 26. April 1713, Leibnizens Briefwechsel mit Herzog Anton Ulrich, hrsg. v. E. Bodemann, *Zs. des histor. Vereins für Niedersachsen*, 1888, S. 233f.

141 *Sophonisbe*, Widmungsvorrede.

142 Dazu Wolfgang Pfeiffer-Belli, *Die asiatische Banise*, 1940; Wolfgang Pfeiffer-Belli, Nachwort zur Textausgabe, 1965.

143 Dazu Elisabeth Schwarz, *Der schauspielerische Stil des deutschen Hochbarock, beleuchtet durch H. A. v. Ziglers Asiatische Banise*. Diss. Mainz, 1955; ferner Elisabeth Frenzel, H. A. v. Zigler als Opernlibrettist, *Euph* 62, 1968.

144 Elisabeth Frenzel, a.a.O.

145 Elisabeth Frenzel, a.a.O.

146 Meister Eckhart, aus: Reden der Unterscheidung, in: *Ein Textbuch aus der altdeutschen Mystik*, hrsg. v. Hermann Kunisch, 1958.

147 Dazu u.a. Hugo von Hofmannsthal, *Chandos-Brief*, 1901.

148 Carl Gustav Jung, Einleitung in die religionspsychologische Problematik der Alchemie, in: *Bewußtes und Unbewußtes*, 1957.

149 Nach dem sagenhaften Hermes Trismegistos, der auf einer Smaragdtafel alchemistische Urweisheiten verewigt haben soll; dazu: Will-Erich Peuckert, *Pansophie*, ²1956.

150 Georg Wilhelm Friedrich Hegel, *Vorlesungen über die Geschichte der Philosophie*, hrsg. v. Hermann Glockner, 1928, 3. Bd., S. 301.

151 Dazu die Einleitungen zu Jacob Böhme, *Sämtliche Schriften*, begonnen von August Faust, hrsg. v. Will-Erich Peuckert, 1942ff.

152 Dazu Josef Quint, Mystik und Sprache, in: *Altdeutsche und altniederländische Mystik*, hrsg. v. Kurt Ruh, 1964, S. 141.

153 Josef Quint, a.a.O.

154 Dazu Wolfgang Kayser, Böhmes Natursprachenlehre und ihre Grundlagen, *Euph* 31, 1930.

155 Dazu Hans Ludwig Held, Leben und Werk des Angelus Silesius, in: Angelus Silesius, *Sämtliche poetische Werke*, ³1952.
156 Dazu Conrad Wiedemann, Engel, Geist, Feuer, in: *Literatur und Geistesgeschichte*, Festgabe für Heinz Otto Burger, 1968.
157 So Heinz Otto Burger, Nachwort zu: C.R. v. Greiffenberg, *Geistliche Sonnette, Lieder und Gedichte*, Neudruck 1967.
158 Dazu Walter Dietze, *Quirinus Kuhlmann*, 1963.
159 Walter Dietze, a.a.O., S. 286f.

FÜNFTER TEIL: AUFKLÄRUNG

1 Gottfried Wilhelm Leibniz, Essais de Théodicée, zitiert nach Georg Wilhelm Friedrich Hegel, *Vorlesungen über die Geschichte der Philosophie*, hrsg. v. Hermann Glockner, 1928, Bd. 3, S. 469.
2 Dazu der Aufsatz von Hans R.G. Günther, Psychologie des deutschen Pietismus, *DVjs* 4, 1926.
3 Albert Köster, *Die deutsche Literatur der Aufklärungszeit*, 1925, S. 110.
4 Ernst Cassirer, *Die Philosophie der Aufklärung*, 1932, S. 405.
5 Christian Wolff, *Vernünftige Gedancken . . .*, § 59; dazu Joachim Birke, *Christian Wolffs Metaphysik und die zeitgenössische Literatur- und Musiktheorie*, 1966. Die Arbeit gibt in knapper, überzeugender Weise, Aufschluß über die philosophischen Voraussetzungen der Literaturtheorie Gottscheds.
6 Dazu Joachim Birke, a.a.O., S. 12ff.
7 Johann Christoph Gottsched, *Weltweisheit*, Einleitung.
8 Johann Christoph Gottsched, *Critische Dichtkunst*, 1. Teil, IV. Hauptstück.
9 Dazu Ernst Cassirer, a.a.O., S. 444ff.
10 Johann Jakob Breitinger, *Critische Dichtkunst*, 1740, S. 30.
11 Zur Rolle der Ironie in Gellerts Roman vgl. die Analyse Robert H. Spaethlings, Gellerts «Leben der schwedischen Gräfin von G.», *PMLA* 81, 1966. Spaethling konnte an Israel Stamms Überlegungen zur Rolle der Ironie in Gellerts Moralischen Vorlesungen anknüpfen (Israel S. Stamm, Gellert: Religion and Rationalism, *Germanic Review* xxviii, 1953). Stamm schrieb: «In their totality these lectures have an ambiguous, even an ironic character, for that which is said (by natural reason) is in effect unsaid (by Christian view). So that when one reads a passage of naturalistic principle, he is aware also of its negation: he recalls a preceding Christian denial or he expects, after some experience with Gellert, a Christian retraction.»
Carsten Schlingmann, der in seiner Arbeit *Gellert, Eine literarhistorische Revision*, 1967, ebenfalls auf Gellerts Ironie verweist, läßt diese jedoch in seiner Romaninterpretation außer Betracht, wenn er etwas mehr «Agnostizismus» wünscht. Schlingmanns «literarhistorische Revision» besteht darin, den Tugendlehrer Gellert als Unglück für den Dichter Gellert zu interpretieren und zu fordern, daß Person und Werk Gellerts nicht zusammengesehen werden dürfen. Faßt man hingegen das Widersprüchliche in Gellerts Leben und Werk als den einheitlichen Kern, dann wird die Alternative Moralprofessor – Dichter irrelevant und die von Schlingmann vermißte «Einheit des Gesamtwerkes» durchaus sichtbar.
12 Franz Muncker, Einleitung zu DNL 43, S. 32.
13 Hans M. Wolff, Brocke's Religion, *PMLA* 62, 1947.
14 Dazu August Langen, Verbale Dynamik in der dichterischen Landschaftsschilderung des 18. Jahrhunderts, *ZfdPh* 70, 1948/49.

15 Hans Heckel, Zu Begriff und Wesen des literarischen Rokoko in Deutschland, in: *Festschrift Theodor Siebs*, 1933, S. 213.

16 Alfred Anger, Deutsche Rokoko-Dichtung, *DVjs* 36, 1962; Alfred Anger, *Literarisches Rokoko*, ²1968; Alfred Anger, Landschaftsstil des Rokoko, *Euph* 51, 1957, hieraus Zitat.

17 Alfred Anger, Deutsche Rokoko-Dichtung, *DVjs* 36, A. zitiert hier Günther Müller.

18 Hans Heckel, a.a.O., S. 228.

19 Zu den Voraussetzungen dieses Fehlurteils s. S. 54 f.

20 Hans-Joachim Mähl, *Die Idee des goldenen Zeitalters im Werk des Novalis*, 1965. S. 145.

21 Siehe Alfred Anger, Deutsche Rokoko-Dichtung, *DVjs* 36.

22 Dazu Wolfdietrich Rasch, *Freundschaftskult und Freundschaftsdichtung im deutschen Schrifttum des 18. Jahrhunderts*, 1936, S. 181 ff.

23 Dazu Gustav Waniek, *J.I. Pyra und sein Einfluß auf die deutsche Literatur des 18. Jahrhunderts*, 1882.

24 Franz Muncker, Einleitung zu Kleists Gedichten, DNL 45, 1894.

25 Wolfgang Kayser, *Das sprachliche Kunstwerk*, ⁴1956, S. 340 ff.

26 Dazu Angelo George de Capua, Karl Wilhelm Ramler: Anthologist and Editor *JEGP* 55.

27 Dazu Martin Sommerfeld, Romantheorie und Romantypus der deutschen Aufklärung, *DVjs* 4, 1926.

28 Dazu das Nachwort Hans Hinterhäusers in der Ausgabe von Pierre Daniel Huets *Traité* mit der Happelschen Übersetzung von 1682, 1966.

29 Dazu Peter Michelsen, *L. Sterne und der deutsche Roman im 18. Jahrhundert*, 1962.

30 Dazu Herbert Singer, *Der deutsche Roman zwischen Barock und Rokoko*, 1963, S. 125 f.: «Gesellschaft und geselliges Dasein bestimmen den Menschen, wie er im Komödienroman des frühen Rokoko sich darstellt, so ausschließlich, daß er als Einzelner weder zu sich selbst, noch zum Nebenmenschen, noch auch zur Welt ein unmittelbares selbstgesetztes Verhältnis hat. Er versteht sich als soziales Wesen, dessen Verhalten durch seine Stellung innerhalb einer perfekt funktionierenden, rein innerweltlichen Gesellschaftsordnung vorgeschrieben ist.»

31 Alfred Anger, Landschaftsstil des Rokoko, *Euph.* 51, 1957.

32 Herbert Singer, *Der galante Roman*, 1961, S. 41.

33 Hans Mayer, J.G.Schnabels Romane, in: *Studien zur deutschen Literaturgeschichte*, 1954.

34 Dazu Wilhelm Vosskamp, Theorie und Praxis der literarischen Fiktion in Schnabels Roman «Die Insel Felsenburg», *GRM* 49, 1968.

35 Dazu Karl Reichert, Nachwort zu: *Der redliche Mann am Hofe*, Neudruck 1966; ferner Karl Reichert, Utopie und Satire in J.M. v. Loëns Roman «Der redliche Mann am Hofe», *GRM* NF 15, 1965.

36 Dazu Dieter Kimpel, *Der Roman der Aufklärung*, 1967.

37 Dieter Kimpel, a.a.O., S. 72 ff.

38 Walter Hinck, *Das deutsche Lustspiel des 17. und 18. Jahrhunderts und die italienische Komödie*, 1965, S. 212.

39 Karl S. Guthke, *Geschichte und Poetik der deutschen Tragikomödie*, 1961, S. 11.

40 Willi Flemming, Einführung zu: *Die deutsche Barockkomödie*, DLE, 1965, S. 52.

41 Walter Hinck, a.a.O., S. 137 f.

42 Ausnahmen sind Karl S. Guthke, Weises «Masaniello» und die dramatische Tradition, *Revue de langues vivantes* 25, 1959; ferner Heinz Otto Burger, Das Barock im Spiegel von J. Bidermanns «Philemon Martyr» u. C. Weises «Masaniello», in: *Dasein heißt eine Rolle spielen*, 1963.

43 Robert Petsch, *Einführung zu «Masaniello»*, 1907.

44 Joachim G. Boeckh u.a., *Geschichte der deutschen Literatur 1600 bis 1700*, 1963, S. 403.

45 Siehe Einleitung zum Dritten Teil: Verkehrte Welt.
46 Walter Hinck a.a.O., S. 147; dazu auch Horst Steinmetz, *Die Komödie der Aufklärung*, 1966, S. 16f.
47 Wolfgang Hecht, Nachwort zu L.A.V. Gottscheds «Der Witzling», 1962, S. 77.
48 Horst Steinmetz, a.a.O., S. 26.
49 Dazu Hans Steffen, Die Form des Lustspiels bei J.E. Schlegel, *GRM* 42, 1961.
50 Johann Friedrich v. Cronegk, Gedanken über das Trauerspiel Codrus, in: *Schriften*, 1765/66.
51 Dazu Lothar Pikulik, *Bürgerliches Trauerspiel und Empfindsamkeit*, 1966.
52 Lothar Pikulik, a.a.O., S. 114ff.
53 Dazu Hans R.G. Günther, Psychologie des deutschen Pietismus, *DVjs* 4, 1926.
54 Alfred Anger, *Literarisches Rokoko*, ²1968, S. 54f.
55 Baltasar Gracián, *Handorakel und Kunst der Weltklugheit*, übers. v. Arthur Schopenhauer, hrsg. v. Arthur Hübscher, 1968, 12. Maxime.
56 Johann Christoph Gottsched, *Versuch einer Critischen Dichtkunst*, 2. Teil, 14. Hauptstück.
57 In der gründlichen Einleitung zu seiner Ausgabe *Christian Wernickes Epigramme*, 1909, hat Rudolf Pechel Wernikes Begriff vom Epigramm als Vorstufe zu Lessings Auffassung dargestellt. Diese Meinung scheint durch einen von Pechel zitierten Vergleich aus Wernikes Vorrede bestätigt zu sein: «Es sind gleichsam kleine Lustspiele, in welchen nach einer langen Verwirrung in dem letzten Auftritt alles in eine richtige Ordnung gebracht wird.» Mit diesem Satz betont Wernike jedoch weniger die Handlungsstruktur des Epigramms, als daß er die Länge von einigen seiner Sinnsprüche entschuldigt.
58 Dazu Alfred Anger, *Literarisches Rokoko*, ²1968, S. 88ff.
59 Dazu Jürgen Jacobs, Zur Satire der frühen Aufklärung, *GRM* 49, 1968.
60 Dazu Renate Böschenstein, *Idylle*, 1967, S. 9.
61 Georg Wilhelm Friedrich Hegel, *Vorlesungen über die Ästhetik*, hrsg. v. Friedrich Bassenge, 1955, S. 1042f.
62 Dazu Hans Leisegang, *Lessings Weltanschauung*, 1931.
63 Dazu Käte Hamburger, Das epische Präteritum, *DVjs* 25, 1951.
64 Dazu Wolfgang Schadewaldt, Furcht und Mitleid? *Hermes* 83, 1955; Peter Michelsen, Die Erregung des Mitleids durch die Tragödie, *DVjs* 40, 1966; Hans Mayer, Lessing und Aristoteles, in: *Festschrift für Bernhard Blume*, 1967.
65 Dazu Benno von Wiese, *Lessing. Dichtung, Ästhetik, Philosophie*, 1931, S. 40ff.
66 Hans Rempel, *Tragödie und Komödie im dramatischen Schaffen Lessings*, 1935.

NAMENREGISTER

INHALT

DRITTER TEIL: VERKEHRTE WELT
Realistische Literatur im 16. und 17. Jahrhundert

VIERTER TEIL: BAROCK